TEATRO
SESC
ANCHIETA

SERVIÇO SOCIAL DO COMÉRCIO
Administração Regional no Estado de São Paulo

Presidente do Conselho Regional
Abram Szajman
Diretor Regional
Danilo Santos de Miranda

Conselho Editorial
Ivan Giannini
Joel Naimayer Padula
Luiz Deoclécio Massaro Galina
Sérgio José Battistelli

Edições Sesc São Paulo
Gerente Marcos Lepiscopo
Gerente adjunta Isabel M. M. Alexandre
Coordenação editorial Cristianne Lameirinha, Clívia Ramiro, Francis Manzoni
Produção editorial Ana Cristina Pinho, Maria Elaine Andreoti
Coordenação gráfica Katia Verissimo
Produção gráfica Fabio Pinotti
Coordenação de comunicação Bruna Zarnoviec Daniel

Coleção Sesc Memórias
Coordenação Marta Colabone
Colaboração Iã Paulo Ribeiro
Apoio José Olímpio Zangarine, Sérgio José da Silva

TEATRO SESC ANCHIETA

UM ÍCONE PAULISTANO

© Edições Sesc São Paulo, 2017
Todos os direitos reservados

Organização, texto e pesquisa Alexandre Mate
Pesquisa Ivan Delmanto, Kiko Rieser, Laura Salerno, Leonardo Nicoletti, Ligia Marina de Almeida, Paulo Bio e Renato Mendes
Preparação Bianca Albert, Luciana Moreira e Ana Cristina Pinho
Revisão Silvana Vieira, Andréia Manfrin Alves e André Albert
Versão Anthony Sean Cleaver
Projeto gráfico, capa e diagramação Hélio de Almeida e Thereza Almeida

---

T2229	Teatro Sesc Anchieta: um ícone paulistano / Organização, texto e pesquisa de Alexandre Mate. – São Paulo: Edições Sesc São Paulo, 2017. –
	376 p. il.: fotografias. bilíngue (português/inglês).
	(Coleção Sesc Memórias) ISBN 978-85-69298-56-4
	1. Teatro. 2. Teatro paulistano. 3. Teatro Sesc Anchieta. 4. História. I. Título. II. Mate, Alexandre.
	CDD 792

Edições Sesc São Paulo
Rua Cantagalo, 74 – 13º/14º andar
03319-000 – São Paulo SP Brasil
Tel. 55 11 2227-6500
edicoes@edicoes.sescsp.org.br
sescsp.org.br/edicoes
/edicoessescsp

SUMÁRIO

APRESENTAÇÃO 7
INTRODUÇÃO 11

PARTE I

Uma história do
Teatro Sesc Anchieta 15

CAPÍTULO 1
Antecedentes e nascimento
de um teatro 17

CAPÍTULO 2
O Teatro Sesc Anchieta e a construção
de sua identidade 29

CAPÍTULO 3
Apresentações nacionais
que ficaram na memória 65

CAPÍTULO 4
Antunes Filho e a criação do Centro
de Pesquisa Teatral – CPT 99

CAPÍTULO 5
Festivais e outras ações 159

CAPÍTULO 6
Espetáculos internacionais 183

PARTE II

Teatro Sesc Anchieta
em perspectiva 197

TEATRO SESC ANCHIETA
Maria Thereza Vargas 199

A CASA DA DOUTOR VILA NOVA
Mariangela Alves de Lima 202

UM TEATRO "ELITÁRIO" PARA TODOS, COMO PENSOU VITEZ
Silvana Garcia 204

ANCHIETA, NOSSO CONTEMPORÂNEO
Silvia Fernandes 206

CONVERSA DE MUSAS OU ASSUNTO ENTRE MULHERES – ATO ÚNICO
Newton Cunha 207

UMA INSTITUIÇÃO, UM DIRETOR E UM TEATRO: ANTUNES FILHO E O SESC
Jacó Guinsburg 209

FANTASMAS, SOMBRAS E REPRODUTIBILIDADE EM *XICA DA SILVA*
Ivan Delmanto 211

TEATRO SESC ANCHIETA: BERÇO DE UMA NOVA ESCOLA DRAMÁTICA
Sebastião Milaré 214

O CÍRCULO DE DRAMATURGIA
João Roberto Faria 216

OS EMBATES DA COMÉDIA
Sérgio de Carvalho 219

PARTE III

Cronologia e fichas técnicas
dos espetáculos 1967-2016 223

EPÍLOGO 279
OBRAS CONSULTADAS 280
SOBRE OS AUTORES 282
CRÉDITO DAS IMAGENS 285
ENGLISH VERSION 287

APRESENTAÇÃO

Danilo Santos de Miranda
Diretor Regional do Sesc São Paulo

O Teatro Anchieta é um porto.

Antunes Filho

Ainda que hoje possamos experimentar certa liberdade formal quanto à delimitação do espaço de representação teatral, passível de acontecer em lugares por vezes inesperados, alternativos, públicos ou privados, não se pode negar o vínculo existente entre o lugar de representação e o espaço urbano. Nesse contexto, o teatro é capaz de lançar o espectador em uma leitura sociocultural do mundo, originária dessa percepção.

Desde sua inauguração, em 1967, firmou-se entre o Teatro Sesc Anchieta e a cidade de São Paulo uma relação intensa, contínua, o que transformou o local em um ícone paulistano, um ponto de referência tanto para o público quanto para a classe artística no que tange à pertinência da arte ali realizada, assim como dos debates por ela fomentados. Essa perspectiva remonta à ideia da pólis grega, espaço político democrático no qual o teatro abandona a sacralização para humanizar-se e existir na cidade.

Localizado na região central da capital paulista, o Teatro Sesc Anchieta tem reunido espetáculos de alta qualidade técnica e estética. Muitos deles tiveram poucas oportunidades de ser acolhidos em temporadas comerciais, em função de seus custos de realização ou das temáticas abordadas. Essa perspectiva de trabalho, adotada desde o início de suas atividades, colaborou para a consolidação do Anchieta como marco cultural da cidade.

Com a palavra de atores, atrizes, técnicos e outros profissionais, este livro compõe um amplo mosaico sobre o Teatro Sesc Anchieta, uma peça cuja montagem permanecerá para sempre inacabada, pois disposta a abraçar lembranças e histórias ainda não registradas. Já as fotografias emolduram um passado muitas vezes perdido na memória dos próprios retratados – afinal, são cinco décadas de narrativas no palco e na plateia.

Ao falar sobre sua experiência no Anchieta, Cleyde Yáconis ratificou a percepção de Antunes Filho, ao afirmar "que é um espaço amoroso, acolhedor. Você se sente aquecida humanamente". Invocando o aspecto essencialmente humano, Yáconis, uma das atrizes de maior relevância para a história do teatro brasileiro, reforçou a ideia de que o ambiente teatral propicia uma troca sensível de saberes, condutas e desejos inerentes à nossa existência.

E é neste sentido que o Teatro Sesc Anchieta extrapola sua vocação de mero espaço físico e se embrenha nas vicissitudes de nosso espírito. O trabalho do Sesc contempla mais que a oportunidade de fruição. Com sua perspectiva educativa, o Anchieta consolida um fazer artístico que se amalgama na formação de públicos e profissionais da área das artes cênicas.

O Festival de Teatro Amador, com 12 edições em 20 anos (de 1968 a 1988); A Escola Vai ao Teatro (de 1968 a 1972), idealizado por Miroel Silveira e conduzido pela atriz e educadora Maria Alice Vergueiro, que trazia grupos de estudantes para o teatro desde a apresentação ao público juvenil da peça *A moreninha* (1968); a parceria, em 1971, com a Companhia de Cleyde Yáconis, Oscar Felipe e Carlos Miranda para oferecer espetáculos a públicos de faixas etárias distintas em horários variados; a Jornada Sesc de Teatro Experimental (de 1989 a 1998); mostras de artes, seminários e eventos envolvendo outras manifestações artísticas, como cinema, literatura, música, mímica e dança. Estes são alguns exemplos de como a ação da instituição permitiu a presença e o contato do público brasileiro com o fazer artístico, num autêntico exercício de incentivo ao desenvolvimento de habilidades, perseverança e sensibilidades demandadas pela produção cultural.

Outra troca de experiências que se mostrou – e ainda se mostra – fundamental na construção da cidadania a nos guiar por vias mais seguras na ordem dos direitos e deveres da população de uma localidade (desde uma cidade até um país) são as que aconteceram – e acontecem – com os espetáculos internacionais. Muitos deles, provavelmente, sequer teriam sido encenados no Brasil. Além de serem trazidos ao país pelo Sesc, integraram a cidade de São Paulo ao circuito mundial de teatro. As montagens vindas de diversas partes do mundo, como América Latina, Estados Unidos, Europa e Japão, também proporcionaram a participação da instituição na curadoria de espetáculos e na difusão da produção internacional junto ao público brasileiro.

O Teatro Sesc Anchieta representa um dos territórios mais nobres da ação cultural do Sesc São Paulo, enquanto o Centro de Pesquisa Teatral - CPT, sob a direção de Antunes Filho, sua mais importante estrela, fundamenta, cria e reinventa a dramaturgia. Vislumbrando um caráter transcendente do homem-ator, com suas contradições, seus temores e esperanças, o CPT configura-se como uma das mais saudáveis parcerias com a instituição. Desde 1982, reflete e amplia a qualidade no conteúdo e na técnica dos espetáculos cênicos e desenvolve talentos cujos trabalhos passaram a ser referência na área artística, sob a maestria de seu diretor.

Ao teatro é fundamental o olhar sensível e apurado, a generosidade constante da renovação. Para o Sesc, o Teatro Sesc Anchieta mantém vivo um espaço de reflexão e criação permanentes, um empreendimento cotidiano em busca de novas perspectivas para a arte e a própria realidade.

O Teatro Sesc Anchieta é, no Brasil, o mais importante centro renovador e alimentador da nossa cultura teatral contemporânea.

Fernanda Montenegro

28/9/2015

INTRODUÇÃO

Necessitamos de um teatro que nos proporcione não somente as sensações, as ideias e os impulsos que são permitidos pelo respectivo contexto histórico das relações humanas, mas que também empregue e suscite pensamentos e sentimentos que desempenhem um papel na modificação desse contexto.

Bertolt Brecht

A realização de uma obra que compreendesse o que foi produzido e apresentado nos quase 50 anos do Teatro Sesc Anchieta motivou a imersão em arquivos e lembranças de muitas pessoas que participaram dessa história. Os registros documentais, fotográficos e, sobretudo, os relatos emocionados de quem participou ou foi testemunha de espetáculos memoráveis serviram de base para o trabalho ora apresentado.

Três equipes de pesquisadores, coordenadas por Alexandre Mate, colaboraram no processo de pesquisa e de coleta documental. Na primeira fase, fez-se o levantamento de documentos e fontes primárias, seguido pela leitura dos materiais coletados e pela preparação de introduções críticas sobre cada espetáculo. Compôs-se, assim, um dossiê com fichas técnicas, comentários e inserções críticas de todos os espetáculos de teatro adulto apresentados no Teatro Sesc Anchieta.

Na segunda fase, deu-se a pesquisa do material iconográfico, que contou, além do acervo do Sesc São Paulo, com arquivos pessoais de profissionais dedicados à fotografia de palco. Programas, cartazes e material de divulgação também serviram para a composição da parte iconográfica e textual. A qualidade das peças gráficas se caracterizou como importante fonte documental, pois, comumente, traziam textos críticos.

Dos arquivos da chamada grande imprensa buscou-se agregar ao livro análises e reflexões de críticos teatrais da cidade de São Paulo. Porém, a redução dos espaços destinados ao teatro nos meios impressos fez com que esta fonte de pesquisa documental se tornasse igualmente restrita.

O escopo da pesquisa tomou como base os arquivos do Sesc São Paulo e da Divisão de Pesquisas – Arquivo Multimeios, do Centro Cultural São Paulo; livros e revistas especializadas; teses e dissertações; anuários de teatro; *releases* de grupos e programas de espetáculos; conversas informais com artistas e pessoas envolvidas com essa temática.

Além disso, foram entrevistados por Alexandre Mate[1] espectadores, técnicos e funcionários do Sesc, artistas e intelectuais, com a intenção de refletir sobre a gestão do espaço, o ato de criação e de recepção da obra, considerando diferentes momentos históricos. Colaboraram com seus relatos: Antunes Filho, Carlos Lupinacci Pinto, Cleyde Yáconis, Danilo Santos de Miranda, Davi de Brito, Gabriel Villela, Geraldinho Mário da Silva, Giulia Gam, José Cetra Filho, José Menezes Neto, J.C. Serroni, Laura Maria Casali Castanho, Lee Taylor, Lígia Cortez, Marco Antônio Pâmio, Maria Alice Vergueiro, Marília Pêra, Raul Teixeira, Salma Buzzar, Sérgio Mamberti e Sueli Guimarães.

Assim, o livro é dividido em três partes. Composta por seis capítulos, a primeira trata da contextualização histórica e memorialística do Teatro Sesc Anchieta, pautada no âmbito da cidade pela política cultural que norteou as ações e projetos ali desenvolvidos, como a criação do Centro de Pesquisa Teatral – CPT, sob a direção de Antunes Filho. Soma-se a isso a realização de jornadas, festivais e mostras de teatro amador e profissional, assim como o acolhimento de espetáculos estrangeiros marcantes pela relevância de seus textos, artistas e montagens. A segunda parte apresenta reflexões de Ivan Delmanto, Jacó Guinsburg, João Roberto Faria, Mariangela Alves de Lima, Maria Thereza Vargas, Newton Cunha, Sebastião Milaré, Sérgio de Carvalho, Silvana Garcia e Silvia Fernandes. À terceira parte couberam a cronologia e as fichas técnicas dos espetáculos apresentados de 1967 a 2015.

Cabe ainda observar que, embora o Teatro Sesc Anchieta seja um ícone paulistano que se mantém em atividade contínua desde 1967, a leitura realizada sobre o material aqui compilado não se esgota em si mesma. Muito mais poderia ser escrito ou constituir-se como material de reflexão, interpretação ou fruição, uma vez que tanto a arte do espetáculo quanto a experiência captada no espaço teatral implicam tentativas de compreender a vida. Temos, ainda assim, um recorte significativo do que tem sido produzido no Teatro Sesc Anchieta, sacramentando o teatro como arte efêmera, bem como espaço público de valor político insubstituível.

---

1. As entrevistas adotam algumas proposições metodológicas da história oral, desenvolvidas pelo Núcleo de Estudos em História Oral da Universidade de São Paulo – Neho/USP, cuja sistematização pode ser apreendida na obra de José Carlos Sebe Bom Meihy, *Manual de história oral*, São Paulo: Loyola, 1996.

UMA HISTÓRIA DO
**TEATRO SESC
ANCHIETA**

CAPÍTULO 1

ANTECEDENTES
E NASCIMENTO
DE UM TEATRO

UM PADRE DRAMATURGO
NAS TERRAS DE PIRATININGA

José de Anchieta era gramático, poeta, teatrólogo e historiador. Conhecido como Apóstolo do Brasil, nasceu em La Laguna, na Espanha, em 1534, e faleceu em Reritiba, atual Anchieta (ES), em 1597. Aos 14 anos, mudou-se para Coimbra, em Portugal, para estudar filosofia. Ingressou na Companhia de Jesus em 1551, tornando-se responsável pelo registro documental do que ocorria na Colônia.

> A 25 de janeiro do Ano do Senhor de 1554 celebramos, em paupérrima e estreitíssima casinha, a primeira missa, no dia da conversão do apóstolo São Paulo, e, por isso, a ele dedicamos nossa casa![1]

Chegou ao Brasil ainda jovem, em 1553, após Manuel da Nóbrega, provincial dos jesuítas no país, ter solicitado mais braços para a evangelização nas terras que deveriam ser colonizadas. Pouco tempo depois, e já em São Paulo de Piratininga, ajudou a fundar o Colégio dos Jesuítas, marco originário da cidade. Também se dedicou à escritura de textos dramatúrgicos destinados principalmente à conversão católica de indígenas que viviam no planalto paulista. Depois da ocupação e exploração econômica, a catequização era uma das obras mais ambicionadas pelo rei de Portugal, que enxergava ali a possibilidade de atender os objetivos da colonização, promovendo entre os indígenas a assimilação de valores católicos e, por extensão, de princípios sociais e culturais europeus. Desse modo, por ter escrito vários autos religiosos, pode-se dizer que a cidade de São Paulo foi fundada por um padre dramaturgo.

O Pátio do Colégio se tornou o marco do nascimento de uma cidade, que se expandiu para o território que

---

[1]. José de Anchieta, *Cartas: informações, fragmentos históricos e sermões do Padre Joseph de Anchieta (1554-1594)*, Rio de Janeiro: Officina Industrial Graphica, 1933. Disponível em: <www.brasiliana.usp.br/bbd/handle/1918/00381630#page/66/mode/1up>. Acesso em: 20 jan. 2015.

conhecemos hoje. Em meio aos projetos urbanísticos que a foram transformando ao longo dos séculos, os rios, que outrora conduziam a vida da localidade, deram lugar às vias asfálticas, aos cruzamentos e aos novos caminhos que os substituíam em artérias carroçais. Dessa forma, entre o final do século XIX e início do século XX, a cidade sofreu intensas transformações urbanas, marcadas, sobretudo, pelo rápido crescimento da população e pela presença da indústria, voltada à produção de bens capazes de suprir as necessidades humanas. Impôs-se um novo modo de vida onde antes o padre Anchieta imprimira suas pegadas. Assim, o tão proclamado progresso fazia suas obras, ora aproximando, ora afastando os cidadãos daquela que seria a maior cidade do país.

O pequeno centro urbano se desdobrou: o antigo, que se limitava ao vale do Anhangabaú, e o novo, que, com a construção do viaduto do Chá, se distribui daí para a rua da Consolação, nas imediações da igreja do bairro. Foi na região do novo centro, na rua Dr. Vila Nova, que o Sesc construiu aquela que seria sua primeira unidade com as características que constituem a imagem contemporânea da instituição. Tendo como referência o edifício da Associação Cristã de Moços, na rua Nestor Pestana, 197, próximo ao local, o Sesc dá início a um modelo de entendimento cultural amplo e diverso, que envolve tanto atividades físico-esportivas quanto artísticas, mas, sobretudo, cria lugares em que a educação, em um sentido abrangente e não formal, é peça fundamental.

Antes disso, alguns projetos de caráter cultural já faziam parte da cidade. Em 1911, foi inaugurado o Teatro Municipal, projeto de Ramos de Azevedo e dos italianos Cláudio Rossi e Domiziano Rossi; em 1925, foi fundada a Biblioteca Municipal de São Paulo, denominada Biblioteca Mário de Andrade após ampliação de acervo e mudanças, a partir de 1960.

Assim, em 1967, perto de onde o padre José de Anchieta havia se estabelecido como jesuíta e dramaturgo em suas incursões doutrinárias, ergueu-se um espaço onde a arte é cultuada: um teatro que leva seu nome.

Etapas da construção do
Sesc Consolação, entre os anos
de 1965 e 1966.

Primeira fachada do Teatro Sesc Anchieta, em 1967.

UM TEATRO NA CIDADE DE SÃO PAULO

Em 1967, o nome de Carlos de Souza Nazareth, renomado comerciante paulistano, é dado à mais recente unidade do Sesc. O mesmo nome já havia sido atribuído a um centro esportivo e cultural vendido ao Serviço Nacional de Aprendizagem Comercial – Senac, situado à avenida Francisco Matarazzo. Até 1984, as unidades do Sesc eram conhecidas pelos nomes de seus patronos. A partir de então, sob a direção de Danilo Santos de Miranda e sem perder essa designação original, elas passaram a receber os nomes dos bairros ou municípios em que estão instaladas. Assim, em 1993, a unidade da rua Dr. Vila Nova passa a se chamar Sesc Consolação.

Com projeto criado pelo arquiteto Ícaro de Castro Mello[2], o prédio abriga ginásios de esportes, sauna, piscina aquecida, um *hall* de convivência para diversas atividades e o Teatro Sesc Anchieta, hoje com 316 lugares, que foi o primeiro de uma série de espaços cênicos construídos pelo Sesc em São Paulo.

Hoje, espalhados pela cidade, há teatros nas unidades do Sesc nos bairros do Belenzinho, Bom Retiro, Interlagos, Ipiranga, Pinheiros, Pompeia, Santana, Santo Amaro e Vila Mariana.

A concepção do teatro e seus projetos originais de palco, cenotecnia e luz são de Aldo Calvo, que chegou ao Brasil em 1947 e foi contratado por Franco Zampari, diretor-presidente do Teatro Brasileiro de Comédia – TBC, para dirigir o departamento técnico da companhia, cuja inauguração ocorreria em 1948.

No livro *Hierofania: o teatro segundo Antunes Filho*[3], Sebastião Milaré batiza sua obra com um vocábulo que faz alusão ao teatro como lugar com conotação de território sagrado.

Qualquer que seja, portanto, o espaço onde o espetáculo teatral aconteça, o que se vê é o resultado de um trabalho coletivo. Como fenômeno, o espaço, do ponto de vista arquitetônico, prioriza a obra em ato, erigida com doses distintas de muito esforço, construída por camadas e camadas de símbolos, cuja materialidade se encontra presente no repertório cultural dos cidadãos. Ato que abriga modos de ver e de ser, o espetáculo teatral concretiza-se num local propício à troca de experiências simbólicas. Palco e plateia, apesar de lugares distintos, articulam-se permanentemente e compõem-se em espaço único, chamado teatro, cuja etimologia concerne a "lugar de onde se vê", "lugar a ver", "logradouro".

Em um local de representação, o espetáculo concebe certa fratura da vida cotidiana e pode provocar múltiplas reações. O espaço em que o espectador se acomoda para contemplar a obra pode aproximá-lo ou afastá-lo de uma percepção mais abrangente daquilo a que assiste.

Entre aqueles com quem conversamos, há consenso quanto às boas lembranças do espaço e dos espetáculos apresentados no Teatro Sesc Anchieta, que, por muitos, é considerado aprazível e acolhedor. Para tornar-se significativo para espectadores e artistas, é fundamental que o espaço, além de sagrado (hierofânico), também seja histórico.

A partir de um espetáculo, forma-se uma "comunidade de destino", unida no mesmo tempo e espaço. Se a estrutura física do teatro é boa, mas não a obra, a sensação de conforto pode existir, mas não a de acolhimento. Se a obra for excepcional, mas o lugar ruim, ao corpo não se permite encontrar o devaneio e o êxtase.

Parece haver certa unanimidade com relação à excelência do espaço físico e à diversidade de repertório que por lá tem sido apresentado desde a sua fundação. Nas fontes

---

2. "Ícaro de Castro Mello (1913-1986) foi arquiteto e urbanista. Entre 1930 e 1945, divide-se entre a carreira de engenheiro-arquiteto e a de atleta. [...] Autor de uma centena de edifícios esportivos no Brasil e na América Latina, desenvolve, como atleta, uma sensibilidade aguda para reconhecer os problemas levantados para a arquitetura pela prática esportiva." *Enciclopédia Itaú Cultural*. Disponível em: <http://enciclopedia.itaucultural.org.br/pessoa445855/Icaro-de-Castro-Mello>. Acesso em: 24 set. 2014.

3. Sebastião Milaré, *Hierofania: o teatro segundo Antunes Filho*, São Paulo: Edições Sesc, 2010.

Teatro Sesc Anchieta nos dias atuais. Entrada, *foyer* e interior do teatro.

consultadas não há senões quanto a isso. Os funcionários da instituição entrevistados são unânimes ao discorrer sobre os propósitos do Sesc, como um todo, e do Teatro Sesc Anchieta, em particular.

Críticos teatrais, como Maria Thereza Vargas e Silvana Garcia, e o diretor Sérgio de Carvalho apresentam reflexões semelhantes, reiterando ideias constantemente encontradas tanto em entrevistas quanto em trechos de textos de programas de espetáculos assinados por artistas como Flávio Rangel, Cleyde Yáconis, Paulo Autran, Bibi Ferreira e Walmor Chagas.

Com atividades desde o seu nascimento, foram realizadas algumas reformas no teatro. A primeira delas foi para a retirada de uma pequena mureta na boca de cena, em 1972.

> *[...] havia uma mureta de mármore, com sessenta centímetros ou mais, na boca de cena, que impedia que o intérprete fosse visto de corpo inteiro, mas apenas do joelho para cima. Em uma noite, para* A capital federal, *o Flávio [Rangel] disse: "Essa mureta vai cair...". Ele queria fazer uma passarela para as meninas dançarem no Cabaré da Lola. Foi uma briga de foice. A derrubada da mureta foi conseguida.* Cleyde Yáconis, em entrevista.

Após a eliminação da mureta, o Teatro Sesc Anchieta ainda passou por duas reformas. A primeira, de janeiro a agosto de 1983, reabrindo com a peça *Numa nice*. E, em 1998 e 1999, a partir de projeto coordenado pelo arquiteto Luís Telles, passaram por mudanças os camarins e o *foyer*, ampliaram-se os espaços para deficientes e houve manutenção e troca de sistema elétrico e hidráulico. A reforma durou 22 meses, e o espaço foi reinaugurado em 18 de novembro com o espetáculo *Fragmentos troianos*, dirigido por Antunes Filho, que permaneceu em cartaz até 19 de dezembro.

> *No Anchieta, toda a parte de palco foi reformada. Atualizamos equipamentos, criamos varandas laterais, os camarins foram alterados, mudou-se a plateia. [...] A acústica é perfeita, ela foi projetada por Igor Serenevsky, foi mantida. Ele foi fazendo todo aquele desenho de forro, com madeira que sobrou da construção, e que deu uma qualidade acústica maravilhosa. Depois, o forro foi refeito, da mesma forma, com uma madeira mais nobre.* J.C. Serroni, em entrevista.

Apesar da reforma, as atividades não poderiam ser interrompidas. Assim, os eventos, sobretudo teatrais, ao longo desse período, aconteceram em locais improvisados nas dependências do Sesc Consolação. O canteiro de obras da reforma recebeu uma leitura de textos, em que foram apresentados *Clientes demais*, de Rex Stout, por Tom Zé; *A obscena senhora D*, de Hilda Hilst, por Rosi Campos; *Histórias de cronópios e de famas*, de Julio Cortázar, por Cristina Pereira.

Ao longo dos anos, seja no palco, seja nas imediações do Sesc Consolação, o Teatro Sesc Anchieta, encravado no coração da cidade e de tantas pessoas, tem se caracterizado como um monumento de possibilidade para um processo de atravessamento de si, em direção ao outro.

MEMÓRIAS AFETIVAS

Ao entrar no Teatro Sesc Anchieta pela primeira vez, o distanciamento, até então sentido com relação ao Teatro Municipal, transformou-se. Senti algo diferente. Havia ali uma possibilidade. Algo realizável se descortinava. O Anchieta era acessível, extremamente aconchegante, com uma acústica maravilhosa. [...] Era um espaço sem embaraço; não havia ninguém para cercear. [...] Ao voltar para o ônibus, disse às colegas: "Acabei de conhecer o lugar em que eu vou trabalhar no futuro!". Laura Maria Casali Castanho, em entrevista.

Normalmente, noventa por cento dos que passam pelo Teatro Anchieta saem felizes da vida e sempre querem voltar. Até porque o teatro é o espaço físico, e as pessoas é que fazem com que o trabalho aconteça. Davi de Brito, em entrevista.

O Anchieta foi e é uma espécie de casa. [...] além de ter uma história muito importante dentro do teatro brasileiro, sempre foi tido como o melhor teatro de São Paulo, pela acústica, pela visibilidade. E até hoje é o teatro ao qual as pessoas vão com prazer; porque, além de terem boas lembranças de excelentes espetáculos, lá é um lugar acolhedor. Raul Teixeira, em entrevista.

Penso que o Teatro Sesc Anchieta ajudou muita gente a estar melhor no mundo, saciando suas fomes sensíveis e sua necessidade de partilha do simbólico. Pessoas a se sentir e a estar inteiras em suas experiências. Sueli Guimarães, em entrevista.

O Teatro Sesc Anchieta emociona e fascina. Passei muitas horas da minha vida dentro dele. Entrei no Anchieta perto de duzentas vezes [a entrevista ocorreu em 30 de janeiro de 2008]. Isso é significativo pelo amor ao teatro. O Anchieta é um teatro relativamente pequeno e extremamente confortável. Nele, de qualquer que seja a cadeira, enxerga-se muito bem. O palco tem uma profundidade fantástica. José Cetra Filho, em entrevista.

É o teatro mais generoso com o ator, em termos de estrutura de palco, de condições técnicas, de acústica. É impressionante a disposição da plateia em relação ao palco, a visibilidade, as condições de coxia. Enfim, estar no Anchieta é um privilégio para um ator, sem sombra de dúvida. É um teatro que acolhe. [...] é ter a sensação de ser abraçado pela plateia, ao mesmo tempo que se tem a sensação de estar em um lugar extremamente vasto. Uma espécie de palco abençoado. [...] Digo que consigo, naquele teatro, ver o menino que se transformou em ator. Diria a tantos que lá atuaram que quero ser como eles também. Ser inteiro! Marco Antônio Pâmio, em entrevista.

CAPÍTULO 2

O TEATRO SESC ANCHIETA
E A CONSTRUÇÃO
DE SUA IDENTIDADE

O Teatro Sesc Anchieta foi inaugurado em 14 de novembro de 1967, com a apresentação de um concerto da pianista Guiomar Novaes. Após esse evento, ocorreram outras manifestações artísticas, em especial nas áreas de música e de cinema, até que o tablado estivesse pronto para receber os espetáculos teatrais.

Um intenso trabalho de curadoria foi realizado para que as peças viessem à cena, afinal, era necessário delimitar certos parâmetros, como o objetivo daquele espaço e a quem atenderia. A concepção curatorial se estruturou de modo a privilegiar obras experimentais e ousadas que poderiam encontrar dificuldades para serem recebidas em outros espaços, devido a custos de produção elevados e à necessidade de uma infraestrutura privilegiada – fatores que contribuíram para formar a então incipiente identidade do Teatro Sesc Anchieta, mas que podem ser elencados até hoje.

Assim, a linha de curadoria começou a desenvolver um trabalho ligado à formação de público para, entre outros propósitos, popularizar a ida ao teatro. Convidado a elaborar estratégias para ampliar essa interlocução com os espectadores, o professor, tradutor e diretor de teatro Miroel Silveira criou, entre outros projetos, A Escola Vai ao Teatro, iniciativa que buscava tornar o local uma referência da integração teatro-escola. O projeto permaneceu em cartaz por alguns anos, tendo realizado produções antológicas baseadas em textos de Guimarães Rosa, Monteiro Lobato, Joaquim Manuel de Macedo, Bertolt Brecht, Ariano Suassuna e Eurípedes, entre outros.

A respeito do espetáculo *O santo e a porca*, de Suassuna, que chegou a ter quatro sessões por dia, a atriz Cleyde Yáconis pontua:

> Era uma loucura. Eu chegava ao teatro às oito horas da manhã e saía, às vezes, às duas da madrugada. Foi uma das melhores épocas da minha vida profissional, e eu me sentia ligada ao próprio movimento do Sesc. Era como se nós fizéssemos parte daquele prédio: uma equipe de trabalho integrada, formada por artistas, técnicos, porteiro,

bilheteiro, indicadores de lugares, camareiras, fazendo funcionar uma verdadeira escola de teatro[4].

Por não ser pautado pelo lucro, outro princípio norteador do Teatro Sesc Anchieta é o preço baixo dos ingressos:

O Anchieta tem um papel fundamental para a formação de público. Primeiro, por alguns projetos que desenvolveu no passado, como A Escola Vai ao Teatro. Segundo, por possibilitar o acesso ao teatro, que, queiramos ou não, era e continua a ser um privilégio de uma classe socioeconômica abastada. Hoje muitos têm acesso à linguagem teatral pelos diversos teatros do Sesc. O preço de um ingresso de teatro não é das coisas mais baratas, nunca foi. E acho que não pode ser mesmo, porque tem toda uma produção e manutenção que precisam ser mantidas. O Anchieta foi o primeiro a possibilitar e a democratizar, indiscutivelmente, o acesso à linguagem, por meio de ingresso vendido a preço simbólico, e cuja cobrança ocorre por uma medida educativa. Se puder falar assim, penso que esta é uma das maiores virtudes do Sesc. Trata-se da permanência da sua política de incentivo e de difusão cultural. José Menezes Neto, em entrevista.

Esse aspecto se alia a outro relativo ao acolhimento ao artista, como corrobora Cleyde Yáconis:

O público sente a harmonia que existe entre a localização e o tipo de direção do Teatro Sesc Anchieta, que não é egoisticamente comercial. Ele participa do sucesso ou do fracasso do elenco. Ele não é somente o locador que aluga o espaço e se afasta, e só recebe o dinheiro; não, ele sofre com o fracasso e fica envaidecido do espaço dele que está lá. É como se ele fizesse parte de cada companhia que estreasse no teatro. Ele faz parte, é um dos elementos da companhia que o está representando.

Sobre a questão da *qualidade* – que tem múltiplas conotações e interpretações –, o conceito pressuposto talvez deva ser entendido do mesmo modo como o apresenta Nemiróvitch-Dântchencko, em carta a Stanislavski: "Se o teatro se dedicar exclusivamente ao repertório clássico e falhar totalmente em refletir a vida contemporânea, então caminhará depressa para um cemitério acadêmico"[5]. Dessa forma, a programação traz obras diversificadas, constituindo um teatro aberto tanto à experimentação de novas linguagens quanto à dramaturgia clássica. Ele se renova constantemente, ao mesmo tempo que busca formar a percepção estética de seus frequentadores.

Lembro de ter dito para mim mesma, quando assisti ao espetáculo [Eletra com Creta], que apenas o Sesc, pela ousadia que o caracterizava, poderia investir em uma obra como aquela. Laura Maria Casali Castanho, em entrevista.

José Menezes Neto afirma, ainda:

As propostas de ocupação que chegavam das companhias de teatro eram recolhidas; depois era feita uma análise; e, posteriormente, compartilhava-se com a administração a decisão sobre quem ocuparia o espaço. [...] procurávamos escolher os espetáculos com uma característica inovadora em termos de linguagem, em termos de abordagem. Procurávamos fugir dos espetáculos mais comerciais.

Além das condições materiais e ideais, é necessário ter em vista também o contexto social que sempre envolve o diálogo artístico. Desse modo, é oportuno destacar alguns acontecimentos que influenciaram o panorama histórico e cujo impacto, em maior ou menor grau, pode ser observado no Teatro Sesc Anchieta.

---

4. Serviço Social do Comércio – Administração Regional no Estado de São Paulo, *Teatro Sesc Anchieta*, São Paulo: 1989, p. 57.

5. *Apud* Cristiane Layher Takeda, *O cotidiano de uma lenda*, São Paulo: Perspectiva, 2003, p. 62.

Cleyde Yáconis durante os ensaios da peça
Um homem é um homem, 1971.

DE 1967 A 1979

Em 1967, o governo Costa e Silva promove a institucionalização da ditadura com o acirramento da repressão aos grupos de oposição ao regime, como políticos, intelectuais, artistas e estudantes, e a eliminação das liberdades públicas.

No âmbito cultural, de 1967 a 1968, ao romper com o nacionalismo de esquerda, sob a influência do movimento antropofágico, o tropicalismo busca reinventar as artes brasileiras, em especial a música, absorvendo e transformando elementos culturais estrangeiros. Entre seus representantes estão os músicos Tom Zé, Caetano Veloso, Gilberto Gil, Gal Costa, Os Mutantes, o produtor musical Rogério Duprat, o maestro Júlio Medaglia, os escritores José Agrippino de Paula e Torquato Neto e artistas plásticos como Lygia Clark e Hélio Oiticica.

O cinema novo procura definir o Brasil por meio de suas tradições culturais, singularidades e alegorias. Ícone do movimento, *Terra em transe*, um dos mais importantes e polêmicos filmes de Glauber Rocha, expõe o fim das ilusões diante do impacto da violência institucional por meio do impasse vivido pelo personagem Paulo Martins (interpretado por Jardel Filho) entre a escolha da política ou da poesia. No teatro, *O rei da vela*, de Oswald de Andrade, sob a direção de José Celso Martinez Corrêa, constitui um marco estético e político da geração de 1960, que foi às ruas manifestar-se contra o regime ditatorial no Brasil. A rebeldia ali presente poderia ser igualmente observada nos movimentos estudantis que tomariam as ruas de Paris pouco tempo depois.

O ano de 1968 é emblemático. Ao redor do mundo, manifestantes protestam contra a Guerra do Vietnã e os regimes totalitários na América Latina. Na França, os estudantes questionam a estrutura universitária, angariando o apoio de diferentes categorias de trabalhadores e voltando-se contra o governo Charles de Gaulle. Na Europa do Leste, a Primavera de Praga traz um sopro de liberdade à Tchecoslováquia até o país sucumbir novamente ao domínio soviético.

No Brasil, uma nova geração também deseja experimentar e romper limites em diferentes esferas da vida, com ênfase na política, no sexo e nos costumes. No entanto, a atmosfera tensa reflete a ausência de liberdade imposta pela ditadura civil-militar. Em junho de 1968, a Passeata dos Cem Mil, realizada no Rio de Janeiro, configura-se como a primeira grande manifestação popular de protesto contra o governo militar. No mês seguinte, a organização autodenominada Comando de Caça aos Comunistas – CCC invade o Teatro Ruth Escobar, em São Paulo, onde era encenada *Roda viva* (de Chico Buarque de Hollanda, com direção de José Celso Martinez Corrêa), agride alguns atores, ameaça o público e destrói os cenários. A peça transforma-se em outro marco do período, atraindo a atenção de um público ávido por espetáculos e manifestações artísticas questionadoras da ordem política, social e cultural.

No Teatro Sesc Anchieta entra em cartaz o espetáculo *A mulher de todos nós*, dirigido por Fernando Torres, que trouxe no elenco Fernanda Montenegro, Ítalo Rossi, Sérgio Britto, entre outros. Com texto adaptado por Millôr Fernandes, a obra do dramaturgo francês Henri Becque retrata a vida de uma ousada e nada submissa mulher.

Para burlar a censura, o teatro, assim como outras linguagens, busca formas de manifestar situações vividas no contexto repressivo da época, como medo, perseguição, confinamento e opressão, acentuando o uso de metáforas e alegorias. Em meio a esse universo, *Hair,* cuja montagem brasileira foi dirigida em 1969 por Ademar Guerra, no Teatro Bela Vista, contesta o *American way of life* e a Guerra do Vietnã.

O Teatro da Cidade, grupo formado em Santo André (SP) sob a direção de Heleny Guariba, apresenta no Teatro Sesc Anchieta *Jorge Dandin*, de Molière. Com Sônia Braga e Antônio Petrin no elenco, e cenografia e figurino de Flávio Império, o espetáculo ainda conta com a participação de operários em cena. Pelo excelente trabalho na direção, Heleny Guariba recebe, em 1969, o prêmio de Direção Revelação concedido pela Associação Paulista de Críticos Teatrais – APCT. Ligada à organização Vanguarda Popular Revolucionária – VPR, Heleny foi presa em março de 1971 e hoje figura na lista de desaparecidos políticos da Comissão Nacional da Verdade[6].

Enquanto isso, nos Estados Unidos, no mês de agosto de 1969, o Festival de Woodstock se transforma em um marco da contracultura e da luta pela paz. Nesse mesmo ano, acontece no Brasil a terceira edição do Festival da Música Popular Brasileira, série de programas transmitidos pelas emissoras de televisão Excelsior, Record, Rio e Rede Globo que revela grandes compositores e intérpretes da música brasileira, como Elis Regina, Chico Buarque, Caetano Veloso, Gilberto Gil, Nara Leão, Edu Lobo e Jair Rodrigues, entre outros.

Também em 1969, a atriz Nydia Licia e elenco encenam *João Guimarães: veredas*. Integrante do projeto A Escola Vai ao Teatro, a peça foi inspirada na obra de Guimarães Rosa e alcança grande sucesso de público.

No mesmo ano, o Teatro Sesc Anchieta realiza o primeiro Festival de Teatro Amador do Sesc, abrindo espaço para grupos da capital e do interior do estado – fato que se repetirá nas próximas doze edições. Ele também hospeda iniciativas de incentivo a estudantes, como o Festival EAD, da Escola de Arte Dramática da USP, marco para a constituição de grupos como a companhia Teatro Rotunda, que, em 1969, encena *Electra*, de Sófocles. Nascido em 1967, o Rotunda foi o primeiro grupo de teatro profissional fundado no interior do estado de São Paulo, na cidade de Campinas.

Em dezembro de 1969, o regime militar decreta o Ato Institucional nº 5 (AI-5), suprimindo as liberdades democrático-constitucionais no país. Essa medida estende-se até 1978 e legitima a censura e o controle prévios a toda e qualquer forma de manifestação e produção cultural, incluindo os meios de comunicação. No ano seguinte, sob o governo Médici, instaura-se o que entraria para a história como os "anos de chumbo".

Nesse contexto, *O escorpião de Numância*, adaptação de *O cerco de Numância*, de Miguel de Cervantes, apresentado no Teatro Sesc Anchieta em 1970, traz a história de uma

---

6. Disponível em: <www.cnv.gov.br>. Acesso em: 15 jan. 2016.

A mulher de todos nós.
Fernanda Montenegro
e Sérgio Britto, 1968.

João Guimarães: veredas.
Nydia Licia, 1969.

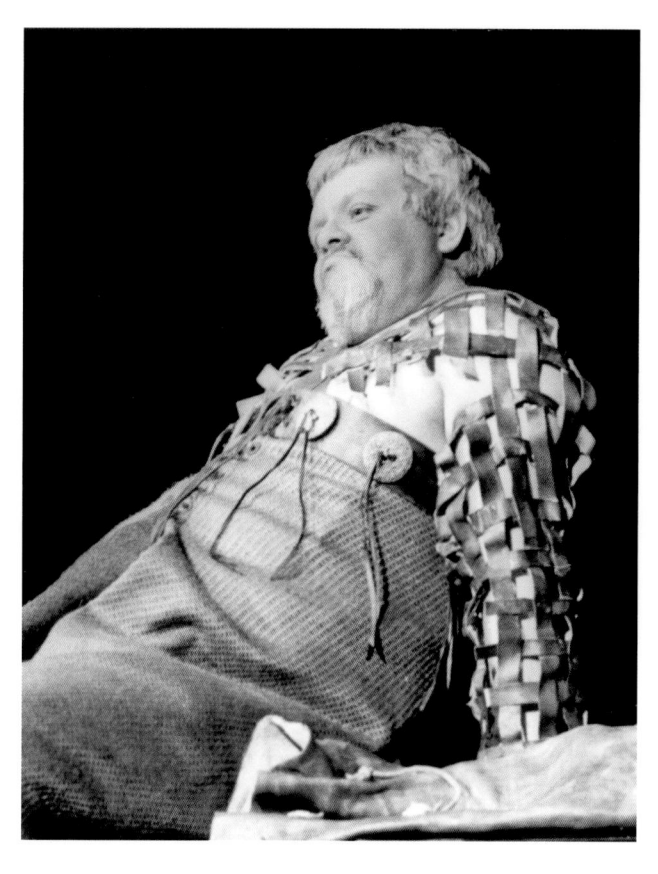

O escorpião de Numância.
Cláudio Corrêa e Castro, 1970.

cidade cercada pelo exército romano. Quando está prestes a cair, a cidade opta pelo suicídio para protestar e frustrar a prepotência dos invasores.

Em 1972, *O homem de la Mancha* é traduzido por Paulo Pontes e Flávio Rangel, que também dirige o espetáculo. A versão para o português das canções é feita por Chico Buarque de Hollanda e Ruy Guerra, e o elenco reúne Paulo Autran, Bibi Ferreira e Dante Rui nos papéis de Dom Quixote, Dulcineia e Sancho Pança, respectivamente. O espetáculo é visto por quase 30 mil espectadores.

Em 1974, pouco antes de morrer, Oduvaldo Vianna Filho escreve um dos mais importantes textos do teatro brasileiro, *Rasga coração*, com o qual ganha o concurso nacional de dramaturgia promovido pelo Serviço Nacional de Teatro. Entretanto, a peça tem sua montagem proibida pelo mesmo governo que a premiou. Somente em 1979, no Teatro Guaíra, em Curitiba, ela chega à cena sob a direção de José Renato, um dos fundadores do Teatro de Arena da cidade de São Paulo, na década de 1950.

No Teatro Sesc Anchieta, Antonio Pedro dirige o espetáculo *As desgraças de uma criança*, comédia de costumes de Martins Pena ambientada no século XIX. No elenco, Marco Nanini, Wolf Maya, Camila Amado e Bete Mendes.

Ruth Escobar, na condição de produtora cultural, sempre afirmava a necessidade da realização de festivais para chamar a atenção do mundo sobre o que ocorria no Brasil. Para tanto, organiza e traz à cidade espetáculos que considerava representativos da produção cênica mundial. Dessa forma, mesmo com o país vivendo períodos de intensa perseguição política, produz três edições do Festival Internacional de Artes Cênicas de São Paulo, ocorridos em 1974, 1976 e 1981. Devido à impossibilidade de realização de discussões públicas sobre o exercício teatral, individualmente e em seu conjunto, essas três ocasiões revestem-se de grande importância para uma troca mais efetiva entre criadores brasileiros e estrangeiros que vêm ao Brasil apresentar seus trabalhos. Em razão dos festivais, importantes trabalhos da cena contemporânea podem ser apreciados pelo público paulistano – entre eles, os vanguardistas *Yerma*, de García

As desgraças de uma criança. Marco Nanini; acima: Bete Mendes e Wolf Maya,1974.

Lorca, dirigido pelo argentino Victor Garcia[7], da companhia espanhola de Nuria Espert; *A vida e obra de David Clark*, criação do norte-americano Robert Wilson; além de nomes como o polonês Jerzy Grotowski e o romeno Andrei Serban, que participam de encontros de discussão sobre o teatro.

A ditadura militar brasileira dá mostras de múltiplas fissuras internas a partir de 1975. No teatro, retomando texto de Oduvaldo Vianna Filho escrito para a televisão, Chico Buarque de Hollanda e Paulo Pontes ambientam *Gota d'água,* que revisita o mito grego de Medeia em um conjunto habitacional do Rio de Janeiro:

> Na base da história está uma situação que se poderia considerar universal, em termos dos nossos valores. Jasão, fatigado do amor possessivo de Medeia, procura o regaço repousante de Alma, que tem a vantagem de ser jovem e rica. Medeia, mais velha que Jasão e não vendo perspectiva para recompor a vida, num gesto de profundo ressentimento suprime os frutos do amor de outrora, com o propósito de ferir e de destruir-se que equivale a um grito de destruição do mundo[8].

Dentro do clima de repressão e acirramento das tensões, em 25 de outubro Vladimir Herzog, diretor de jornalismo da TV Cultura, é assassinado nas dependências do DOI-Codi. Sua morte causa indignação no país e desencadeia uma série de ações que fortalecem a resistência à ditadura. Gianfrancesco Guarnieri, apropriando-se do tema, escreve a peça *Ponto de partida*, apresentada no Teatro de Arte Israelita Brasileiro – Taib. Ambientada na Idade Média, a peça retrata a morte do servo Birdo, enforcado por ter se apaixonado pela filha dos senhores da aldeia. Guarnieri, que interpreta o camponês Dôdo, sabe a verdade, mas teme revelá-la.

No programa da peça, as palavras do diretor Fernando Peixoto:

> Diante de um homem morto, todos precisam se definir. E a Guarnieri interessa o estudo desses comportamentos e das contradições que nascem entre os personagens-símbolo. Nada pode permanecer como antes. Ação e omissão são os pontos de questionamento. Ninguém pode permanecer indiferente. Sobretudo quando é o Velho que assassina o Novo. E quando desse Novo assassinado restam sementes que germinarão para sepultar definitivamente o Velho.

Ainda acerca do contexto que envolve o assassinato de Vladimir Herzog, Sérgio Mamberti, um dos atores da peça *Réveillon,* em cartaz no Teatro Sesc Anchieta em 1975, faz o seguinte relato:

> *Essa peça apresentava um fato que tinha acontecido com a família da Clarice [esposa de Herzog]. Durante o Estado Novo, a família tinha um filho que era ligado à política e fazia parte de um processo de resistência. No dia do aniversário da mãe, no final da festa, a polícia entrega o corpo dele. Ele tinha sido assassinado pelo Estado Novo. Um dia, durante os ensaios, o João Ribeiro me telefona e diz que o Vlado [Vladimir Herzog] havia sido levado pela polícia.*

A partir de março de 1976, uma parcela dos estudantes reconquista a rua como espaço de protesto. Em setembro, policiais invadem a Pontifícia Universidade Católica de São Paulo – PUC e prendem um grande número de estudantes. No Rio de Janeiro, o espetáculo *O último carro*, com texto e direção de João das Neves, é apresentado no Teatro Opinião:

> *O último carro* tenta captar, na fragmentação de quadros de uma conturbada viagem de trem suburbano, a imensa galeria de tipos que se unem momentaneamente e cujo destino, graças a um desastre, acaba por tornar-se o mesmo. [...] Um vasto painel de camadas populares, que de

---

7. Diretor e cenógrafo teatral, Victor Garcia (1934–1982) atuou no Brasil durante as décadas de 1960 e 1970, desempenhando um importante papel para o teatro brasileiro. Cf. Jefferson Del Rios, *O teatro de Victor Garcia: a vida sempre em jogo*, São Paulo: Edições Sesc, 2012.

8. Sábato Magaldi, "Gota d'água", in: Edla van Steen (org.), *Amor ao teatro: Sábato Magaldi,* São Paulo: Edições Sesc, 2014, p. 467.

Seria cômico... se não fosse sério.
Fernanda Montenegro
e Fernando Torres, 1976.

repente se sentem caminhar para o abismo, por falta de um maquinista que dirija a composição desgovernada⁹.

No Sesc Anchieta, Fernando Torres dirige Fernanda Montenegro no espetáculo *Seria cômico... se não fosse sério*.

> A respeito de Fernanda, só podem ser lembrados os lugares-comuns tradicionais, que identificam o mistério dos grandes intérpretes: força de imantação, luminosidade, transparência, beleza da voz, expressividade de todos os gestos e atitudes, sem o apelo aos recursos gastos da expressão corporal. Fernanda assume a vivência inteira da personagem, que se mostra em lugar dela, numa extraordinária corrente de magnetismo. [...] Dürrenmatt (Strindberg) coloca-a na maturidade da comemoração das bodas de prata, quando não há mais promessa ou esperança, mas o duro contato com o cotidiano¹⁰.

Em 1977, o teatro recebe *O santo inquérito*, com dramaturgia de Dias Gomes, montado por Flávio Rangel. É nítido o caráter metafórico da peça em relação à situação política:

> As posturas humanas expressas nas personagens servem também como lembretes alentadores para o público. Veja-se como se autodefine Simão Dias, pai de Branca: "Em primeiro lugar, o homem tem a obrigação de sobreviver, a qualquer preço, depois é que vem a dignidade". Já Augusto Coutinho, noivo de Branca, acreditava que "é preciso defender um mínimo de dignidade". Por isso ele recusou-se a acusá-la falsamente, sendo torturado e morto pelos inquisidores. Fica nítida a lição de que não vale a pena viver, se a vida não se sustenta por esse mínimo de dignidade, que é o que, antes de tudo, se deve preservar¹¹.

Em maio de 1978, a luta pela redemocratização ganha força com a eclosão de uma greve no ABC paulista. No ano seguinte, a aprovação da Lei da Anistia permite que os exilados políticos comecem a retornar ao Brasil. Sob a liderança de Luiz Inácio Lula da Silva, o Partido dos Trabalhadores surge em 1980.

DE 1980 A 1989

Em paralelo às novas perspectivas que se abriram para o Brasil no campo artístico e cultural após a recente redemocratização, o Teatro Sesc Anchieta segue consolidando-se como um palco que acolhe tanto festivais amadores como peças de artistas consagrados sobre temas que, metafórica ou literalmente, remete à dura realidade do país.

A partir de 1982, as eleições diretas para governadores, senadores, prefeitos e deputados repercutem amplamente, levando à mobilização e ocupação das ruas em favor da escolha direta de um representante também em âmbito federal. Somam-se a isso os processos grevistas de várias categorias profissionais e os movimentos estudantis. Em 1985, a eleição indireta de Tancredo Neves para a presidência acenava para o fim da ditadura civil-militar no Brasil. Porém, com a morte de Tancredo antes da posse, o vice-presidente José Sarney assume a presidência até o final do mandato.

A década de 1980 é marcada por grandes esforços para a redemocratização do Brasil. Mesmo durante a *lenta e gradual* abertura, a censura permanece ativa e deliberando sobre informações e produções artísticas que poderiam ou não chegar ao público. De fato, a censura prévia deixa de existir oficialmente apenas com a promulgação da Constituição Federal de 1988.

Em 1982, são inaugurados dois centros culturais que se tornariam referências para a população da capital paulista: o Sesc Pompeia, com projeto arquitetônico de Lina Bo Bardi, que transformou uma antiga fábrica de tambores em um espaço de lazer e convivência, capacitado para acolher o público e abrigar as mais diversas manifestações artísticas; e o Centro Cultural São Paulo, concebido pelos arquitetos Eurico Prado Lopes e Luiz Telles, que fora inicialmente pensado para ser uma grande biblioteca, mas cujo projeto

---
9. *Idem*, "O último carro", in: Edla van Steen (org.), *op. cit.*, pp. 510-1.
10. *Idem*, "Seria cômico… se não fosse sério", in: Edla van Steen (org.), *op. cit.*, p. 438.
11. *Idem*, "O santo inquérito", in: Edla van Steen (org.), *op. cit.*, p. 498.

acabou sendo reformulado para abrigar atividades de cinema, teatro, música, exposições e oficinas.

Por algumas décadas, o teatro de revista ou teatro musical havia sido um fenômeno de público e de produção. Distante dos palcos paulistas e brasileiros por algum tempo, esse tipo de espetáculo retorna à cena por conta do trabalho constante do casal Neyde Veneziano e Perito Monteiro, que garantem para o gênero um lugar de destaque nos anos 1980. *Revistando o teatro de revista*, encenado no Teatro Sesc Anchieta em 1988, retoma a tradição e retrata personagens simbólicos, como o caipira, o português e a mulata.

Outro importante movimento retomado em 1981 foi o Festival Internacional de Teatro. Mesmo afastando-se parcialmente da produção teatral nos anos 1980, quando se elege deputada estadual com a promessa de se dedicar a projetos comunitários, Ruth Escobar organiza a terceira edição do festival, que tem como principais atrações os grupos Mabou Mines, dos Estados Unidos; Plan K, da Bélgica; La Cuadra, da Espanha; El Galpón, do Uruguai; e A Comuna, de Portugal.

Enquanto isso, a partir de 1982, o Sesc São Paulo decide abrigar, na unidade Consolação, uma companhia de repertório e pesquisa de linguagem na área de teatro. Assim, são escolhidos Antunes Filho e o Grupo Macunaíma, dirigido por ele, dando origem ao Centro de Pesquisa Teatral – CPT/Sesc, cujas peças seriam apresentadas no Teatro Sesc Anchieta daí em diante[12].

Nesse mesmo ano são dados os primeiros passos para que o Teatro Sesc Anchieta recebesse artistas internacionais – entre eles, Kazuo Ohno[13], que encena os espetáculos de butô *Admirando l'Argentina* e *Mar morto*, em 1986; e a Cia. Ban'Yu Inryoku, que traz o espetáculo *Suna – Zoo do deserto*, em 1985. Essa iniciativa se ampliaria fortemente na década seguinte.

---

12. Para mais informações, ver capítulo "Antunes Filho e a criaçao do Centro de Pesquisa Teatral – CPT/Sesc", p. 99.
13. A partir de 1986, o artista realizou diversas temporadas no Brasil, apresentando-se nas unidades do Sesc São Paulo. Esse trabalho motivou a publicação do livro *Kazuo e Yoshito Ohno*, com fotografias de Emidio Luisi e ensaio de Christine Greiner, pelas Edições Sesc, em 2015.

Nessa década, subsequentemente à Lei de Anistia assinada em 1979, o país vive o retorno paulatino de muitos artistas exilados. No Teatro Sesc Anchieta destacam-se montagens como *A nonna*, de 1980, com Célia Helena, Cleyde Yáconis, Laura Cardoso e elenco, com a história de uma avó que comia compulsivamente, muito mais do que sua família pobre podia prover; *Afinal, uma mulher de negócios*, em 1981, texto do alemão Rainer Werner Fassbinder, traduzido por Millôr Fernandes e dirigido por Sérgio Britto, sobre a opressão feminina; *Picasso e eu*, de 1982, um dos primeiros espetáculos no Brasil em que Marilena Ansaldi introduz o formato teatro-dança; *O jardim das cerejeiras*, de Tchekhov, dirigido por Jorge Takla, que recoloca em pauta o tema da decadência aristocrática; *Eletra com Creta*, um dos primeiros espetáculos da Companhia Ópera Seca, do diretor Gerald Thomas; *Nossa cidade*, peça escrita pelo norte-americano Thornton Wilder em 1930, montada pelo Grupo Tapa em 1989 e também encenada em 2013 por Antunes Filho e o Grupo Macunaíma.

A essa época também pertence o produtivo ano de 1984, em que o Grupo Macunaíma montou *Romeu e Julieta*, de William Shakespeare; *Macunaíma*, de Mário de Andrade, adaptado por Antunes Filho; e *Nelson 2 Rodrigues*, em que Antunes Filho conjuga *Álbum de família* e *Toda nudez será castigada*. Nos anos seguintes, o grupo apresenta *A hora e a vez de Augusto Matraga*, em 1986, adaptação do clássico de Guimarães Rosa; *Xica da Silva*, em 1988, com texto de Luís Alberto de Abreu; e *Paraíso Zona Norte*, mais um Nelson Rodrigues adaptado por Antunes Filho, em 1989.

Nessa década, também passam pelo Teatro Sesc Anchieta cenógrafos, iluminadores, diretores e atores como Ademar Guerra, Antônio Araújo, Antonio Nóbrega, Cacá Rosset, Cibele Forjaz, Davi de Brito, Domingos de Oliveira, Flávio Rangel, Gabriel Villela, Iacov Hillel, J.C. Serroni, José de Anchieta, José Possi Neto, Maria Clara Machado, Nathalia Timberg, Naum Alves de Souza e Walderez de Barros, entre outros.

Quase cinco anos após a derrota do movimento Diretas Já, em 1988 ocorrem as primeiras eleições diretas para

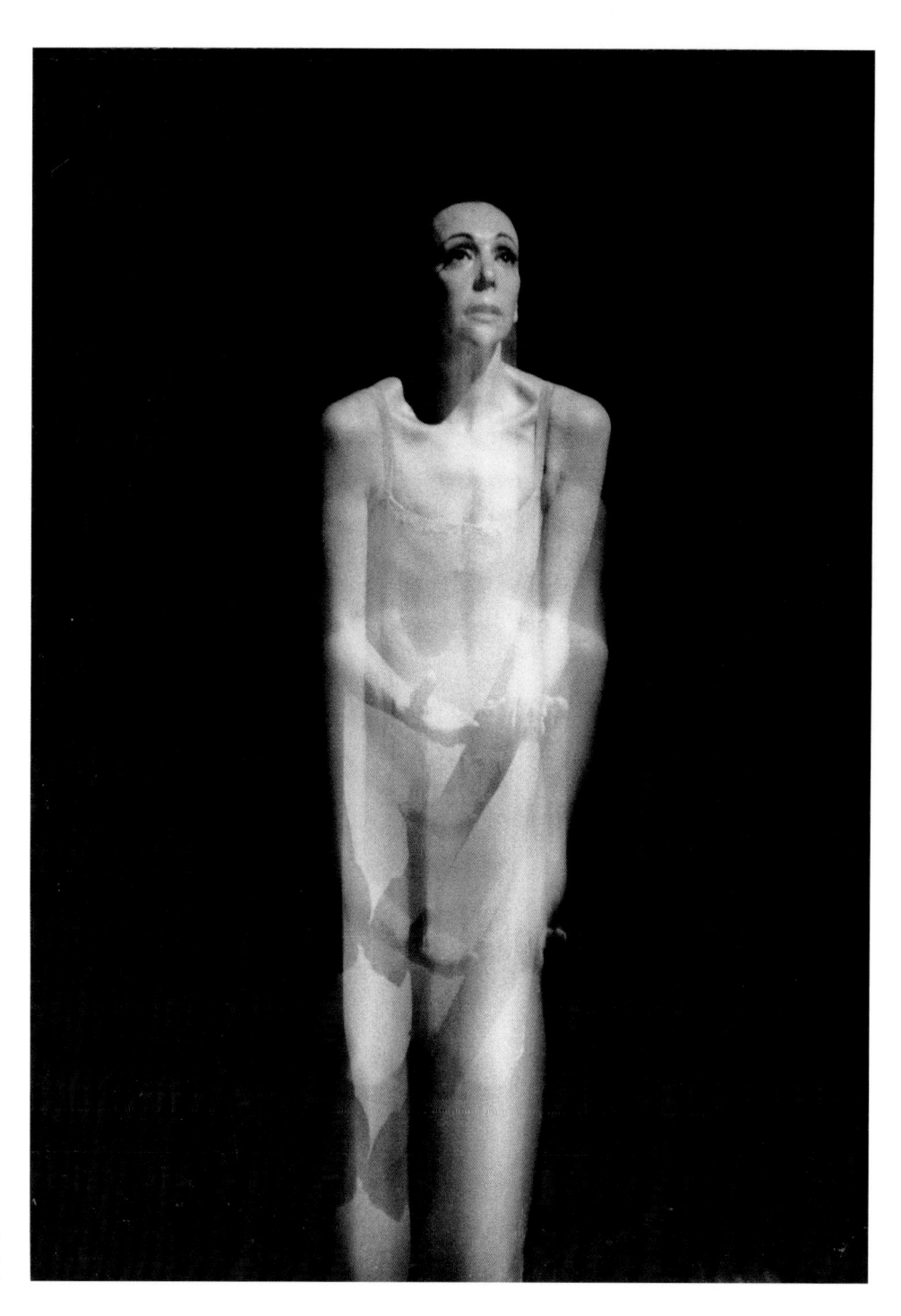

Picasso e eu.
Marilena Ansaldi,
1982.

presidente do Brasil, e Fernando Collor de Mello vence Luiz Inácio Lula da Silva.

DE 1990 A 1999

Na década de 1990, a encenação de textos brasileiros é hegemônica nos palcos paulistanos, em razão da criação de novos processos teatrais coletivos. Muitas companhias ligadas ao chamado *teatro de grupo* da cidade de São Paulo, ao lutar em favor da qualidade dos trabalhos e contra a mera inserção no mercado, acabam por reforçar suas estruturas internas e construir sistemas de organização coletiva.

No período, surgem na capital diversos coletivos, tais como: Brava Companhia (fundada como Companhia Teatral Manicômicos), Companhia Cênica Nau de Ícaros, Companhia do Feijão, Companhia do Latão, Companhia Folias d'Arte, Companhia La Mínima, Companhia Livre, Companhia São Jorge de Variedades, Núcleo Bartolomeu de Depoimentos, Os Fofos Encenam, Parlapatões, Patifes & Paspalhões, Teatro da Vertigem.

No Brasil, após o regime militar e os anos de transição até as eleições diretas, os principais acontecimentos políticos ficam por conta do *impeachment* do presidente Fernando Collor, em setembro de 1992. Este é substituído pelo vice-presidente Itamar Franco, que permanece no cargo até o término do mandato, em 1994. No governo Collor, todas as instituições culturais ligadas ao governo federal são extintas, e o Ministério da Cultura, criado em 1985, é transformado em secretaria ligada à Presidência da República, só recuperando o *status* de ministério na gestão Itamar Franco.

Em outubro de 1994, Fernando Henrique Cardoso é eleito presidente, reelegendo-se em 1998 e ficando no poder até o final de 2002. Nesse período, a Lei Rouanet, criada no governo Collor, mantém-se como um dos principais mecanismos de financiamento à produção cultural brasileira, reforçando o papel do Estado como mediador das relações entre produtores culturais e financiadores da iniciativa privada, por meio de leis de incentivo fiscal. Essa política transfere para o mercado as decisões sobre o financiamento de projetos culturais e as regiões em que serão realizados, acentuando a dependência em relação aos produtores e atrelando a criação artística à visibilidade dos eventos. Ao mesmo tempo, o Sesc São Paulo consolida sua política pautada pela inovação estética, pela qualidade dos textos e pela liberdade artística.

Durante a transição e reconstrução da democracia, entre 1985 e 1993, o Sesc mantém uma programação regular de espetáculos e atividades culturais. Em 1990, o Teatro Sesc Anchieta recebe a Jornada Sesc de Teatro Experimental, em que são encenados onze espetáculos, entre os quais *Ensaio aberto de Medeia*, com direção de Christiane Tricerri, e *Do outro lado da ilha (prefácio decadente)*, dirigido por Sérgio Ferrara. No mesmo ano, o Grupo de Teatro Macunaíma encena *Trono de sangue – Macbeth*, texto de William Shakespeare adaptado e dirigido por Antunes Filho.

Ao longo da década de 1990, as Jornadas Sesc de Teatro abordam recortes específicos em algumas edições, como o riso no teatro, em 1993; o teatro musical, em 1994; e o ator-criador, em 1998. Nela, destacam-se *Futilidades públicas* (1993), dirigido por Elias Andreato, que revela as reflexões de uma mulher presa no banheiro de uma agência bancária durante um assalto; e *Sardanapalo* (1993), comédia do grupo Parlapatões, Patifes & Paspalhões dirigida por Carla Candiotto, que, após a estreia na Jornada, faz sucesso em outras salas da cidade de São Paulo.

Em 1993, Luís Alberto de Abreu se inspira em personagens da *Divina comédia*, de Dante Alighieri, para escrever *A guerra santa*. Gabriel Villela cria para esse texto uma encenação capaz de dar vida a um mundo de loucura e violência, em um espetáculo polifônico e atento ao alarido da vida moderna.

No mesmo ano, o Grupo de Teatro Macunaíma e o Centro de Pesquisa Teatral do Sesc montam *Vereda da salvação*, com texto de Jorge Andrade e direção de Antunes Filho, expondo a tragédia de um grupo de agricultores de Minas Gerais que, sem perspectivas de vida remediada, se envolvem em uma seita religiosa. Em 1995, o grupo encena o espetáculo *Gilgamesh*, com texto e direção de Antunes

A guerra santa.
Sérgio Zurawski e
Beatriz Segall, 1993.

Vereda da salvação.
Luis Melo, 1993.

Filho para a história recriada a partir do poema épico, cujos registros se encontram fragmentados e incompletos.

A Mostra Kazuo Ohno, em 1997, traz de volta ao palco do Teatro Sesc Anchieta a estética do butô por meio dos espetáculos *Tendoh chidoh* (Caminho no céu, caminho na terra) e *Suiren* (Ninfeias), com a participação de Juan Saler, Kazuo e Yoshito Ohno.

Além das jornadas, tem prosseguimento a realização do Festival Internacional de Artes Cênicas de São Paulo, que, em sua sexta edição, conta com a apresentação dos espetáculos *Canard pékinois* e *Les frères Zenith*, ambos da França; *Dong gong XI*, da China; e *Mahâkâl*, da Índia.

DE 2000 A 2016

Luiz Inácio Lula da Silva é eleito presidente da República em 2002 e, após dois mandatos, encerra seu governo com alto índice de aprovação da população. Com uma campanha marcada pelo discurso de continuidade e ampliação dos projetos sociais criados no governo anterior, Dilma Rousseff torna-se a primeira mulher a ocupar a presidência do Brasil.

Nos anos 2000, assiste-se ao aumento das atividades culturais, que, entre outros fatores, é atribuído a editais públicos como a Lei de Fomento ao Teatro, o Prêmio Zé Renato, o Programa de Ação Cultural – Proac, além da renúncia fiscal. A Lei de Fomento ao Teatro, por exemplo, criada em 2002, passa a estimular, durante cerca de dois anos, grupos previamente selecionados, que recebem uma verba para desenvolver pesquisas continuadas. Assim, os grupos passam a se organizar em núcleos artísticos com sede própria, como os Satyros e os Parlapatões, que transformam a praça Roosevelt num polo de teatro.

Entre 2001 e 2016, o Sesc São Paulo abre diversas salas de espetáculos em suas unidades da capital e do interior, ampliando assim o atendimento da crescente demanda. Por exemplo, em 2004, o Teatro Paulo Autran, no Sesc Pinheiros, com capacidade para cerca de mil espectadores e onde o encenador norte-americano Robert Wilson se apresenta cinco vezes: com *Quartet*, em 2009; *Lulu* e *Ópera dos três vinténs*, em 2012; *A dama do mar*, em 2013; e *The Old Woman* (A velha), em 2014.

O Teatro Sesc Anchieta continua recebendo regularmente espetáculos internacionais de diretores e grupos consagrados: Theodoros Terzopoulos, da Grécia; Zbigniew Brzoza, da Polônia; Anton Adassinski, da Rússia; Watanabe Younosuke, do Japão; Regina Guimarães, de Portugal; Andreas Kriegenburg, da Alemanha; Peter Brook, da Inglaterra; entre muitos outros. Além disso, os processos de produção dos espetáculos são discutidos em seminários e *workshops*.

Em 2005, com apoio do Sesc São Paulo, o Ministério da Cultura, na gestão do músico e compositor Gilberto Gil, promove o Ano da França no Brasil, uma realização dos dois governos para celebrar os laços culturais entre ambos os países. Diversas atividades são apresentadas em cerca de oitenta cidades brasileiras. Nessa ocasião, o Teatro Sesc Anchieta acolhe, entre outras atrações, o monólogo *La douleur*, de Marguerite Duras, com a atriz francesa Dominique Blanc, sob a direção de Patrice Chéreau.

Mantendo-se como espaço acolhedor, o Teatro Sesc Anchieta constitui-se como um local de identidade múltipla, fruto do trabalho continuado de companhias e diretores interessados na pesquisa cênica. A Sutil Companhia de Teatro, que desenvolveu uma linguagem particular filiada ao experimentalismo, apresenta em 2000 *A vida é cheia de som e fúria*, baseada no romance *Alta fidelidade*, de Nick Hornby. Paralelamente às montagens da Sutil, Felipe Hirsch, um de seus fundadores, dirige em 2009 a atriz Fernanda Montenegro no espetáculo *Viver sem tempos mortos*; e, em 2016, apresenta *A tragédia latino-americana* e *A comédia latino-americana*, realizada em parceria com o coletivo Ultralíricos.

O Grupo Galpão, que tem origem no teatro popular e de rua, revela em seus espetáculos um trabalho resultante da pesquisa cênica com circo, música, farsa e melodrama. A trupe já encenou no Teatro Sesc Anchieta *Um trem chamado desejo*, 2001; *Um homem é um homem*, 2006; *Nós*, 2016.

A vida é cheia de som e fúria.
Guilherme Weber,
Sutil Companhia de Teatro, 2000.

Além das apresentações de grupos, o Teatro Sesc Anchieta recebe o trabalho de importantes encenadores. Sérgio Ferrara dirige, em 2001, *Mãe coragem e seus filhos*, protagonizado por Maria Alice Vergueiro e com a Companhia do Latão; Aderbal Freire-Filho esteve presente com quatro montagens: *Cãocoisa e a coisa homem*, em 2002; *O que diz Molero*, em 2004; *Dilúvio em tempos de seca*, em 2005; e *O púcaro búlgaro*, em 2007. Ulysses Cruz encena as adaptações *O zoológico de vidro*, a partir de texto de Tennessee Williams, em 2009; e *Através do espelho*, a partir do filme homônimo de Ingmar Bergman, em 2014; e Roberto Alvim adapta e dirige, em 2016, *Leite derramado*, de Chico Buarque.

Direta ou indiretamente, a ditadura militar brasileira tem sido tema de filmes e espetáculos. Em 2014, completaram-se cinquenta anos que o presidente João Goulart, eleito democraticamente, foi deposto. Com o objetivo de apurar os casos de violações contra os direitos humanos, como torturas, mortes e desaparecimentos, que ocorreram entre 1946 e 1988, Dilma Rousseff sanciona em 2011 a lei que instaura a Comissão Nacional da Verdade, cujo relatório final apontou 377 responsáveis por torturas e mortes.

Em 2016, o país dividido assiste ao *impeachment* de Dilma Rousseff em seu segundo mandato. Apesar da comemoração de uma parcela da sociedade, a legitimidade dessa ação é questionada por muitos brasileiros que não se veem representados por políticos que estão, em sua maioria, envolvidos em escândalos de corrupção.

Fato é que o teatro anda lado a lado com os acontecimentos humanos. A criação de espetáculos baseados em grandes temas e discussões políticas e sociais faz dessa linguagem uma zona de reflexão e reação direta aos assuntos em voga. E, como não poderia deixar de ser, o palco do Teatro Sesc Anchieta é um dos espaços de reverberação ética e estética dos anseios de uma sociedade em constante transformação.

O púcaro búlgaro. Augusto Madeira, Ana Barroso, Gillray Coutinho e Isio Ghelman, 2007.

Dilúvio em tempos de seca. Wagner Moura e Giulia Gam, 2005.

Através do espelho. Nelson Baskerville, Gabriela Duarte e Lucas Lentini, 2014.

Leite derramado, 2016.

POR TRÁS DA CORTINA

Ao longo de sua história, o Teatro Sesc Anchieta acolheu espetáculos nacionais e internacionais, de textos clássicos a contemporâneos. Até dezembro de 2016, foram apresentados mais de seiscentos espetáculos para o público adulto. Tal feito tem origem no desbravamento, na coragem e na crença de uma série de profissionais dispostos a deixar ali seu legado. Alguns artistas, grupos, dramaturgos, diretores e técnicos estiveram muitas vezes no palco do Teatro Sesc Anchieta, como se pode observar a seguir.

O Grupo Galpão, de Belo Horizonte (MG), é o que mais espetáculos ali apresentou, incluindo *Pequenos milagres*, em 2007. Entre os paulistanos, destaca-se a Companhia do Latão, com *A comédia do trabalho*, de 2000.

Cleyde Yáconis, Lúcia Romano e Juliana Galdino figuram entre as atrizes que mais atuaram naquele palco. Entre os atores, estão Walter Portella, Geraldinho Mário da Silva, Emerson Danesi, Ney Piacentini, Roberto Audio e Luis Melo.

Nelson Rodrigues é o autor brasileiro com maior número de textos encenados, entre os quais se destacam: *A falecida*, 1988 e 1989 (em *Paraíso Zona Norte*); *Álbum de família*, 1984 (em *Nelson 2 Rodrigues*) e 2007; *Os sete gatinhos*, 1989 (também em *Paraíso Zona Norte*); *Senhora dos afogados*, 1986 e 2008; *Toda nudez será castigada*, 1984 e 2012; *Vestido de noiva*, 1987 e 2000; *Viúva, porém honesta*, 1984, 1988 e 1997. Segue-se a ele Gianfrancesco Guarnieri, com as seguintes obras: *Botequim*, 1973 e 1984; *Zumbi* (escrito com Augusto Boal), 1980; *O cimento*, 1984; *Um grito parado no ar*, 1986; e *Castro Alves pede passagem*, 1989.

Do repertório internacional, estão textos e adaptações de William Shakespeare, como *Hamlet*, 1968, 1969 e 2007; *Romeu e Julieta*, 1984; *Macbeth*, 1992; *Anthony & Cleopatra*, da Moving Theatre – Inglaterra, 1995; *Noite de reis*, da companhia Cheek by Jowl – Inglaterra/Rússia, 2006. Na Jornada Sesc de Teatro Experimental – Revendo e Refletindo a Obra de Shakespeare, de 1991, estão, entre outros escritos, *A comédia dos erros*, *Rei Lear*, *A tempestade*.

Millôr Fernandes teve presença marcante no Teatro Sesc Anchieta por meio de traduções como *Quem tem medo de Virgínia Woolf?*, 1978; *Afinal, uma mulher de negócios*, 1981; *O jardim das cerejeiras*, 1982; e *Phaedra*, 2010; além de adaptações como *A mulher de todos nós*, 1968; e *O homem do princípio ao fim*, 1971 e 1972, texto de sua autoria, entre outras.

Antunes Filho foi quem mais dirigiu espetáculos, pelo fato de montar no Teatro Sesc Anchieta as peças desenvolvidas pelo Centro de Pesquisa Teatral – CPT/Sesc. Entre elas, figuram *Macunaíma*, 1984; *A hora e a vez de Augusto Matraga*, 1986; *Xica da Silva*, 1988; *Paraíso Zona Norte*, 1989; *Fragmentos troianos*, 1999; *Antígona*, 2005; *A Pedra do Reino*, 2006; *Senhora dos afogados*, 2008; *Nossa cidade*, 2013. Outro diretor de destaque é Silnei Siqueira, com *O defunto*, 1968; *Medeia*, 1970; *O santo e a porca* e *As sabichonas*, 1971, entre outros espetáculos. Soma-se a eles Gabriel Villela com *A falecida*, 1988; *Vem buscar-me que ainda sou teu*, 1986 e 1990; *A vida é sonho*, 1992, além de outras montagens.

Davi de Brito foi o responsável pela iluminação de espetáculos produzidos tanto pelo Centro de Pesquisa Teatral – CPT/Sesc quanto por outros diretores e grupos que se apresentaram no Teatro Sesc Anchieta. Entre seus trabalhos, destacam-se: *Quem tem medo de Virgínia Woolf?*, 1978; *Ensina-me a viver*, 1981; *Vem buscar-me que ainda sou teu*, 1990; *Os olhos cor de mel de James Dean*, 1994; *No tempo da apoteose*, 1994; *Frida*, 1996; *Medeia*, 1997; *Mãe coragem e seus filhos*, 2002.

Na cenografia, J.C. Serroni também tem ampla experiência junto ao CPT/Sesc, assim como ao lado de outros profissionais. Ele responde por trabalhos como *A sagrada família*, 1970; *Dias felizes*, 1996; *Subúrbia*, 2001; *A terra prometida*, 2001; *Mãe coragem e seus filhos*, 2002. Na criação musical, destacam-se Maria Antonia Ferreira Teixeira, a Tunica, e Raul Teixeira, que se iniciou profissionalmente no CPT/Sesc.

Analisando sua trajetória histórica, é possível perceber que o Teatro Sesc Anchieta nunca foi um espaço destinado a determinado tipo de espetáculo, ou a determinado tipo de gosto. Ele acompanhou as mudanças políticas e sociais da

Quem tem medo de Virgínia Woolf?
Tônia Carrero e Raul Cortez;
acima: Tônia Carrero
e Roberto Lopes, 1978.

Afinal, uma mulher de negócios. Irene Ravache e Adilson Barros, 1981.

Macunaíma. Walter Portella, Darci Figueiredo e Marcos Oliveira, 1984.

Eletra com Creta.
Bete Coelho;
abaixo:
Luiz Damasceno e
Vera Holtz, 1987.

Dias felizes. Fernanda Montenegro, 1996.

A comédia do trabalho.
Ney Piacentini, Maria
Tendlau, Adriana Mendonça
e Alessandra Fernandez,
Companhia do Latão, 2000.

Pequenos milagres.
Eduardo Moreira
e Antonio Edson,
Grupo Galpão, 2007.

metrópole e do país, sem se deixar engessar. Tal é o caso, por exemplo, do trabalho de Gerald Thomas em *Eletra com Creta*, 1987; *Nowhere man*, 1999; *Esperando Beckett*, 2001; *Terra em trânsito*, 2007; *Rainha mentira/Queen Liar*, 2007. Ou os musicais brasileiros, como *O homem de La Mancha*, de 1972, dirigido por Flávio Rangel; e *Muito barulho por quase nada*, do grupo Clowns de Shakespeare, do Rio Grande do Norte, em 2005. Também a comédia popular esteve representada por montagens dos Parlapatões, Patifes & Paspalhões, como *Sardanapalo*, em 1993; *U Fabuliô*, em 1996; *Pantagruel*, em 2001. Há ainda *performances* realizadas no palco e nas imediações do teatro, com destaque para *Cartas de Rodez*, da Companhia Amok, do Rio de Janeiro, apresentada em 1999 durante a reforma do teatro.

O Teatro Sesc Anchieta demonstra sua vitalidade na travessia do século XX para o XXI incentivando a criação artística, apoiando ideias e consolidando sua vocação para o estímulo ao fazer artístico. Ao viabilizar, com qualidade técnica e profissionalismo, a apresentação de produções nacionais e estrangeiras, seu palco se constitui como laboratório de experimentações por onde passaram (e passam) alguns dos nomes mais importantes das artes cênicas, ao mesmo tempo que a formação de suas plateias define-se pelo amor ao teatro.

Sendo também gênero literário, o teatro pode ser *topos* (lugar) e utopia (não lugar); pode ser etéreo como poesia e doer sólido numa catarse. No entanto, no caso, é um lugar que não poderia deixar de fazer parte da história de São Paulo. Invariavelmente, como ser estático, composto na fixidez do concreto, acompanha os movimentos socioculturais, acolhendo e revelando as expressões das artes cênicas.

Na cidade de São Paulo, destinada a ter como identificação primordial a cultura, com suas misturas (típicas das metrópoles) de povos, crenças, etnias, sendo criadas, a cada momento, em novas maneiras de interpretar o mundo, o Teatro Sesc Anchieta tomou corpo.

Proliferando de forma rizomática, numa bela e espantosa aleatoriedade que cresce feito as barreiras de corais marinhos em busca da sobrevivência, esse espaço trabalha

Mãe coragem e seus filhos.
José Rubens Chachá e
Maria Alice Vergueiro, Companhia
de Arte Degenerada, 2002.

Terra prometida.
Marco Antônio Pâmio e
Luiz Damasceno, 2001.

A casa de Bernarda Alba.
Dulce Coppedê e
Escandar Alcici Curi, 2002.

Aquela mulher.
Marília Gabriela, 2008.

Palácio do fim.
Camila Morgado,
Antonio Petrin e
Vera Holtz, 2012.

junto à sociedade na criação de outras tantas culturas que já não se dispõem mais como uma simples permanência da espécie, mas que nos colocam numa condição além; numa condição que faz com que nos reconheçamos e desenvolvamos como humanos.

Em sua trajetória, o Teatro Anchieta poderia estar inserido num sentimento parental, poderia ser visto como um filho cuja existência tem sua importância no fato de existir. No entanto, sua cronologia, que se seguiu (e continua seguindo) e que até o momento está aqui registrada, denota a estima erigida e corroborada pelo público.

Que seja um local concreto, arquitetado em uma rua; que esteja passando pelos dias com as mudanças que lhes concernem; que seja uma transitória passagem catártica; que seja luz e palco, música, dança e sonhos. O Teatro Anchieta se apresenta, nesta rica história da cidade, como personagem imóvel tal qual um monumento e volátil como uma paixão que se move.

Em sentido horário: Antunes Filho, 2014; Millôr Fernandes, 2005; J.C. Serroni, 2001, Davi de Brito, 2010.

CAPÍTULO 3

APRESENTAÇÕES NACIONAIS
QUE FICARAM NA MEMÓRIA

OBRAS DESTACADAS

Em tempos de espetacularização, não são poucos os que vislumbram o sucesso a qualquer preço. Nessa perspectiva, sucesso corresponde a certo destaque na sociedade, cuja durabilidade pode variar em períodos de tempo. Portanto, a busca do sucesso pressupõe um determinado estado de reconhecimento que precisa ser entendido e enfrentado.

Derivado do latim *sucessu*, o termo se refere ao lugar no interior do qual se entra; aproximação, chegada, o andar do tempo, resultado. O triunfo, como ato de conquista, baliza o comportamento e lastreia o pensamento do modo como se concebe a palavra hoje.

Sempre houve diferença de objetivos na produção artística, mas, durante a década de 1980, acentuaram-se os processos artísticos pautados pela finalidade comercial. A obra artística, resultante de uma experiência social concreta, repleta de contendas, contradições e superações, expressa derrotas e conquistas de um grupo social historicamente determinado. Do mesmo modo, esse conjunto de características concerne à recepção da obra. Pode ser que uma obra não agrade, mas que cause impacto com grupos distintos. Talvez não ganhe prêmios, ou não figure entre grandes destaques do ano, mas, ainda assim, pode não sair da lembrança do espectador. Dessa maneira, uma obra capaz de mobilizar o acomodado, de incomodar o instituído, de suscitar e desalojar convicções, precisa ser considerada um sucesso.

Nesse sentido, o conceito de sucesso aqui utilizado refere-se a obras que estão na memória dos profissionais que ajudaram a compor este livro. Nas entrevistas, nomes de alguns espetáculos se repetiam diversas vezes. Além disso, entre o trabalho e o prestígio de uma obra, de certo modo, os nomes daquelas aqui inseridas propuseram uma forma de interlocução com os espectadores e seu tempo.

Nesse conjunto, pode-se perceber a pertinência poética, metafórica e social do texto; o emprego e a harmonização de diversos expedientes na encenação; a explicitação de um ponto de vista estético; a qualidade do trabalho dos intérpretes e a percepção de que estes não constituem meros objetos ou adornos de cena; e, por fim, que o teatro pressupõe uma obra coletiva por excelência.

Evidentemente, também são dados objetivos para avaliar o alcance de sucesso da obra: o tempo que ela fica em cartaz[14]; a ocupação da totalidade das cadeiras da plateia; a gama, nem sempre idêntica, dos comentários críticos que suscita; a possibilidade de o espectador lembrar-se e nomear a obra como inquietante; e a emoção provocada, tanto no plano dos temas e dos personagens quanto no da estética.

Os chamados espetáculos de sucesso do Teatro Sesc Anchieta abarcam as características anteriormente apresentadas, compreendendo desde "comédias açucaradas", comédias populares, textos clássicos de diversos períodos históricos, até espetáculos experimentais.

A MORENINHA (1969)

O primeiro grande sucesso do Teatro Sesc Anchieta é o espetáculo *A moreninha*[15], da obra homônima de Joaquim Manuel de Macedo, inserido no projeto A Escola Vai ao Teatro, criado por Miroel Silveira[16]. Responsável pelas atividades teatrais, em 25 de março de 1968, Silveira apresentou uma proposta para apreciação do diretor e da comissão responsável pela programação cultural da unidade. No projeto, há a referência explícita de que "[...] o Teatro Anchieta reserva-se a manifestações artísticas de alto nível, que sejam, ao mesmo tempo, acessíveis à compreensão do público, especialmente do público comerciário". O espetáculo foi visto por mais de 20 mil espectadores ao longo de sete meses em cartaz.

Sobre *A moreninha*, Miroel Silveira afirma tratar-se de "[...] um texto com profundas raízes brasileiras"[17].

No período em que esteve em cartaz, em pleno regime ditatorial, instaurava-se a censura prévia em torno da produção cultural. *A moreninha*, categoricamente, não era uma obra de subversivos ou que incitasse a população contra os militares; no entanto, Marília Pêra, que interpretava a personagem principal, relatou:

A moreninha *estreou. Eu era a Moreninha. [...] Nessa época, havia umas cartas que eu levava para lá e para cá, eram umas coisas proibidas que nós guardávamos... Quando acabou uma sessão de* A moreninha, *eu estava escovando o cabelo no camarim e minha camareira falou: "Tem dois rapazes que querem falar com você". Eu saí assim, escovando o cabelo. "Tudo bom?". E eles falaram: "Você está presa". "Presa?" "Está presa, 2º Exército." Eu falei: "Posso pegar minhas coisas?". "Pode." Eu entrei e fui para uma espécie de varanda e falei: "Zezé, Zezé [Motta, que também atuava no espetáculo], pelo amor de Deus, vai lá, queima aqueles papéis. Estou sendo presa". [...] Quando cheguei ao fundo do palco do Anchieta, olhei lá para trás. No fundo da plateia, havia vários homens armados com fuzis, metralhadoras, e vieram me buscar. Entrei no camburão. É uma impotência absoluta...* Marília Pêra, em entrevista.

HAMLET (1969-1970)

A montagem de *Hamlet*, de William Shakespeare, dirigida por Flávio Rangel e protagonizada por Walmor Chagas, dialoga com a disposição dos criadores do espetáculo em inserir esse clássico na realidade de 1969. Em duas temporadas, foi vista por mais de 10 mil espectadores e engendrou os primeiros debates críticos na grande imprensa.

---

14. O tempo de permanência de uma temporada se redefiniu de quatro a seis meses para um mês. É fundamental considerar que, até parte da década de 1980, uma temporada compreendia espetáculos apresentados de terça-feira a domingo, com duas sessões aos sábados, em boa parte dos casos.

15. Em 1944, Miroel Silveira colaborou com a fundação da companhia teatral da atriz Bibi Ferreira, com a encenação e adaptação de *A moreninha*.

16. Na ocasião, entre outras funções, era professor do Departamento de Teatro da Escola de Comunicações e Artes da Universidade de São Paulo – ECA/USP.

17. Serviço Social do Comércio – Administração Regional no Estado de São Paulo, *Teatro Sesc Anchieta*, São Paulo, 1989, p. 45.

A moreninha. Marília Pêra
e Perry Salles; ao lado:
Zezé Motta, Perry Salles e
Marília Pêra, 1969.

Hamlet. Walmor Chagas, 1969.

Ofélia é a personagem que conduz ao ápice tropicalista as mensagens *hippies* do autor, num hino inefável de exaltação às flores e ao amor, como se sua loucura fosse o encontro da clarividência lisérgica total e cuja libertação até nos andrajos se refletisse. O nivelamento de classes é localizado no *tête-à-tête* entre príncipe e coveiro e entre príncipe e o elenco negro dos mambembes[18].

O encenador, Flávio Rangel, e Walmor Chagas, intérprete do herói, deram o melhor de si para que a peça tivesse toda a dimensão da atualidade, investigando a possível essência do homem contemporâneo [...]. Essa Dinamarca, sem perder as suas características, generaliza-se com grande autenticidade e finura, transformando-se, como queria Shakespeare, em espelho do mundo[19].

MEDEIA (1970)

O Grupo Universitário de Teatro – GUT, criado na década de 1940 em São Paulo, iniciava o processo artístico com uma palestra acerca do autor e do texto, apresentava o espetáculo e, na sequência, debatia com o público a obra em seus contextos e historicidades.

Apropriando-se de tal experiência, Cleyde Yáconis, ainda bastante abalada pela morte da irmã Cacilda Becker, em 14 de junho de 1969, incorpora-se à montagem de Medeia "[...] de cabeça, para conseguir sobreviver à perda de Cacilda"[20], e determina que o processo de encenação conte com palestras sobre a obra, trazendo o universo grego do autor. O diretor Emilio Di Biasi e o professor e dramaturgo Timochenco Wehbi são convidados para desenvolver as palestras, apresentadas nas escolas que iriam assistir ao espetáculo.

---

18. A.C. Carvalho, "Hamlet, no Teatro Anchieta", *O Estado de S. Paulo*, São Paulo: 14 dez. 1969, p. 38.
19. Sábato Magaldi, "Hamlet", *in*: Edla van Steen (org.), *op. cit.*, p. 113.
20. Cleyde Yáconis, em entrevista.

Optei por fazer Medeia. *Senti como se o Anchieta me acolhesse no colo, porque o teatro era mais do que apenas um espaço. O Anchieta era mais do que isso, era um espaço amoroso, acolhedor. Você se sente aquecido humanamente. Era como se ao entrar no Anchieta para trabalhar já se fosse feliz, porque há um acolhimento das pessoas, as pessoas recebem não atores que vão fazer o espetáculo, elas recebem gente. Mas até elas percebem a necessidade emocional de cada um. É completamente diferente.* Cleyde Yáconis, em entrevista.

O SANTO E A PORCA (1971)

Pelo sucesso conquistado com a montagem de *Medeia* e em articulação com a experiência anterior, Cleyde Yáconis é convidada a propor um projeto de apresentação de espetáculos para três públicos distintos: *O gigante*, de Walter Quaglia, para o público infantil; *O santo e a porca*, de Ariano Suassuna, para o público juvenil; e, para o público adulto, *Um homem é um homem*, de Bertolt Brecht.

Dos três espetáculos, o texto de Ariano Suassuna, destinado em princípio para um público de 12 a 17 anos, faz um sucesso estrondoso, chegando a ser apresentado em quatro sessões por dia. Apesar do êxito entre os estudantes, que lotavam as sessões vespertinas, o espetáculo não obteve reconhecimento da crítica especializada.

Eu apresentei um projeto, que seria ocupar os três espaços, e foi muito bem acolhido. Os três horários. Era uma loucura, era uma beleza: teatro infantil, teatro juvenil, com debates. [...] acho que a criança e a juventude não têm muito lazer. Por isso está acontecendo essa tragédia de ter espetáculo só sexta, sábado e domingo. Porque a gente não leva o jovem. É preciso levar a criança, o jovem, para que, quando for adulto, ele possa ir ao teatro. O teatro devia fazer parte da despesa da família: aluguel, escola, tal e lazer, teatro. Como eu acho que no primeiro mundo se faz. O teatro fazer parte da vida, da necessidade. Cleyde Yáconis, em entrevista.

PROMETEU ACORRENTADO (1971-1972)

A peça, na concepção do dramaturgo brasileiro Carlos Alberto Soffredini, parece enveredar pelas complexas discussões do autoritarismo de maneira simbólica.

A tragédia de Ésquilo fizera sucesso no IV Festival de Teatro Amador do Sesc e acabou sendo eleita pelo público como o melhor espetáculo daquele evento. Assim, em 1972, entra em temporada no Teatro Sesc Anchieta. A montagem enfatiza a opressão tirânica de Zeus à rebeldia transformadora de Prometeu, posicionando criticamente o debate sobre o experimentalismo e buscando ser uma imagem metafórica do momento histórico. O espetáculo parece retomar o aspecto político do experimentalismo num procedimento que almejou a coexistência entre a emoção e o raciocínio. "[...] a tragédia de Ésquilo descreve não apenas o sofrimento de Prometeu, mas a revolta provocada pelo exercício arbitrário do poder"[21]. Escreve Carlos Alberto Soffredini, no texto do programa:

> Foi preciso encarar Prometeu não como um ser divino e único, mas como uma força positiva que se manifesta, se afirma e cresce – uma força positiva porque doadora, porque resumo dos impulsos mais naturais do ser humano. Essa força, na montagem, é vermelha. E a sua antagonista é a força Zeus [...] dominadora, defensora do estabelecido, opressora, dura. Esta força acorrenta aquela, tentando impedi-la de crescer: aí está a base de tudo.

A CAPITAL FEDERAL (1972)

Tendo contado com a presença de cerca de 52 mil espectadores, a peça possui uma história peculiar quanto à indicação para a sua montagem: Cleyde Yáconis andava em busca de um texto para encenar, sem encontrá-lo. Uma noite, depois de muito rezar e pedir a Cacilda Becker, já falecida, para guiá-la nessa escolha, recebe pelo correio, na manhã seguinte, uma revista cuja capa estampava a fotografia da irmã e no interior trazia a obra de Artur Azevedo.

Sobre Flávio Rangel, diretor do espetáculo, Cleyde Yáconis afirmaria em relato contido, porém emocionado:

> *Assim como eu, o Flávio tinha uma ternura infinda pelo Anchieta. Ele era absolutamente parceiro dos técnicos. Naquela época, cinquenta anos atrás, não havia técnico de luz, para som... O diretor fazia tudo – às vezes, até mesmo o cenário, o figurino. O Flávio Rangel nunca alterava a voz para um técnico ou para um ator que errasse. Ele era de uma ternura impressionante. No entanto, ele era petulante, atrevido. Então ele tinha essa dualidade, a veracidade, o calor humano, ele tinha uma semelhança muito grande com a Cacilda.*

O HOMEM DE LA MANCHA (1972)

Musical de Dale Wasserman (norte-americano nascido em 1914), *Man of La Mancha* estreou na Broadway em 1965 e foi um dos maiores sucessos da época. Paulo Pontes e Flávio Rangel adquiriram os direitos da obra e reproduziram a encenação no Brasil. As músicas foram traduzidas por Chico Buarque e Ruy Guerra.

A peça mostra um episódio na vida do escritor espanhol Miguel de Cervantes, que era também cobrador de impostos. Cumprindo suas funções, Cervantes faz a cobrança de um monastério e, por isso, é preso pela Inquisição. Na prisão, outros detentos juntam-se para roubar seus pertences, inclusive o manuscrito de *Dom Quixote de La Mancha*. Para defender-se, ele propõe a encenação de seu próprio julgamento com a ajuda dos presidiários. No início do processo, no entanto, passa a agir como sua personagem Dom Quixote: "A maior loucura é ver as coisas como realmente são, em vez de vê-las como deveriam ser", diz ele em *O homem de La Mancha*.

---

21. Mariangela Alves de Lima, "Preocupação de criar impacto visual prejudicou Prometeu", *O Estado de S. Paulo*, São Paulo: 9 jan. 1972, s/p.

Flávio Rangel, Cleyde Yáconis
e Laerte Morrone durante os
ensaios de *A capital federal*, 1972.

O santo e a porca.
Liana Duval e Oscar Felipe, 1971.

O homem de La Mancha.
Paulo Autran e Dante Ruy;
abaixo: Odilon Wagner, Bibi Ferreira
e Roberto Azevedo, 1972.

LULU (1974)

Ademar Guerra é considerado um dos maiores diretores do teatro brasileiro. Mariangela Alves de Lima afirma que seus "[...] espetáculos eram racionais, bem organizados sobre uma ideia, mas esteticamente inovadores. Ele conseguia provar que há beleza também no pensamento nítido, na crítica bem fundamentada"[22].

UM BONDE CHAMADO DESEJO (1974-1975)

"Só mesmo Blanche Dubois faria Eva Wilma voltar ao palco"[23].

RÉVEILLON (1975)

Abordando a banalização anestesiada de parte da classe média brasileira, impassível perante as lutas políticas que assolavam o país, sua moral patética e o buraco existencial a que ficou relegada, a peça mostra uma família em que a relação entre seus integrantes se desenvolve por diálogos próximos ao absurdo e a lugares-comuns que beiram o cômico.

A personagem que eu apresentava havia escrito sua autobiografia e, naquele momento, pensava a quem dedicar a obra. Um dia, tive a ideia de procurar, por intermédio da bilheteria, os nomes das pessoas que haviam feito as reservas. Ao dedicar àqueles sujeitos, de repente, se escutavam as pessoas rindo. [...] Isso criou uma empatia com a plateia e passou a se caracterizar em um grande charme da personagem [...]. Isso também foi possível porque o Anchieta propicia esse tipo de acolhimento, tanto para o público como para quem está no palco, apesar de ser um teatro grande. Até a arquitetura mesmo leva a esse acolhimento. Foi um momento muito especial, com muito sucesso, com muita alegria. Sérgio Mamberti, em entrevista.

Mais do que representantes de uma classe destinada a desaparecer, as personagens da peça são indivíduos que buscam obstinadamente algum valor a que se aferrar, mesmo após terem optado pelo próprio aniquilamento. Esse é um espetáculo no qual aquilo que não é dito é justamente o essencial[24].

O SANTO INQUÉRITO (1977-1978)

A partir de *Réveillon* e considerando o quadro político em que estava mergulhado o país no ano de 1978, Regina Duarte encena a obra de Dias Gomes, que recebeu cerca de 30 mil pessoas. A peça aborda o processo persecutório que a Inquisição portuguesa instaurou no Brasil do século XVII. A ação se desenvolve durante o julgamento de uma moça por quem um padre se apaixona. Permeado de lembranças do passado, o espetáculo discute questões como autoritarismo dogmático e opressão, temas que se materializavam à época de sua montagem.

A NONNA (1980)

Escrita pelo argentino Roberto Cossa em 1977, a peça retrata o círculo familiar em torno da Nonna, personagem principal. Todo o conflito é acionado quando a situação econômica da família atinge níveis extremos e, ao buscar maneiras de contornar a situação, os integrantes desencadeiam uma série de situações cômicas e ao mesmo tempo trágicas, levando a um final inesperado. Ao comentar a peça, Mariangela Alves de Lima afirma: "Como imagem simbólica, *A nonna* pode servir a um quase infinito número de interpretações. Há em cena a personagem de uma velhíssima avó que destrói a precária economia familiar com sua insaciável voracidade"[25].

---

22. Mariangela Alves de Lima, "Presença", *Anuário de teatro de grupo da cidade de São Paulo – 2004*, São Paulo: Escritório das Artes, 2005, p. 10.
23. Sábato Magaldi, "Só mesmo Blanche Dubois faria Eva Wilma voltar ao palco", *Jornal da Tarde*, São Paulo: 26 set. 1974, p. 23.
24. Ilka Marinho Zanotto, "*Réveillon*, a fábula da desesperança", *O Estado de S. Paulo*, São Paulo: 20 abr. 1975, p. 19.
25. Mariangela Alves de Lima, "Exemplo raro de competência", *O Estado de S. Paulo*, São Paulo: 1º maio 1980, s/p.

Um bonde chamado desejo.
Eva Wilma e Pepita Rodriguez, 1974.

A nonna. Laura Cardoso,
Cleyde Yáconis e Célia Helena 1980.

Réveillon. Ênio Gonçalves
e Regina Duarte;
abaixo:
Juca de Oliveira, 1975.

Jefferson del Rios[26] incorpora à sua crítica falas do diretor Flávio Rangel – que afirma ser a obra mais diferente que dirigira até então – e cita uma tese deste último: se a peça tivesse sido montada três anos antes, muito provavelmente não teriam sido poucos a imaginar *A nonna* como uma parábola da repressão.

BENT (1981)

Bent é uma peça de 1979 escrita por Martin Sherman. O texto gira em torno da perseguição aos homossexuais na Alemanha nazista.

O autor escreveu uma peça sobre homossexuais perseguidos pelo nazismo e confinados num campo de concentração, mas seu alcance supera a justa defesa de uma minoria, colocando-se como mais um símbolo que dignifica o ser humano em circunstâncias adversas[27].

Além do belo texto, Magaldi afirma que o grande mérito da peça deve ser atribuído à direção de Roberto Vignati, à equipe técnica e aos excelentes atores.

VEM BUSCAR-ME QUE AINDA SOU TEU (1990-1991)

Em 1990, se viveu perigosamente, mas, a despeito disso, o teatro, teimoso e moribundo, sacudiu a pasmaceira e apresentou uma temporada de qualidade, de iniciativas corajosas e demarcação de territórios[28].

A VIDA É SONHO (1992)

Depois de alguns anos afastada do Teatro Sesc Anchieta, em que participou e produziu espetáculos de sucesso, Regina Duarte voltou à cena com um texto clássico. Com elenco formado exclusivamente por mulheres, que participam de uma encenação utilizando uma linguagem visual ligada às procissões de Corpus Christi, a peça conta a história do príncipe Segismundo, que, ao nascer, perde sua mãe no parto. Tudo se passa sobre um tapete de flores, com as personagens sempre atravessando a cena, como em uma procissão.

Há várias peças em que o diretor [Gabriel Villela] vem buscando uma aproximação com a simplicidade popular. Tentava na ligação com o circo, com o teatro mambembe, com o melodrama. Foi preciso partir de vez para o jogo, a brincadeira mesmo mais que tudo, para que alcançasse o que queria. Villela precisou não se levar tão a sério para tocar a plateia. Mas nada disso importa quando o público se abre para o sonho. A peça de Calderón de la Barca, como montada por Gabriel Villela, com Regina Duarte, é, sobretudo, um grande prazer[29].

CERIMÔNIA DO ADEUS (1998)

O texto é um blefe, uma excelente ideia recheada com diálogos brilhantes, mas inacabada por falta de carpintaria teatral e recebida por muitos como uma obra-prima. *Cerimônia do adeus* é o melhor trabalho de Ulysses Cruz, um espetáculo primoroso onde, mais que domínio formal, ele apresenta, pela primeira vez de forma clara, uma visão de mundo. [...] Cleyde Yáconis tem a melhor interpretação do espetáculo. Inteligente e emocionada, ela compõe Simone de Beauvoir com senso de humor e feminilidade. Com vitalidade única, ela domina a cena e magnetiza a plateia[30].

---

26. Jefferson del Rios, "Nonna, uma devoradora de muitas faces", *Folha de S.Paulo*, São Paulo: 19 abr. 1980, s/p.
27. Sábato Magaldi, "*Bent*, sem bandeiras além da dignidade humana", *Jornal da Tarde*, São Paulo: s/d, s/p.
28. Marta Góes, "Encontro entre o risco e a qualidade", *Jornal da Tarde*, São Paulo: 5 jan. 1991, s/p.
29. Nelson de Sá, "*A vida é sonho* brinca com o público", *Folha de S.Paulo*, São Paulo: s/d, s/p.
30. Aimar Labaki, "Ulysses Cruz supera as falhas de *Cerimônia do adeus*", *Folha de S.Paulo*, São Paulo: s/d, s/p.

Vem buscar-me que ainda sou teu. Laura Cardoso e Claudio Fontana; abaixo: Xuxa Lopes, 1990.

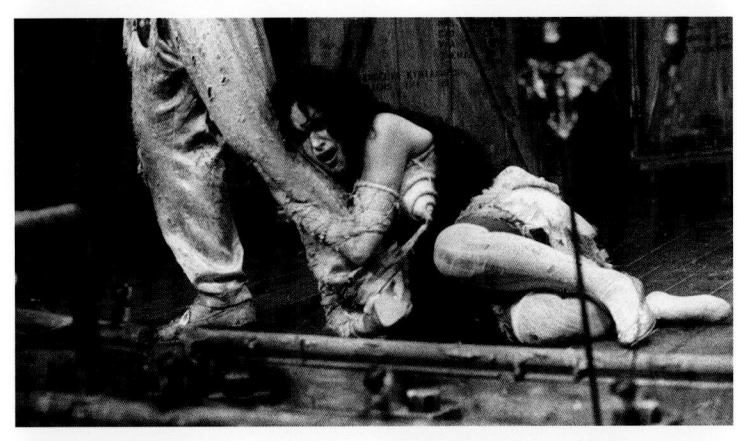

Bent. Kito Junqueira e Carlinhos Silveira, 1981.

Cerimônia do adeus. Cleyde Yáconis, Antônio Abujamra e Marcos Frota; abaixo, à esquerda: Sonia Guedes, Cleyde Yáconis e Marcos Frota; à direita: Cleyde Yáconis, 1998.

79

80   TEATRO SESC ANCHIETA   UM ÍCONE PAULISTANO

A vida é sonho. Regina Duarte, 1992.

A comédia do trabalho. Ney Piacentini; abaixo: Heitor Goldflus, Ney Piacentini, Maria Tendlau, Adriana Mendonça e Alessandra Fernandez, Companhia do Latão, 2000.

A COMÉDIA DO TRABALHO (2000)

Entre janeiro e julho de 2000, a Companhia do Latão realizou uma série de oficinas teatrais, com o objetivo de debater a questão do trabalho no capitalismo financeiro e montar um espetáculo sobre o tema.

Ao estrear, a linguagem híbrida da obra incorporou as notícias dos jornais e de diversas entrevistas feitas. Sua presença no Teatro Sesc Anchieta é significativa, apresentando seis peças no espaço – praticamente todo o seu repertório. Esse fato manifesta a tradição daquele palco em manter-se em sintonia com a história e a sociedade em que se insere.

> A peça se passa no campo da revolta, do protesto. A gente mostra que existe uma potência revolucionária nas forças sociais quando elas se organizam ou estão em vias de[31].

> Fascinante e aprofundado mergulho na realidade social e política do país, *A comédia do trabalho* chega ao público provocando prazer e reflexão com apenas cinco intérpretes, que, do princípio ao fim, revelam talento e sensibilidade[32].

> O espetáculo, em cartaz no Teatro Sesc Anchieta, é uma comédia trágica que leva o público às gargalhadas, mas deixando sempre um gosto amargo na boca[33].

SUBÚRBIA (2001)

Bem recebido pela crítica, o espetáculo atrai, sobretudo, adolescentes que com ele se identificam em razão do tema, da proposta de encenação, dos personagens e da dinâmica da peça.

> A peça tem o mérito de não cair na armadilha da adaptação. É mantendo praticamente intacta a informação original que o espetáculo consegue ser eficiente na comunicação com a plateia. Ou seja: o melhor da montagem não é, como se costuma proclamar nesses casos, o reforço do caráter "universal" da fábula, mas justamente o que nela há de local[34].

PANTAGRUEL (2001-2002)

Consciente de tudo o que envolve o gênero teatral escolhido, Hugo Possolo declara que principalmente as escatologias, o baixo-ventre e a fome formam a raiz do farsesco, na medida em que estes constituem os instintos básicos do ser humano e, em decorrência disso, caracterizam a base do conhecimento do próprio grupo.

> O humor franco e popular – é impressionante a empatia e a ligação que Alexandre Roit, Hugo Possolo e Raul Barreto estabelecem sempre com o público –, o refinamento, as interpretações e o apuro da montagem, que pode ser visto na música, nos figurinos, no cenário, na iluminação, modernizando ou atualizando a comédia clássica, fazem deste um excelente espetáculo[35].

TARSILA (2003)

Pequenas invejas, grandes ressentimentos, contradições, falhas de caráter até, não turvam o retrato apaixonado de uma geração vital para a cultura brasileira. Pelo contrário: ultrapassando o didatismo, fazendo uma ponte vibrante entre a geração pré e pós-regime militar, *Tarsila* demonstra plenamente sua tese de que a vida é mais importante que

---

31. Sérgio de Carvalho no *Caderno de apontamentos*, produzido durante a oficina de teoria crítica.
32. Fernando Peixoto, "Do riso no mundo selvagem", *Bravo!*, São Paulo: set. 2000, s/p.
33. Alberto Guzik, "A corrupção no palco do Sesc Anchieta", *Jornal da Tarde*, São Paulo: 18 ago. 2000, s/p.
34. Kil Abreu, "Montagem de *Subúrbia* digere o abandono", *Folha de S.Paulo*, São Paulo: 27 jan. 2001, p. E4.
35. Aguinaldo Ribeiro da Cunha, "Parlapatões está excelente em *Pantagruel*. O humor franco e popular do grupo enriquece o espetáculo, que é bem escrito e tem ótima direção", *Diário de S. Paulo*, São Paulo: 12 dez. 2001, p. D3.

Subúrbia. Francisco Medeiros, Julio Pompeo, Beto Magnani, Marcos Damigo e André Custódio; abaixo: Luciano Gatti, Bárbara Paz e Beto Magnani, 2001.

Pantagruel.
Alexandre Roit, Hugo Possolo, Rui Minharro, Henrique Stroeter, Pedro Guilherme e Claudinei Brandão, Grupo Parlapatões, Patifes & Paspalhões, 2001.

Muito barulho por quase nada. César Ferrario, George Holanda, João Júnior, Marco França, Nara Kelly e Titina Medeiros, Grupo Clowns de Shakespeare, 2005.

a posteridade. Sobretudo vidas assim, despudoradamente brasileiras[36].

Com especial delicadeza, atenta aos detalhes que expressam a personalidade tanto quanto a opção artística, a peça desenha para cada um dos artistas evocados traços da personalidade que conferem ao documento a terceira dimensão da realidade ficcional[37].

OS SETE AFLUENTES DO RIO OTA (2003)

No momento do ataque da bomba atômica à cidade de Hiroshima, em 1945, grande parte da população atira-se no rio Ota, dividido em sete braços. No dia seguinte, um incontável número de corpos jaz no leito do rio. Em razão disso, todos os anos, a população da cidade presta homenagem aos mortos, acendendo lanternas às margens dele.

Tive a certeza de estar diante de uma obra-prima, de uma experiência teatral sem precedentes. Pela primeira vez, o teatro transcendeu o palco, suas limitações técnicas, para viajar pelo tempo, pelo espaço, e sublimou, como num toque de mágica, o distanciamento imposto pela autoridade da encenação teatral para chegar muito perto de cada um de nós. Ao atravessar os últimos cinquenta anos do século XX, esta obra nos revela, com toda a poesia e delicadeza, nossa comovente insignificância e complexa humanidade[38].

PESSOAS INVISÍVEIS (2003)

A protagonista das obras de Will Eisner é a metrópole, composta por uma imensa massa integrada por gente simples, solitária, que, muitas vezes, apresenta dificuldade de

---

36. Sérgio Salvia Coelho, "Vida suplanta posteridade em montagem", *Folha de S.Paulo*, São Paulo: 22 mar. 2003, p. E2.
37. Mariangela Alves de Lima, "*Tarsila* põe em cena lições de camaradagem", *O Estado de S. Paulo*, São Paulo: 4 abr. 2003, p. D6.
38. Susana Chile, "Todas as artes na vida de uma só produtora", *O Estado de S. Paulo*, São Paulo: 3 jun. 2003, s/p.

Os sete afluentes do rio Ota. Beth Goulart e Helena Ignez; abaixo: Caco Ciocler, Helena Ignez, Giulia Gam, Jiddu Pinheiro e Maria Luisa Mendonça, 2003.

Pessoas invisíveis. Marcelo Guerra,
Sérgio Medeiros e Marcos Martins,
Armazém Companhia de Teatro, 2003.

se relacionar. O espetáculo montado pela Armazém Companhia de Teatro (formada no Paraná em 1987 e radicada no Rio de Janeiro em 1998) traz temáticas oportunas à contemporaneidade e tratamento cênico bastante expressivo, inspirando-se em histórias do mestre de quadrinhos como *The Building*, *NY the Big City*, *Dropsie Avenue*, *Will Eisner reader*, *Spirit* e *A Contract with God*.

> O espetáculo trata da solidão urbana. Will Eisner tem um olhar muito inteligente sobre as vidas miúdas, que não têm acontecimentos grandiosos. Sempre olha para elas muito compassivamente. Há nele uma intensidade prosaica, simples, não aquela coisa heroica[39].

MUITO BARULHO POR QUASE NADA (2005)

A adaptação de *Muito barulho por nada*, de William Shakespeare, estreou em 2003 e destacou-se em diversos festivais brasileiros, gerando reconhecimento nacional para o grupo Clowns de Shakespeare. Dirigida em parceria por Fernando Yamamoto, do Clowns (RN), e Eduardo Moreira, do Grupo Galpão (BH), a montagem caracteriza-se por uma musicalidade singular e pela alegria da atuação.

> Sabendo levar a sério a estética popular, na trilha executada ao vivo e nos cuidadosos figurino e cenário de João Marcelino, sem perder a irreverência que une o *clown* shakespeariano ao palhaço nordestino, o grupo conquista para Natal as atenções do Brasil. Depois desse *Muito barulho...*, que o resto não seja silêncio: muito se pode esperar do Clowns de Shakespeare. É preciso dar corda a esse grupo[40].
>
> Não quero [...] dizer que a encenação deixa de ser "fiel" à obra do bardo. Pelo contrário: capta-lhe a graça, a ironia sobre as funções sociais de cada um deles, não as levando

muito a sério, até porque os próprios personagens não se levam a sério. A fina crítica do poeta às fraquezas humanas lá está. Assim como lá estão os golpes baixos de um e a possível grandeza do outro. Mas tudo bem condimentado no tempero nordestino[41].

CENTRO NERVOSO (2006)

Com elenco especialmente montado para o espetáculo, texto e direção de Fernando Bonassi, *Centro nervoso* apresenta 13 monólogos para quatro atores sobre o cotidiano urbano, violento e injusto. Na abertura do espetáculo temos: "Vende-se um grito de aviso, um encontro marcado com o pecado, um grito gritado para dar juízo".

PEQUENOS MILAGRES (2007)

Comemorando 25 anos de existência, o Grupo Galpão realizou a campanha *Conte sua história*. Com base em fatos reais, os relatos deveriam conter um "pequeno milagre". Por meio de cartas e e-mails, eles receberam mais de seiscentas histórias e quatro foram selecionadas: "Cabeça de cachorro", "O pracinha da FEB", "O vestido" e "Casal náufrago".

> Depois de pedir aos brasileiros que narrassem suas histórias, o Grupo Galpão as devolve na forma de poesia cênica e, assim, faz do palco o que ele sempre almeja ser – o espelho da gente de seu tempo[42].

A MORATÓRIA (2008)

O grande autor paulista Jorge Andrade escreveu em 1954 o drama que volta com o Grupo Tapa. Dirigida por Eduardo Tolentino de Araújo, a montagem mostra que teatro bom

---

39. Marici Salomão, "A tradição renovada", *Bravo!*, São Paulo: 16 jul. 2003, s/p.
40. Sérgio Salvia Coelho, "Grupo se consagra com releitura alegre de Shakespeare", *Folha de S.Paulo*, São Paulo: 4 out. 2005, p. E1.
41. Sebastião Milaré, "Muito barulho por quase nada". Disponível em: <www.antaprofana.com.br/materia_atual.asp?mat=220>. Acesso em: 20 jan. 2015.
42. Beth Néspoli, "Galpão estreia a peça *Pequenos milagres* no Teatro Anchieta", *O Estado de S. Paulo*, São Paulo: 2 ago. 2007, s/p.

Centro nervoso.
Pascoal da Conceição e
Thereza Piffer; abaixo: Eucir
de Souza, 2006.

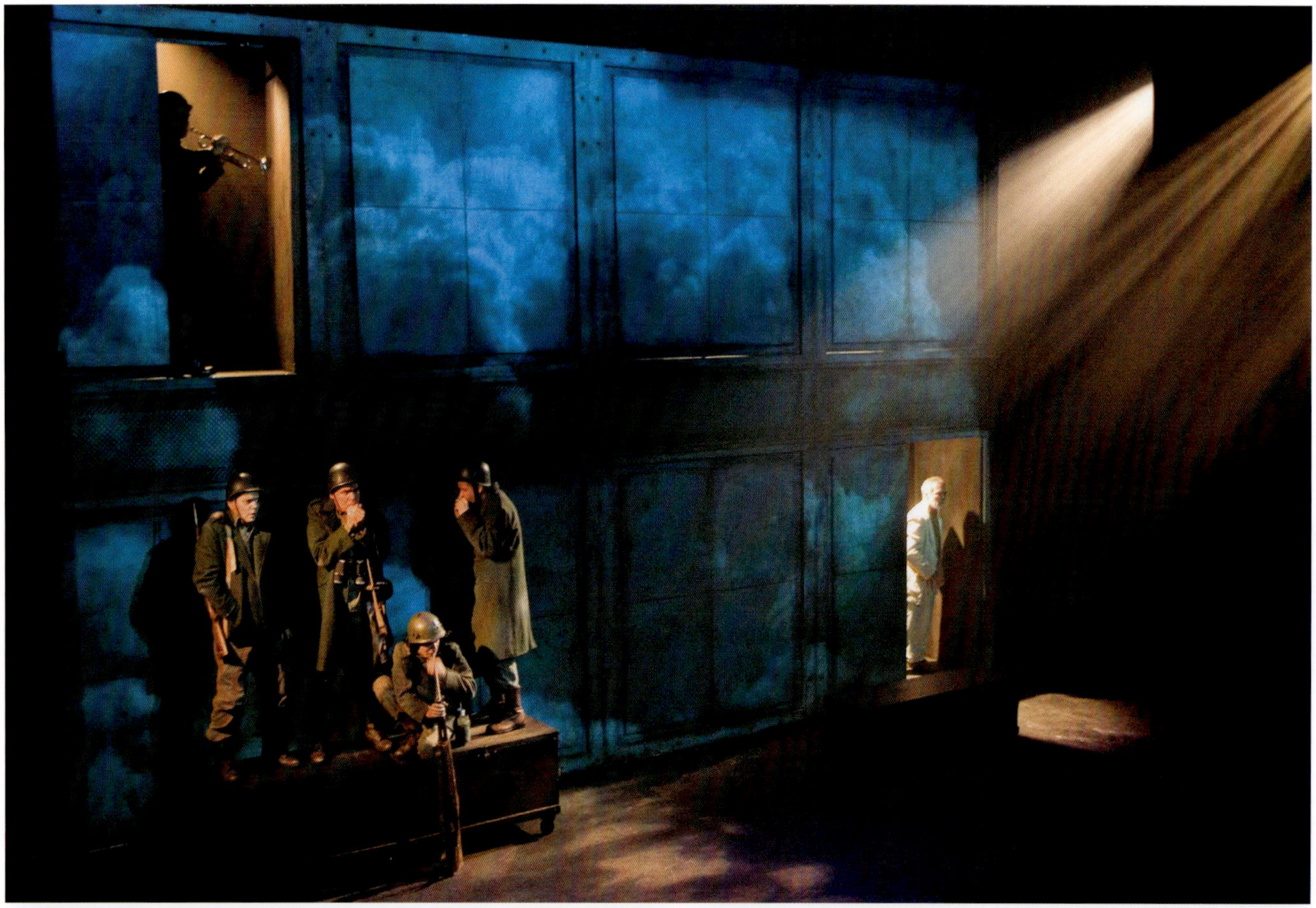

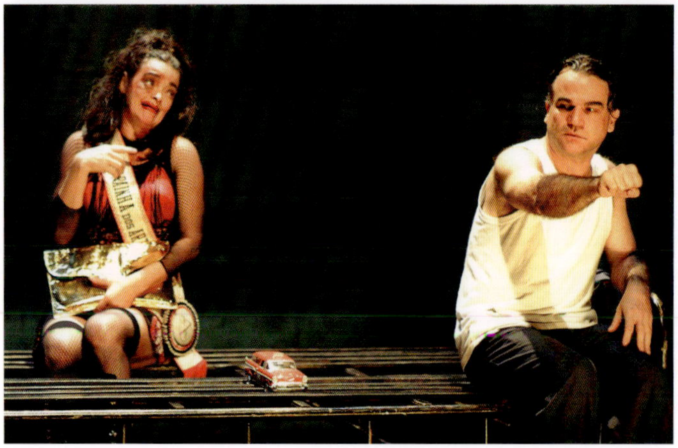

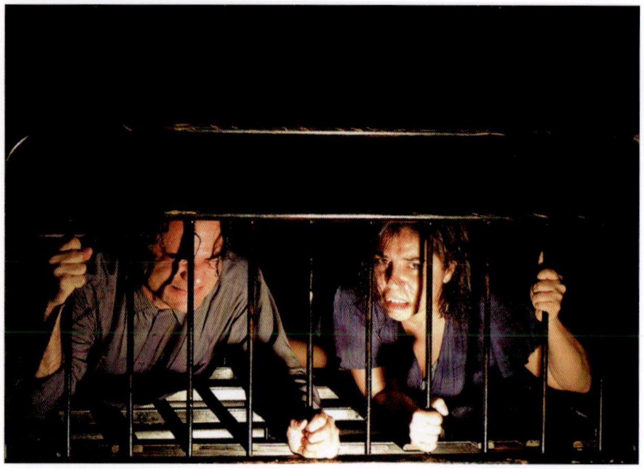

Pequenos milagres. Paulo André, Beto Franco, Eduardo Moreira, Chico Pelúcio e Julio Maciel; abaixo, à esquerda: Inês Peixoto e Eduardo Moreira; à direita: Eduardo Moreira e Lydia Del Picchia, Grupo Galpão, 2007.

A moratória. Roza Grobman e Augusto Zacchi; abaixo: Zécarlos Machado, Roza Grobman e Larissa Prado, Grupo Tapa, 2008.

dispensa efeitos. Sua marca surge nos detalhes, caso da sutil ambientação dos dois planos – o passado e o presente – em um único cenário, ao contrário do previsto no texto. Zécarlos Machado lidera o elenco de seis atores. Na pele de um fazendeiro que na crise cafeeira dos anos 1930 perde as terras e a autoridade, ele transmite a amargura exata. Não se conforma diante da acomodação do filho (papel de Augusto Zacchi) ou do esforço da primogênita (Paloma Galasso) para sustentar a casa[43].

Ele [Eduardo Tolentino de Araújo] mexeu bastante no texto, o que raramente o Tapa faz; sua premissa é de respeito incondicional ao autor. Mas, aqui, houve cortes equivalentes a meia hora de texto, cenas foram remanejadas, sem prejuízo da sofisticada linguagem de Andrade[44].

VIVER SEM TEMPOS MORTOS (2009)

No monólogo, Fernanda Montenegro interpreta textos de Simone de Beauvoir retirados das notas autobiográficas e das correspondências entre a escritora e seu companheiro Jean-Paul Sartre. Em um trecho do espetáculo temos:

A impressão que eu tenho é de não ter envelhecido, embora eu esteja instalada na velhice. O tempo é irrealizável. Provisoriamente, o tempo parou pra mim... provisoriamente! Mas eu não ignoro as ameaças que o futuro encerra, como também não ignoro que é o meu passado que define a minha abertura para o futuro. O meu passado é a referência que me projeta e que eu devo ultrapassar. Portanto, ao meu passado eu devo o meu saber e a minha ignorância, as minhas necessidades, as minhas relações, a minha cultura e o meu corpo. Que espaço o meu passado deixa pra minha liberdade hoje? Não sou escrava dele. O que eu sempre quis foi comunicar da maneira mais direta o sabor da minha vida, unicamente o sabor da minha vida. Acho que eu consegui fazê-lo; vivi num mundo de homens guardando em mim o melhor da minha feminilidade. Não desejei nem desejo nada mais do que viver sem tempos mortos.

Maria Eugênia de Menezes sublinha, em "Duas gigantes num encontro minimalista":

Para começo de conversa, Fernanda Montenegro vai dizendo logo o que não se deve esperar do espetáculo sobre Simone de Beauvoir [...] nada de gestos histriônicos, trejeitos caricatos, nenhuma sombra de sotaque francês. Para recompor a imagem de *mademoiselle* Beauvoir, a polêmica escritora e companheira de Jean-Paul Sartre, a atriz primou pela simplicidade[45].

MARIA STUART (2009)

Julia Lemmertz e Lígia Cortez interpretam as rainhas rivais Mary Stuart da Escócia e Elizabeth I da Inglaterra em montagem dirigida por Antonio Gilberto a partir da tradução de Manuel Bandeira.

A encenação de Antonio Gilberto coloca em primeiro plano o texto, na belíssima tradução de Manuel Bandeira. Para isso, conta com a contribuição genial de Hélio Eichbauer na direção de arte. O cenógrafo simplifica ao máximo o espaço cênico, delimitando-o com um tapete vermelho, e preenchendo-o, apenas, com um estrado, um trono e um baú, todos de madeira crua e clara. É extraordinário o efeito desses poucos elementos contrastados por um fundo escuro e a iluminação precisa de Tomás Ribas[46].

---

43. Resenha por Dirceu Alves Jr. Disponível em: <http://vejasp.abril.com.br/atracao/a-moratoria>. Acesso em: 20 jan. 2015.
44. Walmir Santos, "Tapa reencontra Jorge Andrade". Disponível em: <www1.folha.uol.com.br/fsp/ilustrad/fq2102200824.htm>. Acesso em: 20 jan. 2015.
45. Maria Eugênia de Menezes "Duas gigantes num encontro minimalista". Disponível em: <www1.folha.uol.com.br/guia/te2205200901.shtml>. Acesso em: 20 jan. 2015.
46. Luis Fernando Ramos, "Bom espetáculo dá brilho a texto extenso e rebuscado de Schiller". Disponível em: <www1.folha.uol.com.br/fsp/ilustrad/fq1510200911.htm>. Acesso em: 20 jan. 2015.

Viver sem tempos mortos. Fernanda Montenegro, 2009.

Maria Stuart.
Acima, à esquerda: Lígia Cortez;
à direita: Alexandre Cruz e Julia Lemmertz;
abaixo: Julia Lemmertz, 2009.

Resta pouco a dizer.
Elenco; abaixo:
Camila Márdila, 2011.

RECORDAR É VIVER (2011)

Drama familiar que se passa no início dos anos 1990 num bairro de classe média do Rio de Janeiro. Com texto de Hélio Sussekind e direção de Eduardo Tolentino de Araújo.

Casados há mais de 50 anos, Alberto (Sérgio Britto) e Ana (Suely Franco) vivem uma conflituosa relação com o filho caçula, que, aos 30 anos de idade, ainda depende deles para viver. Indignado, o irmão mais velho critica a atitude protetora dos pais e os culpa pela falta de atitude do filho. Sérgio Britto, no programa do espetáculo, enfatiza: *"Recordar é viver* é a vida de cada dia de uma família carioca. Eles se amam, brigam todo o tempo, vivendo um cotidiano que os aproxima de uma realidade muito palpável".

RESTA POUCO A DIZER (2011)

Projeto que intercala peças curtas e *performances*, *Resta pouco a dizer* apresentou textos de Samuel Beckett – "Catástrofe", "Ato sem palavras 2" e "Jogo" – traduzidos pela crítica de teatro Bárbara Heliodora. Em "Jogo", por exemplo, vemos três caixas no palco. Em cada caixa, uma cabeça – um homem e duas mulheres. A peça apresenta, com humor, a história de um triângulo amoroso. Cada uma das personagens conta sua própria versão dos mesmos fatos. Um inquisidor foco de luz determina quem fala e quando. O texto é falado de maneira rápida. Sobre esse trecho do espetáculo, Jean-Claude Bernardet relata:

> [...] os três personagens metralham o diálogo, seguindo a didascália do dramaturgo [Samuel Beckett] projetada numa tela durante o espetáculo. Essa fala metralhada exige uma forte inspiração que permita articular a maior quantidade possível de texto até que, esgotado o fôlego, uma breve pausa prepara nova inspiração (afinal, ninguém é de ferro)[47].

CARTA AO PAI (2013)

Com fragmentos da obra homônima de Franz Kafka, que nunca chegou ao seu destinatário e se transformou num clássico da literatura mundial, *Carta ao pai* marca os 45 anos de carreira de Denise Stoklos.

Em sua nova peça *Carta ao pai*, Stoklos e seu "teatro essencial" mostram-se, mais uma vez, como "tudo": particular e geral, singular e universal, começo e fim, horizontal e vertical. A experiência da peça é algo como falta com plenitude, prazer com dor, feio com belo, horror com gozo, pensamento com corpo. Tudo está ali: literatura, filosofia, psicanálise, teatro, dança, desenho, palavra e silêncio. Pode parecer abstrato o que eu digo, mas é assim que vi a peça. Assim que vi o mundo de Kafka pelas lentes de Stoklos[48].

ENTREDENTES (2014)

Quase duas décadas depois, a intrépida dupla Ney Latorraca e Gerald Thomas se reencontra em *Entredentes*. [...] "Um islâmico radical e um judeu ortodoxo se encontram no Muro das Lamentações, em Jerusalém. E aí começa tudo!", resume Thomas. Latorraca interpreta um médium, tendo ao seu lado os atores Edi Botelho e Maria de Lima. O texto de Thomas ainda abre espaço para notícias quentes do noticiário mundial na fala dos personagens, batizados não por acaso de Ney, Didi e Maria[49].

BEIJE MINHA LÁPIDE (2015)

Com texto de Jô Bilac e atuação notável de Marco Nanini no papel de Bala, um escritor bissexual apaixonado por

---

47. Jean-Claude Bernardet, "Resta pouco a dizer". Disponível em: <http://jcbernardet.blog.uol.com.br/arch2011-01-09_2011-01-15.html>. Acesso em: 20 jan. 2015.

48. Márcia Tiburi, "Carta ao pai, Denise Stoklos". Disponível em: <http://revistacult.uol.com.br/home/2013/08/carta-ao-pai-denise-stoklos>. Acesso em: 20 jan. 2015.

49. Dirceu Alves Jr., "O reencontro de Ney Latorraca e Gerald Thomas em *Entredentes*, que estreia em abril no Teatro Anchieta". Disponível em: <http://vejasp.abril.com.br/blogs/dirceu-alves-jr/2014/03/17/ney-latorraca-gerald-thomas-entredentes-sesc>. Acesso em: 20 jan. 2015.

Oscar Wilde, *Beije minha lápide* levanta questões atuais sobre preconceito e julgamento moral. De acordo com Lionel Fischer, no programa da peça:

> Bem escrita, contendo ótimos personagens e uma ação que prende a atenção do espectador ao longo de toda a montagem, *Beije minha lápide* recebeu ótima versão cênica de Bel Garcia. Aproveitando com extrema sensibilidade todas as possibilidades expressivas da maravilhosa cenografia de Daniela Thomas (centrada, basicamente, em um cubo onde o protagonista está encerrado), a diretora consegue valorizar todos os climas emocionais em jogo, para tanto valendo-se de marcações tão imprevistas quanto criativas, afora ter extraído atuações irretocáveis do elenco.

KRUM (2015)

Krum é um jovem que retorna para sua terra natal após perambular um tempo pela Europa. O reencontro com sua mãe e seus entes mais próximos traz de volta a mesma opressão da pobreza e dos problemas triviais do dia a dia. Escrita pelo israelense Hanoch Levin em 1970, *Krum* foi adaptado por Marcio Abreu e Nadja Naira para os dias atuais. De acordo com Abreu, que também assina a direção do espetáculo:

> O lugar nenhum de onde vem Krum, o lugar de sempre, de onde nunca saiu, é aí que o diretor estabelece o território cênico, em que o corpo se reveste de "uma máscara de sofrimento" e que um dia será "uma espessa camada de cinza". O tributo a um dos mortos, na cerimônia das cinzas, é de arrebatadora beleza. O quadro negro desse vazio de como se situar é preenchido com o agrupamento do elenco em formas que se movimentam como cenários vivos, dialogando com as vozes miúdas de quem nada mais tem a esperar[50].

Carta ao pai.
Denise Stoklos, 2013.

Entredentes.
Maria de Lima, Edi Botelho e Ney Latorraca, 2014.

---

50. Macksen Luiz, "Vindo de lugar nenhum", *O Globo*, Rio de Janeiro: 17 mar. 2015.

A TRAGÉDIA LATINO-AMERICANA E A COMÉDIA LATINO-AMERICANA (2016)

Projeto do diretor Felipe Hirsch e do Coletivo Ultralíricos, o díptico *A tragédia latino-americana* e *A comédia latino-americana* aborda a situação sociopolítica desse imenso e diverso continente, entremeado de literatura e música. O diretor e dramaturgo Ruy Filho, no programa do espetáculo, trata do muro concreto que nós, brasileiros, temos mantido ao longo dos séculos nos separando desse lugar do qual fazemos parte orgânica e historicamente:

> Construímos um estado de solidão tão profunda capaz de anular um continente inteiro, enquanto nos classificamos como um continente que se faz e basta em si. Ao não olhar para o lado, o Brasil perde a complexidade presente apenas no pertencimento mais profundo frente à história humana[51].

LEITE DERRAMADO (2016)

Adaptação cênica de Roberto Alvim do romance homônimo de Chico Buarque, *Leite derramado* traça uma visão panorâmica da história brasileira por meio de reminiscências e devaneios de Eulálio D'Assumpção, protagonista centenário que está à beira da morte em um corredor de hospital público.

> [...] o texto dramatúrgico propõe com ousadia e apreço pelo risco uma interpretação do protagonista que o romance em momento algum autoriza o leitor a pensar. Antes de se fecharem as cortinas, Eulálio Montenegro D'Assumpção assume sua condição de pobre diabo, para quem os delírios de grandeza sonhados com muita vivacidade até ali teriam compensado a situação de cruel anonimato que ele, como todos os brasileiros pobres, está destinado a viver[52].

Beije minha lápide.
Marco Nanini, 2015.

---

51. Ruy Filho, *Construções e desconstruções*. Ensaio que acompanha o programa da peça, São Paulo: 2016, s/p.
52. Welington Andrade, *Leite derramado: mise en abyme do desvario*. Ensaio que acompanha o programa da peça, São Paulo: 2016, p. 25.

A tragédia latino-americana.
Caco Ciocler, 2016.

Krum. Elenco, 2016.

CAPÍTULO 4

ANTUNES FILHO E A
CRIAÇÃO DO CENTRO DE
PESQUISA TEATRAL – CPT

DOS ANTECEDENTES À REALIZAÇÃO

*[...] Adoro representações, adoro a metáfora –
a minha percepção juvenil ansiando captar
o mundo todo ampliou-se na vida adulta.*

Antunes Filho

Desde o início das especulações sobre a possibilidade de abrigar, no então Sesc Vila Nova, um grupo de teatro estável, o que mais se vê nos documentos são considerações acerca da acessibilidade e, também, da qualidade das produções. O conceito de qualidade estética refere-se à excelência da experimentação, à escolha de textos e à depuração do espetáculo, com ênfase no trabalho do ator. Antunes Filho era um diretor com destacados espetáculos, e o Grupo Macunaíma, cooperativa formada em 1977, contava em seu repertório com as peças *Macunaíma*, de 1978, adaptada da obra homônima de Mário de Andrade, e, também, *Nelson Rodrigues, o eterno retorno*, baseada em quatro textos do autor.

Desse modo, institui-se[53] a comissão formada por Carlos Alberto Rampone, Carlos Lupinacci Pinto, Domingos Barbosa da Rocha, Erivelto Busto Garcia, Maria Theodora Arantes, Anibal Luis Magni, Francisco Penteado Millan e Liliana De Fiori Pereira de Melo. Seu objetivo é viabilizar um estudo para a contratação de Antunes Filho e a residência de seu grupo de teatro. Sob a coordenação de Rampone, coube à comissão:

- elaborar estudos que pudessem definir, ordenar e orçar financeiramente o projeto;
- determinar as bases para a contratação do diretor teatral Antunes Filho (ressaltando seus compromissos em relação ao projeto);

---

53. Por meio de ordem de serviço datada de 31 de março de 1982, assinada pelo então diretor do Departamento Regional do Sesc São Paulo, Renato Requixa.

- acompanhar a implantação e avaliar os resultados.

A escolha do Grupo Macunaíma se pauta pelas determinações apresentadas pela equipe de trabalho, que, dentro do período de tempo estipulado, apresenta um documento dividido em três blocos: "Quadro da situação", "Quadro dos valores" e "Objetivos e meios".

Depois de comentar as dificuldades do início dos anos 1980, o documento faz alusão à forma cooperativada[54] em que certos grupos se organizavam na ocasião. Entre os inseridos nessa proposição, encontram-se os coletivos cooperativados Asdrúbal Trouxe o Trombone, Pessoal do Victor e o próprio Grupo Macunaíma. Apontando os graves problemas enfrentados por grupos cuja natureza experimental os deixava à margem, o documento conclui pela inserção do coletivo e pela contratação de Antunes Filho, explicitando claramente o interesse do Sesc em apresentar espetáculos de qualidade e acessíveis a todos, e complementa:

[...] quanto mais elevado o nível das realizações promovidas pelo Sesc, mais os outros agentes culturais se veem na contingência de elevar seu próprio nível.

O prenúncio de conquistas que virão para o Teatro Sesc Anchieta abarcará novos significados se conseguir se caracterizar como espaço de ponta, de criatividade e inovação [...] um movimento inovador, com alcance social relevante e democratizador da prática teatral[55].

Quanto aos objetivos apresentados para essa nova fase, figuram os de promover atividades que discutam a produção teatral brasileira, fornecendo critérios para a melhoria dessa realidade sociocultural; abordar o teatro numa perspectiva cultural, social e econômica brasileira; formar atores e técnicos de apoio por meio de um processo pedagógico comprometido com a produção de espetáculos teatrais; propiciar a animação cultural de um espaço, mostrando e discutindo as novas tendências do teatro por meio da programação de eventos importantes e da aproximação entre público, artistas, autores e obras.

Antunes Filho conta com toda a infraestrutura para criar seus trabalhos geniais. [...] Fiz questão de dar-lhe todo o suporte de que necessitava para poder desenvolver o seu trabalho absolutamente peculiar e excepcional. [...] Para mim, tê-lo abrigado no Sesc Consolação é mais do que justificável. Primeiro, por ser um diretor extraordinário. [...] Segundo, a ação do Antunes transita com um caráter didático muito forte. E isso para o Sesc é fundamental. Porque a nossa ação tem de ter esse caráter educativo sempre. O Antunes tem um componente ético, ele tem um componente absolutamente vinculado a uma proposta institucional; ele reúne isso de forma brilhante. Danilo Santos de Miranda, em entrevista.

Ao se concretizar o processo de contratação no Sesc, Antunes Filho explicita algumas de suas preocupações quanto ao trabalho a ser desenvolvido no Centro de Pesquisa Teatral – CPT, como o alicerce na pessoa e na realidade brasileira para os espetáculos apresentados pelo grupo e o desenvolvimento de um método de trabalho por meio do qual possa formar atores brasileiros[56].

São muitas as influências que justificam o caráter experimental e variado do processo criativo de Antunes.

Assisti, com o Antunes, [ao espetáculo de] Bob Wilson. Lembro que ficamos fascinados pelo que havíamos assistido. [...]. Lembro da gente andando pelas ruas de São Paulo ali no centro, e o Antunes falando que iria mudar a sua vida, que queria fazer outro tipo de trabalho. Que iria trabalhar com atores não profissionais. Isso

---

54. É importante destacar que a Cooperativa Paulista de Teatro é fundada em 1979 e inicialmente constituída de determinados coletivos. Cf. Alexandre Mate, *30 anos da Cooperativa Paulista de Teatro*, São Paulo: Imprensa Oficial do Estado, 2009.
55. Serviço Social do Comércio – Administração Regional no Estado de São Paulo, *Ordem de Serviço*, São Paulo: 1982.

56. Sebastião Milaré, em *Hierofania: o teatro segundo Antunes Filho* (São Paulo: Edições Sesc, 2010), explicita, 28 anos depois do nascimento do CPT, esse caminho trilhado de modo obstinado por Antunes, com a colaboração de tantos atores e atrizes que participaram dos processos de criação do CPT.

foi em 1974. Penso que, naquele momento, de uma certa maneira, começa a nascer o CPT. O Bob Wilson foi fundamental para o Antunes e para mim. Sérgio Mamberti, em entrevista.

ESPETÁCULOS DO CPT APRESENTADOS NO TEATRO SESC ANCHIETA

O CPT propôs-se, desde sua origem, a criar um teatro de repertório, que encenaria uma peça por semana, em rodízio permanente. Tal projeto efetiva-se com a montagem de três espetáculos: *Romeu e Julieta*, alternando com as peças *Nelson 2 Rodrigues* e *Macunaíma*, produções do CPT e do Grupo de Teatro Macunaíma.

Os primeiros resultados práticos, portanto, caracterizavam-se como uma síntese do trabalho de pesquisa teórica, dos recursos expressivos e do desenvolvimento de uma metodologia voltada ao ator elaborada pelo CPT.

ROMEU E JULIETA

Romeu e Julieta, de 1984, é a primeira montagem feita pelo CPT, dando início ao rodízio dos três espetáculos.

A primeira vez que tive contato com Shakespeare foi ao ver o filme Romeu e Julieta, *com Leslie Howard e Norma Shearer, no Cine Paulistano. Eu, menino, saí do cinema zonzo. Sensação que até hoje, às vezes, sinto. Uma sensação de quem tivesse saído de uma conversa com algum hipnótico guru: "Olha, agora você tem que procurar o mestre tal, na Índia". E você vai. O da Índia, após leituras védicas e alguns mantras, manda você retornar à Europa, à alquímica Praga, em busca de outros novos e transcendentes saberes. E assim, sucessivamente, viagem após viagem, você vai adquirindo conhecimentos. Aprendi que não são os gurus que abrem nossas cabeças, e sim as viagens que eles propõem. Shakespeare é a síntese de todos os gurus e de todas as extraordinárias viagens.* Antunes Filho, em entrevista.

Fiquei arrebatado. O fato de saber que eu também era responsável por um genial artista conseguir materializar toda a sua concepção estético-artística me orgulhava muito. As soluções estéticas de Antunes são impactantes. [...] A guerra dos Capuletos e dos Montecchios é inesquecível. Bolas coloridas jogadas, de uma coxia a outra, palco absolutamente vazio. Penso que "belíssimo" é o adjetivo justo para o que o Antunes Filho tem criado ao longo de tantos anos. Danilo Santos de Miranda, em entrevista.

As montagens de *Romeu e Julieta* costumam tratar a relação amorosa dos dois protagonistas com mais ênfase na volubilidade do que no amor genuíno. O caráter mítico do amor eterno é algo que sempre interessou a Antunes Filho. Mantendo o prólogo e tomando o impulso amoroso como valor mais evidente da narrativa, a montagem parece, também, ter a intenção de falar de repressão e autoritarismo. Portanto, o amor de Romeu e Julieta é mais do que um romance idealizado. Caracteriza-se, também, como um ato de subversão da ordem estabelecida.

Sem falsear o sentido e a condução da história, enxugou o texto de tudo que não fosse absolutamente indispensável. [...] A submissão completa ao texto original exigiria outro conceito da montagem, alcançando dificilmente o mesmo rendimento. [...] A busca do essencial determinou o despojamento, marca tanto de *Macunaíma* como de *Nelson Rodrigues, o eterno retorno*. O palco nu, em preto, presta-se a exprimir os múltiplos cenários, porque os atores trazem consigo o lugar da ação[57].

MACUNAÍMA

Em processo iniciado em 1977, pelo então chamado Grupo Pau Brasil, a primeira adaptação de *Macunaíma* teve quase cinco horas de duração. Partindo do universo da antológica obra de Mário de Andrade, o espetáculo faz uso de

---
57. Sábato Magaldi, "Romeu e Julieta", in: Edla van Steen (org.), *op. cit.*, p. 1.027.

Romeu e Julieta. Marco Antônio Pâmio
e Giulia Gam; abaixo:
Giulia Gam e Mamma Bruschetta, 1984.

Macunaíma. Salma Buzzar, Marlene Fortuna, Flavia Pucci, Cissa Carvalho Pinto, Cecília Homem de Mello, Giulia Gam e Oswaldo Boaretto Junior; abaixo: Cissa Carvalho Pinto, Flavia Pucci, Giulia Gam, Lígia Cortez, Marlene Fortuna, Cecília Homem de Mello e Salma Buzzar, 1984.

teatralidade imaginativa e da criação coletiva. O resultado é uma obra impactante, que consta de inúmeras publicações mundiais. A peça é apresentada perto de novecentas vezes, no Brasil e no exterior, e figura no repertório do CPT (passando por várias mudanças) até 1987.

> *[...] a importância que tinha Macunaíma era arrebatadora. Como em uma Copa do Mundo de futebol, tínhamos a exata noção da importância do espetáculo. [...]. Macunaíma representava o Brasil, Mário de Andrade, a nossa cultura, o nosso folclore [...]. Se, como dizia a história oficial, nós havíamos sido descobertos pelos portugueses, naquele momento nós mostrávamos o que havíamos feito daquela descoberta. Mostrávamos invenção, poesia, imagens deslumbrantes! [...]. Naquela época, o corpo era signo, o corpo era metáfora, então, o Antunes criou uma cena em que uma mulher loira, nua, de cabelos compridos, segurando uma bacia de água, se transformava em uma cachoeira, com a música do Villa-Lobos. Era uma imagem potente. A gente entrava de estátua, depois de passar por uma piscina de talco [...]. Lindas mulheres marmóreas, infindas mulheres. Éramos 25 atores em cena, de 19 a 21 anos. [...]. Foi uma experiência incrível, muito madura e muito pungente. Sólida! Que intuição tinha e tem o Antunes.* Lígia Cortez, em entrevista.

NELSON 2 RODRIGUES

A montagem anterior da obra de Nelson Rodrigues por Antunes Filho, *Nelson Rodrigues, o eterno retorno*, incluía as peças *A falecida*, *Os sete gatinhos*, *Álbum de família* e *Toda nudez será castigada*. A nova versão, *Nelson 2 Rodrigues*, concentra-se em duas delas, *Álbum de família* e *Toda nudez será castigada*, possibilitando uma percepção mais aprofundada e nova da obra do dramaturgo.

Optando por uma produção sofisticada, porém simples, Antunes Filho utiliza o mínimo possível de objetos cênicos e veste o elenco de preto e branco, o qual permanece no palco como coro formado por testemunhas passivas dos trágicos acontecimentos que envolvem os dois núcleos familiares.

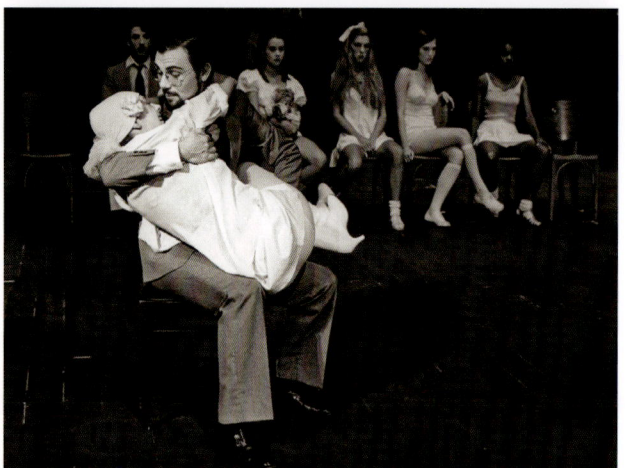

◁ *Nelson 2 Rodrigues.* Elenco, 1984.

A hora e a vez de Augusto Matraga.
Raul Cortez e Warney Paulo; abaixo:
Raul Cortez, Arciso Andreoni
e Francisco Carvalho, 1986.

Os velhos marinheiros.
Helio Cicero e Isabel Maria;
ao lado: Helio Cicero, Antonio
Calloni, Luiz Thomas
e Charles Lopes, 1985.

Rosa de cabriúna. Renatto Palhares; ao lado:
Élida Marques e Marcelo Presotto, 1986.

A simplicidade sublinha o equilíbrio, em benefício do poético. A empostação coreográfica amarra os episódios em ritmo dinâmico, valorizando as pausas, para solicitar o mundo interior do público. A violência rodriguiana deixa de congelar-se em forma, transfigurando-se em pura expressão estética[58].

A HORA E A VEZ DE AUGUSTO MATRAGA

Adaptada da obra de Guimarães Rosa, a peça apresenta a errância ou a travessia de um homem marcado pelas injustiças que oprimem o povo brasileiro. Esse homem, que representa uma rigorosa alegoria da totalidade, debate-se "[...] contra as malhas do tecido social brasileiro – buscado e construído na dor, mas também na alegria, no encontro com a ideologia do sagrado e na busca da identidade – sua hora e sua vez". A esposa de Nhô Augusto foge com outro homem e leva consigo a filha de ambos, desgraça que se soma à perda de todas as suas posses. Renunciando à vingança, mas não à honra, Nhô Augusto escolhe ser Matraga: homem capaz de agir com coragem, justiça, fraternidade e compaixão. Maria Sylvia de Carvalho Franco escreve, no programa do espetáculo:

> O que se desentranha do variado relato de situações é, simplesmente, a criação do homem, encontrando-se o próprio homem no centro desse mistério. Guimarães Rosa privilegia, na ação de seu personagem, a atividade de consciência: Matraga não é fragmento da natureza, submetido às suas leis, mas alguém que conduz sua vida orientado pela ideia de liberdade. Na fase ascética, se nutre de uma rigorosa solidão que exclui mundo e Deus como princípios de moralidades. A um ele nega, para identificar-se com o outro. Visa perfeição, atributo divino, e deixa velada a diferença essencial entre a criatura e o criador. Na fase seguinte, em vez de elevar o homem a Deus, é a este que identifica com a abjuração da fé cristã. É uma ética extradivina que o encaminha para um justo acordo entre felicidade e virtude.

OS VELHOS MARINHEIROS

O livro *Os velhos marinheiros,* de Jorge Amado, é composto por duas novelas curtas. "A morte e a morte de Quincas Berro D'Água" narra a luta entre a família do falecido Quincas, querendo preservar sua memória, e os companheiros de boemia, que preparam o velório do amigo organizando uma farra que termina no mar, onde acabam por sepultá-lo como marinheiro. A segunda novela, "A completa verdade sobre as discutidas aventuras do comandante Vasco Moscoso de Aragão, capitão de longo curso", conta a história do comandante que, chamado a Belém para capitanear um navio, é agredido pela tripulação, que não o aceita. De acordo com Ulysses Cruz, no programa do espetáculo:

> Jorge Amado, um materialista que acredita em milagres e mestre na arte de escrever romances implausíveis, é dono de uma obra de beleza lírica ímpar, loucamente incandescida de poesia. [...] transformou-se, em mais de cinquenta anos de atividade, na maior personalidade literária de um país onde o livro ainda é artigo de luxo. Traduzidas em dezenas de países, suas obras, variantes de um mesmo tema – poderoso é o povo –, a cada ano ganham novas adaptações para cinema e teatro. [...]

Antunes Filho um dia chegou com a ideia: "Vamos fazer um Jorge Amado aqui no CPT! Temos Mário, Nelson, Ariano. Falta Jorge Amado". Isso foi o princípio. [...] Foi Walderez Cardoso Gomes quem nos fez enxergar em *Os velhos marinheiros* o que procurávamos. As duas lindas histórias do velho cais da Bahia possuíam ingredientes mais que de sobra para um espetáculo de teatro bem-humorado e representativo da ideia do autor. [...] Em setembro, tínhamos um espetáculo de quase dez horas de duração semipronto.

---
58. Idem, "Nelson 2 Rodrigues", *in*: Edla van Steen (org.), *op. cit.*, p. 1.041.

ROSA DE CABRIÚNA

Márcia Medina, no programa do espetáculo, delineia os aspectos mais marcantes desta montagem:

Rosa de Cabriúna, adaptação de Luís Alberto de Abreu, para o Projeto Alice, do romance do pintor José Antonio da Silva, inicia nosso primeiro trabalho de teatro no Centro de Pesquisa Teatral. Durante três anos, preocupamo-nos em como transportar para o palco a infausta paixão de Rosa e todo seu contexto caipira. Este universo é infindável em seu caráter sociológico e filosófico, pois há tanta poesia no tranquilo enrolar de um "paieiro" do Jeca como na dura lei do sertão – onde matar ou morrer é um só. Esta montagem é o fruto de um primeiro aprendizado no CPT, onde se entende a arte como contribuição social, sempre alcançada por meio de processos de constante questionamento de ideias e conceitos, num minucioso e dedicado estudo de autoconhecimento.

XICA DA SILVA

Xica da Silva narra a história de uma ex-escravizada que conseguiu construir um império ilusório no Brasil em pleno período colonial. A obra envereda, segundo o texto do programa do espetáculo, por uma das questões que deram origem à formação sociopolítica e cultural brasileira, "[...] mostrando o relacionamento entre negros escravos e colonizadores portugueses em termos de luta de classes". De modo bastante explicitado, a ascensão de Xica é percebida na representação que "[...] negros e mulatos fazem de sua vida, representação romanceada e fantástica feita a partir da visão de mundo dos próprios negros", em contraste com a "realidade", que mostra o processo de queda da personagem.

PARAÍSO ZONA NORTE

Em mais um mergulho no universo de Nelson Rodrigues, Antunes Filho cria uma nova montagem, na qual reúne as obras *A falecida* e *Os sete gatinhos*, alegorizando a Zona Norte carioca como utópica dimensão espaçotemporal. De acordo com Sábato Magaldi, no programa do espetáculo:

Imagino que Nelson Rodrigues teria gostado do título *Paraíso Zona Norte*, atribuído por Antunes Filho ao espetáculo composto por suas peças *A falecida* e *Os sete gatinhos*. Ele sintetiza bem o espírito das "tragédias cariocas" e poderia estender-se às outras seis peças mais caracteristicamente rotuláveis nesse gênero. A Zona Norte do Rio de Janeiro não apenas situa o cenário privilegiado dessas obras, mas também simboliza o cotidiano das classes menos favorecidas, com seus problemas de sobrevivência, futebol, saúde precária, prosaísmo – a vida miúda dos que sofrem as injustiças sociais de todo tipo. O Paraíso, aí, teria sentido irônico, ao qual se acrescenta, preponderantemente, o contraste da transcendência que não se separa do destino humilde e amargo.

Para Alberto Guzik:

A montagem nada tem de pitoresca ou carioca. O ambiente, concebido por J.C. Serroni em dia de muita inspiração, é um gabinete imenso, de material translúcido, que forma uma espécie de estação de metrô abandonada. [...] Numa leitura ousada, traduziu o mundo oscilante das personagens para uma gestualidade fragmentada, antinatural. Obteve com isso um balé grotesco, de desenhos inusitadamente belos e intensa expressividade. As personagens parecem caricaturas de si mesmas, figuras à beira da dissolução. Como o universo de Nelson Rodrigues, sempre à beira da dissolução[59].

Antunes Filho sempre combateu os que consideravam Nelson Rodrigues um autor inferior e também aqueles que o encenavam como se fosse uma comédia de costumes, enfatizando a cor e o traquejo tipicamente cariocas.

---

59. Alberto Guzik, "*Paraíso Zona Norte*. Extremamente perturbador", *Jornal da Tarde*, São Paulo: 28 abr. 1989, p. 14.

Xica da Silva. Dirce Thomaz;
acima: Luiz Baccelli e Dirce Thomaz;
abaixo: Rita Martins Tragtenberg e
Arciso Andreoni, 1988.

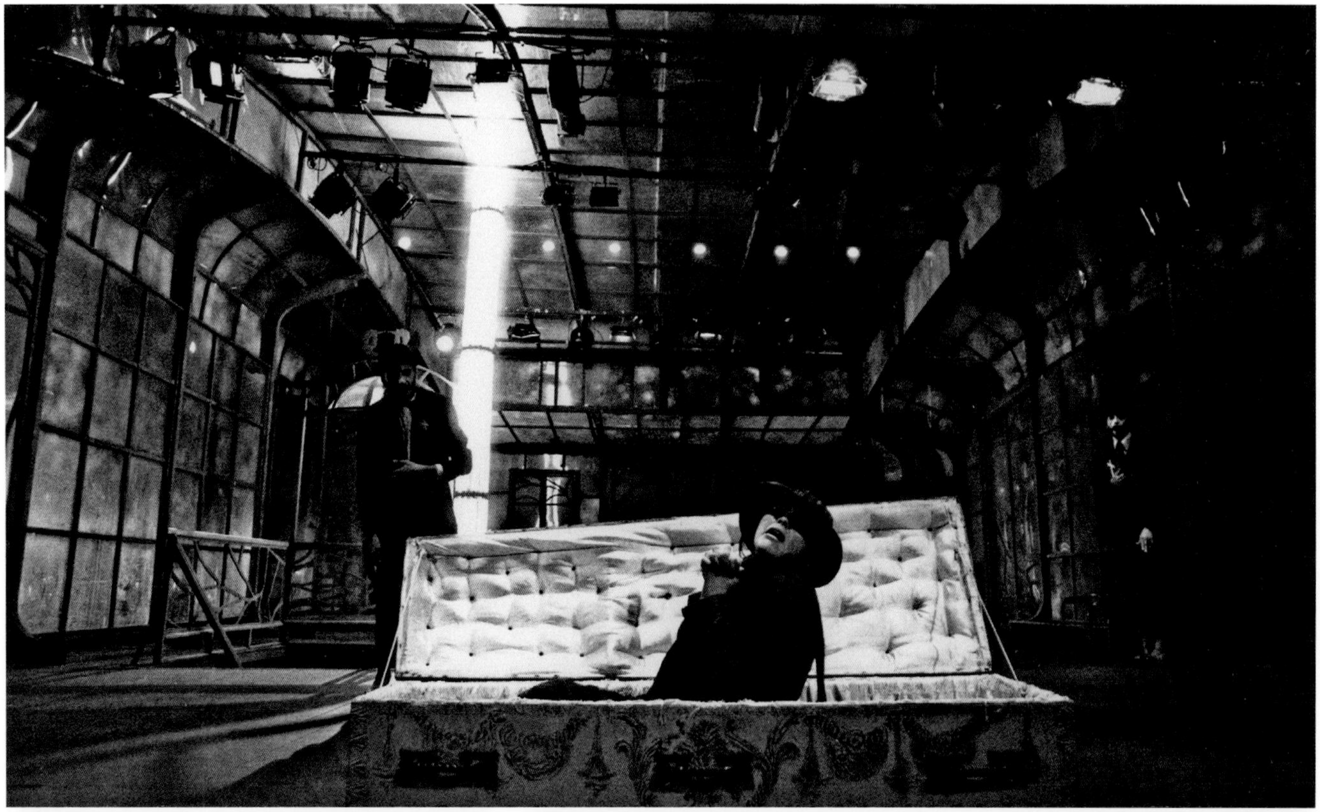

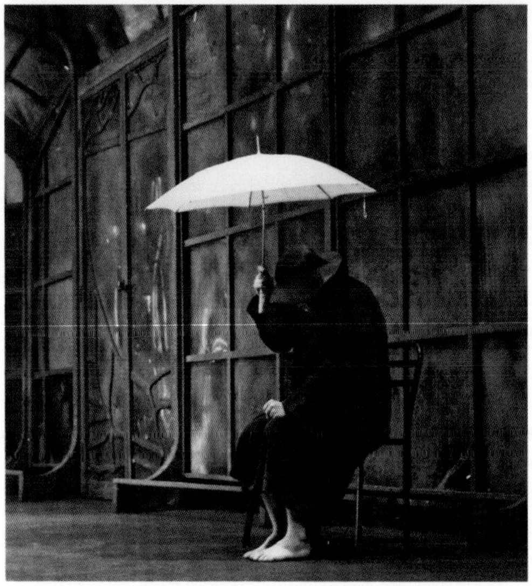

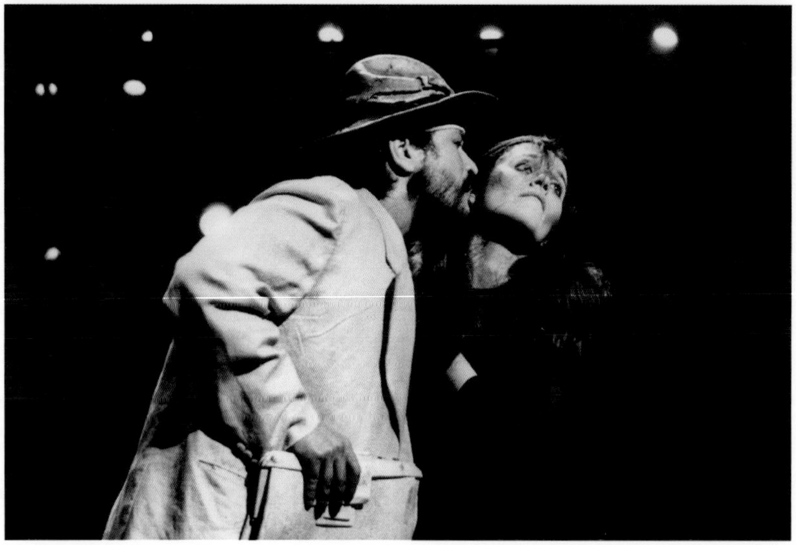

Paraíso Zona Norte:
A falecida. Flávia Pucci;
abaixo, à direita: Luis Melo
e Flávia Pucci, 1989.

Paraíso Zona Norte: Os sete gatinhos.
Elenco; abaixo: Luis Melo
e Luiz Furlanetto, 1989.

Nova velha estória.
Luiz Furlanetto; à direita:
Ludmila Rosa, 1991.

Eu adoro Nelson Rodrigues, porque ao se começar a ler é meio extravagante para você, aquilo não dá. Mas aí entra-se no universo dele, cuja irracionalidade tem uma lógica poética incrível. O que é Nelson Rodrigues para os outros? É isso, o irracional dele tem uma lógica poética incrível. Isso resume o Nelson Rodrigues. Muitos querem tornar o Nelson Rodrigues um autor regional, do Rio de Janeiro, carioquês, porque ele pode falar do Rio de Janeiro, do carioca, não interessa, ele vai além de tudo, ele vai além desse regional, que nem o Guimarães Rosa. [...] Ele está em outra, você está numa alquimia de um processo de individuação dele, da loucura, do esotérico dele, mas isso também não quer dizer que ele não seja o maior autor regional do país. Porque o Guimarães Rosa é gênio, o Nelson Rodrigues também. É o melhor regionalista, no sentido de situar o Rio de Janeiro, mas não pelo Rio de Janeiro, por aquilo que ele foi, e aí o Rio de Janeiro vem à tona, o local vem à tona. [...] Se você ler aqui vai ser superficial. Você tem de ler assim, os abismos que têm os abismos poéticos [...]. É isso que quero, é isso que procuro, esses arquétipos, eu estou sempre em busca do arquétipo, porque é do meu inconsciente. Antunes Filho, em entrevista.

Como novidade, além de retomar textos já antes encenados, a montagem traz um belo cenário de J.C. Serroni, que apresenta um ambiente sem distinção clara, mas que possibilita duas leituras àqueles que assistem ao espetáculo: a de uma estação de trem e a de uma bolha. Contribui também para a beleza da obra a iluminação do alemão Max Keller, trazido ao Brasil especialmente para esse trabalho.

Antunes percebeu que, em *A falecida*, o fundamental é a dimensão trágica que Nelson Rodrigues confere a um universo pequeno e mesquinho, assim como em *Os sete gatinhos* o que mais importa é a dolorosa reflexão que o autor faz sobre o esfacelamento do mito da virgindade. Em vista disso, não teria o menor cabimento realizar uma montagem "naturalista", que fatalmente se limitaria a retratar os conflitos no que eles possuem de mais superficial. O diretor resolveu, então, utilizar a linguagem expressionista, que deforma e altera a realidade visando a torná-la mais expressiva.[...] No belíssimo cenário criado por J.C. Serroni, que sugere uma estação ferroviária há muito abandonada – mas muitas vezes lembra uma estufa ou um orquidário –, os atores do Macunaíma evoluem como se pertencessem a um tempo remoto, como se estivessem envoltos por uma bolha. A fala chega distorcida, os gestos, deformados, o ar parece escasso[60].

Embora os dois atos do espetáculo tenham o mesmo cenário, a mesma iluminação e a mesma concepção sonora, eles se distinguem muito entre si. Antunes Filho pondera a esse respeito, em "Nelson Rodrigues à moda de Antunes", do seguinte modo: "Em *A falecida* eu procurei fazer uma aquarela com cores suaves. Em *Os sete gatinhos*, carreguei nas tintas, criando um quadro a óleo".

NOVA VELHA ESTÓRIA

Fundamentado no conto da tradição oral *Chapeuzinho vermelho*, *Nova velha estória* é uma montagem que revisita esse clássico:

Com *Nova velha estória*, Antunes Filho inventou o teatro óbvio. O diretor escolheu uma história que todos conhecem, recorreu a uma interpretação psicanalítica, que todos entendem, criou imagens de simbologia curta e grossa. Seu espetáculo tem a sutileza de um porrete. Antunes é homem com uma missão, e sua versão de *Chapeuzinho vermelho* é quase um panfleto. O diretor, com quarenta anos de teatro, chutou glórias passadas e saiu a campo contra o teatro ininteligível, de imagens e gelo secos[61].

Antunes Filho afirma que seu teatro tem como propósito mobilizar e inquietar as pessoas, não lhe interessando

---

60. Lionel Fischer, "Um inferno de beleza eterna", *O Globo*, Rio de Janeiro: 10 maio 1990, s/p.
61. Nelson de Sá, *Diversidade. Um guia para o teatro dos anos 90*, São Paulo: Hucitec, 1997, p. 49.

Trono de sangue – Macbeth.
Luis Melo e Samantha Dalsoglio, 1992.

tanto que as pessoas "gostem" de seus espetáculos, mas que se sintam provocadas por eles. De acordo com Mariangela Alves de Lima, no programa do espetáculo, "Vem à tona neste trabalho a imaginação popular, alicerce antiquíssimo sobre o qual a cultura ocidental erigiu o teatro".

TRONO DE SANGUE – MACBETH

É a montagem mais corajosa de um texto clássico, de todas as que surgiram na atual onda Shakespeare. É a mais clara e aberta, a mais agressiva, a mais horrenda; em uma palavra, é catártica. [...] Aqueles reis, generais, grandes homens correndo pelo palco e gritando "o horror, o horror", provocam as reações mais estranhas. Aquelas mortes todas, o sangue, a maldade, apavoram os mais ingênuos e tiram espasmos de riso nervoso dos mais cínicos. Há uma confusão nas sensações, deixando como único efeito, mais claro e geral, os olhos esbugalhados do público[62].

Antunes Filho parece escolher seu repertório conciliando seleção estética e circunstâncias históricas. Em 1992, ano provável da escolha do texto de Shakespeare, a gana pela conquista do poder a qualquer custo, no Brasil, chega ao final. Em 29 de setembro, a Câmara dos Deputados aprova o *impeachment* do presidente Fernando Collor de Mello.

Antunes Filho é uma das figuras exponenciais do teatro brasileiro de hoje, talvez a única a integrar o restrito grupo internacional de encenadores que vêm renovando, obstinada e inspiradamente, a cena mundial. Incorporando no seu trabalho influências tão contraditórias como Bob Wilson, Tadeusz Kantor, Kazuo Ohno, o expressionismo alemão, a psicanálise junguiana, a física moderna e, com crescente intensidade, a filosofia oriental, ele as funde numa escritura cênica de uma feroz coerência pessoal, com características ao mesmo tempo universais e brasileiras[63].

---

62. *Ibidem*, p. 101.
63. Yan Michalski, *Pequena enciclopédia do teatro brasileiro contemporâneo*. Material inédito, elaborado em projeto para o CNPq. Rio de Janeiro, 1989.

VEREDA DA SALVAÇÃO

Em dezembro de 1993, Antunes Filho tem diversos motivos para estrear *Vereda da salvação*. Entre eles, os dez anos da morte do autor, Jorge Andrade. No mesmo período, comemoram-se os trinta anos da primeira montagem paulista da peça, igualmente dirigida por Antunes e protagonizada por Raul Cortez e Cleyde Yáconis. O texto vem a calhar com a temática que Antunes Filho vinha explorando desde os dois espetáculos anteriores: o mal, visto de maneira não maniqueísta, mas dialética, que ao mesmo tempo coexiste e se conflita com o bem.

> [...] é uma peça opressiva e angustiosa. Os seus dados elementares (e até o nome de alguns personagens) provêm de uma das muitas tragédias de fanatismo em que o camponês brasileiro, esmagado pela fome e a falta de horizonte, explode periodicamente[64].

Na montagem da peça, Antunes Filho deixa de lado o palco vazio para trabalhar novamente com um cenário de J.C. Serroni. O espaço é composto de diversos troncos de madeira, dispostos na vertical, direcionados entre céu e terra, como uma ponte que permitisse a ascensão dos fiéis.

> *Em* Vereda da salvação, *pintamos de laranja, verde e vermelho três eucaliptos, então, apesar da obra densa, havia uma coisa meio festiva ali. Havia uma relação entre as artes plásticas e a cenografia; tinha também a ideia de a cenografia remeter a uma prisão, tanto as figuras mortas como aquelas vivas eram impressionantes. [...] Ao lado disso, os figurinos eram baseados nos bordados dos mantos do Bispo do Rosário, que sempre me foi uma referência.* J.C. Serroni, em entrevista.

Antunes Filho afirma que a principal mudança entre a primeira (1964) e a segunda (1993) encenação foi a

---

64. Antonio Candido, "Vereda da salvação", in: Jorge Andrade, *Marta, a árvore e o relógio*, São Paulo: Perspectiva, 1970, p. 631.

Vereda da salvação. Laura Cardoso; na página ao lado, acima: elenco, 1993.

Gilgamesh. Luis Melo e Rosane Bonaparte; ao lado: Luis Melo e Edson Montenegro, 1995.

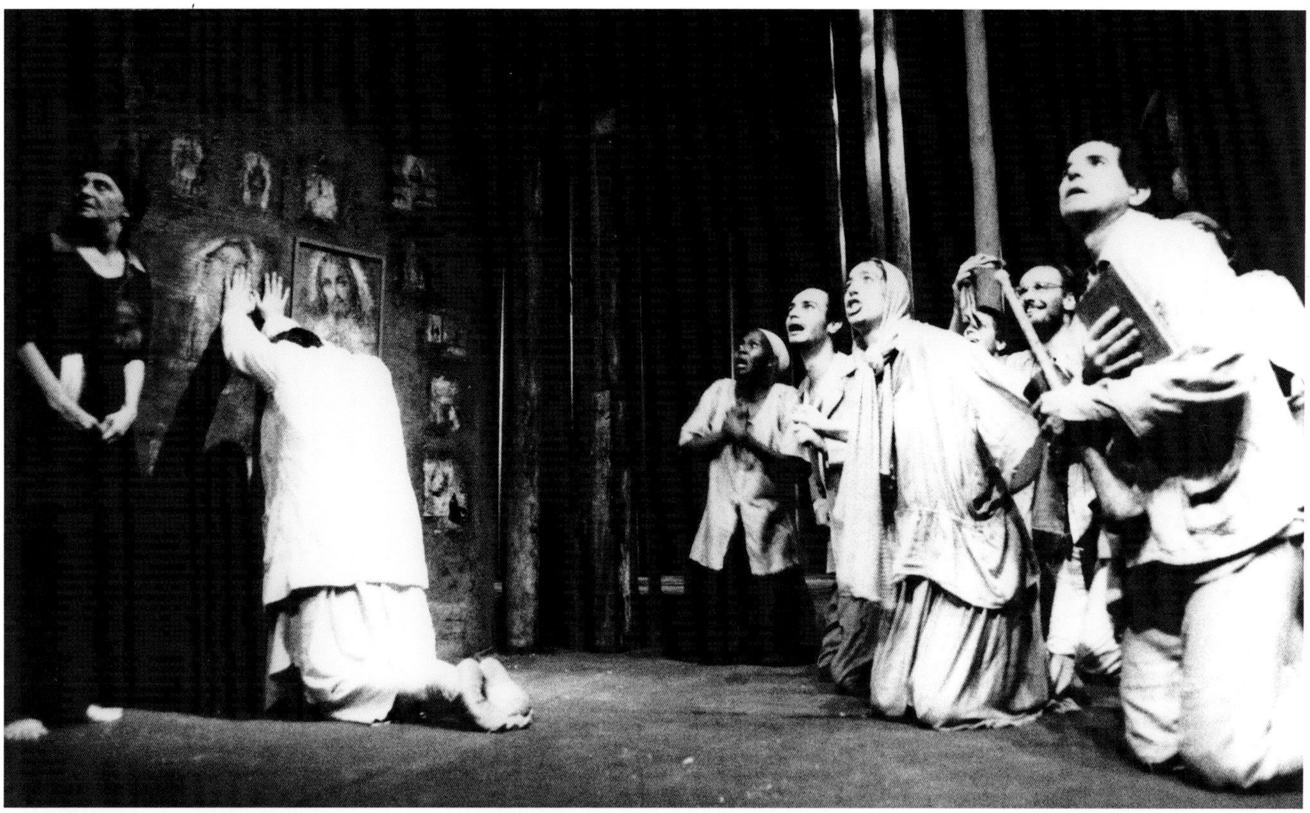

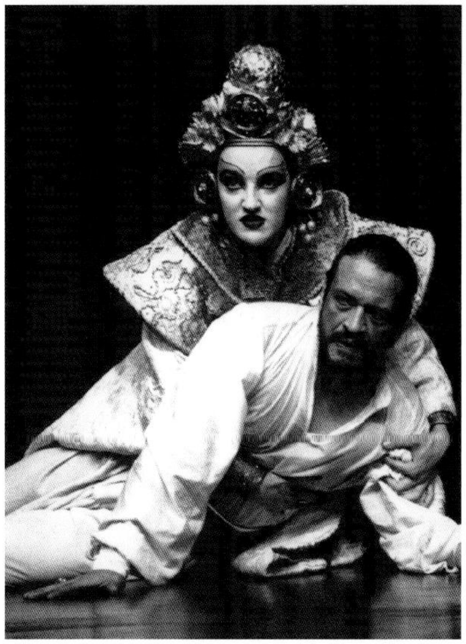

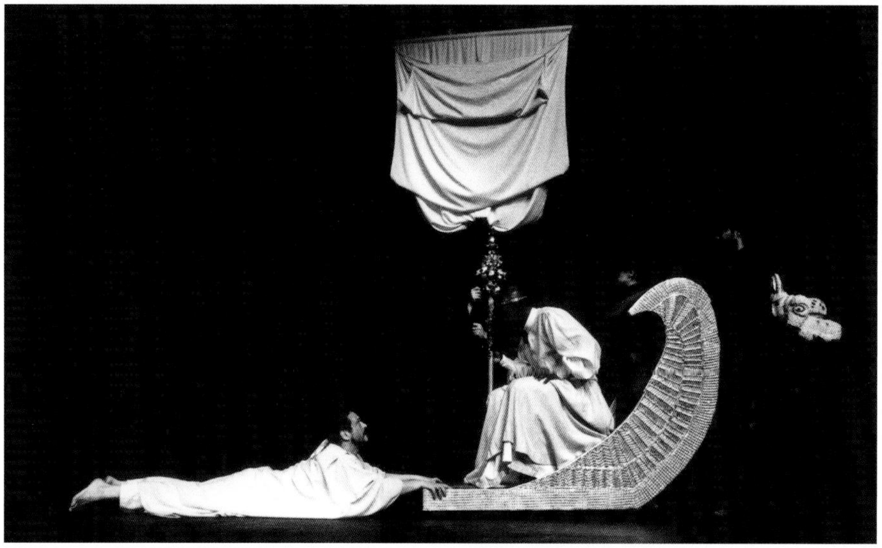

humanização da personagem Joaquim, antes visto como uma espécie de vilão.

> Não há heróis e vilões. Só gente acuada, levada aos limites pela indiferença dos poderosos. Antunes faz das personagens meras pessoas que, levadas ao extremo, mostram ser feitas da mesma matéria-prima do mito[65].

É por acreditar nessa saída que Joaquim se humaniza, agindo, como os outros, desesperadamente em busca de uma alternativa à miséria. Com esse viés, a morte, na encenação de Antunes Filho, não é recebida com dor por eles, mas é a catarse de uma celebração que pretendia chegar aos céus.

GILGAMESH

Baseada em poema épico babilônico – primeiro poema de que se tem conhecimento –, a obra conta a peregrinação de Gilgamesh, rei de Uruk (cidade da antiga Mesopotâmia, em 2700 a.C.), que recusa a morte e sai em busca da eternidade. O processo de peregrinação e errância do herói é o tema para a criação do espetáculo, manifestado por meio do trânsito com o universo arquetípico das formas mitológicas. Na construção e busca da essencialidade, as personagens são inspiradas no estudo da psicologia de Jung, cuja visualidade minimalista, de acordo com as narrativas dos mitos, tende a instaurar, também, o essencial do mundo representado.

Gilgamesh é um porto de chegada. O trabalho sobre o pensamento arcaico, envolvendo estudos da filosofia da religião conectados à psicologia junguiana, começou pela necessidade de resolver cenicamente a condição arquetípica da obra de Nelson Rodrigues e acabou sendo a base de todo o processo criativo. Notamos que, de uma para

---

65. Alberto Guzik, "O resgate de uma obra-prima", *Jornal da Tarde*, São Paulo: 04 jan. 1993, s/p.

Drácula e outros vampiros.
Eduardo Còrdobhess e
Ludmila Rosa, 1996.

Drácula e outros vampiros.
Elenco, 1996.

outra montagem, a lida com os instrumentos teóricos se aprofundava, e, neste ponto da trajetória, Antunes Filho conclui ter chegado o momento de levar a reflexão sobre o Homem para dentro do reino dos arquétipos. Por isso escolheu *Gilgamesh* [...], no qual se diluem as fronteiras entre o humano e o divino[66].

No Anchieta eu aprendi a ver [a importância do palco]; era a primeira coisa que eu via ao entrar no teatro. Então, nas peças do Antunes, a gente sempre dava um significado muito forte para o piso. [...] Gilgamesh, que era um piso meio de santuário, o Antunes queria que todo dia fosse encerado. Todas as pessoas tinham de andar descalças. J.C. Serroni, em entrevista.

DRÁCULA E OUTROS VAMPIROS

Antunes Filho se mantém atento aos processos sociais que eclodem no mundo. A manipulação de massas por governos autoritários, assim como o fanatismo que se espalha em mortes e inseguranças, parecem dar a tônica para que crie metáforas que deem um entendimento à vida. Em entrevista, ele declara:

Estou muito preocupado com qualquer prática autoritária e ditatorial que possa nos ameaçar. [...] Estou trabalhando com fatos, sobre o bem e o mal, tentando explicar certas coisas para benefício da humanidade. Esse meu Drácula, de certa maneira, é um alerta. [...] [O vampiro] é a sedução em todos os níveis. [...] Quero que todos acordem um pouco. Cuidado com a sedução! Todas as seduções são perigosas, principalmente a sedução política[67].

A única contribuição original a essa antiga narrativa é a analogia entre o vampirismo e a ambição autoritária em dominar massas humanas. Talvez seja esse o ponto crítico do trabalho, porque, contrariando sua vocação de explorador de ambiguidades, Antunes Filho realiza uma fábula ilustrativa e a encerra com uma lição de moral[68].

O Antunes me chamava para conversar e me entregava um monte de vídeos japoneses. Ele queria a luz do espetáculo como se fossem fotos, como uma história em quadrinhos. Então, a gente pegava as revistas de heavy metal, *história em quadrinhos, e eu comecei a mergulhar nisso. Foi muito importante, talvez o que mais pesquisei, para chegar aonde ele realmente queria. E foi um espetáculo que me rendeu alguns prêmios. Fui indicado a quatro ou cinco prêmios. [...] Foi um espetáculo surpreendente, a cenografia do Serroni era muito bonita.* Davi de Brito, em entrevista.

FRAGMENTOS TROIANOS

Em meio às guerras que explodem mundo afora, entre manifestações contrárias à arte como produto a ser consumido[69] e, também, a conquistas, como a implantação do Programa Municipal de Fomento ao Teatro para a Cidade de São Paulo, Antunes Filho, como homem de seu tempo, escolhe uma tragédia grega, *As troianas*, na qual o autor, Eurípides, relativiza a "vitória" de Atenas sobre Melos e adota o ponto de vista dos vencidos: mulheres e crianças, posto que todos os homens da cidade foram mortos.

A montagem se concentra nas trajetórias de Hécuba, viúva do rei troiano Príamo, e de Andrômaca, viúva do herói troiano Heitor, prisioneiras dos gregos. Aquela guerra serve como referência às atrocidades perpetradas contra a humanidade, desde sempre, redimensionando-se contra os horrores do século XX. Os massacres da Candelária, no Rio

---

66. Sebastião Milaré, *Hierofania: O teatro segundo Antunes Filho*, São Paulo: Edições Sesc, 2010, pp. 189-90.
67. Evaldo Mocarzel, "O vampiro é a sedução em todos os níveis", *O Estado de S. Paulo*, São Paulo: 14 set. 1996, p. D4.
68. Mariangela Alves de Lima, "Peça de Antunes Filho dá lição de moral", *O Estado de S. Paulo*, São Paulo: 04 out. 1996, p. D7.
69. Na cidade de São Paulo, um conjunto de artistas e de grupos teatrais reúne-se com o propósito de organizar a luta contra a barbárie e o processo de mercantilização pelo qual passava a cultura. Assim, é redigido um manifesto: *Arte contra a barbárie* – que nomeia também o movimento. Para mais detalhes, consultar Iná Camargo Costa e Dagoberto de Carvalho, *A luta dos grupos teatrais de São Paulo por políticas públicas para a cultura: os cinco primeiros anos da lei de fomento ao teatro*, São Paulo: Cooperativa Paulista de Teatro, 2008.

Fragmentos troianos.
Erondine Magalhães e Sabrina
Greve; abaixo: Sabrina Greve,
Gilda Nomacce e Gabriela
Flores, 1999.

de Janeiro, em 1993, e de Eldorado dos Carajás, no Pará, em 1996, configuram-se como marcos iniciais da concepção do espetáculo.

> [...] a nova montagem evita deliberadamente a exuberância, a festa, em favor de uma certa contrição. Evita a grandiosidade da *mise-en-scène*, da iluminação, em troca do gesto mínimo, dos olhares desenhados, da voz engasgada[70].

O espetáculo estreia em junho de 1999, em Istambul, na Turquia, não muito distante do conflito em Kosovo (ao qual faz referências), segue para o Japão (Theatre Olympics) e, em novembro, reinaugura o Teatro Sesc Anchieta, que estava em reforma.

> Eurípedes é, sem dúvida, o mais ousado crítico da intolerância dos seus concidadãos. Escarneceu, como Aristófanes, da tolice militarista e da ambição do poder. Mas parece-nos ainda mais atual porque o seu tema por excelência é o da alteridade, que, por ser diferente, contraria qualquer ideal de perfeição. [...] Na adaptação, foram conservadas as imagens mais eloquentes do despojamento e eliminadas partes argumentativas que deveriam, por uma convenção do gênero trágico, somar à emoção um novo conhecimento. [...] É nessa vertente da tragédia imperfeita que se aprofunda o espetáculo criado pelo Centro de Pesquisa Teatral do Sesc. [...] Quem é Hécuba para nós? Esse espetáculo obriga a reconhecê-la: arrastou sua mala a um campo de concentração nazista e vagueia, hoje mesmo, pelas ruínas da Europa do Leste. Anda entre nós também: mulher, migrante, escravizada[71].

ANTÍGONA

Antígona, de Sófocles, é a quarta incursão de Antunes no universo das tragédias gregas[72]. Segundo o diretor, o texto encontra no grupo o verdadeiro lugar da tragédia, tanto na interpretação como na encenação. Em cinquenta minutos, o espetáculo tenta condensar o trágico "grito sufocado", na obra de Sófocles.

A peça coloca em antagonismo as leis do Estado, na figura de Creonte, e as "leis instintivas" (ou a ordem dos clãs), na figura de Antígona. Antunes Filho insere um novo coro na encenação: o das bacantes, que se polarizam com o coro dos cidadãos, além do próprio Baco, que ocupa um lugar de contemplação no espetáculo. Tal visão vai contra a leitura recorrente (e, por vezes, redutora) da heroína que se contrapõe à tirania em prol das liberdades de direito.

A PEDRA DO REINO

Desde a criação do CPT, *A Pedra do Reino* foi um texto acalentado e ensaiado por Antunes Filho. Embora não tenha ido à cena naquela época, a magistral obra de Suassuna chega aos palcos do Teatro Anchieta duas décadas depois.

A peça é a teatralização de dois romances do autor protagonizados pela personagem Quaderna e cujos títulos se assemelham àqueles atribuídos a muitas obras da Idade Média: *Romance d'a Pedra do Reino e o príncipe do sangue do vai-e-volta* (1971) e *História d'o rei degolado nas caatingas do sertão: ao sol da onça caetana* (1977). Quaderna é uma das personagens-marco da literatura brasileira e, assim como o Macunaíma de Mário de Andrade, carrega em si os aspectos de uma indefinível identidade. É justamente por esse caminho que Antunes Filho afirma a vitalidade do espetáculo. Na montagem, dom Pedro Dinis Quaderna, legítimo herdeiro do povo brasileiro, é preso pelo Estado Novo, de Getúlio Vargas, por subversão. Relembra, então, sua vida por meio de um memorial que carrega consigo, em um palco por onde desfilam imagens de Quaderna.

---

70. Nelson de Sá, "Antunes traz a tragédia da guerra ao século 20", *Folha de S.Paulo*, São Paulo: 04 jun. 1999, p. 4-6.
71. Mariangela Alves de Lima, "Antunes celebra o funeral de todas as ideologias", *O Estado de S. Paulo*, São Paulo: 03 dez. 1999, p. D6.

72. Depois de *Fragmentos troianos* e *Medeia* – esta em duas versões: *Medeia* e *Medeia 2*, apresentadas no Sesc Belenzinho.

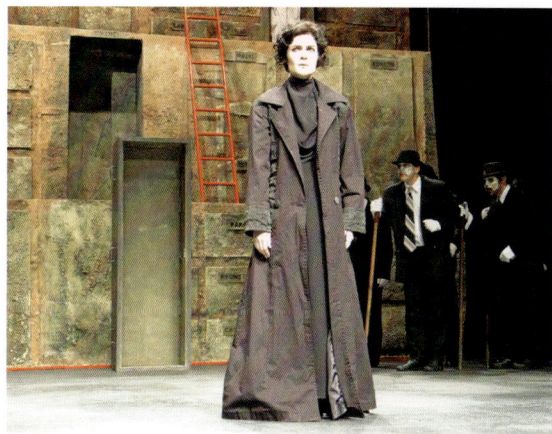

Antígona. Carlos Morelli, Haroldo Joseh e Rodrigo Fregnan; abaixo: Arieta Corrêa, 2005.

126 TEATRO SESC ANCHIETA UM ÍCONE PAULISTANO

A Pedra do Reino. Elenco; abaixo: Marcos de Andrade e Lee Taylor, 2006.

Misturas esplêndidas da memorialística, da tragédia, da oratória barroca, da novela romântica, das narrativas de cordel, da mitologia sertaneja, do repertório da poesia romântica e até, em raros momentos, de técnicas da ficção realista, constituem uma estratégia por meio da qual o protagonista afirma a identidade do seu reino, onde se mesclam todas as culturas do hemisfério ocidental. [...] o Quaderna apresentado no CPT é, antes de tudo, o memorialista[73].

Trata-se de uma encenação festiva de Antunes Filho, que em muito relembra o espetáculo *Macunaíma*, marco do teatro nacional que consolidou a importância do diretor. Lee Taylor, que interpretou o protagonista, conta:

> *[...] depois de um ano no coro e cinco meses ensaiando como o Quaderna, o espetáculo estreou no Anchieta. Foi muita emoção! Foi muito bonito! [...] Uma vida nova se iniciava e senti que precisava ficar um pouco mais recluso. O Quaderna foi criado nesse processo de enfrentamento direto: realização de um sonho e reclusão interna. [...] Trabalhei estimulado pelo Antunes, buscando a equalização das diversas frequências, e isso foi fundamental. [...] O Quaderna brincava, fazia piada, satirizava e carregava uma grande dor. Saía mais agigantado, mais humano. Sentia em mim um estreitamento entre o ator e o homem. É assim que o Antunes sente, pensa, vê e pratica o teatro. Antunes é emocionante; ele exige, mas, ao mesmo tempo, se doa incrivelmente.*

As obras de Suassuna usadas no espetáculo de Antunes Filho vinculam-se ao Movimento Armorial, mas no espetáculo, pela necessidade de condensamento temporal, o autor suaviza um pouco o caráter erudito com a pluralidade de gêneros.

Há contornos límpidos feitos com resquícios das cores fortes e das formas abruptas da paisagem. O trato visual traduz a exuberância nordestina para outra linguagem, quase abstrata, mais plástica do que dramática, expurgada dos traços barrocos da escrita original. [...] o espetáculo emula o procedimento dos romances ao extrair o encantamento estético do que é "bruto, despojado e pobre". Materiais submetidos a um trato artesanal, exibindo a marca das operações que os transformaram em instrumentos simbólicos, são arranjados para imitar as operações do palhaço-rei sobre a feiura do real[74].

SENHORA DOS AFOGADOS

Senhora dos afogados segue os contornos dos abismos psíquicos e sociais inerentes às obras de Nelson Rodrigues. Contornos esses que Antunes Filho soube trabalhar minuciosamente, contando, para isso, com uma equipe de cerca de trinta profissionais, entre atores, costureiras e figurinistas.

Em uma mansão à beira-mar, envolta num clima mítico e funesto, a família Drummond vive sua tragédia. Com ciúmes de seu pai, Misael, Moema mata as duas irmãs e leva a mãe a se envolver com seu próprio noivo. Pai e filha se reconhecem cúmplices como assassinos, pois o primeiro também cometeu um crime: dezenove anos antes, no dia de seu casamento, ele matou uma prostituta com quem tinha se envolvido. A circularidade de fatos torna a trama ainda mais intrincada quando Misael descobre que o amante de sua esposa, que poderia ter sido marido de Moema, é o filho que ele tivera com a prostituta assassinada.

> Quase vinte anos depois, Antunes Filho volta a esse universo. Volta através de uma das obras capitais de Nelson, *Senhora dos afogados*, vendo-a como a "um farol remoto", como se lê na rubrica inicial do texto, um farol que cria "a obsessão da sombra e da luz". Volta para contrapor à aridez dos nossos dias de violência e consumismo o lirismo brutal de Nelson Rodrigues. Não só o clima onírico, nem

---

73. Mariangela Alves de Lima, "O herói Quaderna ajusta as contas no palco", *O Estado de S. Paulo*, São Paulo: 21 ago. 2006, p. C1.

74. *Ibidem*.

só a carnavalização, mas traços de ambos em estrutura que se ergue e se sustenta na poesia. A encenação da obra parece ter como "ponto de fuga" aquela ilha das mulheres pecadoras, tão bela que os ventos se ajoelham diante dela, e na qual as estrelas se refugiam como barcos. São essas imagens de luxuriante beleza, de celebração da vida mesmo falando da morte, que Antunes Filho com os bravos jovens atores do CPT coloca em cena[75].

A franqueza com que a psicologia clínica esmiuçou a potência traumática da família nuclear fez bem tanto às pessoas quanto às peças de Nelson Rodrigues. Livres da aura de escândalos que as cercava, por terem introduzido no palco as paixões que agitam o primeiro círculo afetivo dos indivíduos, as peças podem ser lidas hoje como uma trama simbólica de complexidade maior do que o conflito binário entre a pulsão erótica e a repressão. Sem dúvida, a face provocativa, componente nada circunstancial da obra desse dramaturgo, tem peso considerável ao associar à enunciação dos tabus a hipocrisia das diversas formas de negação da vida[76].

FOI CARMEN

Classificado por Antunes como dança-teatro, esse espetáculo aborda o imaginário popular acerca da cantora luso-brasileira Carmen Miranda. Traçando um paralelo entre o samba e os movimentos do butô e de outros gêneros japoneses, Antunes propôs uma homenagem ao centenário de Kazuo Ohno e reafirmou seus laços com essa estética tão presente em sua obra. De acordo com o diretor:

> Em *Foi Carmen* há uma dança triste unindo Carmen e o Malandro. O butô e samba se encontram na dor? É melancólico, porque é uma visão do que já passou. Por isso 'foi'

---

75. Sebastião Milaré, "Senhora dos afogados". Disponível em: <ww2.sescsp.org.br/sesc/hotsites/cpt_novo/areas.cfm?cod=4&esp=24>. Acesso em: 20 jan. 2015.
76. Mariangela Alves de Lima, "Em nome do imaginário poético", *O Estado de S. Paulo*, São Paulo: 17 abr. 2008, s/p.

Senhora dos afogados. Lee Taylor; na página ao lado, acima: Lee Taylor e Valentina Lattuada, 2008.

Foi Carmen. Paula Arruda, Patrícia Carvalho,
Emilie Sugai e Lee Taylor, 2008.

Policarpo Quaresma. Lee Taylor e Geraldinho Mário da Silva; acima: Marcos de Andrade e Fernando Aveiro; abaixo: Lee Taylor, Geraldinho Mário da Silva e Adriano Bolshi, 2010.

Carmen. Observe que ela é sempre vista de costas, mesmo quando está de frente. É como ver uma pessoa no fundo de uma rua e lembrar de alguma coisa distante no tempo. É uma coisa meio perdida na sua cabeça, como se você visse uma pessoa dobrando uma esquina, entende? É meio chapliniana; felliniana também[77].

POLICARPO QUARESMA

Adaptada do romance de Lima Barreto *Triste fim de Policarpo Quaresma*, a peça narra a história de um funcionário público extremamente patriótico que sonha em ver o tupi-guarani transformar-se na língua oficial do Brasil. Com nuances do teatro de revista, da *commedia dell'arte* italiana, do teatro burlesco, Antunes faz de Policarpo, interpretado por Lee Taylor, uma personagem forte e marcante. A peça integra a trilogia carioca com *A falecida vapt-vupt* e *Lamartine Babo*. Antunes Filho escreve, no texto do programa:

> Podemos, se quisermos, classificar as alienações em toleráveis e intoleráveis: há momentos na história em que elas se entrecruzam provocando tragédias irreparáveis por (ou apesar de) terem sido baseadas em atos risíveis de opereta de segunda categoria, onde as bravuras não foram senão bravatas.

LAMARTINE BABO

Musical dramático em homenagem a um dos maiores compositores brasileiros, *Lamartine Babo* marca a estreia do ator Emerson Danesi como diretor. O enredo, escrito por Antunes Filho, conta a história de um grupo musical que prepara um *show* sobre Lamartine quando recebe a visita de um enigmático homem que conhece tudo sobre o compositor.

Na segura e inventiva direção de Emerson Danesi, o espetáculo foi concebido como um sarau, onde, ao embalo das conversas, executam-se músicas e se canta. Mas as conversas, aparentemente comentando ações banais do momento, vão delineando o drama secreto de Silveirinha, em bela interpretação de Marcos de Andrade, e evidenciando o poder dramatúrgico do mestre, que oculta, sob aparentes banalidades, profundas observações da condição humana.

Outro desafio colocado aos atores do CPT foi o de lidar com música. Isso revelou habilidades ocultas dos intérpretes não só no canto como na função de instrumentistas, formando a banda com voz, piano, violão, trompete e percussão[78].

TODA NUDEZ SERÁ CASTIGADA

Em 2012, comemoraram-se os trinta anos de atividades do Centro de Pesquisa Teatral. A data correspondia também ao centenário de nascimento de Nelson Rodrigues. Por essas razões, Antunes Filho realizou uma nova versão de *Toda nudez será castigada*, encenada anteriormente em 1984, dentro do projeto *Nelson 2 Rodrigues*.

Herculano, um burguês conservador, acaba de perder a esposa e promete a seu filho Serginho nunca mais se casar. No entanto, o irmão do viúvo apresenta-lhe uma prostituta, Geni, por quem o primeiro se apaixona. A partir daí, Herculano tem sua vida completamente transformada. Geni passa a morar na casa dele, onde, além do pai e do filho, vivem outras três tias. Ela narra os acontecimentos e se envolve com Serginho, que tenta acabar com o casamento do pai para viver um romance com a madrasta.

No palco de *Toda nudez será castigada*, pode-se dizer que o Nelson Rodrigues encenado é Antunes Filho puro. Uma mesa longa, cinco cadeiras e uma lua é todo o cenário

---

77. Antunes Filho a Beth Néspoli, *in*: "Antunes Filho estreia novo espetáculo, *Foi Carmen*", *O Estado de S. Paulo*, São Paulo: 19 maio 2008, s/p.

78. Sebastião Milaré, "Poeta da cena", *in*: Sebastião Milaré e Emidio Luisi (org.), *Antunes Filho: poeta da cena*, São Paulo: Edições Sesc, 2011, pp. 348-9.

Toda nudez será castigada
Marcos de Andrade e Ondina Clais; abaixo: Leonardo Ventura, Mariana Leme, Fernando Aveiro e Naiene Sanchez, 2012.

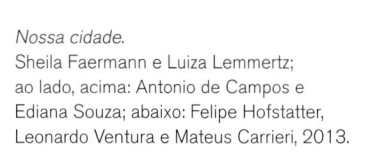

Nossa cidade.
Sheila Faermann e Luiza Lemmertz;
ao lado, acima: Antonio de Campos e
Ediana Souza; abaixo: Felipe Hofstatter,
Leonardo Ventura e Mateus Carrieri, 2013.

para a trama. Mas o despojamento da produção é compensado pela atuação vigorosa dos atores, ocupando todos os espaços possíveis do palco num ritmo narrativo vertiginoso[79].

No programa do espetáculo, Sebastião Milaré comenta a relação do CPT com as montagens de Nelson Rodrigues:

> O bom teatro sacode o público, não teme o grotesco e questiona conceitos, afinal o homem só se salva se reconhecer sua própria hediondez, não é? O teatro é também uma espécie de expurgo, acerto de contas do ser humano com sua história, com todos os homens, com a vida, e Nelson o faz de modo cético, sombrio e até... romântico. Sábato Magaldi enquadrou *Toda nudez...* como uma tragédia carioca, mas o que temos aqui, com essa montagem do CPT, é a voz de todos os homens e mulheres de todos os tempos e lugares.

NOSSA CIDADE

Escritor e dramaturgo, Thornton Wilder ganhou dois prêmios Pulitzer, um dos quais por *Nossa cidade*. Escrita em 1937, época em que os Estados Unidos ainda enfrentavam uma grave crise econômica, com quase 10 milhões de pessoas desempregadas, a peça se passa em uma cidade fictícia, cujas personagens principais são pessoas de costumes simples e conservadores. Wilder faz uma abordagem poética de pequenos acontecimentos do cotidiano de duas famílias norte-americanas: os Gibbs e os Webb. No texto do programa, Leonardo Ventura escreve:

> É possível que Thornton Wilder não tenha dissecado ao máximo certas questões indicadas sutilmente em seu texto por motivos diversos. Antunes enxergou, em *Nossa cidade*, algumas possíveis fendas que revelam, por trás da obra original, o que Jacques Derrida chama de descobrir partes do texto que estão dissimuladas e que interditam certas condutas em seu conceito de desconstrução. Com este narrador, uma espécie de *Deus ex machina* que escolhe os momentos da vida da cidade a serem narrados, o foco ajustou-se mais a plano geral, abrangendo a história dos Estados Unidos e suas investidas mundo afora. A esta passagem Antunes recorre ao termo reconstrução.

Mas, se na versão original de Thornton Wilder, o narrador é onisciente e tem a missão de fornecer informações normalmente veiculadas por meio dos diálogos, o diretor de cena de Antunes Filho assume uma função física no espetáculo, criando e interagindo com os demais personagens. E, dessa relação, surge uma narrativa que mostra como o mundo hoje é totalmente moldado pela concepção americana criada após a grande crise de 1929, quando a quebra da Bolsa de Valores de Nova York detonou uma depressão financeira que se alastrou pelo mundo[80].

O PROGRAMA PRÊT-À-PORTER

> *O Prêt-à-Porter não é teatro, o Prêt-à-Porter é Prêt-à-Porter. [...] Se você quer cair em devaneio com você, numa outra, num outro barato, venha ver Prêt-à-Porter, porque é uma viagem de recuperação do homem, de reencontrar o homem perdido.*
>
> Antunes Filho

Houve um período de reclusão do CPT na sala de ensaios, quando Antunes Filho e os atores se dedicaram à sistematização de um método de trabalho. Esse esforço culminou com o surgimento de um processo novo e bastante

---

79. Marcos Alves, "Especialista em Nelson Rodrigues, Antunes Filho estreia sua oitava peça do autor". Disponível em: http://oglobo.globo.com/cultura/especialista-em-nelson-rodrigues-antunes-filho-estreia-sua-oitava-peca-do-autor-6300150. Acesso em: 08 jan. 2015.

80. Ubiratan Brasil, "Antunes Filho reconstrói *Nossa cidade* para mostrar o atual domínio dos EUA", *O Estado de S. Paulo*, São Paulo: 3 out. 2013, s/p.

Prêt-à-Porter VIII.
Marcelo Szpektor e
Emerson Danesi, 2006.

experimental que contribuiu com espetáculos para o repertório da companhia e pôde ser visto nas jornadas de Prêt-à-Porter.

> *Prêt-à-Porter foi criado para o homem se reencontrar, perdido como está nesta época de alienação do real. "O homem com saudade do homem": eis a epígrafe do projeto. Aliás, foi assim batizado devido às facilidades com que poderia ser ensaiado, produzido e montado em qualquer espaço e com o mínimo de recursos. Denominamos esse teatro assim tão simples e franciscano de maneira sofisticada, francesa – Prêt-à-Porter. Estaria aí a nossa ironia. Todo ator ou aspirante a ator poderia praticar ali um laboratório infinito de experiências além de atuar: imaginar, escrever, dirigir a própria cena. [...] Confesso que o Prêt-à-Porter tornou-se uma espécie de oásis na prática de minha vida, na prática do CPT. Antunes Filho, em entrevista.*

Desde o início de sua carreira como diretor, Antunes Filho enfatiza o trabalho do ator, perseguindo de modo tenaz, rigoroso e escrupuloso os processos de interpretação.

> O ator é um gerador de signos. [...] Trabalho o tempo todo com tradição e ruptura. Meu método começa com muita inteligência. Ele vai pesquisar, rastrear, levantar, fazer sinopse e depois jogar tudo para o alto. O que procuro é um equilíbrio entre o intuitivo e o racional[81].

O Prêt-à-Porter evapora os macetes, como Antunes gosta de dizer. O processo de construção e destruição se dá a olhos vistos. Testemunha-se o começo, o meio e o fim presentes no texto e na interpretação, ainda que fragmentados, ainda que deslocados de uma linearidade. É completo no sentido do encontro aqui agora entre público e espetáculo, dissolvendo-se as noções de tempo e espaço[82].

---

81. Relato de Antunes Filho em matéria publicada no jornal *O Estado de S. Paulo*, 27 maio 1995.
82. Valmir Santos, "Antunes recria conceito artesanal", *O Diário*, Mogi das Cruzes: 3 maio 1998, p. 4A.

Prêt-à-Porter III.
Silvia Lourenço e
Emerson Danesi, 2000.

Prêt-à-Porter X.
Geraldinho Mário da Silva e Marcelo Szpektor; abaixo: Marcos de Andrade e Natalie Pascoal, 2011.

Prêt-à-Porter IX.
Emerson Danesi e
Marília Simões, 2008.

De 1998 a 2012, foram dez edições do projeto Prêt-à--Porter e mais duas coletâneas, em 38 apresentações:

1998/2000 – Prêt-à-Porter I
BR-116
Um minuto de silêncio
Sopa de feijão

1998 – Prêt-à-Porter II
Na contramão
Horas de castigo
Leque de inverno
Asas da sombra

2000/2001 – Prêt-à-Porter III
Bom dia
Leque de inverno
Posso cantar?
Um minuto de silêncio

2001/2002 – Prêt-à-Porter IV
Eter.n@mente
Ah, com'e bella!
Os esbugalhados olhos de Deus

2003/2004 – Prêt-à-Porter V
Uma fábula
Mulher de olhos fechados
O poente do sol nascente

2004/2005 – Prêt-à-Porter VI
A casa de Laurinha
Senhorita Helena
Estrela da manhã

2005 – Prêt-à-Porter VII
Castelos de areia
Chuva cai e bambu dorme
A garota da internet

2006/2007 – Prêt-à-Porter VIII
Ponto sem retorno
Exiladas
Velejando na beirada

2008 – Coletânea 1
A filha do senador
Ponto sem retorno
A garota da internet

2008/2009 – Prêt-à-Porter IX
Um escritório ao entardecer
Edifício Copan
Bibelô de estrada

2010 – Coletânea 2
Estrela da manhã
Bibelô de estrada/Ponto sem retorno
O poente do sol nascente

2011/2012 – Prêt-à-Porter X
Adorável Callas
O homem das viagens
Cruzamentos

OUTROS ESPETÁCULOS NO ESPAÇO CPT

Assim como o Programa Prêt-à-Porter, algumas produções do CPT são realizadas no sétimo andar do Sesc Consolação. É desse local de estudos e experimentações que saem grandes espetáculos.

A FALECIDA VAPT-VUPT

Antunes revisita o texto rodriguiano apostando em uma nova dinâmica. O cenário, formado por personagens figurantes, faz sobrepor o burburinho de um bar

A falecida vapt-vupt. Lee Taylor, 2009.

Blanche. Marcos de Andrade, 2016.

suburbano que serve de pano de fundo para o desenrolar dos acontecimentos:

> Foi a terceira encenação que realizou da peça, cada qual sob diferente leitura, por diferentes conceitos, com diferentes consequências estéticas. Dessa vez não demorou muito a montagem, como normalmente acontece com seus espetáculos: em cerca de dois meses de ensaios já a estreou. Essa rapidez na construção é ironizada no título com que rebatizou a obra: *A falecida vapt-vupt*[83].

BLANCHE

Inspirada no clássico *Um bonde chamado desejo*, a montagem apresenta duas inovações: a encenação da personagem central por um homem, o ator Marcos de Andrade, e a construção dos diálogos em *fonemol*, língua imaginária criada pelo Grupo Macunaíma, num processo em que os espectadores participam ativamente para a significação de cada ato.

> Não estou discutindo os Estados Unidos. Quero falar da Blanche como um ser humano espezinhado, e nesse ponto estou do lado dela. Essa ação ferrada do homem contra a qual eu luto sempre. Tem o negro, a mulher, o homossexual, o transgênero. Estou discutindo os perseguidos, os maltratados pela sociedade[84].

---

83. Sebastião Milaré, "Poeta da cena", in: Sebastião Milaré e Emidio Luisi (org.), *Antunes Filho: poeta da cena*, São Paulo: Edições Sesc, 2011, p. 344.
84. Antunes Filho a Miguel Arcanjo Prado, "'Temos de acalmar os ânimos', diz Antunes Filho ao estrear *Blanche*". Disponível em: <https://entretenimento.uol.com.br/noticias/redacao/2016/03/18/temos-de-acalmar-os-animos-diz-antunes-filho-ao-estrear-blanche.htm>. Acesso em: 10 fev. 2017.

ALGUMAS CONSIDERAÇÕES ACERCA DOS PROCESSOS DE FORMAÇÃO DO CPT

UM PROCESSO PERMANENTEMENTE REVISITADO

Antunes Filho é um criador sempre inquieto. O contato com o encenador, sua obra e aqueles que dividiram com ele momentos de criação é surpreendente. No entanto, fixando-nos nos processos de formação do CPT, é exemplar o relato de Giulia Gam. A atriz entrou para o CPT aos 15 anos, quase 16, para fazer a protagonista de *Romeu e Julieta*, primeira montagem do Centro de Pesquisa Teatral. O longo processo de ensaios da peça foi realizado quase integralmente em um dos ginásios de esportes do Sesc Consolação. Em momento de transbordante emoção, ela relembra:

> *Ensaiávamos no chão, onde ficava uma quadra de esportes. Por um ano e meio, o espaço foi trabalhado à semelhança de um teatro elisabetano, com dois andares: tudo coberto por jornais, ambiente medieval, canto gregoriano... O espetáculo ficou pronto, apresentamos para algumas pessoas do Sesc. Dois dias depois, o Antunes chegou dizendo para tirarmos os jornais (que ele chamava de troço)... Era uma proposta ligada à chamada arte povera. Todos ficamos assustados... Em seguida, ele pediu para todos se sentarem e escutarem algo: "Here comes the Sun, here comes the Sun. And I say it's all right..." Todos nos olhamos... Então ele diz: "Vamos começar tudo novamente!" Ninguém acreditou... Ele começou a redesenhar tudo... Aí tinha uma escada em que eu havia feito o teste [para incorporação ao elenco da peça], ele falou assim: "Bota isso aí pra fazer o balcão". Eu fiquei estarrecida... Eu deveria entrar carregando a escada... A escada pesava demais... Então, o espetáculo ficou reduzido a uma escada e a uma caixa... As coisas eram guardadas dentro da caixa, as pessoas pulavam na caixa, a gente se escondia atrás da caixa... Toda a mise-en-scène foi feita em círculos... A maneira dele de trabalhar, que vinha desde* Macunaíma. *E grupos que escondiam ou faziam as passagens de tempo com coro. Foi incrível porque*

cada música que ele ia botando dos Beatles, as músicas iam se encaixando. Ele botava "Blackbird"... Tinha tudo a ver com a história do Romeu. Aí botava "She's Leaving Home" e tinha tudo a ver com a história da Julieta. As coisas começaram a se encaixar de uma tal maneira que parecia que tinha sido escolhida a trilha. E aí ele mudou tudo... Ele achou que estava muito triste... Então, o espetáculo ficou uma coisa realmente jovem, que é o que ele queria. Ele queria um espetáculo jovem, que tocasse os jovens. Giulia Gam, em entrevista.

Em relato igualmente emocionante, Marco Antônio Pâmio, parceiro de Giulia e intérprete de Romeu, afirma:

Ele não mentiu para mim. Do quão duro, do quão difícil ia ser aquela fase, aquela jornada. Aquele "noviciado". [...] Em janeiro de 1983, minha vida mudou radicalmente. Só faltava eu dormir lá no CPT. Acordava, tomava banho e ia para lá... Lá eu ficava até Deus ou o Antunes mandar. Duas, três da madrugada. Voltava exausto... levando muita porrada... O discípulo, o aprendiz... Eu e tantos outros, vivendo aquela experiência, testando método, investigando... Hoje, sei que aquilo foi uma escola, a minha escola. O Antunes não chamava de escola ou curso, mas a gente tinha as aulas com ele, as sessões de ensaio com ele; aulas de esgrima, de voz, de corpo, de música, de canto, com professores específicos. Era uma estrutura de um curso de teatro, mas ele não gostava de definir assim. Tudo era voltado para o projeto, para essa estreia que a gente não sabia direito quando iria ser (do teatro de repertório). Durante o processo, ele remontou o Macunaíma, e nos encaixou no elenco; transformou O eterno retorno em Nelson 2 Rodrigues, com duas peças, das quatro originais – Álbum de família e Toda nudez será castigada –, e também nos colocou em alguns papéis... Além de Romeu e Julieta, ensaiavamos também A Pedra do Reino... [que] infelizmente, morreu na praia... Isso durou mais de um ano, porque a estreia aconteceu em abril de 1984. Um ano e quatro meses, ali, representaram anos. Foi o ano mais transformador da minha vida, porque ali comecei a entender que aquilo já era uma opção de vida... Seria [...] algo intenso, com toda a violência, com toda a generosidade, com toda a radicalidade. Algo foi selado ali. Foi muito difícil, muito duro, muito sofrido, mas não me arrependo de um minuto que eu tenha passado lá. Marco Antônio Pâmio, em entrevista.

Desde o início de suas atividades, o Sesc São Paulo tem investido no processo de formação do artista assim como do público, em amplo leque de interlocução. Essa tendência se acentua a partir da chegada de Antunes Filho e do Grupo Macunaíma, pois evidencia a ação institucional ao facilitar permanentemente a criação de diversos coletivos para participação e criação de importantes obras do teatro brasileiro.

Em artigo extenso, Jefferson del Rios rastreia a trajetória de Antunes Filho:

Verticalizar a interpretação dos atores, desde sempre, é a tônica do projeto [do CPT], e toda a atenção de Antunes está dirigida para a superação dos padrões usuais. Ele almeja um ator expressivo que, participando de um coletivo de trabalho, esteja altamente disponível para experimentos, mudanças de rumo ao longo do processo e dedicação ao ofício. Essas características foram se aprofundando, paulatinamente, por meio de exercícios e da metodologia de trabalho aprimorada a cada montagem[85].

Em 1984, Antunes declarou que os atores que saem de uma escola "[...] estão carregados de 'vícios de um sistema estático'"; razão pela qual ele propõe que "[...] o ator deve ter a coragem e a capacidade intelectual de tentar enxergar as realidades tais quais elas se manifestam, e não segundo anseios e fantasias ou lições dogmáticas apreendidas em cartilha". No CPT, o aprendizado se dá por meio de exercícios, laboratórios, leituras sobre interpretação (Bentley, Strasberg, Stanislavski), zen-budismo (J.C. Cooper, Suzuki, Herringel), psicologia e psicanálise (Freud, Jung e Rollo May), literatura (Bakhtin) e história. Tornam-se

---

85. Jefferson del Rios, "Poesia, humor e magia na volta de Macunaíma", *Folha de S.Paulo*, São Paulo: 4 maio 1984, p. 39.

célebres, nessa fase, os exercícios de desequilíbrio inspirados pela física quântica.

Desde o princípio da hospedagem do Grupo Macunaíma no Centro de Pesquisa Teatral do Sesc, era grande o interesse de artistas em ingressar no grupo. Tal motivação se dava tanto pelo desejo de estar em cena, em uma obra dirigida por Antunes Filho, quanto pela oportunidade de participar do curso de interpretação ministrado pelo mestre. Além do trabalho de encenação, compreendido pela construção do espetáculo, Antunes empenha-se na formação do intérprete que participa da obra, a partir de certa metodologia de trabalho que criou e que veio aprimorando desde o início.

Desde 1983, um significativo número de artistas, entre profissionais e amadores, inscrevem-se nos testes de seleção realizados pelo CPT. Inicialmente, os testes ocorriam no palco do Anchieta e eram acompanhados diretamente por Antunes Filho. Geraldinho Mário da Silva, que iniciou no Grupo Macunaíma em 1987, relata:

> *Quando entrei, já havia um homem na sala. Disse "boa tarde" e ele retrucou: "Boa tarde, nada. Estamos atrasados! Vamos logo, boa tarde, nada!" Falei: "Calma, moço, espera eu me preparar, tomar água". Na ocasião eu não conhecia ninguém, mas estavam lá a Marlene Fortuna, a Malu Pessin, o Walter Portela... todo mundo olhando, lá no segundo andar do prédio. O homem apressado disse para eu imitar um bêbado. Respondi que nunca havia bebido, mas iria tentar... Bem, ele falou em Shakespeare, mas eu não conhecia... Queriam que no outro dia eu fizesse o teste do desequilíbrio e queriam que eu desatarraxasse os joelhos... Naquele momento não foi fácil, não. O Antunes brigou comigo porque eu o chamei de "senhor". Ele pensou que eu estivesse tirando sarro da cara dele. Pois é, 22 anos agora ao lado do Antunes. Vinte e dois anos de diálogo... O Antunes é muito paciente, ele sabe ouvir todo mundo.* Geraldinho Mário da Silva, em entrevista.

Entrevistado em 27 de agosto de 2008, Lee Taylor conta:

> *[...] fui assistir a Medeia 2, no Sesc Belenzinho. Fiquei totalmente arrebatado, principalmente pelo trabalho da Juliana Galdino, e pensei: "É esse o tipo de teatro que eu quero fazer". Naquele mesmo ano tentei o CPTzinho e não entrei. Em 2004, prestei novamente e fui aprovado. Ao término do curso, quando o Antunes me entregou o certificado, ele pediu para que eu fizesse um monólogo de três minutos com algumas falas do Chicó e do João Grilo, do Ariano Suassuna. Vim para cá no desejo de fazer uma tragédia, uma obra superdensa... Mas, a vontade de estar no CPT foi maior. Fiz uma compilação do Auto da Compadecida, decorei o texto e apresentei. Ele disse que eu deveria ser mais comunicativo com a plateia. De certa forma, eu estava tentando colocar aquela tal densidade no João Grilo e no Chicó. Pensei em fazer uma coisa mais humana, criar algo que tivesse uma carga mais dramática. O Antunes insistia que queria algo expansivo. Nesse processo, ele foi muito generoso comigo. Sempre que eu queria mostrar o novo resultado, ele me dispensava um tempo.* Lee Taylor, em entrevista.

A partir de 1993, já se pode falar em CPTzinho. Desde esse ano até 1997, o processo de seleção aprova os interessados em participar de curso ou estágio de quatro meses ali ministrado, composto por trabalho corporal, chamado apenas Corpo, e trabalho de interpretação, chamado Naturalismo. A articulação de ambos consistia na introdução ao método de Antunes Filho. Especificamente no Naturalismo, havia o desenvolvimento de uma proposta de interpretação, fundamentada na técnica de Lee Strasberg, sob a orientação de Lúcia Segall. Walter Portella desenvolvia majoritariamente a proposta corporal, fundamentada na metodologia de Tadashi Suzuki.

Para Antunes, a técnica precisa e a clareza na interpretação e na gestualidade são essenciais para a relação entre o ator e o público:

> *Eu faço questão de que os atores falem e você entenda tudo, porque eu, como diretor, não tenho o direito de impor as minhas imagens, eu não tenho direito. Eu tenho que impor as*

imagens do poeta, do autor. Os atores têm que falar direito, corretamente, para que você possa viajar nas palavras, nas palavras que o autor está propondo. As imagens que ele está propondo, as metáforas que ele está portando. Hoje em dia os diretores impõem, eles ficam na frente impondo, eu faço, eu gosto de rotunda preta também, sem nada, sem nenhum cenário, bem trabalhado, colocar esses blocos como você coloca, para trabalhar também com o inconsciente da plateia. [...] eu armo mais ou menos de maneira interessante a cena, monto porque tenho o olho plástico, de artes plásticas, porque eu conheço razoavelmente bem, mas tudo isso, e a palavra? E a gestualidade que não pode ser feita excessiva, para que a plateia possa, através das palavras, fazer a grande viagem que o autor propõe. Antunes Filho, em entrevista.

Nesse duplo processo, os participantes eram observados a toda hora com o objetivo de serem escolhidos para a próxima peça a ser montada.

No que se refere à busca do trabalho do ator-criador, os selecionados a passar pelo método percorrem um processo que compreende: trabalho de corpo e depois um pouco de voz; interpretação, com Emerson Danesi; teoria, com Rodrigo Audi; e, o que deve ser também muito significativo, assistir e discutir filmes especialmente selecionados em acervo com mais de 5 mil títulos. Cabe destacar que, no curso de teoria, os postulantes a ingressar no CPT estudam, discutem e refletem sobre textos de Jacques Derrida, Gilles Deleuze, Jacques Lacan, Sigmund Freud, Michel Foucault, Jean Baudrillard, Henri Bergson. Em tese, os pensadores formulam teorias a partir das quais o indivíduo, ao mergulhar dentro de si, no sentido de autoentendimento, retorna ao mundo e às relações sociais, podendo até superar o simulacro que caracteriza o viver. Do CPTzinho podem sair atores para as montagens do CPT.

Acerca do depuramento estético que o coletivo experimenta a partir da década de 1990, Sebastião Milaré lembra que a qualidade dos espetáculos liga-se, também, aos processos de transmissão dos saberes entre os integrantes do grupo.

Com relação aos chamados processos colaborativos, cujo conceito é estabelecido naquela mesma década e atualmente muito debatido Lígia Cortez, atriz do Grupo Macunaíma presente nos trabalhos iniciais do CPT, lembra que há tempos Antunes Filho já os experimentava.

Monta-se cada cena e apresenta-se a ele [Antunes Filho]. Era um intenso processo de improvisação, alguma coisa ficava, outras eram transformadas, ou se abria mão delas. Criávamos a dramaturgia, ela se fazia depois de nossos experimentos. Percebe-se nos espetáculos do Antunes que o coletivo se presentifica na cena, como sujeito total da criação. Lígia Cortez, em entrevista.

Por determinados problemas na composição do conjunto, ou mesmo pela permanente inquietação de Antunes Filho, em 1997, logo depois da montagem de *Drácula e outros vampiros* – na busca do humano perdido, o homem em seu alvorecer – ele propõe um processo de mergulho abissal. Um mergulho em que o homem "com saudade do homem", em sua dimensão arquetípica e atávica, se revisitasse em conjunto. Por um ano inteiro, o grupo busca uma nova teatralidade, fundamentada no primado do ator. No belo programa de lançamento do projeto, lê-se logo no primeiro parágrafo:

Esta nova proposta de trabalho busca chegar ao fundo, destruir todos os macetes, todas as muletas de que o ator dispõe e procurar as reais potencialidades dentro dele e do teatro. Um teatro vivo, com atores vivos, sempre em trânsito, não um teatro de funcionários.

Sem a pretensão de inaugurar algo novo, mas centrado no trabalho do ator e em um minimalismo performático, sem qualquer aparato exterior a ele mesmo, ainda que disponha amplamente do domínio de seu arcabouço técnico-expressivo, vê-se no programa uma constatação passível de ser entendida como denúncia. Segundo ela, nos palcos brasileiros encontra-se um ator sufocado pela ansiedade: "[...] tecnicamente despreparado, carente de recursos, vítima dos próprios músculos-tentáculos que angustiosamente o amordaçam".

O lançamento do projeto Prêt-à-Porter busca não mais um certo ator masoquista, mártir ansioso, mas o ator liberto, como aparece na mesma fonte anteriormente citada, o ator na condição de

> Ser humano desapegado (no sentido budista), amante da liberdade – condição *sine qua non* para se ter a vastíssima planície do imaginário ao seu dispor. E alegria, muita alegria, festejando sempre a sacralidade do viver e a legião de seres que cada um contém em si. Alegria do dançar (Lila), do jogo – e através dele expressar todos os projetos e prefigurações que no momento se atualizam.

Antunes Filho usa uma metáfora segundo a qual, nesse mergulho, seria necessário recolocar "as cadeiras na calçada", costume comum em várias sociedades: durante a semana, para esperar os maridos que chegavam do trabalho, as mulheres levavam suas cadeiras defronte à casa de uma vizinha, olhavam os filhos que brincavam na rua e colocavam a conversa em dia. As mulheres, nessa condição, eram oralistas: ouviam e contavam "causos". Tratava-se de explorar a capacidade de contar histórias, de apreender sentidos acerca das coisas. O fundamental era estar junto e, por meio do encontro, trocar experiências significativas.

No CPT, tal proposição caracteriza-se por um aprofundamento do trabalho do ator-criador e do ator-narrador. Amparado em conceitos orientais e no entendimento do ator como grande demiurgo da humanidade, Antunes Filho propõe o (res)surgimento do ator como aquele que inventa a cosmogonia. Desse modo, o novo ator-criador concebe as cenas, escreve-as, dirige-se em estado de permanente improvisação.

A partir do mergulho, os atores passaram a procurar histórias, escrevê-las e encená-las. Nesse processo, Antunes Filho insiste que as histórias precisariam ser contadas e, no procedimento de natureza épica, era preciso buscar, sobretudo, a gênese das personagens. Do relato oral, os atores passariam para o trabalho físico. Os processos de investigação e experimentação tornaram-se os novos nexos de trabalho que dariam origem ao projeto Carrossel Dramático, posteriormente designado Prêt-à-Porter.

O próprio Antunes Filho, em matéria da revista *E*, diz que a denominação francesa do projeto, como já mencionado, era "um nome sofisticado para um teatro pobre". Entretanto, "pobre" referia-se à ausência da parafernália que acometia certo teatro ligado, naquele momento, ao chamado primado da forma. Antunes, em várias intervenções orais, questionava a total reversão por que passava parte considerável do teatro. Depois de estabelecer uma significativa reflexão sobre o projeto Prêt-à-Porter, na mesma matéria, ele conclui:

> Eu acredito no homem. A gente nasce com isso na cabeça. Eu era infeliz quando fazia outra coisa. Eu quero é chamar atenção, quero alertar as pessoas. Eu sou disciplinador porque preciso da base, preciso de um lugar limpo para trabalhar. Aquilo que você pensava quando era criança, de ser artista de teatro, aquele sonho, você entra no teatro profissional e tem de procurar um papel, um produtor etc. Aqui, não. Aqui você pode ser sempre criança. É livre. Faça. Quero ver. Você pode continuar com seus sonhos de criança aqui. E é isso que eu quero[86].

As primeiras cenas que resultaram do processo foram apresentadas no Teatro Sesc Anchieta aos sábados. Antunes Filho tecia comentários, fazia sugestões, indicava processos. Em 2010, muitos foram os projetos desenvolvidos e apresentados pelo CPT: *A Pedra do Reino*, *Lamartine Babo*, Prêt-à-Porter. No entanto, a possibilidade de mergulhar e participar do método de interpretação levava a maior parte dos atores já formados a preferir participar do Pret-à-Porter.

As palavras de Geraldinho Mário da Silva nos dão uma visão a partir do ator sobre o processo de criação de Antunes Filho:

---

86. Serviço Social do Comércio, *Revista E*, São Paulo: mar. 2003, nº 9.

No processo de trabalho, quando é um texto não teatral, a adaptação é feita e experimentada na cena. Claro que ele [Antunes] escolhe sempre um bom texto, um texto de que ele goste. Muitas vezes, o processo começa com um, dois, três atores e vai caminhando... Lembro do projeto de montagem do Nova velha estória*... o dia inteiro a gente ficava "falando russo". Pensei até em estudar russo, mas não era o russo, mas uma fala que pudesse lembrar o som do russo ou algo próximo... brincar com a musicalidade da língua russa. Fazíamos brincadeiras tomando "motes de russo". Era muito lúdico, muito trabalhoso... Ele tem algumas propostas, apresenta para o coletivo, que vai experimentando, e uma série de descobertas se dá. Todos vão desenvolvendo seus processos de pesquisa, de experimentação... Às vezes, nem mesmo o Antunes sabe. Ele estimula, a gente responde, entra em uma arena não imaginada... E as descobertas vão sendo experimentadas coletivamente. É um processo de criação partilhado permanentemente.* Geraldinho Mário da Silva, em entrevista.

Ao falar de Romeu, Marco Antônio Pâmio destaca o instante em que sentiu operar-se nele a mais intensa transformação de sua vida e de que forma ela reverberou em comunhão com a plateia:

Havia uma cena em Romeu e Julieta, *no mausoléu, onde a Julieta está supostamente morta. No monólogo final, Romeu faz sua derradeira declaração de amor a Julieta. Tinha uma marca ali... Eu, do alto dos meus 50 quilos, deveria terminar, chorando, pegar a Giulia [Gam], em estado catártico, levá-la até o proscênio e rodar, rodar, sustentando-a nos braços. Ensaiei a cena doidamente... Da noite da estreia, mais do que qualquer outra coisa, lembro daquela cena, daquele choro. Aquele choro veio com um ano e meio, de todo o processo, da vida transformada. Aquele choro não era só do Romeu. E o Antunes não queria um chorinho... Ele queria o choro primal, ancestral, com cores trágicas, quase de um teatro grego. Naquela noite, tive a clareza de que aquele choro veio acompanhado de um "eu consegui!!". Eu girava, girava e chorava. Talvez como nunca tivesse conseguido até então... Guardo isso comigo até hoje. Sensação de vitória, de conquista, daquela força exigida para estar no palco. Não poucas vezes eu havia fraquejado no processo; não poucas vezes tive vontade de ir embora. Porque existe essa relação muito intensa, muito violenta, de provação o tempo todo. Então, aquela emoção foi absolutamente marcante e inesquecível. Foi uma definição, um divisor de águas.* Marco Antônio Pâmio, em entrevista.

O teatro é uma espécie de *pólis*. Diversos são os espaços teatrais em São Paulo. Entretanto, no Anchieta, a qualidade do repertório e a possibilidade de assistir a espetáculos a preços simbólicos são uma constante.

Marco Antônio Pâmio sintetiza o significado do Teatro Sesc Anchieta para os artistas que ali atuaram, os responsáveis por seu funcionamento, bem como o público:

O Teatro Anchieta carrega a definição de melhor sala de espetáculos de São Paulo. É o teatro mais generoso com o ator. Em termos de estrutura de palco, de condições técnicas, de acústica... É impressionante a disposição da plateia em relação ao palco, a visibilidade, as condições de coxia. Estar no Anchieta é o privilégio dos privilégios, porque é a melhor casa para um ator. Todo ator sonha estar no palco do Anchieta. É um teatro que acolhe, que abraça. Estar no palco do Anchieta é ter a sensação de ser abraçado pela plateia, ao mesmo tempo que se tem a sensação de estar em um lugar extremamente vasto. As condições técnicas do Anchieta são irrepreensíveis e a programação também. Penso que já se experimentou de tudo no Anchieta, em termos de linguagem. Não apenas por meio das encenações do Antunes e do CPT... O Gabriel Villela, o Ulysses Cruz e tantos outros passaram pelo teatro. Acho que, apesar de o Anchieta ser um palco de teatro dito convencional (italiano), ele sempre permitiu experimentações ousadas. É uma espécie de diretriz daquele espaço. E os artistas conseguem perceber isso. Despojamento, arrojo, ousadia... Tudo isso parece vir junto... Uma espécie de palco abençoado. Marco Antônio Pâmio, em entrevista.

Investir na mudança de repertórios, nos artistas e gêneros, promovendo ações culturais múltiplas e para diferentes públicos e faixas etárias, bem como hospedar um grupo teatral cujos espetáculos e processos sempre demandaram longos períodos de pesquisa e depuração, caracterizam uma grande e inestimável escola. Sendo assim, cabe afirmar que o Teatro Sesc Anchieta criou um espaço de cidadania na cidade.

FRAGMENTOS DE FORTUNA CRÍTICA DO CPT

A CRÍTICA COMO REGISTRO E BALIZA DOCUMENTAL PARA A DISCUSSÃO DE UM FENÔMENO EFÊMERO[87]

As diferentes críticas sobre um trabalho artístico tendem a evidenciar a presença ou ausência de uma característica essencial à durabilidade de uma obra: sua polissemia. É comum afirmar que muitas encenações de um texto teatral clássico evidenciam que a obra sobreviveu ao jugo do tempo por possibilitar múltiplas leituras e interpretações distintas. Da mesma forma, um espetáculo teatral, mesmo efêmero, pode sobreviver décadas no filtro da memória. Ao se perscrutarem os motivos dessa sobrevivência mnemônica, percebe-se que a mesma polissemia permitiu que discussões de todos os tipos – artísticas, estéticas, ensaísticas – não se esgotassem. O confronto entre textos de diferentes críticos pode exaltar a diferença de exegeses que, junto a diversos outros fatores, leva um espetáculo a tornar-se um marco.

A riqueza da obra de Antunes Filho fez com que várias criações suas tenham se tornado referências para o teatro brasileiro. Ao analisar a fortuna crítica de sua carreira, observa-se seu caráter polissêmico. Investigar a recepção dos espetáculos realizados pelo CPT, à época de sua montagem, é fundamental para sua compreensão.

Com esse objetivo, foram selecionados quatro espetáculos: *Romeu e Julieta*, *Paraíso Zona Norte*, *Vereda da salvação* e *A Pedra do Reino*. A despeito da inegável importância de *Macunaíma*, privilegiaram-se as montagens que estrearam no Teatro Sesc Anchieta, o que não se aplica à adaptação da obra de Mário de Andrade, que teve sua primeira temporada no Theatro São Pedro, e foi remontada no Anchieta, em 1984. A partir desse critério, buscou-se contemplar espetáculos que abarcassem as três últimas décadas, em que Antunes vem desenvolvendo ali seu trabalho.

Romeu e Julieta

Shakespeare é, provavelmente, o dramaturgo mais estudado e montado no mundo todo. No Teatro Sesc Anchieta, ele é líder de montagens, contabilizando 17 encenações de diferentes peças suas. Diversas exegeses aplicam-se a sua obra, inspirando montagens e adaptações cinematográficas.

Por sua maestria ao tratar do ser humano e seus sentimentos, a obra de Shakespeare tornou-se atemporal. No entanto, a política permeava sua obra e sua ação diante do mundo. Seu teatro era popular, e isso, mais do que uma escolha estética, é um posicionamento político, ao qual ele não se furtava. Por isso suas peças são pertinentes ao tempo histórico em que a encenação se insere, para criticar ou radiografar certos aspectos da organização social.

O capricho do amor genuíno, por exemplo, tem sido o foco principal de montagens mais contemporâneas de *Romeu e Julieta*. Romeu, que infernizava os amigos com as dores de uma paixão não correspondida, esquece por completo Rosalinda no instante em que conhece Julieta. Na mesma noite, as personagens-título juram amor eterno e planejam matrimônio, tendo Julieta declarado dias antes sua intenção de não se casar. Eles se aproximam de modo impulsivo e pode-se intuir que só não tenham se separado porque morreriam em seguida. Julieta tem 14 anos. Romeu, embora não se saiba com precisão, tem idade próxima à

---

87. O texto aqui apresentado apropriou-se de reflexão redigida pelo pesquisador Kiko Rieser.

dela. É provável que essa leitura da obra se dê por uma perspectiva contemporânea de enxergar o texto teatral como um roteiro que pode ser modificado e adaptado de acordo com os intentos e as necessidades da encenação. Dessa maneira, para entender a relação entre Romeu e Julieta como algo mais movido pelo desejo do que por um amor verdadeiro, é necessário suprimir o prólogo e o caráter mítico que ele imprime à obra.

Em alguns textos de Shakespeare, aparecem prólogos à semelhança dos textos gregos, que apresentam a gênese de todo o pensamento implícito na obra. No caso de *Romeu e Julieta*, com tradução de Bárbara Heliodora, o prólogo indica: "Dos fatais ventres desses inimigos/ nasce, com má estrela, um par de amantes".

O casal, portanto, está predestinado a se amar, o que torna inquestionável o amor entre eles, ainda que por parâmetros realistas soe falsa e improvável uma declaração de amor eterno entre duas pessoas que acabaram de se conhecer. Premida por certa visão renascentista do homem elisabetano – que se adapta bem a um país majoritariamente católico, como o Brasil –, a peça trabalha menos com a noção de vontade própria do Homem do que com sua submissão a mandos divinos, assim como na tragédia grega.

Mantendo o prólogo e tomando o impulso amoroso como valor nominal, a intenção da montagem de Antunes é falar de repressão e autoritarismo. Em Verona, a disputa entre os Montecchio, família de Romeu, e os Capuleto, família de Julieta, pela preferência do príncipe causa mortes, e a proibição da união do casal de protagonistas pode ser vista como uma clara metáfora à ditadura militar, ainda "ensaiando" uma possível distensão ou abertura democrática.

Mais do que um romance idealizado, o amor de Romeu e Julieta caracteriza-se como um ato de subversão da ordem estabelecida. Sua contrariedade em acatar a proibição dos pais, gerando o desfecho trágico, é um ato de coragem e uma demonstração da crença na possibilidade de libertação. Em *Fragmentos de um discurso amoroso*, Roland Barthes afirma que o amor consistiria em ato tresloucado, transformando-se em linguagem subversiva. O livro é a principal fonte de Antunes Filho para compor a montagem. Para intensificar essa proposição, ele suprime o epílogo da peça, que apresenta a conciliação dos Montecchio com os Capuleto, após a perda dos filhos, e um discurso moralizante do príncipe. O final do espetáculo, em catarse trágica, constitui-se em alçar os dois amantes mortos a uma posição totêmica, em que os dois corpos em pé, amparados pelo coro, exaltam a crueldade da situação.

Esse recurso é elogiado pela crítica em geral. Ilka Marinho Zanotto afirma: "A metáfora final, com os coros de jovens erigindo em efígie os amantes, como a ressuscitá-los com o bafo de sua fé, é testemunha da superioridade do amor sobre a morte e da perenidade da esperança"[88]. Ainda neste particular, mas referindo-se ao processo de adaptação, Sábato Magaldi declara: "Antunes prescindiu desse epílogo, erigindo os jovens sacrificados em símbolo de esperança que se renova"[89].

Apesar dos elogios irrestritos ao corte do epílogo, a adaptação de Antunes Filho causa discordâncias entre os críticos. Mesmo que apenas enxugue alguns trechos e frases, além da supressão do epílogo, a adaptação de Antunes Filho a montagem é realizada em uma época em que ainda há resquícios do primado do texto teatral. Contudo, compreendendo a necessidade de modificações que acompanha o intervalo de quase quatrocentos anos entre a escrita da peça e a encenação do Grupo Macunaíma, alguns críticos admitem que a adaptação chegou até mesmo a melhorar a peça.

Para Macksen Luiz:

> Antunes foi capaz de encontrar o essencial da obra de Shakespeare, sem que em nenhum momento possa se dizer que houve um empobrecimento. Pelo contrário, [...]

---

88. Ilka Marinho Zanotto, "*Romeu e Julieta*, a depuração total", *O Estado de S. Paulo*, São Paulo: 29 abr. 1984, p. 36.
89. Sábato Magaldi, "*Romeu e Julieta* em recriação superlativa de Antunes Filho", *Jornal da Tarde*, São Paulo: 27 abr. 1984, s/p.

numa demonstração de que "os clássicos" são passíveis de recriações, desde que não procurem brigar com o original, negá-lo[90].

Carmelinda Guimarães afirma: "Antunes perdeu o respeito (no bom sentido) que todos os intelectuais têm por Shakespeare, conseguiu com isso chegar perto dele e atingi-lo em sua essência"[91]. Contrapondo-se a seus colegas, Ilka Marinho Zanotto lamenta os cortes radicais dos diálogos:

> Verdade é que monólogos extensos, diálogos descritivos construídos na base dos jogos de palavras com duplo sentido e muitas cenas paralelas podem ser cortados sem prejuízo do todo. Há, porém, certas passagens poéticas nos solilóquios de *Romeu e Julieta* que não podem ser omitidas sob pena de empobrecimento das personagens principais. Foram essas palavras que, através dos tempos, fixaram a imagem dos amantes de Verona[92].

Esse procedimento de encenação torna-se a marca estilística de Antunes, firmando-se a partir deste espetáculo e solidificando os princípios formais que são explorados desde *Macunaíma*. Trata-se, em especial, de dois aspectos: o uso do palco vazio, centrando toda a ação no ator e na sua possibilidade de ressignificação da cena, e a presença do coro. Desse modo, Ilka Marinho Zanotto, na mesma crítica, aponta:

> Ora é o branco florido das figuras botticellescas a instaurar o domínio do amor e da liberdade, ora são os bordados e veludos imponentes ou o preto fantasmagórico das procissões goyescas a impor o império de uma ordem sufocante. [...] Com o palco inteiramente nu, despido até mesmo da roupagem das luzes cambiantes que banham de magia *Macunaíma* e *Nelson 2 Rodrigues*, o diretor reduz ousadamente o teatro à sua essência primeira: a presença viva do ator no palco[93].

O fato de dois jovens terem suas vidas interrompidas, evidenciando o trágico, talvez tenha feito Antunes acentuar o caráter adolescente da obra, transformando-o formalmente em princípio cênico. Com dois atores realmente jovens nos papéis principais – à época, Giulia Gam aos 17 anos e Marco Antônio Pâmio com 22 –, a trilha sonora é integralmente formada por canções dos Beatles. Mais do que apenas usá-las como ambientação, as letras são ressignificadas pela ação do espetáculo. Assim, "Lucy in the Sky with Diamonds" se torna uma espécie de réquiem de Julieta, e o refrão de "With a Little Help from my Friends" – "*I get high with a little help from my friends*" – perde a conotação da gíria, ganhando significado de elevação física e espiritual, enquanto o coro alça os dois amantes ao alto, unindo-os em abraço eterno. "Help" é executada durante a luta entre as duas famílias, em cuja cena antológica viam-se apenas bolas de meia sendo atiradas das coxias. Embora o título pareça óbvio em um momento de ataques e ferimentos mútuos, a letra traz outro significado – "*Help/ I need somebody*" –, que pode ser compreendido como a busca de um par amoroso ou a necessidade de compartilhar com o outro a vida em sociedade. Em ambos os casos, a música impõe uma percepção dialética à situação, apontando para a necessidade humana de amar, evidenciada pela condição do jovem casal impedido de viver a plenitude de seu amor, e para a importância da solidariedade, ignorada pelas duas famílias.

A escolha dos Beatles para a trilha é considerada acertada pelos críticos. A esse respeito, em crítica já mencionada, Sábato Magaldi afirma que a aproximação da trilha dos Beatles ao público adolescente:

> [...] parece um caminho óbvio, ainda que estranhável para os shakespearianos ortodoxos. Não estão em causa nem

---

90. Macksen Luiz, "O inesgotável e essencial jogo do amor", *Jornal do Brasil*, Rio de Janeiro: 1º maio 1984, s/p.
91. Carmelinda Guimarães, "Uma obra de arte que é perfeita", *A Tribuna*, Santos: s/d, p. 25.
92. Ilka Marinho Zanotto, *op. cit.*, 1984, p. 36.

---

93. *Ibidem.*

um achado espantoso nem uma contradição inaceitável. [...] funciona, em *Romeu e Julieta*, porque as composições têm uma atmosfera semelhante à da narrativa e pontuam o ritmo de forma envolvente[94].

Ilka Marinho Zanotto aponta o caráter quase alegórico da trilha, afirmando que, se nos anos 1960 os Beatles

[...] traduziram nas letras e nas melodias de suas baladas a esperança renascida de uma Humanidade que via ampliarem-se os horizontes com a ida à Lua e a reconquista da imaginação, Romeu e Julieta, em todas as décadas, encarnam essa necessidade de romper o sufoco e extravasar a potencialidade de amor e de liberdade infinitos que trazemos dentro do peito[95].

Quanto à escolha de Antunes de intérpretes inexperientes e com pouca idade, embora de talento reconhecido, Sábato Magaldi afirma:

Haveria contradição entre o espetáculo baseado no ator e a relativa falta de experiência do elenco. Ciente do problema, Antunes se esmera no preparo físico e intelectual, para que o diálogo flua com naturalidade, incorporado à vivência do intérprete. O desempenho, assim, ganha um nível e uma homogeneidade muito superiores ao que a falta de tarimba faria prever. A verdade, expressa sem nenhum artifício, supre as lacunas técnicas, preenchíveis apenas no decorrer de anos. A dicção ainda deficiente é a única falha a perturbar às vezes a harmonia geral.

Não consigo imaginar alguém que tenha o encanto, o formato do rosto (saído de uma imagem medieval), a pureza e a determinação de Giulia Gam para viver o papel de Julieta. Também Marco Antônio Pâmio dispõe dos traços românticos associados à figura de Romeu. E em nenhum instante seu desejo de não ferir Teobaldo (energicamente interpretado por Kiko Guerra) se aparenta a fragilidade. Marco Antônio encarna a perplexidade adolescente dos apaixonados e desprotegidos[96].

Analisando o conjunto da fortuna crítica que o espetáculo obtém, evidencia-se o quanto a recepção a ele é calorosa e entusiasmada. Ainda que receba algumas restrições, sempre é visto de forma positiva e elogiosa.

Paraíso Zona Norte

Nelson Rodrigues é considerado por muitos o maior dramaturgo brasileiro. No entanto, nem sempre sua aceitação chegou tão perto da unanimidade. Nelson sofreu censura em muitas de suas peças e, no início da carreira, foi tido como autor marginal. Sua relação com a política é dúbia e, embora indiretamente ligado à ditadura e visto como conservador e moralista, seu trabalho obteve a princípio uma péssima acolhida por parte da burguesia de direita, pouco afeita a incestos e outros desvios sexuais, amplamente abordados em sua obra.

Se hoje Nelson Rodrigues é o autor brasileiro mais montado, estudado e cultuado, é muito provável que isso se deva a duas pessoas: Sábato Magaldi e Antunes Filho. O primeiro, crítico de teatro, foi pioneiro ao reconhecer a grandeza do escritor pernambucano e a empreender um estudo ensaístico sobre sua obra teatral completa, criando três categorias: peças psicológicas, peças míticas e tragédias cariocas. Antunes defende até hoje, numa linha oposta à de Sábato Magaldi, que todas as peças rodriguianas são míticas, trabalhando com o inconsciente coletivo, causa que levou o diretor a preferir abordar Jung ao encená-las, contra a corrente da época que as interpretava sob a égide freudiana. Sobre esta questão, escreve Sebastião Milaré: "Garimpeiro experiente, Antunes encontrou em Nelson um diamante tosco, que todos confundiam com pedra vulgar. Começou a lapidá-lo"[97].

---

94. Sábato Magaldi, "*Romeu e Julieta* em recriação superlativa de Antunes Filho", *op. cit., loc. cit.*
95. Ilka Marinho Zanotto, "*Romeu e Julieta...*", *op. cit., loc. cit.*

96. Sábato Magaldi, "*Romeu e Julieta...*", *op. cit., loc. cit.*
97. Sebastião Milaré, "Paraíso Zona Norte", *Revista das Artes*, São Paulo: jul. ago. 1989, s/p.

Em 1989, Antunes Filho volta a encenar Nelson Rodrigues, depois de diversas incursões pela obra do dramaturgo. Ele já havia dirigido *A falecida* (na Escola de Arte Dramática – EAD), *Bonitinha, mas ordinária* (no TBC), *Nelson Rodrigues, o eterno retorno* (com o Grupo Macunaíma, reunindo quatro peças: *Toda nudez será castigada*, *Álbum de família*, *Os sete gatinhos* e *O beijo no asfalto* – sendo que o projeto original, não levado à cena, trazia também *A falecida* e *Boca de ouro*) e *Nelson 2 Rodrigues* (remontagem do espetáculo anterior, contendo apenas as duas primeiras peças).

Paraíso Zona Norte é constituído por dois atos, compostos por *A falecida* e *Os sete gatinhos*. O título é dialético, trabalhando com a noção de opostos, mesma ideia que um pouco mais tarde se concretizará tematicamente na disputa entre o bem e o mal, que se tornaria o cerne de uma série de espetáculos do Grupo Macunaíma. Paraíso remete ao Éden, imprimindo-lhe um caráter mítico e, ao mesmo tempo, a ideia de um lugar ideal. Em contraposição está a Zona Norte do Rio de Janeiro, subúrbio onde possivelmente se passam as ações do espetáculo.

Curiosa também é a escolha das peças que integram a montagem. Ambas são encenadas pela segunda vez por Antunes Filho, estando *A falecida* pela terceira vez incluída em um projeto do diretor. Não se trata de remontagens como foi o caso de *Nelson 2 Rodrigues*, mas de criações alicerçadas em novos conceitos. Antunes justifica afirmando que a montagem que dirigiu na EAD era realista demais, não dando a dimensão trágica necessária à poesia do texto. A versão de *Os sete gatinhos* em *Nelson Rodrigues, o eterno retorno*, por sua vez, segundo o diretor, ainda se aproximava em alguns aspectos da comédia de costumes. Ambas as peças aparecem sob nova leitura, o que confirma não só a múltipla possibilidade de interpretação da obra rodriguiana, como a capacidade do diretor de se rever e reinventar, sendo ele próprio polissêmico por natureza.

Para isso, a montagem investe no cuidado para com o cenário de J.C. Serroni e a iluminação do alemão Max Keller, que traz duas perspectivas ao espectador. A primeira, a estação de trem, parece se colar à proposição do título, já que estações ferroviárias são símbolos de determinadas regiões ou bairros, levando seu nome e delimitando, desse modo, uma esfera social. Trata-se de um lugar público e, embora as peças de Nelson ocorram em ambientes privados, interessa a Antunes a questão dos arquétipos e do atávico. No entanto, as situações encenadas abordam a célula-mater da sociedade: a família. Surge, portanto, a bolha, explorando outra síntese de opostos: o público e o privado. Acerca do cenário, o crítico Marcos Savini afirma:

> Analogias com estações de trem ou pavilhões de exposição de arquitetura modernista, estufas, bolhas artificiais ou naves espaciais, conduzem todas à sensação de passagem para outro lugar. [...] a estrutura translúcida cria um ambiente volátil. A sensação de irrealidade abre as portas para as realidades inconscientes arquetípicas[98].

Assim como em *Romeu e Julieta*, a concepção sonora de Raul Teixeira retoma a característica de fonte única para as canções escolhidas: desta vez, filmes hollywoodianos. O encantamento que esse tipo de filme e suas estrelas produzem no público massificado de cinema é o mesmo tipo de projeção ilusória a que almejam os protagonistas dessas peças. Em quase toda a obra de Nelson, é comum o deslumbre com pessoas famosas e com uma vida melhor. Isso é evidenciado desde sua peça mais célebre, *Vestido de noiva*, que, dividida em três planos (realidade, memória e alucinação), tem no plano da alucinação a imaginação da protagonista Alaíde, que se aproxima do mundo da fama com deslumbre. Assim também é, entre outros, com Zulmira (de *A falecida*), que quer se redimir da miséria em vida tendo um enterro antológico, e com Noronha (de *Os sete gatinhos*), que se envergonha de ser contínuo na Câmara de Deputados e finge ter cargo de maior importância.

Muitos outros espectadores reconhecem o caráter singular e inovador da obra, dizendo se tratar de algo até então

---

98. Marcos Savini, "Antunes se afasta de Nelson Rodrigues", *Jornal de Brasília*, Brasília: 20 nov. 1992, s/p.

nunca visto. José Cetra, Davi de Brito e Raul Teixeira consideram *Paraíso Zona Norte* um dos melhores espetáculos dirigidos por Antunes Filho, se não o melhor. Sebastião Milaré afirma que pouco se fala a respeito da interpretação proposta por Antunes sobre a obra rodriguiana, assim como das inovações da encenação. E, embora o espetáculo apresente o mesmo cenário, a iluminação expressionista e a concepção sonora para os dois atos, eles muito se distinguem entre si. Mas isso é igualmente pouco observado pelos críticos.

As duas peças têm algumas estranhezas em relação ao resto da obra rodriguiana. *A falecida* centra-se mais nas agruras da nossa organização socioeconômica do que no lado obscuro do indivíduo. O universo dos protagonistas é marcado pela falta de horizontes. Zulmira ambiciona um enterro pomposo que a redima da pobreza de toda sua vida; Timbira, dono de uma funerária, vê-se obrigado a explorar a fragilidade dos parentes dos mortos para ganhar a vida; Tuninho, quando consegue uma razoável quantia de dinheiro, nem sabe onde gastar e, diante da solidão, joga notas de dinheiro para o ar no estádio de futebol. Esses fatores de miséria financeira e espiritual parecem ser mais decisivos para a história do que a culpa sentida por Zulmira por ter mantido um amante. Observe-se ainda que mesmo essa culpa é mais fruto de um casamento infeliz do que de uma falha de caráter da personagem. Desde a primeira cena, não se vê paixão entre ela e Tuninho, mas a rotina de um casal que se acostumou a viver uma vida da qual não se desgarra, sobretudo pela falta de qualquer outra perspectiva.

A culpa pelo adultério se traduz na figura de Glorinha, prima que a vê passear com o amante e, por isso, deixa de cumprimentá-la. A certeza de que Glorinha rogou-lhe a praga que a deixou tuberculosa e que logo a matará é suplantada pelo que considera uma enorme vingança: um enterro invejável. Da mesma forma, padrões estéticos tacanhos são tomados como mostras de sua superioridade sobre a prima: Glorinha tem apenas um seio, já que o outro foi extirpado pelo câncer; Zulmira tem os dois, intactos.

Embora usando o clássico recurso rodriguiano de matar a infiel no fim da peça e negar-lhe a dignidade mesmo após seu falecimento, o dramaturgo radiografa alguns aspectos que impingem às personagens a mesquinhez de seu universo mental. Observe-se que, quando Zulmira morre, Tuninho descobre a traição, vingando-se da mulher ao tirar-lhe a derradeira aspiração, oferecendo-lhe um enterro paupérrimo.

Já *Os sete gatinhos* retorna ao tema primordialmente sexual, tratando de repressão e desejos irrefreáveis. No entanto, o que se sobressai é o autoritarismo do pai. Com as quatro filhas mais velhas tendo saído da adolescência sem arranjar casamento, mas dando prosseguimento à evolução natural da libido e tendo, portanto, vida sexual ativa, Noronha tem na caçula Silene a última esperança de cumprimento do ideário burguês: casar-se virgem. Toda a família, subjugada pela obsessão do pai, tem como empenho máximo prover a Silene todas as condições para que isso aconteça. Sendo assim, as quatro irmãs, com a conivência da mãe (e a do pai, que, embora saiba, finge desconhecer o fato), se prostituem para pagar o colégio interno para a caçula, já que o salário do pai, mero contínuo, é insuficiente para isso.

Tamanha é a repressão que, ao ver uma gata grávida e sem condições de entender sua condição de animal, Silene a mata a pauladas. Daí os sete gatinhos de que nos fala Nelson Rodrigues, expelidos do útero da mãe assim que esta morre. Impedida de matar também os filhotes, Silene é expulsa do colégio e mandada de volta para casa, onde se torna o orgulho da família, visto que ainda se orienta por "padrões morais elevados". No entanto, logo se descobre que ela está grávida.

Tendo perdido todas as esperanças, Noronha transforma sua casa em um bordel, no qual suas cinco filhas se prostituem. No entanto, o oráculo lhe diz que, enquanto estiver vivo o homem que chora por um olho só, a desgraça da família continuará. Tomando por bode expiatório o namorado de Silene, responsável pela perda de sua virgindade, Noronha o mata. No entanto, ao vê-lo agonizar, percebe que o homem chora pelos dois olhos. Pressionado pela família, Noronha cede ao pranto e as lágrimas escorrem por um só olho. Nelson toma emprestado de Sófocles o artifício do soberano que procura o culpado quando este, na verdade, é ele mesmo.

Castigadas pela desgraça imposta à família, as filhas partem para cima do pai, assassinando-o. Por fim, não são os pecadores da carne que morrem, mas aquele que repreendeu a todos com sua noção inatingível de pureza.

Muito diferentes entre si, as peças vão além da ideia costumeira que se tem da obra rodriguiana. Infelizmente, pela fortuna crítica pouco fica registrado do que foi a encenação de Antunes em todos os seus aspectos. Lionel Fischer discorre sobre a diferença entre os dois atos: "Essa sensação de estranheza se mantém durante todo o espetáculo, sendo que em *A falecida* ela é trabalhada num ritmo lento. Em *Os sete gatinhos*, porém, Antunes imprime à montagem um ritmo vertiginoso, operístico"[99]. Marcos Savini escreve que: "O final de *Os sete gatinhos*, com as filhas de Noronha movimentando-se como Fúrias sobre o palco, bem demonstra a fecundidade do redimensionamento que Antunes Filho dá à obra de Nelson Rodrigues"[100]. Pela argumentação deste crítico:

> Mais trágico e menos cômico, *Paraíso Zona Norte* ressalta o que há de universal e arquetípico na dramaturgia de Nelson Rodrigues. [...] não tem o sabor de humor suburbano desbragado. [...] Mas são exatamente todos estes fatores que parecem distanciar *Paraíso Zona Norte* daquilo que poderíamos entender por um típico universo dramatúrgico de Nelson Rodrigues, que fazem a grandeza do espetáculo. Distancia para ver, se não melhor (melhor ou pior, tanto faz), pelo menos numa ótica reveladora da vitalidade inesgotável dos textos de Nelson Rodrigues, pela abertura de uma legítima multiplicidade de leituras [...][101].

Sobre o elenco, Carmelinda Guimarães afirma:

> [Luis] Melo, que faz o marido Tuninho, acrescenta o patético a esta tragédia carioca, recheando de conteúdo humano seu personagem traído. [...] Rita Martins, que interpreta Silene, tem o completo domínio da nova técnica que Antunes chama de "a bolha", ela flutua no palco, é etérea. Flavia Pucci é profunda e sensível como Zulmira ou Aurora. Todo o elenco está bem incorporado aos seus personagens, e atua no palco em harmonia, como se o gesto de um fosse ligado ao do outro, numa única energia[102].

Vereda da salvação

Vereda da salvação estreia em dezembro de 1993. Um ano antes, em 1992, o país assiste ao massacre do Carandiru. Várias outras chacinas e ações de grupos de extermínio vêm acontecendo. A vida assustadoramente imita a arte. Ao mesmo tempo, igrejas de diferentes segmentos evangélicos proliferam pelo país. Muitos veem aí o perigo da instauração do poder pastoral, de que fala Michel Foucault – um messianismo que pode culminar em ditadura religiosa, como acontece em *Vereda da salvação*. Após anos de ditadura, são realizadas eleições diretas para presidente da República. Eleito, Fernando Collor de Mello, antes de sofrer um *impeachment*, deixa grande parte da população insatisfeita com sua administração e com uma das medidas mais impopulares já tomadas por um governante: impedir movimentações em contas bancárias de milhões de brasileiros.

A peça tem uma trama simples. O principal interesse recai na forma como ela se desenrola mais do que nos fatos que a constroem. Um grupo de boias-frias migra de fazenda em fazenda, à beira da miséria absoluta. Um dos seus integrantes, tendo ido à cidade grande, toma conhecimento de uma nova religião. Todos passam a ser doutrinados segundo os novos dogmas e Joaquim torna-se o líder desse movimento. Seu principal antagonista é Manoel, que não compactua com as suas ideias religiosas. Dolor, mãe

---

99. Lionel Fischer, "Um inferno de beleza eterna", *O Globo*, Rio de Janeiro: 10 maio 1990, s/p.
100. Marcos Savini, "Antunes se afasta de Nelson Rodrigues", *Jornal de Brasília*, Brasília: 20 nov. 1992, s/p.
101. *Ibidem*.

102. Carmelinda Guimarães, "A tragédia brasileira", *A Tribuna*, Santos: 6 maio 1989, p. 10.

do novo líder, duvida mais do que acredita na grandeza da nova fé, mas permanece ao lado do filho. Propaga-se a ideia de pureza e de que os pecadores disseminarão o mal aos outros membros da comunidade.

A ação transcorre em uma semana sabática, durante a qual é proibido trabalhar e, em parte do tempo, não se pode também comer. No entanto, aqueles que não se converteram sabem que, ao relegar o trabalho, todos enfrentarão problemas com o dono da fazenda. Mesmo assim, Joaquim não permite que o desígnio divino do descanso seja descumprido. Ele conduz os fiéis a uma fé cega, cujo objeto é ele mesmo, que se revela como o messias. Sua espantosa capacidade de convencimento leva os outros a cometer atrocidades em nome da fé, como matar crianças que comeram por não suportarem mais a fome, e fazer Artuliana, grávida de Manoel sem estar casada com ele, abortar.

A notícia da greve religiosa se espalha. A polícia segue para o local. Diante disso, os fiéis nada temem, pois acreditam ter o "corpo fechado"; os que não se converteram decidem igualmente ficar, pois já não têm forças para lutar por uma vida que mais se assemelha à morte. Todos são mortos pela polícia, que cerca o local na noite em que os crédulos ascenderiam ao céu, conforme promessa de Joaquim.

Assim como em *Paraíso Zona Norte*, Antunes retoma uma peça outrora encenada, fazendo dela uma releitura marcante, ovacionada pelos críticos. Para Alberto Guzik: "[...] com sensibilidade de mestre, [Antunes coloca] no lugar dos casebres pedidos por Jorge Andrade uma floresta inóspita e desgalhada, reminiscente de grades de prisão"[103].

Para reforçar essa visualidade e fazendo valer sua veia trágica, o diretor cria uma espécie de prólogo para a peça, no qual a primeira imagem que se vê no palco é uma fila de diversos caixões em pé, de frente para a plateia, com os "mortos" dentro. Dessa forma, busca combater estereótipos, levando ao palco a tragédia, encenada sob a ótica brasileira, como observou Nelson de Sá:

Antunes Filho descobriu o Brasil. Como na música, no futebol, o teatro está cada vez mais próximo do aqui-e-agora. *Vereda da salvação* é popular e nacional, sem ser paternalista [...] um espetáculo de vida própria. Um espetáculo que não tem nada de chato, que também não tem nada de datado. Ou melhor, tem a datação do aqui-e-agora[104].

Antunes estabelece uma visão mais humanizada de Joaquim nesta montagem. No programa da peça, o próprio Jorge Andrade esclarece sobre o protagonista:

No dia em que o homem se libertar do homem, será feliz. É o que Joaquim tenta fazer, escolhendo, porém, um caminho errado: sacrifica-se para tornar-se mito e deus. É um erro que o homem tem cometido sempre: foge em vez de ir combater e exterminar o mal que o dilacera. Esta é a sua tragédia.

Mariangela Alves de Lima explicita bem como se dá o embate dialético no texto e na encenação de Antunes:

Jorge Andrade [...] avançou para o lado de dentro do grupo e legitimou o fanatismo religioso ao reconhecê-lo como um modo possível de preservar a dignidade. Sua peça é um instrumento ótico de longo alcance porque permite enfocar tanto as seitas cristãs brotando como tiririca entre a população pobre quanto a violência com que a sociedade brasileira tem, sistematicamente, aplainado as diferenças sociais.

[...] Andrade nos põe diante de uma comunidade em que o destino comum não diminui a estatura dos indivíduos. Há quatro grandes personagens em conflito, e cada uma delas defende com garra sua própria ideia de redenção.

[...] Em *Vereda da salvação*, o espetáculo é um plano horizontal, exibindo com clareza o equilíbrio e a complexa

---

103. Alberto Guzik, "O resgate de uma obra-prima", *Jornal da Tarde*, São Paulo: 4 dez. 1993, s/p.

104. Nelson de Sá, "Antunes descobre o Brasil em *Vereda*", *Folha de S.Paulo*, São Paulo: 4 dez. 1993, pp. 5-6.

arquitetura do texto. Em cada conflito há uma distribuição matemática de forças, ilustrada por agrupamentos, fazendo equivaler a verdade de cada um[105].

Nessa montagem, a maior parte dos atores já integra o Grupo Macunaíma há alguns anos. Luis Melo, considerado por Antunes Filho o maior ator do teatro brasileiro, vem se firmando como principal nome do grupo. Em *Vereda da salvação*, cabe a ele o papel do protagonista Joaquim. Para interpretar sua mãe, é convidada Laura Cardoso, atriz de vasto currículo e grande carisma. Dessa vez, não há controvérsias sobre as interpretações: apenas Macksen Luiz faz uma ressalva, e justo quanto aos "caipirismos" que Antunes tanto criticou:

[...] apenas a interpretação de Luis Melo imprime o ar de tragédia nacional à montagem. O ator se parece a uma estranha mistura de líder messiânico enlouquecido com um frágil homem miserável que vai construindo sua alienação por não mais suportar o que não consegue mudar. Laura Cardoso, como a mãe Dolor, tem uma máscara trágica que dá força e ao mesmo tempo sutileza à mulher que tem consciência de como tudo se passa, mas que também não encontra razões para não se deixar matar. Os demais atores, com exceção de Sandra Correa, como Ana, que não aceita com passividade a imutabilidade de sua vida, mas que as condições sociais não permitem que mude, estão bastante marcados pelo estereótipo matuto[106].

Quanto aos intérpretes, só há elogios, como comenta Nelson de Sá:

Ao mesmo tempo, Luis Melo é horror e esperança. Ao mesmo tempo, o choro e o riso. Uma interpretação patética, que mergulha no inverossímil e sai com a representação de um país inteiro. Nos limites do melodrama, Luis Melo alcança, pelas mãos de Antunes Filho, uma interpretação que o situa entre os maiores atores brasileiros.

A presença desconcertante de Laura Cardoso, como Dolor, a mãe de Joaquim, acentua ainda mais o núcleo de uma tragédia que é nacional. A sua figura pequenina, encurvada, até quebradiça, mas também confusa, também cúmplice, também ao lado do horror, consegue vencer a limitada bondade do personagem e situá-lo no campo superior que é atingido por Luis Melo[107].

Alberto Guzik observa:

Laura Cardoso [...] oferece atuação memorável. É empolgante sua composição da mulher humilde, que cresce até atingir estatura trágica. Luis Melo, na pele de Joaquim, mais uma vez se supera. Une a doçura assexuada de um Chico Xavier à fúria de um assassino que mata em nome de Deus. O ator rebenta limites e integra de forma inextricável o desenho físico do beato ao traçado psicológico[108].

A Pedra do Reino

Trata-se de uma das obras de mais longa gestação na história do teatro brasileiro. Em 1984, a peça estava pronta para estrear. A ideia era montar um repertório incluindo *Macunaíma*, *Nelson 2 Rodrigues*, *Romeu e Julieta*, ao qual se somariam, paralelamente, dois livros de Ariano Suassuna: *Romance d'a Pedra do Reino e o príncipe do sangue do vai-e-volta* e *História d'o rei degolado nas caatingas do sertão: ao sol da onça caetana*. No entanto, somente em 2006 o projeto é retomado por Antunes, sendo finalmente levado ao palco.

A união dos dois romances não é fortuita: ambos contam a história de Dinis Quaderna, rei prometido do Quinto Império dos sebastianistas. A história baseia-se em lendas e crendices populares, como a aguardada volta de dom Sebastião, rei

---

105. Mariangela Alves de Lima, "Antunes Filho presta tributo à grandeza de *Vereda*", *O Estado de S. Paulo*, São Paulo: s/d, p. D7.
106. Macksen Luiz, "Quando o homem é o lobo do homem", *Jornal do Brasil*, Rio de Janeiro: 4 dez. 1993, s/p.
107. Nelson de Sá, "Antunes descobre o Brasil...", *op. cit.*, *loc. cit.*
108. Alberto Guzik, "O resgate de uma obra-prima", *op. cit.*, *loc. cit.*

de Portugal, desaparecido há séculos na batalha de Alcácer-Quibir. Quaderna se autoproclama rei do reino da Pedra, no qual tanto súditos quanto rei são membros da mesma classe social e fazem dali uma grande festa popular. Porém, o recém-coroado rei é preso por subversão pelo Estado Novo enquanto escreve um memorial no qual relata a história do seu reino. Ao prestar esclarecimentos a um juiz corregedor, ele rememora sua vida e os mitos que se fundem a ela.

Existe uma tradição da cultura popular que exalta a figura do nordestino, retratando-o como esperto e malandro, capaz de grandes estratégias e argumentações verbais que o fazem sempre alcançar seus objetivos. A essa corrente filiam-se as obras de Suassuna, especialmente estas em que Quaderna usa sua retórica popular para defender o direito de propagar suas ideias, ou seja, sua liberdade de crença e sua possibilidade de sonhar.

Sérgio Salvia Coelho, baseado em sua curta experiência como ator do CPT, observa: "Para quem participou dos primeiros esboços, é possível afirmar que pouco da estrutura original, arquitetada com paixão, entre outros, por Cecília Homem de Mello, foi abandonado na versão atual"[109].

Ao contrário de Coelho, no entanto, há quem afirme que o espetáculo estreado em 2006 era totalmente diferente daquele de 1984. O ator Marco Antônio Pâmio, que figurava no elenco antigo e assistiu à montagem mais recente, aponta duas mudanças primordiais entre os trabalhos: a primeira, no fundamento da estrutura dramatúrgica. Na primeira versão, a dramaturgia era quase que totalmente dialógica, centrada no embate entre Quaderna e o corregedor. Na montagem de 2006, ela é primordialmente monológica, pois é Quaderna quem narra quase todo o espetáculo, evocando suas memórias. A segunda distinção revela-se na mudança do romance enfocado, passando da *História d'o rei degolado...*, em 1984, para *Romance d'a Pedra do Reino*, em 2006.

De acordo com Pâmio, diante do embate dialógico com o corregedor, a adaptação antiga, com a ação centrada no tribunal, apresentava uma maior imbricação de tramas. Haveria também uma preocupação formal da encenação com a evocação da memória, trabalhando em ritmo mais lento, com música triste de violinos e coros representando imagens mnemônicas do protagonista.

Na montagem levada a público, porém, os coros retomam aspectos trabalhados em *Macunaíma*. Antunes volta a tratar de questões explicitamente nacionais após uma sequência de tragédias gregas. Sobre isso, Sérgio Salvia Coelho afirma: "[...] estão em cena novamente o coro carnavalesco de *Macunaíma*, a fila de cadeiras de *Toda nudez será castigada*, aquele narrador-figurante de *Romeu e Julieta*. Mas essa volta ao terreno seguro não significa uma capitulação"[110].

Sobre a montagem, Suassuna comenta: "Escrevi uma história muito doida. E o Antunes colocou todas essas doidices no palco. Não sei se quem não leu o livro entende alguma coisa, mas eu gostei".

Entretanto, parte da estratégia de Quaderna ao prestar depoimento ao corregedor é confundi-lo, desfilando uma quantidade inumerável de nomes, datas, guerras, reinos. Sendo assim, a dificuldade de entendimento de algumas passagens torna-se não um problema formal do espetáculo, mas um de seus temas. São histórias míticas, misturadas com outras fatídicas e mais tantas inventadas pelo protagonista-narrador. Torna-se fundamental entender não os detalhes do que ele conta, mas sua estratégia de defesa e sua mente imaginativa, inserida em um contexto repressor, e isso tudo é facilmente compreendido no espetáculo, especialmente pela clareza com que se ergue a estrutura dramática, centrada na narração do autoproclamado rei.

Daí, a força interpretativa de Lee Taylor, no papel de Quaderna, para o entendimento do entrelaçamento das histórias, uma unanimidade entre todos aqueles que assistiram ao seu trabalho. Sérgio Salvia Coelho diz:

> Taylor ocupa com firmeza um cargo de responsabilidade, de brilhantes antecessores, como Cacá Carvalho e Marcos

---

109. Sérgio Salvia Coelho, "Peça traz de volta o velho Antunes", *Folha de S.Paulo*, São Paulo: 12 ago. 2006, p. E8.

110. *Ibidem*.

Oliveira [atores do papel-título de *Macunaíma* e o segundo também de Quaderna na versão de 1984]. Seu rosto de profeta mineiro, de meio-sorriso que camufla a inteligência, sua precisão de movimentos nas rotinas tradicionais do palhaço fazem um universo no qual a trágica máquina do destino grego dá lugar à mecânica da geringonça[111].

Para Macksen Luiz:

A atuação de Lee Taylor, que sustenta a prosódia nordestina e a movimentação corporal com vigor, é a maior e mais grata revelação da montagem. Sua interpretação desenha o personagem como um herói da saga daqueles que se reinventam para sobreviver a um país indecifrável. E neste sentido, a sua atuação é translúcida[112].

Mariangela Alves de Lima afirma:

A tarefa difícil de alternar o delírio criador e profético ao desencanto espiritual cabe, na encenação, ao ator incumbido de representar o narrador. Lee Taylor é um intérprete excepcional pelo fôlego digno de um cantador experiente, pela inteligência com que modula as tonalidades e intenções do texto e, sobretudo, pela capacidade de revestir a personagem de maturidade atemporal[113].

---

111. *Ibidem.*
112. Macksen Luiz, "Um épico popular em belas cenas", *Jornal do Brasil*, Rio de Janeiro: 13 ago. 2007, p. B3.
113. Mariangela Alves de Lima, "Antunes Filho presta...", *op. cit., loc. cit.*

CAPÍTULO 5

FESTIVAIS E OUTRAS AÇÕES

PARA ALÉM DO ESPETÁCULO

Foram muitos os espetáculos e atividades apresentados no Teatro Sesc Anchieta. Alguns em temporadas longas, outros em curtas, mas a maioria em eventos e programas especiais de apenas um dia. Entre estes, além das apresentações, foram realizadas atividades de interlocução com os espectadores, ganhando a cena no palco do teatro da rua Dr. Vila Nova.

Esses espetáculos fizeram parte de atividades e eventos diferentes, voltados às artes cênicas, como as jornadas e os festivais de teatro. Nesses eventos, duzentos espetáculos foram produzidos na cidade de São Paulo, e 24 cidades paulistas tiveram seus espetáculos apresentados no palco do Teatro Sesc Anchieta, sendo que 12 obras diferentes tiveram origem em São José do Rio Preto[114]. Oito estados brasileiros trouxeram obras significativas. Entre os 18 países presentes nos festivais, o Japão desponta como aquele que mais espetáculos encenou no palco do Anchieta. Dos nomes internacionais, Kazuo Ohno apresentou-se em quatro espetáculos distintos.

Os festivais e as jornadas fizeram sucesso e conseguiram encher a plateia do Teatro Sesc Anchieta. Um trabalho que envolveu muitas pessoas, entre artistas, produtores e os próprios técnicos do Sesc Consolação.

> *[...] tenho a certeza de que, entre todas as coisas que aconteceram no Anchieta, minha grande paixão foram os festivais de teatro amador. Eu achava que um evento assim cabia no Sesc. [...] Nos festivais de teatro e música começou a vir cada vez mais gente. Vinha um tipo de espectador especial, gente alegre e barulhenta, com formação de torcidas organizadas. Podemos dizer que São Paulo vivia um clima de festival.*
> Carlos Lupinacci Pinto, em entrevista.

---

114. Cidade com maior número de espetáculos a integrar os Festivais de Teatro Amador do Sesc. Dela, despontaram importantes nomes do teatro, como Carlos Gardin, Humberto Sinibaldi, José Carlos Serroni, José Eduardo Vendramini, Roberto Arduin, Luiz Rossi e Malu Pessin.

Pela visibilidade gerada pelos festivais, mostras e jornadas de teatro, muitos grupos e artistas tiveram suas carreiras alavancadas. Luís Alberto de Abreu, por exemplo, pisa pela primeira vez o palco do Teatro Anchieta como ator, em 1973, durante o V Festival de Teatro Amador. Depois disso, como dramaturgo, seis de suas quase sessenta obras foram apresentadas ali. Da mesma forma, o cenógrafo J.C. Serroni afirma ter criado mais de vinte espetáculos no espaço.

O Sesc Consolação passou a ser uma espécie de templo. O festival do Sesc era um grande acontecimento teatral da cidade de São Paulo. Tinha um espaço de convivência, troca de experiência, reflexão, debates, que foi fundamental para a formação de muita gente. A minha vida, a vida que eu levo hoje, foi definida há 25 anos no Sesc. Muito do que sou, do que penso de teatro hoje, o jeito que me comporto dentro de uma casa de espetáculo, devo ao aprendizado e participação naqueles festivais. Gabriel Villela, em entrevista.

FESTIVAIS

Os festivais de teatro tinham como objetivos principais o desenvolvimento de uma produção cultural mais consistente, dando oportunidade àqueles que se aventuram no campo das artes cênicas nas suas mais variadas funções, e também instigar o público espectador para a formação de um olhar crítico a respeito das obras teatrais.

Entre prêmios e vencedores, todos ganhavam nessa incursão pelas artes cênicas. O público, por sua vez, encontrava nos festivais a oportunidade de conhecer a produção artística de outras cidades e estados.

Tal experiência figura nas atividades do Sesc desde 1968, naquela que seria a primeira edição de um processo de fomento, produção e fruição: o Festival de Teatro Amador do Sesc. Foram 12 edições em vinte anos (de 1968 a 1988), que perderam, com o tempo, seu caráter amador, mas sem se afastar do propósito de fazer surgir novos profissionais e criar novos públicos.

Embora, a cada ano, o formato do evento estivesse se ampliando, a quarta edição do Festival de Teatro Amador, de 15 a 29 de novembro de 1971, apresentou uma alteração estrutural bastante pertinente. Buscava-se uma mudança de mentalidade. Daí o investimento ainda maior no processo de formação do público e, com vistas a alcançar esse objetivo, a contratação de três críticos profissionais – Sábato Magaldi, João Apolinário e Paulo Lara – para analisar todos os espetáculos apresentados. Segundo o texto de abertura do programa do IV Festival:

Partindo da ideia possível de que arte não se compara, este quarto festival se coloca no ponto quase ideal de uma jornada em que gradativamente foram se abolindo as premiações comparativas em nome de outros critérios onde prevalecessem propósitos de divulgação cultural, orientação aos grupos amadores, para os quais as querelas meramente comparativas pouco significam.

Em 1984, a oitava edição do evento já não trazia no nome a qualificação *amador*; no entanto, o texto da programação esclarecia a importância latente de seu incentivo, notória preocupação com o conteúdo que não se perdia pela falta de um adjetivo.

Se não há argumentos "artísticos" para nos ocuparmos do teatro amador, há evidências culturais, ao menos no sentido antropológico, de que estamos diante de um fenômeno importante e de grandes dimensões. [...] Neste mesmo momento, em centenas de cidades brasileiras, existem grupos de pessoas debruçadas sobre folhas mal impressas tentando decorar um texto, ensaiando uma marcação. [...] é através deles [amadores] que o teatro chega. À paróquia. À sociedade de bairro. À escola. À família, que muitas vezes é seu público mais direto. Ao clube da periferia. Aquilo que a elite cultural tenta preservar nos seus domínios, esse teatro rompe e democratiza. [...] É claro que esse movimento não está voltado, conscientemente, para uma tarefa pedagógica, educativa. Mas é um subproduto

IV Festival de Teatro Amador do Sesc. *O pagador de promessas*. Paulo Betti e Eliane Giardini; abaixo: Paulo Betti, 1971.

VII Festival de Teatro Amador do Sesc. *Camarim*, 1983.

importantíssimo, que às vezes nem mesmo os protagonistas percebem.

Uma gama de elementos que favorecem o caráter formativo das atividades, como oficinas, palestras e cursos, fazia parte do processo de criação desses festivais, pois a reflexão sobre o fazer era de suma importância para a continuidade e o sucesso da empreitada artística.

Em sua abertura, os Festivais de Teatro [Amador] apresentavam geralmente uma encenação profissional. Com ênfase no caráter educativo, essa atividade repercutia tanto entre os artistas que dele participavam quanto entre o público. Nas 12 edições, os espetáculos convidados vinham de diversas partes do país, divulgando a riqueza espalhada em território nacional.

A última edição dos festivais aconteceu de 1º a 18 de julho de 1988, quando esse formato passou a perder força, assim como ocorreu com os festivais de música realizados no país. Com o passar do tempo, os participantes não concordavam mais em ser vistos como amadores. Por mais que, em seu cerne, a palavra contenha um belo sentido, referindo-se "àquele que ama", sua conotação ganhou contornos de imperfeição profissional e falta de cuidado, aludindo comumente aos que ainda estão dando os primeiros passos em determinada atividade. Tratava-se de uma atitude compreensível daqueles que haviam enveredado profundamente na profissão, como muitos dos que passaram por aqueles eventos.

> *Alguns atores participantes dos grupos diziam-se já profissionais; não queriam ser "confundidos" com amadores, que, para eles, tinha sentido pejorativo. Com esses e outros obstáculos, a realização do festival foi se tornando cada vez mais difícil, até suspendermos temporariamente[115] sua realização.* Carlos Lupinacci Pinto, em entrevista.

Os grupos profissionais também tinham espaço reservado no palco do Teatro Anchieta, intercalando-se no calendário das apresentações dos festivais.

A partir de 1984, depois de retirar a palavra *amador* da denominação dos festivais de teatro, a última edição do evento abriu espaço para os festivais internacionais, jornadas e mostras, frequentemente com temáticas específicas ou festejando um grupo, dramaturgo ou poeta. Ao recuperar a tradição iniciada por Ruth Escobar e ampliar o processo de interlocução com obras internacionais – que, a partir de 1994, passariam a ser abrigadas de modo mais constante –, promove-se o IV Festival Internacional de Artes Cênicas de São Paulo, ainda com proposições formativas.

Em 1995 e 1996, certos da importância do Festival Internacional de Teatro para a retomada de ações dessa natureza e considerando seu valor para a linguagem teatral e para a cidade, foram promovidas as edições de número 5 e 6 desse evento, trazendo importantes espetáculos de várias partes do mundo, como Austrália, Itália, Polônia, Romênia, Japão, França, Inglaterra, China e Índia. Tratava-se de uma oportunidade para o público ter contato com o que estava sendo produzido em outros países, numa clara e saudável troca de culturas, que contou com a participação de nomes relevantes da cena teatral mundial, como a atriz inglesa Vanessa Redgrave, na direção da peça *Anthony & Cleopatra* (1995), e o diretor Zhang Yan (1996), uma das figuras-chave do cinema independente chinês da época.

> Sua Cleópatra [de Vanessa Redgrave] contorna todos os clichês de feminilidade que os séculos acumularam sobre a personagem histórica. Nasce diretamente de uma releitura crítica do texto shakespeariano e valoriza mais os impulsos vigorosos da personagem do que os artifícios sedutores. Os truques teatrais da rainha tornam-se uma brincadeira inocente entre dois amantes e a paixão por Marco Antônio, um sentimento verdadeiro, fruto da inclinação quase natural dos mais fortes pelos mais frágeis[116].

---

115. O termo *temporariamente*, usado por Lupinacci, não representa um erro de prospecção. Movido pela apropriação e a memória que o público tem de suas atividades, o Sesc se movimenta em parceria com elas. Daí, não ser impossível ainda vislumbrar a necessidade de se fazerem eventos dessa natureza na instituição.

116. Mariangela Alves de Lima, "Vanessa faz Cleópatra impulsiva", *O Estado de S. Paulo*, São Paulo: 23 nov. 1995, p. D4.

X Festival de Teatro do Sesc.
O despertar da primavera.
Cassio Scapin e Regina Galdino, 1986.

JORNADAS

Sob a ótica dos 12 festivais anteriores, o trabalho foi repensado e transformado, ganhando um novo título: Jornada Sesc de Teatro Experimental. Jornada *porque sugere um caminho, um percurso a seguir.* Experimental, *apesar da polêmica que possa causar, por desejar-se uma proposta bastante ampla, apta a oferecer múltiplas possibilidades de compreensão, a acrescentar outros referenciais ao panorama do teatro atual.* Laura Maria Casali Castanho, em entrevista.

O ciclo das chamadas *jornadas teatrais* no Teatro Anchieta inicia-se em 1989, sob o título Jornada Sesc de Teatro Experimental. Nessa primeira incursão, privilegia-se a criação de um espaço de recepção e discussão dos espetáculos ditos experimentais. Tomando-se como ponto de partida o trabalho do teatrólogo alemão Bertolt Brecht, são apreciados os espetáculos cujos procedimentos e resultados transgridem ou se contrapõem a modelos canônicos.

Até 1998, esse formato figurou nos palcos do teatro tendo temas diferentes em cada edição. Nas três primeiras, o experimentalismo provocava os produtores e criadores a buscar novas abordagens para atender à demanda e aos interesses dos diferentes grupos de espectadores da cidade. De acordo com o texto do programa da Jornada de 1991:

> O enfoque experimental norteia todo o projeto porque acreditamos que esta linha de trabalho favorece a pesquisa de novas linguagens, abre espaço para experiências inovadoras e possibilita a emergência do novo. A experimentação é uma opção possível para a compreensão e transformação desta época.

A cada edição, as jornadas exploravam um recorte temático específico, um desafio aberto tanto aos grupos participantes quanto aos profissionais de teatro que integravam as comissões julgadoras, de maneira semelhante aos processos de formação contínua que aconteciam durante os festivais. Nomes relevantes da cena teatral, voltados à produção, assim como à reflexão, fizeram parte desse corpo consultivo, tão importante para o trabalho educativo necessário para a continuidade e a legitimidade do projeto. Diversas áreas do fazer teatral tiveram seus representantes trocando ideias, conhecimentos e criatividade.

Assim, figuraram nesse processo educativo das jornadas nomes como Eduardo Tolentino de Araújo, Mariangela Alves de Lima, Umberto Magnani, Antunes Filho, Tunica, J.C. Serroni, Davi de Brito, Celso Frateschi, Lígia Cortez, Gabriel Villela, Hamilton Vaz Pereira, Renato Cohen, Luís Alberto de Abreu, Rodrigo Santiago, Wanderley Martins, Iacov Hillel, Carlos Lupinacci Pinto, Antônio Araújo, Noemi Marinho, Sérgio de Carvalho, Roberto Lage, Rosi Campos, Silvana Garcia, Daniela Rocha, Ewerton de Castro, Ulysses Cruz, Antônio Abujamra, Bete Coelho, Magali Biff e Luiz Päetow.

Em um espaço onde o trabalho em equipe, tal qual o realizado em torno da expressão teatral, é essencial, os desafios propostos pelas jornadas se davam em função das temáticas delineadas para a elaboração e a produção dos espetáculos. O programa da jornada de 1992, denominada "Em cena: textos curtos", apontava para a valorização do que se reconhecia como fundamental para o teatro, isto é, o ator, o diretor e o texto teatral, considerando a proposta de encenação de curta duração, que deveria ter em média 30 minutos.

Apropriando-se de antigas tradições, compreendendo formas artísticas, estéticas e modos de fazer, o teatro que se estruturou, sobretudo, como entretenimento veio para ficar um bom tempo, contrariando previsões segundo as quais o gênero não teria vida longa. Dessa forma, como continuava a levar muita gente ao teatro, e considerando a necessidade de fazer uma revisitação crítica ao gênero, a Jornada Sesc de Teatro de 1993 adota como tema "O riso no teatro". O evento abre com o espetáculo solo de uma das maiores atrizes cômicas do teatro brasileiro, Dercy Gonçalves, à época com 86 anos. Durante 12 dias, o Anchieta serviria de palco para divertir e propor uma reflexão acerca do riso e do cômico, seus textos, artistas e expedientes característicos.

Jornada Sesc de Teatro.
Do outro lado da ilha. Helen Helene
e Rosi Campos, 1992.

Jornada Sesc de Teatro
Experimental. *O defunto.*
Mônica Sucupira
e Veronica Fabrini, 1989.

O teatro musical e a paixão no teatro foram os temas das jornadas de 1994 e 1995, respectivamente. Na primeira, além dos espetáculos e das atividades formativas e reflexivas presentes nas demais edições das jornadas, ocorreu a exposição *Panorama do teatro musical no Brasil*, cujo programa reverenciava Artur Azevedo como precursor do gênero no país.

Em meados da década de 1990, havia clareza quanto à necessidade de desenvolver ações conjuntas para se contrapor à chamada cultura de mercado. Muitas eram as escolas de teatro a formar profissionais sem perspectiva de trabalho. A situação para esses artistas evidenciava que a vida associativa e o grupo caracterizavam-se como possibilidade e alternativa mais concretas de enfrentamento dessa realidade. O chamado teatro de grupo impunha novas perspectivas e desafios. Por isso, a produção passa a ser coletiva. Consciente da situação que se apresenta e visando incentivar as discussões acerca da importância do texto teatral como ponto de partida do trabalho de criação coletivo ou colaborativo, o Sesc, em 1996, apresenta a Jornada Sesc de Teatro – O texto inédito e a busca da nova dramaturgia brasileira. Enrique Diaz escreve, no programa dessa jornada:

> Como a literatura dramática pode criar este novo mundo que a obra de arte deve saber criar com sua gramática interna, ao mesmo tempo que lança um olhar sobre o passado, sobre a realidade do mundo contemporâneo e sobre a parceria necessária com as novas formas de *mise-en-scène* (e, consequentemente, com a especificidade da linguagem teatral)?

Em outro trecho do programa lê-se:

> [...] em suas carroças velhas e baús lotados de tranqueiras, os Parlapatões trazem a sorte não contada daqueles que não acreditariam que têm histórias a contar. Fazem de uma tradição, uma festa; de duas, um motivo de riso; de três, as contas de por onde andam nossos dias; e das infinitas corneadas um apelo à esperança.

Com tema livre a ser desenvolvido pelos grupos para a apresentação, a Jornada Sesc de Teatro de 1997 é realizada com o intuito de gerar espaços nos quais criadores e espectadores pudessem se aproximar das obras. Durante a realização do evento, houve a exposição *Mulheres brasileiras em cena*, com fotos de Marcelo Greco. Segundo o texto do programa da Jornada:

> Julgar é sempre uma tarefa ingrata. Ainda mais quando diante de nosso olhar se abre um panorama de absoluta diversidade. Foram 54 projetos com inspiração e identidade próprias. [...] o resultado de um certame é mais uma aposta do que uma sentença.

Tema da Jornada Sesc de Teatro do ano de 1998, o conceito de ator-criador, característico de certo momento da história das artes cênicas, rompe com os expedientes da forma hegemônica, que prioriza, hierarquicamente, texto, diretor e, depois, o ator. O conceito eclode com as vanguardas históricas, que se apropriam dos esquemas de improvisação dos artistas populares de rua. Danilo Santos de Miranda escreve, no texto do programa:

> A Jornada de 1998 põe em foco o trabalho do ator-criador, o aprimoramento da técnica interpretativa e a conquista da simplicidade na elaboração da linguagem cênica.

Para a abertura, considerando o mergulho nos procedimentos de interpretação experimentados pelo Prêt-à-Porter no CPT, são apresentadas duas cenas: *Leques de inverno* e *Horas de castigo*, seguidas de uma conversa com Antunes Filho.

HOMENAGENS

O Teatro Sesc Anchieta abrigou diversas mostras e atividades em homenagem a artistas que marcaram sua história ou que eram referências nacionais ou internacionais, como as lembradas a seguir.

Jornada Sesc de Teatro. *Liubliú*.
Claudia Schapira, 1992.

Jornada Sesc de Teatro – O riso
no teatro. *Sardanapalo*. Alexandre Roit
e Raul Barretto, 1993.

Jornada Sesc de Teatro. *Fantasia de Fedra Furor*. Rosi Campos, 1992.

Jornada Sesc de Teatro Experimental. *O cobrador*. Bel Kowarick, 1990.

Jornada Sesc de Teatro. *A pecadora queimada e os anjos harmoniosos*. Sofia Papo e Sérgio Mamberti, 1992.

Jornada Sesc de Teatro – O teatro musical. *As favoritas do rádio*. Luciana Carnieli e Andréa Bassitt, 1994.

Jornada Sesc de Teatro – O teatro musical.
E o tao do mundo não se acabou.
Elenco, 1994.

Jornada Sesc de Teatro.
Aguadeira. Patricia Gasppar, 1995.

Jornada Sesc de Teatro.
U Fabuliô. Hugo Possolo e Carmo Murano; à direita: Angela Dip e Carmo Murano, 1996.

Jornada Sesc de Teatro.
Amigos para sempre.
Tônia Carrero e
Paulo Autran, 1996.

Jornada Sesc de Teatro Experimental. *Orlando*. Christiane Torloni e Fernanda Torres; abaixo: Otávio Müller, Dany Roland, Fernanda Torres e Betty Gofman, 1989.

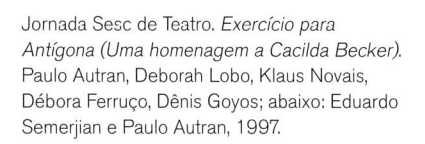

Jornada Sesc de Teatro. *Exercício para Antígona (Uma homenagem a Cacilda Becker)*. Paulo Autran, Deborah Lobo, Klaus Novais, Débora Ferruço, Dênis Goyos; abaixo: Eduardo Semerjian e Paulo Autran, 1997.

Em dezembro de 1968, nos primórdios dos festivais realizados no Teatro Anchieta, aconteceu o festival organizado pela Escola de Arte Dramática (EAD). Em 1988, a mesma escola realiza uma mostra de seus alunos em comemoração aos vinte anos do teatro. A mostra *40 anos da EAD e 20 anos do Teatro Sesc Anchieta*, ocorrida em setembro daquele ano, homenageia a parceria afetiva estabelecida entre o espaço e seus ocupantes.

No período em que esteve no Brasil, o mestre japonês da dança butô Kazuo Ohno, então com 91 anos, já era considerado uma das maiores personalidades do universo das artes no mundo. Na mostra *Kazuo Ohno – Butoh*, realizada em maio de 1997, Ohno apresenta dois espetáculos. Ele escreve, no texto do programa:

> Minha função [...] é montar um conceito para que o dançarino o desenvolva com responsabilidade e liberdade. Se você quer representar uma flor, você pode recorrer à mímica e obter um resultado banal e desinteressante. Mas, se você interiorizar a beleza de uma flor e as emoções que ela evoca dentro de seu corpo morto, então a flor que você criará em cena será verdadeira e única e tocará o público.
>
> *Kazuo Ohno é meu guru artístico, luz humana e da arte. Desde nosso primeiro encontro, em 1980, no festival de Nancy, minha vida se transformou. Descobri que o teatro deveria e poderia ser outra coisa. Percebi que poderia ser veículo para transmitir e expressar o universo interior e espiritual, saindo da subjetividade ou objetividade burra. Antes de conhecê-lo, o teatro para mim era "ser ou não ser", e hoje passou a ser "ser e não ser".* Antunes Filho, em entrevista.

Estreitando cada vez mais os laços com a Europa, a programação do Teatro Sesc Anchieta traz, no ano de 2002, a mostra *Teatro de movimento – Holanda*, com espetáculos acompanhados de outras atividades culturais.

Já em 2003, à luz da experiência de Kazuo Ohno, é apresentada a mostra *Vestígios do butô*, evento que presta homenagem póstuma a Takao Kusuno (1945-2001), precursor da dança japonesa no Brasil. A mostra é composta por espetáculos do Brasil, Alemanha e Japão, além de painéis de discussão.

O projeto Reflexos de Cena – Artaud: Corpo, Pensamento e Cultura, ocorrido em abril de 2004, teve como principal propósito criar um espaço de discussão entre público e criadores, sem os rigores característicos dos processos acadêmicos. Com temática centrada na obra e vida do escritor francês Antonin Artaud, o projeto contou com espetáculos e a palestra "O Pensamento Contemporâneo e Artaud", com Teixeira Coelho.

A Companhia do Latão já havia apresentado espetáculos no Sesc Consolação em duas ocasiões distintas, em 1999 e no ano 2000. Levando em conta tanto as proposições de cunho estético e político quanto os resultados apresentados anteriormente, em 2004, organiza-se a mostra *7 Anos da Companhia do Latão*, composta por diversos espetáculos do grupo em uma mesma programação, sobre a qual comenta seu diretor, Sérgio de Carvalho, no texto do programa: "[...] a possibilidade de um prazer produtivo não advém apenas da invenção formal, mas também da invenção social."

No mês de junho de 2005, para comemorar os cem anos de nascimento do filósofo francês Jean-Paul Sartre, a diretora Eugênia Thereza de Andrade é convidada para fazer a curadoria e coordenar um conjunto de atividades desenvolvidas em vários espaços do Sesc Consolação. Com o título *Sartreanas – Sartre 100 Anos*, o evento contou com palestras, *shows* e espetáculos teatrais inspirados na obra do homenageado.

Em outubro do mesmo ano, foi a vez de comemorar os cem anos de independência da Noruega, como também da morte de um de seus cidadãos mais ilustres, o dramaturgo Henrik Ibsen (1828-1906). O Festival Centenário Ibsen, realizado no Teatro Sesc Anchieta, prestou essa homenagem por meio de leituras dramáticas e palestras, tomando a obra do dramaturgo como ponto de partida.

MOSTRAS DE ARTES, SEMINÁRIOS E OUTROS EVENTOS

Para o Sesc, já em 1967, ano de inauguração do Teatro Anchieta, o cinema era visto como uma arte cuja apreciação pelo público também deveria ser fomentada. Assim, os filmes em película ocupavam – e ainda ocupam – lugar de destaque na programação dos chamados centros sociais (geralmente casarões onde eram realizadas as atividades programadas pela instituição, que foram sendo substituídos pelas unidades). No relatório de atividades daquele ano, já constavam encontros entre apreciadores da sétima arte em uma espécie de cineclubismo. No antigo Centro Social Mário França de Azevedo, hoje Sesc Carmo, foi criado o Centro de Difusão de Cinema, no ano de 1965. Em 1979 é inaugurado o Cinesesc.

Não à toa, a instituição apresentou sessões de cinema nos primeiros momentos do Teatro Anchieta. Embora as condições técnicas para a utilização do palco por companhias teatrais ainda não estivessem perfeitas, as atividades cinematográficas sempre figuraram de modo marcante no local. E não eram somente as sessões de filmes, mas também importantes encontros reflexivos sobre o tema. Exemplos disso são a 1ª Mostra Internacional do Cinema Novo, em janeiro de 1968, com produções de Suíça, Canadá, Suécia, Noruega, Iugoslávia, Itália, Inglaterra, Japão, Polônia e Argentina; e a mostra *30 anos de cinema soviético*, entre junho e julho de 1980. Projeções de filmes também foram realizadas durante o Seminário de Literatura Brasileira e Cinema, em 1967.

As artes literárias também marcam presença no palco do Teatro Anchieta, alimentando eventos como Homenagem a Federico García Lorca, poeta espanhol, e Diálogo com os Poetas – A Poesia Contemporânea Brasileira, ambos em 1968. No Seminário de Literatura Brasileira e Cinema, no ano anterior, nomes relevantes da cena literária e do cinema levantaram questões acerca dos temas, debatendo-os e refletindo a respeito deles com o público. Estavam presentes: Jean-Claude Bernardet, Nelly Novaes Coelho, Sérgio Buarque de Holanda, Augusto e Haroldo de Campos, Lygia Fagundes Telles, Mário Chamie, Antonio Candido, Gilda de Mello e Souza, Roberto Schwarz, Décio de Almeida Prado e Paulo Emílio Salles Gomes.

Considerando as dimensões territoriais do país e o fato de pouco se saber sobre o que nele é realizado, o projeto Mambembe, restrito à área teatral, desenvolvido no primeiro semestre de 1989, traz aos grandes centros urbanos produções significativas, para apresentação e troca de experiências com outros grupos de artistas e espectadores.

Uma importante contribuição para a reflexão sobre a expressão teatral foi o seminário Workcenter of Jerzy Grotowski and Thomas Richards, organizado pelo Centro de Pesquisa Teatral – CPT, sob a coordenação de Antunes Filho, em 1996, e criado sob a forma de simpósio internacional. Exibido no Cinesesc antes do evento, o filme *Art as vehicle* (Arte como veículo) narra o processo de pesquisa desenvolvido pelo diretor polonês Jerzy Grotowski. As presenças dos convidados internacionais, sobretudo de Grotowski e Richards, foram o ponto alto do encontro. Compareceram também ao evento Gey Pin Ang (Cingapura); Roberto Bacci, Mario Biagini e Mirella Schino (Itália); Georges Banu, Michelle Kokosowski e Jean-Marie Pradier (França); Edgar Ceballos e Fernando de Ita (México); Anatoli Vassiliev (Rússia); e Lisa Wolford (Estados Unidos).

Evento cultural fundamentado em conceitos ligados à mitologia, realizado em 1998, Eu Sou Mais Zeus – Mito e Consciência contou com palestras, espetáculos teatrais, musicais e audiovisuais, e ocupou diversos espaços do prédio do Sesc Consolação.

Já a proposta fundamental do projeto Mímica em Movimento, ocorrido entre os meses de setembro e novembro de 1999, buscou articular o estético e o educativo. Desse modo, a programação compreendeu, de maneira integrada, a apresentação de peças teatrais, espetáculos de mímica e de pantomima, de teatro-dança e a linguagem do *clown*. Segundo o texto do programa:

> Por representar gestos cotidianos e atitudes interiores ela amplia a percepção de si e do mundo, estimulando a

criatividade. A mímica é um jogo que propõe, de forma bastante diferenciada, observar o outro, interiorizá-lo e reproduzi-lo de maneira mais sensível e consciente. Essa consciência não é apenas motora, mas um conhecimento aprofundado de possibilidades e limites corporais, sociais e psíquicos.

O projeto Underground – ?Passado/Presente?, em 2004, reuniu muitas das ações anteriores, desenvolvidas desde as jornadas em seu caráter experimental, ocupando vários espaços da unidade como um território propício à expressão e às manifestações artísticas e visando recuperar o conceito de *underground* (subterrâneo), suas apologias à ressignificação, à cultura urbana e às combinações inusitadas. No Teatro Anchieta, além dos espetáculos teatrais, são apresentados *shows* musicais com Jorge Mautner e Nelson Jacobina, Arrigo Barnabé e Marcelo Nova.

Ciente do intenso diálogo entre conexões e hibridismos presentes em diferentes expressões artísticas a partir do século XXI, o Sesc passa a concentrar apresentações artísticas, organizadas a partir de temas específicos e realizadas paralelamente, durante um período, em todas as unidades da capital e do interior nas Mostras de Arte. Cabe ressaltar que essas atividades contemplam diversas linguagens artísticas e convivem com a programação existente nas unidades ao longo do ano, seja ela de caráter permanente, seja eventual. Assim, as mais variadas formas de arte se misturam, se interpenetram, levando ao público inúmeras possibilidades de arranjos para sua fruição.

Exemplo disso é a mostra Balaio Brasil, que acontece em novembro do ano 2000, desenvolvida em várias unidades, tendo o Teatro Sesc Anchieta como um dos locais a acolher espetáculos. Como registra o programa:

> O objetivo principal é reunir e dar visibilidade às diversas manifestações culturais brasileiras. [...] O Balaio Brasil contemplará o que já é reconhecido, muito além de estéticas e classificações convencionais. Para revelar este país é preciso coração aberto, sentidos atentos e coragem para olhar um universo mestiço e original, que se transforma a cada fronteira atravessada, a cada santo festejado e a cada sotaque que se acentua.

Em 2002, o evento, com o porte de múltiplas e variadas expressões artísticas, passa a se chamar Mostra Sesc de Artes. Com o título Ares e Pensares, a mostra apresenta no palco do Teatro Sesc Anchieta espetáculos de dança da França e Israel (em parceria com o Brasil), música da Mongólia e o Teatro Nacional da Grécia. Segundo o texto do programa:

> [...] este evento internacional, realizado pelo Sesc São Paulo, propõe caminhos para a fruição artística, procurando atrair seu olhar para espaços, tempos e consumos diferenciados. Um convite ao deslocamento interno: um tempo de pausa, de intervalo e de suspensão.

A Mostra Sesc de Artes – Latinidades, em 2003, parte de uma análise segundo a qual é necessário fomentar uma ação mais efetiva com práticas desenvolvidas em outras partes do mundo. Portanto, nessa relação de estreitamento da instituição com a arte praticada em outras regiões do planeta, são programados seis espetáculos vindos de Cabo Verde, França/Benim, Suíça/Espanha, Brasil e Argentina.

Nos primeiros anos do milênio, com a ampliação do intercâmbio cultural entre Brasil e França, sobretudo por conta do Ano do Brasil na França, em 2005, a Mostra Sesc de Artes Mediterrâneo amplia ainda mais as ações que o Sesc vinha desenvolvendo com aquele e outros países. Da programação consta também o Seminário Fronteiras do Mediterrâneo: Tecendo Culturas, Memórias e Identidades, que apresentou conferências acerca do tema com a presença de Tassadit Yacine (Argélia), Clara Ferreira Alves (Portugal), Mauro Maldonato (Itália), Frank Usarski (Brasil), Maria Algels Roque (Espanha) e Maria Aparecida de Aquino (Brasil).

Em 2006, como parte das comemorações dos 60 anos de sua fundação, o Sesc São Paulo apresenta a Temporada Sesc de Artes, um conjunto de ações culturais que inclui produções artísticas contemporâneas nacionais e internacionais. O objetivo do evento foi propor formas de reflexão e discussão sobre teatro, dança, artes visuais, cinema, literatura e cultura digital. Além das apresentações de teatro, o samba tomou conta das atividades com o projeto Na Casa da Tia Ciata, abordando as origens, enigmas e percursos desse gênero musical.

Por meio das diferentes linguagens, os artistas que participaram da Mostra Sesc de Artes – Circulações, em novembro de 2007, tinham por objetivo trabalhar com expedientes e procedimentos ligados às produções experimentais e de vanguarda, como automatismos, hibridismos, instalações, percursos, processos colaborativos, convergências, intervenções. O Sesc Consolação, mais uma vez, integra a programação em questão.

Organizado pelo Sesc em âmbito nacional, o festival Palco Giratório percorre diferentes estados brasileiros ao longo do ano para difundir e promover o desenvolvimento das artes cênicas. Em 2008, o festival apresentou, no Teatro Anchieta, o espetáculo *O pupilo quer ser tutor*, da companhia de teatro Sim... Por Que Não?, de Santa Catarina.

Machado de Assis, leitor do Brasil, festival realizado em 2008, destacou experimentos cênicos conduzidos por diferentes grupos teatrais em torno do universo do escritor. Participaram da mostra a Companhia do Latão, a Cia. do Feijão, o Núcleo Bartolomeu de Depoimentos e o grupo Nós do Morro.

O projeto 7 Leituras, 7 Autores, 7 Diretores, com concepção e direção geral de Eugênia Thereza de Andrade, desenvolveu diferentes temáticas entre os anos de 2007 e 2016. São elas: barateamento da vida humana, tradição da comédia, intolerância, amor, família, utopia, sete vezes Shakespeare, sete pecados capitais e justiça.

CAPÍTULO 6

ESPETÁCULOS
INTERNACIONAIS

UM PALCO DO MUNDO

O estabelecimento de parcerias para a troca de conhecimento sempre foi uma das prioridades do Sesc. O trabalho em conjunto com instituições privadas e públicas, nacionais e internacionais, levou a instituição a aprender e ensinar, ora importando, ora exportando *know-how*.

Em 1971, uma parceria institucional entre o Sesc e o Instituto Goethe foi firmada para trazer o artista alemão Rolf Scharre para apresentar um programa de mímica. A partir daí, muitas outras se seguiram com o objetivo principal de trazer para o público espetáculos criados em diferentes culturas e também incentivar o contato com profissionais e experiências estrangeiras, fato que colaboraria para o fortalecimento do pensamento crítico em um plano pessoal, estético e reflexivo.

Nos anos 1980, essas ações culturais se tornam mais recorrentes, e começam os primeiros movimentos para trazer, cada vez mais, espetáculos estrangeiros. Em abril de 1982, o Teatro Anchieta recebe um espetáculo de mímica da artista australiana radicada na Inglaterra, um espetáculo de mímica da Nola Rae, cujo trabalho é reconhecido mundo afora. Em 1985, o grupo Ban'Yu Inryoku, do Japão, apresenta *Suna* (Zoo do deserto). No espetáculo, a areia do deserto marca a distância exterior e interior que caracteriza a solidão do indivíduo em tempos de capitalismo tardio.

A década de 1990 assistiu ao fortalecimento e consolidação da presença de espetáculos estrangeiros no Teatro Anchieta. Muitas são as razões para que, somente a partir daquele momento, o público pudesse entrar em contato com produções internacionais de modo mais rotineiro. Entre elas, a conjuntura mundial, principalmente no plano econômico, estabelece a globalização, facilitada pelos novos meios de comunicação. A intensificação da presença do mundo virtual, paralelamente ao mundo real, configurava-se como um meio fértil para a efetivação de trocas culturais. Pode-se afirmar que a política de intercâmbio instituída pelo Sesc estava alinhada com esse momento. Exemplo disso foi a realização do IV Festival Internacional de Artes Cênicas de São Paulo, em 1994, ao qual somaram-se outras duas edições, em 1995 e 1996.

Assim, ao longo do tempo, a experiência de artistas e grupos consagrados passa a ocupar o Teatro Anchieta. Entre eles, destacam-se os trabalhos do The Wooster Group, dos Estados Unidos; o Teatr 77, da Polônia; a Companhia Attis Theatre, da Grécia; a atriz francesa Isabelle Huppert; a Companhia Teatro de Los Andes, da Bolívia; e o encenador inglês Peter Brook. A seguir, algumas considerações sobre os espetáculos.

Segundo Danilo Santos de Miranda, no texto do programa:

> O The Wooster Group no espetáculo *Frank Dell's – The Temptation of St. Antony* pode ser considerado um exercício do olhar, pois as sequências das cenas do espetáculo abrem ao espectador a possibilidade de experimentar uma leitura à primeira vista caótica do mundo que o cerca, porém decodificadora de todo o real, algumas vezes para nós incompreensível.

Invertendo o espetáculo de 1943, em que o polonês Zbigniew Ziembinski "eternizou" Nelson Rodrigues numa das montagens que marcaram o teatro nacional, atores poloneses do Teatr 77 são dirigidos pelo brasileiro Eduardo Tolentino de Araújo, do Grupo Tapa, na encenação do mesmo *Vestido de noiva*. Ele escreve, no texto do programa:

> É um trabalho análogo ao que a gente faz quando encena Tchekhov ou Ibsen no Brasil, a busca das similaridades; só que neste caso eu tinha de achá-las em outra cultura.

Em 2003, o Teatro Anchieta apresenta *4.48 Psychose*, com texto de Sarah Kane e Isabelle Huppert no elenco.

> Diante do público está alguma coisa intensa e verdadeira. [...] Ela [Isabelle Huppert] é um monstro sagrado. Quem

Suna (Zoo do deserto).
Companhia Ban'Yu Inryoku,
Japão, 1985.

Frank Dell's – The Temptation of St. Antony. Willem Dafoe, Companhia The Wooster Group, Inglaterra, 1995.

pôde vê-la no palco certamente não a esquecerá. Mas, mais do que isso, é um monstro domesticado pela sua própria vontade de se fundir na trama do espetáculo, de dissolver a forma humana na substância volátil do texto que pronuncia[117].

Não lembro, em toda a minha vida, de ter visto uma plateia tão ansiosa, quieta, tensa e esperando o início do espetáculo [4.48 Psychose]. Antes de começar, estávamos em silêncio. Sabíamos que a atriz [Isabelle Hupert] iria ficar duas horas imóvel falando. Foi uma sensação de a plateia estar toda junta. Foi uma das experiências mais fantásticas que tive. José Cetra Filho, em entrevista.

Fundada em 1986 pelo encenador grego Theodoros Terzopoulos, a Companhia Attis Theatre apresentou no Teatro Anchieta dois espetáculos: *Descent*, em 2002, baseado no mito das Traquínias, de Sófocles, e no de *Hércules enfurecido*, de Eurípides; e *Epigoni*, em 2004, cujo texto é uma síntese dramática baseada em fragmentos das tragédias perdidas de Ésquilo. Este último foi apresentado em grego e um ator brasileiro dava uma breve explicação antes do início da peça, pois, segundo o diretor: "[...] o texto é quase desnecessário, o público irá compreender do que se trata apenas vendo".

Sobre *En un sol amarillo (Memorias de un temblor)*, espetáculo apresentado pela Companhia Teatro de Los Andes, da Bolívia, escreve o pesquisador, artista e professor de teatro Hugo Villavicenzio:

Assemelha-se a uma verdadeira onda sísmica que abala o nosso imaginário a ponto de modificar a nossa percepção do que realmente acontece antes, durante e depois de uma catástrofe telúrica. Empregando recursos épicos, fragmentação narrativa, interpolação de cenas e distanciamento crítico, descreve em detalhe a fúria da natureza e as desastrosas consequências provocadas pela ganância dos aproveitadores de todo tipo, que lucram com a infelicidade dos indígenas quéchuas.

Com direção de Peter Brook, *Sizwe Banzi est mort* foi apresentado em 2006 pelo International Centre for Theatre Creation/Théâtre des Bouffes du Nord Paris, França. O texto soma influências do teatro épico-dialético de Bertolt Brecht com a tradição oral africana dos contadores de histórias, os griôs.

Com relação à obra, seus criadores e seus contextos culturais, Valmir Santos assim se manifesta:

Na arte, criar formas simples e destiná-las com significação ao outro é sempre um desafio. Peter Brook submete-se a ele com mais profundidade desde os anos 1970, quando viajou à África com o seu Centro Internacional de Criação Teatral. O espetáculo *Sizwe Banzi est mort* [...] é exemplar de como a riqueza da cultura e a resistência popular daquele continente influenciam o trabalho do encenador inglês – que também já se arriscou na direção cinematográfica [...]. Desta vez, o londrino Brook, 81, não vem ao Brasil. Desde 2000, suas produções recentes são vistas no RS, MG, SP e RJ. Nelas, as cenas são como que conformadas a uma arena, mesmo quando em plateia frontal, com pleno potencial para envolver a plateia. Era assim em *O traje (Le costume)*, *A tragédia de Hamlet* e *Tierno Bokar*. A ênfase numa voz narradora acentua ainda mais a noção de uma roda de contadores de história, símbolo da transmissão oral africana[118].

Além de espetáculos, em 2007, o Teatro Sesc Anchieta também acolheu palestras realizadas por artistas que explicitaram suas influências, métodos e processos de trabalho. Dentre eles, Sotigui Kouyaté, que atuou como ator no Théâtre des Bouffes du Nord, sob a direção de Peter Brook, expôs a importância da tradição griô na preservação da

---

117. Mariangela Alves de Lima, "Isabelle, para jamais esquecer", *O Estado de S. Paulo*, São Paulo: 6 mai. 2003, p. D5.

118. Valmir Santos, *Folha de S.Paulo*, São Paulo: 28 ago. 2006, Ilustrada.

Vestido de noiva. Companhia Teatr 77, Polônia/Brasil, 2000.

Sizwe Banzi est mort. Habib Dembélé e Pitcho Womba Konga, CICT – Centro Internacional de Criação Teatral/Théâtre des Bouffes du Nord, França, 2006.

Os irmãos Tchekhov – Cenas da vida familiar. Companhia Stanislavsky Drama Theatre, Rússia, 2010.

La omisión de la família Coleman. Companhia Timbre 4, Argentina, 2011.

Sotigui Kouyaté.

memória de diferentes comunidades africanas, em especial no Mali.

Já Anatoli Vassiliev, diretor de teatro, pedagogo e estudioso das artes cênicas, responsável pela criação da Escola de Arte Dramática em Moscou, falou sobre o processo de trabalho para o espetáculo *Médée-Matériau*.

Comemorado em 2009, o Ano da França no Brasil foi um evento de cooperação artístico-cultural, científica e tecnológica. Realizado nas principais cidades brasileiras, a iniciativa contou com o Sesc entre seus mais importantes parceiros[119]. Assim, o Teatro Sesc Anchieta recebeu a leitura dramática de *Le Grand inquisiteur*, fragmento de *Os irmãos Karamazov*, de Fiódor Dostoiévski, e o monólogo *La Douleur*, de Marguerite Duras, com a atriz francesa Dominique Blanc, ambos sob a direção de Patrice Chéreau.

Com montagem do Stanislavski Drama Theatre de Moscou e apresentado, inicialmente, no Festival Tchekhov, o espetáculo *Os irmãos Tchekhov – Cenas de uma vida familiar* aportou no Teatro Sesc Anchieta em novembro de 2010, narrando a experiência juvenil e os anos de formação do futuro escritor, bem como de seus irmãos.

Em 2011, o Teatro Anchieta recebeu a montagem de *La omisión de la familia Coleman*, espetáculo do grupo argentino Timbre 4, sob a direção de Claudio Tolcachir, que traz a decadência econômica e moral de uma família de classe média daquele país, cujas relações são marcadas pela ironia corrosiva e pela naturalização do patético.

No mesmo ano, a Cia. Dos à Deux, formada pelos atores André Curti e Artur Ribeiro, radicados na França, apresentou *Fragmentos do desejo*, espetáculo sobre as relações entre quatro personagens face à compreensão de si mesmos e de sua sexualidade.

Entre as edições bienais do Mirada – Festival Ibero-Americano de Artes Cênicas de Santos, ocupações de diferentes companhias e criadores buscam evidenciar e estimular possíveis diálogos com a produção teatral de países da América Latina, Espanha e Portugal. O Teatro Sesc Anchieta recebeu espetáculos da Ocupação Mirada nas seguintes ocasiões: em 2011, Mirada – Ocupação Portugal trouxe *Se uma janela se abrisse*, com texto e encenação de Tiago Rodrigues; no ano seguinte, a Ocupação Chile apresentou *Gêmeos*, com texto e direção de Juan Carlos Zagal.

Já em 2013, tendo novamente Portugal como foco, o Teatro Sesc Anchieta recebeu *As barcas*, com texto de Gil Vicente e direção de João Garcia Miguel. Nesse mesmo ano, foi apresentada a I Bienal Internacional de Teatro da Universidade de São Paulo: Realidades Incendiárias, com o espetáculo tunisiano *Macbeth: Leila & Ben – A Bloody History*, uma leitura de Shakespeare a partir do mundo árabe contemporâneo.

No passado e no presente, os espetáculos estrangeiros têm tido presença significativa na programação do Teatro Anchieta. As parcerias, os grupos, companhias, diretores e atores, cenógrafos, figurinistas, iluminadores e produtores têm feito do local um espaço onde o encontro com o outro e consigo mesmo mantém-se como essência.

---

119. Danilo Santos de Miranda, diretor regional do Sesc São Paulo, foi designado presidente do Comissariado Brasileiro na ocasião.

Gêmeos (Gemelos).
Companhia Teatro Cinema,
Chile, 2012.

**TEATRO SESC
ANCHIETA**
EM PERSPECTIVA

TEATRO SESC ANCHIETA

Maria Thereza Vargas

Vila Buarque, um belo nome para um bairro tão rico de estórias (ou, melhor dizendo, histórias). Houve transformações, sem dúvida. Muito tempo atrás um simpático bonde trazia seu nome e acolhia os estudantes do Mackenzie, da recém-instalada Filosofia da USP (vinda do prédio da Caetano de Campos), o pessoal da Santa Casa, os meninos e meninas da Biblioteca Infantil, que teve depois seu prédio modernizado e um teatro ao lado (o Leopoldo Fróes) para suas festas e seus espetáculos. Mais tarde, o espaço seria cedido para atores "de verdade". Embora o teatro tivesse tido sua vida, os problemas foram tantos que só lhe restou uma triste demolição. Sem ele, a praça ficou mais clara e as árvores readquiriram sua importância natural. Mas o fato auspicioso é que ventos propícios vibraram pela ladeirinha da rua Dr. Vila Nova um som meio encoberto de tantas e tantas vozes que ficaram por lá.

Assim, em 14 de novembro de 1967, o Serviço Social do Comércio inaugurava uma nova unidade, sempre a serviço dos trabalhadores: Centro Cultural e Desportivo Carlos de Souza Nazareth, o Sesc Vila Nova, projetado por Ícaro de Castro Mello. No conjunto, um teatro com capacidade para 359 espectadores. Embora se pensasse em programar para suas exibições não só teatro, mas dança, música e cinema, o nome da nova sala era simbólico e, com o passar do tempo, o titular Anchieta, jesuíta com tinturas de poeta, inspiraria os responsáveis a se dedicarem quase totalmente às artes da cena.

A inauguração da nova casa de espetáculos dá-se ao som de Schumann, Villa-Lobos e Gluck, interpretados por Guiomar Novaes. O equipamento de iluminação não estava completo para que o primeiro espetáculo pudesse ser uma peça teatral. Demoraria um pouco para que o pano de boca idealizado por Burle Marx fosse aberto e, assim, Fernanda Montenegro, Ítalo Rossi, Sérgio Britto, Gledy Marise e Perry Salles apresentassem *A mulher de todos nós*, ou seja, *La Parisienne*, de Henry Becque, joia dos enredos sobre adultério, tão a gosto dos palcos franceses em certas épocas.

Miroel Silveira foi quem idealizou o setor de espetáculos, e suas palavras não condizem muito bem com Henry Becque: "Nós, no Sesc, enfocamos o teatro no sentido da cultura e do povo. Queremos fornecer ao comerciário [...] elementos culturais para sua formação e para sua consequente promoção humana e social"[1]. Um grupo mais próximo das ideias que norteavam seu projeto veio depois do sofisticado *ménage à trois*. O Teatro Sesc Anchieta acolheu o Teatro da Cidade, de Santo André, apresentando *Jorge Dandin*, de Molière, dirigido pela jovem Heleny Guariba. O elenco contava com atores oriundos da própria cidade, formados pela escola de Alfredo Mesquita. No programa, uma declaração de princípios: "O nosso palco não é o palco das grandes emoções, mas o ponto de referência onde o ator e a plateia se encontram para a discussão de alguns problemas que nos parecem de interesse geral".

Porém, no teatro brasileiro nada é definitivo. A sisudez das proposições foi temperada com uma alegria quase ingênua quando, em 1969, Cláudio Petraglia propôs a realização do espetáculo *A moreninha*, tornando-o um musical e prometendo atração e encanto como motivos para conquista de novas plateias. Abria-se uma porta muito importante até mesmo para a entidade, interessada em uma produção cultural abrangente. O ideário da instituição, naquele momento, voltava-se para a conquista e a formação de uma audiência composta por trabalhadores do comércio e seus familiares. Ao mesmo tempo, os horizontes se ampliavam: o teatro abria suas portas para comerciários e não comerciários. Vem daí a preocupação com o público juvenil. Uma juventude "[...] carente de alternativas de lazer e cultura adequadas à sua idade e preocupações"[2], como deixavam

---

1. Serviço Social do Comércio – Administração Regional no Estado de São Paulo, *Teatro Sesc Anchieta*, São Paulo: 1989, p. 36.
2. *Ibidem*.

claro. Foi fácil atrair os jovens. O musical era uma adaptação de Miroel Silveira e Cláudio Petraglia do romance de Joaquim Manuel de Macedo que, por sorte, fazia parte dos currículos escolares. O sucesso foi grande, tanto com o público adulto quanto nas sessões especiais, dedicadas somente aos jovens. Era a singela história de Carolina e Augusto entremeada com canções também simples e agradáveis de Petraglia:

Paquetá, Paquetá
Que saudade vai dar!
Dessa história de amor, Paquetá
Das meninas daqui, Paquetá
Você vai se lembrar.

O musical teve o maior número de espectadores até aquele momento e colocou o Teatro Sesc Anchieta definitivamente como a casa de espetáculos mais atraente de São Paulo.

Em breve oficializava-se, na entidade, o projeto instrutivo e formador de novas plateias: A Escola Vai ao Teatro. A atriz Maria Alice Vergueiro, professora do Colégio de Aplicação Fidelino de Figueiredo e responsável pela disciplina Teatro Aplicado à Educação, foi, por algum tempo, a ponte entre as escolas e os espetáculos do Anchieta. Mais tarde foi contratada Lucy Vieira Guimarães, com a tarefa única de angariar público para os espetáculos.

Quem se aproveitou da ideia e realizou-a muito bem foi a Companhia Cleyde Yáconis-Carlos Miranda-Oscar Felipe, que programou três espetáculos para um mesmo dia: *O gigante*, de Walter Quaglia; *O santo e a porca*, de Ariano Suassuna; e *Um homem é um homem*, de Bertolt Brecht, abrangendo, dessa forma, o teatro infantil, infantojuvenil e adulto. O interessante é que o teatro se torna para o grupo uma experiência com tons familiares, perfil que define a organização.

O sucesso da temporada extrapola as montagens. Atores, diretores, divulgadores, professores, produtores e o próprio Sesc unem-se de tal modo ao empreendimento que, por alguns meses, o trabalho teatral torna-se um encontro entre amigos, parceiros de realização, quase uma segunda casa para todos. A maioria da equipe (poderíamos até chamá-la de "equipe de trabalho") chega ao teatro às oito horas da manhã e sai depois da meia-noite, com a cumplicidade de porteiros e eletricistas. Alguns integrantes do elenco pernoitam no teatro, a fim de cumprirem, sem atraso, o horário matinal.

O que se percebe é que o Teatro Sesc Anchieta não foi criado para ser uma sala a mais na cidade, sem definições. E não é verdade que uma casa não conduza a parte alguma. Pode muito bem, conforme as características de seus proprietários, ser irradiadora de caminhos que levam a territórios seguros, muitas vezes de raros matizes. Tateava-se uma linha, ainda fortemente comprometida com a instituição. Numa troca de interesses, profissionais de fora recebidos com respeito tentaram projetos nos difíceis anos de 1970. Paulo Autran trouxe Molière, *As sabichonas*, que, em horários alternativos, veio ao encontro da necessidade de trazer estudantes ao teatro. Cleyde Yáconis trouxe Eurípedes, e Walmor Chagas veio com Shakespeare. *Medeia*, a bárbara, e *Hamlet*, o justiceiro, diziam alguma coisa além das palavras pronunciadas. Os clássicos, que são diferentes e falam diferente às várias épocas, foram muito bem recebidos e compreendidos pelo público.

Cantos e risos não são ouvidos apenas em tempos de paz. *O comprador de fazendas*, comédia musical de Miroel Silveira, do já histórico Hervé Cordovil e do jovem vanguardista Walter Franco, baseava-se em Monteiro Lobato e era dirigido e interpretado por Dulcina de Moraes, contente em ocupar novamente um palco, seu local de vida havia quase cinquenta anos!

Na verdade, o que se tentou no Teatro Sesc Anchieta a partir de *A moreninha* foi dar lugar também a um repertório musical não sofisticado, baseado em tradições brasileiras, com personagens caracteristicamente brasileiras. Era possível rir com nossas próprias graças. Projeta-se, assim, a montagem de *A capital federal*, de Artur Azevedo, que apresentava agradáveis melodias compostas no final do século XIX por Nicolino Milano, Assis Pacheco e Luiz Moreira. Não estamos mais no interior, nem na bela baía de

Guanabara, mas em plena capital do país, onde o fazendeiro e sua família aportam à procura de um noivo maroto. Os sons de Paquetá mudam-se para a "charmantíssima" rua do Ouvidor, coração da cidade: "Não há rua como a rua/ Que se chama do Ouvidor!". E prosseguem na crítica ao bonde que espanta os sitiantes, maravilhados e amedrontados ao mesmo tempo: "À espera do bonde elétrico/ Estamos há meia hora!/ Tão desusada demora/ Não sabemos explicar!". Cleyde Yáconis empresaria a comédia-opereta de costumes brasileiros, e a aceitação assusta tanto a empresária quanto seus companheiros.

De que maneira esse teatro, de nome sacro, segue percorrendo seu dia a dia? Segue, evidentemente, olhando com carinho o jeito brasileiro de fazer teatro, com inventividade, perseverança, ousadia, e mesmo imprevidência, de seus criadores, diversificando-o, não longe de riscos, mas exemplares em seus resultados de formas variadas.

Assim, nesse mosaico, a casa de várias nuanças acolhe uma ruptura curiosa. Precisamente em 1975, Regina Duarte, a namoradinha do Brasil, encena a peça *Réveillon*, de Flávio Márcio. A atriz, sempre "presa" a um sorriso, quer diminuir sua imagem televisiva e explorar mais seus dons de intérprete. Ela mesma declara no programa da peça: "Eu também fui culpada por esse período, porque deixei as coisas acontecerem. Fui levando e sendo levada [...]. Era aquele sorriso para todo lado, quando na verdade o que eu sentia era uma angústia muito grande". Flávio Império, convidado para cuidar do figurino e do projeto cenográfico, propõe, então, que essa despedida se faça em cena. A boca sorridente da atriz seria pintada em um telão, e a personagem que se suicida deveria atravessar seu próprio sorriso. A ideia assusta o diretor Paulo José, que grita desesperado: "Isto não é *Roda viva*!", e Regina Duarte (Janete) se mata sem grandes inovações. De qualquer forma há uma ruptura para a atriz, que poderá se revestir de outra imagem, quebrando seu clichê na escolha do enredo: uma tragédia familiar, cuja data simbólica e sua festa – *réveillon* – serão não uma renovação festiva da vida, mas o avesso, ou seja, um ponto-final nas medíocres e falsas vidas de três dos membros da família. O filho se salva e abandona a casa.

Não basta programar o que há de mais significativo. É bem verdade que a entidade abriu as portas para festivais que, amadores ou não, colocaram muita coisa nova em experiência. Mas, pelas condições da casa de espetáculos e da maneira de conduzi-la, houve sempre um vago desejo de torná-la sede de algo fixo, comprometido com o desejo do Sesc de ligar-se à história do teatro paulista e impedir, de certa forma, sua cristalização. Um grupo que acompanhasse a arte cênica em uma espécie de laboratório, no qual seriam construídas, não de imediato, mas paulatinamente, formas novas de interpretação e linguagem da cena.

Antunes Filho junta-se ao Teatro Sesc Anchieta em 1982, formando o Centro de Pesquisa Teatral, cuja estreia se dará em 1984. O "curso", como Antunes gosta de definir sua "companhia" (usemos a palavra antiga com um sentido novo: companheiros de trabalho), através de Mircea Eliade e Carl Jung, arrasta o teatro para o âmago de suas origens. E caminha não só com textos "oficiais" da cena, mas amplia o universo do palco adaptando ou usando adaptações de momentos ímpares do gênero literário, dando corpo e alma às personagens até agora dependentes de nossa imaginação. Não deixa de ser comovente podermos ver, corporificado, Policarpo Quaresma, esmagado por seus sonhos, infensos ao "[...] mundo vazio de afeto e de amor".

O Anchieta consolida-se como a casa ideal para os poetas (como os vanguardistas gostavam de chamar os dramaturgos). E, sabe-se muito bem, hoje em dia o estado poético ampliou-se, chegando até o encenador e os atuantes da cena no momento em que revelam a nós, público, o indizível.

Cabe bem nesse palco *Eletra com Creta*, experimento de Gerald Thomas: "[...] arqueólogo de mitos, um garimpeiro da memória ancestral", como o descreve o professor Luiz Fernando Ramos. Assim, entre refletores, as personagens vão deixando de ser meras sombras, pela escolha feliz de presenças sensíveis e generosas em gestos ou palavras.

Fiéis à arte poética, passaram pelo Anchieta, entre tantos outros: Kazuo Ohno, Vanessa Redgrave e seu companheiro, David Harewood, em *Antonio & Cleópatra*, de William Shakespeare; Manuel Bandeira traduzindo *Maria Stuart*, de Schiller, interpretada na íntegra por Lígia Cortez e Julia Lemmertz. Da mesma forma, Drummond, Vinícius e Bandeira serviram a Walmor Chagas em sua crença no poder mágico das palavras. Ao seu lado, em *Lua e conhaque*, Clara Becker transformava-as em canções. E também não deixaram de ter seu valor poético Cássia Kis e sua esplêndida Amanda, da triste família Wingfield, em *O zoológico de vidro*.

Pouca gente sabe ou se lembra, mas foi no palco do Teatro Sesc Anchieta que Alfredo Mesquita, patriarca do teatro paulista, se despediu de suas atividades teatrais, que eram praticamente a razão de sua vida. Nos exames finais de sua Escola de Arte Dramática, em 1968, na última apresentação de *As alegres comadres de Windsor*, que estava sob sua direção, pediram sua presença em cena. Tirando um lenço do bolso, ele acenou para a plateia. Desiludido, já sem recursos, traído por uns poucos alunos, entregou a Escola de Arte Dramática à Universidade de São Paulo.

A CASA DA DOUTOR VILA NOVA

Mariangela Alves de Lima

No final de 1968, quase um ano depois da inauguração do Teatro Sesc Anchieta, o diretor Victor Garcia apresentava pela primeira vez em São Paulo o espetáculo *Cemitério de automóveis*. Baseando-se na dramaturgia de Fernando Arrabal – mas não inteiramente obediente aos textos –, o encenador argentino situava as personagens de inspiração surreal em um edifício emblemático do meio urbano: a oficina mecânica, com suas traves expostas, polias, restos de suportes indecifráveis para os leigos e passarelas em que se mesclavam aos resíduos da indústria mecânica os artifícios de sustentação da cenotécnica convencional. Em vez da cena frontal, os espectadores acomodavam-se em nichos localizados em *parterres* nos cantos criados por passarelas. As cadeiras do público eram giratórias para que fosse possível acompanhar cenas simultâneas, além das que aconteciam no plano alto do gigantesco pé-direito da garagem. E isso foi só o começo de uma mutação do espaço cênico, que não cessaria de evoluir nas décadas subsequentes. No ano seguinte havia teatro no casario velho das cidades grandes, nas áreas industriais semiabandonadas, em espaços abertos, como pátios e praças. Em seguida, deu-se a ocupação de museus, monumentos, galerias, ruas, piscinas, escavações (túneis e buracos do metrô) e, por último, acidentes geográficos, como colinas, lagos e rios.

Enfim, o conceito de espaço cênico em voga a partir dos anos 1970 tornou literal a figura barroca do grande teatro do mundo e transtornou a nomenclatura, até então acomodada às expressões "casa de espetáculos" e "edifício teatral". Isso aconteceu quase no mesmo momento em que o Sesc inaugurava seu teatro de plateia frontal e lugares fixos. Do ponto de vista da história das ideias estéticas, a construção de um sólido e bem pensado teatro "à italiana" no final dos anos 1960 correspondia a um modelo de relação palco e plateia prestes a entrar em crise.

Esse formato anacrônico, no entanto, não impediu que o Anchieta se tornasse uma casa de prestígio invulgar entre artistas e público, enquanto outras casas de espetáculo contemporâneas e com projetos arquitetônicos semelhantes decaíam. Sem dúvida a administração foi essencial, mas, sob a ótica retrospectiva, penso que esse prestígio se deve também à sensata mediania do projeto arquitetônico e artístico. O urdimento fixado a quase dez metros de altura, além da harmoniosa proporção geométrica relacionada à largura da boca de cena, é uma excepcional margem para manobras cenotécnicas. Profundidade de palco de mais de 15 metros, proscênio generoso para acolher o formato épico, além de fosso e quarteladas, servem uma plateia proporcionalmente pequena, com um pouco mais de 300 lugares. Está claro que os equipamentos de iluminação e sonoplastia também são modernos, mas hoje isso é quase uma norma, e não é o que distingue o Anchieta. Talvez a dimensão seja a alma desse teatro. Em vez do edifício de grande porte, privilegiado por instituições públicas e privadas comprometidas com a promoção cultural – basta lembrar o Teatro Cultura Artística, o Teatro do Sesi, o Teatro Alfa e o estatal Sérgio Cardoso –, o partido cultural que o edifício inaugurado em 1967 corporificava era o de um teatro com excelentes condições técnicas, adequado à moldura da caixa e apto a acolher obras requintadas do ponto de vista da linguagem e do pensamento. Ou seja: em vez de corresponder ao ideal dos teatros nacionais e populares franceses, o teatro da rua Dr. Vila Nova acolheria espectadores cujas ambições culturais não seriam satisfeitas pelo teatro comercial. A pequena plateia distinguia esse projeto dos programas de formação de público. Tampouco é possível imaginar os transtornos da narrativa e do espaço que se acelerariam entre 1968 e 1984 no interior da límpida cubagem idealizada por Aldo Calvo.

O fato de não se adequar a manifestações de ruptura foi, ao que parece, um fator de atração para outra espécie de experimentação. Com o formato tradicional de plateia fixa, aparato técnico impecável e, não menos importante, rigoroso no projeto de ocupação culturalista, o Anchieta tornou-se a menina dos olhos de artistas-pesquisadores que desejavam dar continuidade e aperfeiçoar a escrita cênica frontal. É esse desafio de criar sobre a planta centenária da caixa que manteve a atração da casa tanto sobre artistas e grupos intrépidos como sobre aqueles que cultivam a aura artesanal do teatro. Há inúmeras ocorrências no repertório de apresentações do Anchieta, mas, a título de exemplo, lembremos os cenógrafos Gianni Ratto e Flávio Império. Ambos sintonizavam-se ideologicamente com espaços cênicos não convencionais. Foi a infraestrutura do Teatro Sesc Anchieta, contudo, que permitiu ao primeiro investigar, analisar e estilizar informações históricas sobre a visualidade do teatro brasileiro no século XIX e ao segundo explorar os rompimentos do gabinete, associando-o a projeções fotográficas e criando, desse modo, o signo pungente da cidade que esmaga o coração da personagem. *A capital federal* e *Réveillon* são apenas dois casos, mas essa leitura crítica proveitosa da cena italiana prossegue nas encenações mais recentes assinadas por Moacir Chaves, Aderbal Freire-Filho, Renata Melo e Felipe Hirsch.

Na verdade, não demorou muito para que a orientação artística do Teatro Sesc Anchieta idealizasse um meio de associar o perfil do edifício às modificações do modo de produção e da linguagem teatral dos anos 1970. O CPT é o modo privilegiado de operar essa aliança, mas o projeto e o sistema operacional do Sesc Pompeia também se relacionam com a casa da Dr. Vila Nova. O que é polimorfo, horizontal e aberto (até o "rasgo" e a "fresta" de Lina Bo Bardi) dialoga com a caixa italiana cujo pressuposto é a profundidade dos significados.

Observado no conjunto da vida teatral da cidade e à distância de algumas décadas, o Teatro Sesc Anchieta tornou-se uma espécie de refúgio familiar, lugar seguro e confortável que frequentamos para poder apreciar a estranheza das coisas comuns, temer o desconhecido e entrar em contato com a inquietação do mundo.

Não me lembro de ter lido menções ao patrono da casa em publicações anteriores. Talvez seja a hora de relembrar o andarilho frágil que escrevia na areia, revestia seu palco de folhagem e iluminava o cenário tirando proveito da rotação dos corpos celestes.

UM TEATRO "ELITÁRIO" PARA TODOS, COMO PENSOU VITEZ

Silvana Garcia

Em uma conferência, que depois viria a ser um dos textos clássicos sobre o tema, José Ortega y Gasset[1] indicava como primeiro sentido forte para o termo *teatro* a evidência física do próprio edifício. Desse ponto de partida, e prosseguindo com um raciocínio dos mais virtuosos, o pensador espanhol percorria as dualidades que constituem o fenômeno teatral – palco e plateia, atores e espectadores – e desenvolvia assim sua *ideia do teatro*.

Podemos, como ele, fazer tudo derivar de uma simples e primeira constatação: o teatro é, antes de mais nada, um edifício. Mas um edifício que abriga o avesso da vida, *outra* vida, vidas imaginadas, des-realizadas; logo, um edifício que contém outros tantos *edifícios* no seu interior.

É possível pensar o Teatro Sesc Anchieta assim: ele é muitos *edifícios* num só edifício, uma arquitetura palimpséstica, de alvenaria simbólica, que contém as marcas das edificações anteriores, não como ruínas, mas como memórias. É o que faz um espaço inscrever-se na tradição: as muitas camadas de vestígios que dão conta de uma história, que definem sua continuidade. É o que faz com que ele hoje mereça ser comemorado.

Lembro-me da primeira vez que entrei no Teatro Sesc Anchieta. Na verdade, talvez não tenha sido aquela a primeira vez, mas foi assim que ficou registrada na memória. Não fui assistir a nenhum espetáculo, fui ter ali uma aula de iluminação com Fausto Fuser, meu professor na universidade. O equipamento que manuseávamos na escola era algo precário, uma verdadeira sucata; em contraste, o equipamento da sala Anchieta, de última geração, dava-nos

---

1. José Ortega y Gasset, *A ideia do teatro*, São Paulo: Perspectiva, 1978.

a sensação de pilotar um Rolls-Royce depois de ter andado de carroça – o clichê aqui procede. Tínhamos ali recursos que nem imaginávamos que existissem. Nós, alunos de direção, ficamos boquiabertos. Foi a primeira vez, para muitos – eu, inclusive –, que pudemos vislumbrar o papel que a iluminação poderia ter em um espetáculo. A cabine de luz do Anchieta foi uma das melhores salas de aula que frequentamos em nosso curso.

O Teatro Sesc Anchieta, ao longo de seus cinquenta anos, inscreveu-se na tradição e constituiu ele próprio uma tradição. Por seu palco transitaram teatro amador, dança, projetos pedagógicos, festivais, ciclos de cinema, ciclos de palestras, concertos de música e de poesia, além, obviamente, das produções do teatro profissional. O Anchieta ajudou a escrever um capítulo da história de cada um desses segmentos, deixou sua marca. E certamente não são os números, mesmo extraordinários, que lhe atribuem esse valor, e sim a qualidade que, desde o início, caracterizou as produções que o ocuparam. São duas gerações de artistas que passaram por seus corredores e deixaram na memória produções inesquecíveis. Isso sem mencionar o CPT, um capítulo à parte. São poucos os teatros que podem constar ao seu lado, que têm ou tiveram a mesma importância como espaço de difusão das artes cênicas.

O Anchieta teve seu lugar – um lugar de destaque, eu diria – em minha formação profissional, pois ali assisti a muitos dos espetáculos que conformaram meu gosto e meu entendimento sobre teatro. Os primeiros anos da minha carreira coincidiram com as temporadas da primeira década de sua existência. Assistir à programação do teatro fazia parte da rotina. Sabíamos que, mesmo quando o dinheiro era curto, ali sempre conseguíamos descolar um convite – nunca nos deixavam na rua se havia lugares vazios. Para um estudante de teatro, a possibilidade de assistir a bons espetáculos é tão importante quanto as outras atividades de estudo. Ver é parte fundamental do aprender a fazer.

Das lembranças mais remotas, sentada na plateia do Anchieta, vem-me à memória a peça *Tango*. À parte a descoberta de um dramaturgo vigoroso, um contemporâneo distante que eu desconhecia, foi também o primeiro contato com a genialidade cênica de Amir Haddad, que se tornou referência para mim desde então. Mais ou menos da mesma época, ainda me lembro de As *desgraças de uma criança*, na direção inventiva de Antonio Pedro e interpretação inesquecível de Marco Nanini – pela primeira vez me dei conta de que Martins Pena não era nem chato nem anacrônico –, e, claro, de *Réveillon*, de Flávio Márcio; era a nova dramaturgia brasileira mais uma vez levantando a cabeça com dignidade em tempos de látego e rédeas curtas.

Desse momento inaugural até o presente, colecionei autores, diretores e intérpretes que me foram apresentados pelo palco do Anchieta, de Kazuo Ohno a Isabelle Hupert, de Slawomir Mrozek a Moacir Chaves.

Antoine Vitez preconizava *un théâtre élitaire pour tous*, ou seja, não um teatro elitista, mas *elitário*, para todos. Essa ideia pode ser associada ao projeto que inspirou e conduz o Anchieta: uma programação que procura sempre trazer o novo, o melhor, o que vem de mais distante, primando pela qualidade e sendo acessível ao maior segmento de público possível. Um teatro necessário, ainda mais tendo em vista as condições precárias nas quais se produz e se divulga teatro por aqui.

ANCHIETA, NOSSO CONTEMPORÂNEO

Silvia Fernandes

Qualquer espectador de teatro em São Paulo sem dúvida considera o Teatro Sesc Anchieta um espaço contemporâneo da cidade, por tudo que promoveu e recebeu ao longo das últimas décadas. Além de abrigar o Centro de Pesquisa Teatral de Antunes Filho, pioneiro nos processos que aliam a investigação do ator à discussão de questões amplas da cultura brasileira, o núcleo sempre funcionou como polo de produção e difusão teatral dos mais ousados do país. Gabriel Villela, Aderbal Freire-Filho, Felipe Hirsch, Daniela Thomas, Luís Alberto de Abreu, Moacyr Góes, Marcio Aurelio, o Pessoal do Victor, o Grupo Galpão, Os Satyros, o Wooster Group e o Workcenter, de Jerzy Grotowski, são apenas alguns dos criadores que se apresentaram na casa batizada com o nome de nosso primeiro dramaturgo.

O suporte à investigação do ator, da dramaturgia e da cenografia no CPT, a abertura a experiências pedagógicas e colaborativas de teatro político, como a da Companhia do Latão, o acolhimento de processos performativos de construção do teatro, como os de Ricardo Karman e Gerald Thomas, a apresentação ao espectador brasileiro de experimentações radicais do corpo, da palavra e da cena, como as de Kazuo Ohno e Claude Régy, bastariam para configurar a contemporaneidade desse lugar teatral paulistano.

Por outro lado, considerar contemporâneo um espaço destinado ao teatro pode significar pouca coisa. Se o termo é adequado por tudo que designa em relação ao particular de uma época e à experiência profunda com o próprio tempo, seu uso é problemático pelo fato de haver se tornado marca da suposta atualidade de qualquer coisa e, pior que isso, um modo ideológico de inserção do novidadeiro no mercado da arte. Em geral, *contemporâneo* qualifica o que tem aparência de novo, desde o lançamento recente da indústria automobilística até a corrente globalizada de estudos culturais.

Na tentativa de desbravar um território minado de mercadorias "contemporâneas" apenas porque geram lucro maior, é comum que teóricos e pesquisadores tenham se dedicado a problematizar o conceito. É o caso de ensaio recente de Cassiano Quilici, que reflete sobre a noção de contemporâneo recorrendo às *considerações extemporâneas* de Friedrich Nietzsche. Para o filósofo, a sensibilidade aguda obriga o filho autêntico da época a sofrer suas contradições de modo mais potente e, por isso mesmo, a combater seus problemas com mais força, já que os vê melhor e os vive com maior intensidade. Daí decorre, em geral, a posição estrangeira do artista em seu tempo, que leva Nietzsche a considerar extemporânea a experiência dos inventores radicais da arte. O deslocamento do centro para as margens da própria época leva a um estranhamento da atualidade capaz de sondar o que nela se apresenta apenas como latência, como possibilidade de abertura a virtualidades e conexões que o presente obscureceu. O mesmo acontece em relação ao passado, pois o deslocamento temporal propicia igual retorno de possibilidades inexploradas, passíveis de se desdobrarem em atualizações artísticas, políticas ou existenciais.

Levando em conta os influxos da história, é possível especular em que medida Anchieta, o patrono do mais importante teatro do Sesc, pode esclarecer sua vocação contemporânea. Nesse sentido, é curioso constatar que a primeira reação do jesuíta/dramaturgo diante do índio foi de espanto. O teatro que criou é o registro fiel da incapacidade de compreender a cultura do estranho, que teria de ganhar ordenação discursiva e estatuto de representação para fazer sentido aos olhos europeus. O ritual tamoio de participação coletiva não se prestava a esse tipo de mimese, além de diferir profundamente das instruções morais sobre o livre-arbítrio e a salvação individual, fundamentais na catequese. Uma vez seguidos, os dois pressupostos separavam o índio da comunidade e abriam clareiras monológicas na coralidade tribal. Como observa Mariangela Alves de Lima em belo ensaio sobre o tema, é solitário o percurso da alma que se ensina, e não há forma de participação da comunidade na trajetória para a redenção. Renunciar à memória coletiva, abjurando a lei dos próprios pais, é a lição de um teatro que nasce da diferença, mas aspira a superá-la pela conversão, não podendo admitir que apareçam em cena realidades do mundo daquele que deve ser salvo de seus antepassados, de seu corpo e de seus rituais.

Mais de quatrocentos anos depois do teatro de Anchieta, a encenação de *Macunaíma* por Antunes Filho e pelo grupo que herdou seu nome talvez seja a melhor prova de como os influxos da história podem abrir possibilidades insuspeitadas, transformando as virtualidades do passado em atualidade. Para o encenador e seus parceiros, a releitura da rapsódia de Mário de Andrade tem como eixo a noção de herói trágico, cuja falha é não ser fiel à sua natureza, optando pela aculturação na grande metrópole em detrimento do céu indígena a que pode aspirar. Associando a saga do herói sem caráter à história da colonização e da cultura indígena que não resistiu ao mundo da mercadoria, o coletivo teatral compensa o fracasso com a funda prospecção das fontes étnicas brasileiras, que empreende de modo coral e exibe na nudez índia do ator. A simplicidade absoluta dos meios cênicos, a busca da essência do teatro a partir da atuação, as personagens criadas em revezamento, a explicitação do processo de criação que fundamentara a construção das cenas são princípios que sinalizam um teatro coletivo e, especialmente, uma pedagogia do ator brasileiro que, por vias transversais, resgata a cena comunitária dos pais.

CONVERSA DE MUSAS[1] OU ASSUNTO ENTRE MULHERES – ATO ÚNICO

Newton Cunha

Melpômene – Veem a casa acolhedora
do canto, dos gestos e das cenas?
Érato – A que das artes é protetora,
de seus traços e cores terrenas?
Melpômene – Essa mesma, e não outra qualquer.
Terpsícore – Ali sempre fui bem recebida,
como inspiração, guia ou mister.
Tália – E eu, rindo dos homens e da vida,
muitas vezes dela me servi.
Polímnia – E nas palavras que sugeri,
aos ouvidos de quem as buscou,
a beleza e a verdade encontrou.
Calíope – E a pergunta, por que se faria?
Melpômene – Porque esta bem-posta senhora
– suas lembranças, palco e magia –
quarenta e três anos comemora.
Érato – Como a geração dos mortais voa!
Em nós, nem depressa ou lentamente
o eterno se move, anda ou se escoa.
Melpômene – Na memória ainda está presente
a voz proferida dos atores...
Tália – ... Os ágeis *croisés* das bailarinas,
e os sons tão diversos dos cantores.
Polímnia – Não nos esqueçamos dos debates,
ilustradas e úteis rotinas
que com desvelo sempre preparam.

---

1. São personagens as seguintes musas, por ordem de fala: Melpômene – a tragédia; Érato – a poesia lírica; Terpsícore – a dança; Tália – a comédia; Polímnia – a retórica, o hino sagrado e a dança litúrgica; Calíope – as poesias épica e heroica.

Terpsícore – Lembras das tragédias e dos vates
que em seu tablado já pisaram?
Melpômene – Como não me lembraria, irmãs,
das finas conversas que expressaram,
nobres, burgueses e cortesãs?
Por exemplo, a enlutada Antígone:
"Desdenho e sempre desdenharei
o som que provier de tua boca,
como negarás o que eu disser.
Mas quem alcançaria glória maior que a minha
ao sepultar meu irmão Polinices?
Se o temor não lhes roubasse a voz,
concordariam comigo.
Agir, falar o que bem queira
são vantagens de que o tirano goza".
Calíope – Ou ainda o nobre Segismundo:
"Bastante motivo há tido
vossa justiça e rigor,
pois o delito maior
do homem é ter nascido.
Só quisera saber,
para apurar meu cuidado
e deixando aos céus assinalado
o delito de nascer,
com que mais os pude ofender
para me castigarem mais.
Não nasceram os demais?
Pois se os demais nasceram,
que privilégio tiveram
que eu não gozei jamais?"
Tália – E tantos mais: lindas moreninhas,
arrivistas, párias e harpagões,
heróis, feiticeiras e rainhas,
quixotes, bandidos e bufões.
Érato – Não é só caixa iluminada,
mas lareira, fonte, renda e abrigo...
Calíope – ... o porto mais sereno e amigo,
das artes a inegável morada.
Terpsícore – Quem sabe poderiam os artistas,
os cantores e encenadores,
cenoplastas e figurinistas,
instrumentistas e produtores
aplaudir, num gesto de etiqueta,
que é também *pro domo sua*,
a fecunda história que acentua
o mais novo e segundo Anchieta.

UMA INSTITUIÇÃO, UM DIRETOR E UM TEATRO: ANTUNES FILHO E O SESC

Jacó Guinsburg

Quem acompanha o movimento teatral brasileiro dos últimos decênios certamente não tem dúvida de que o Sesc, ao confiar a Antunes Filho o Centro de Pesquisa Teatral – CPT e ao abrir-lhe as portas do Teatro Sesc Anchieta, propiciou uma contribuição que se pode dizer, a essa altura, das mais relevantes para a pesquisa, a popularização e a atualização da arte cênica, tanto no que tange às suas criações como aos seus criadores, no sentido mais amplo do termo. Graças a essa união de recursos, esforços e talentos, um dos encenadores mais antenados com respeito à estética e à experimentação teatral de vanguarda, e ao mesmo tempo com largo domínio da tradição dramatúrgica clássica, encontrou uma base estável para conduzir com consistência sua trajetória inovadora, iniciada no Teatro Brasileiro de Comédia – TBC nos já distantes anos de 1950.

Seus trabalhos dramatúrgicos, sempre pautados pela ousadia artística e pelo rigor técnico, o haviam levado a formar um grupo de teatro que recebeu o nome de uma das obras mais singulares e representativas da literatura modernista nacional: *Macunaíma*, de Mário de Andrade, que se tornou também uma montagem paradigmática das encenações de Antunes. Consciente de que a linguagem do teatro, antes de mais nada, é a do ator que o encarna, não se limitou à organização de uma trupe: juntou a ela uma escola de teatro que amalgamou em seu projeto pedagógico formação com informação, conhecimento com autoconhecimento, técnicas do corpo e do pensamento crítico, tanto no plano espiritual e existencial do ser humano quanto no das realidades e problemas brasileiros.

Anos atrás, eu havia planejado escrever sobre as obras de Antunes. Infelizmente não levei a cabo meu intento, mas me parece oportuno retomar aqui o que escrevi então:

As encenações que esse diretor vem apresentando ao espectador paulistano nos últimos anos se distinguem não só da média, mas até dos bons espetáculos montados nas diferentes temporadas, por uma especificidade que, devido às seguidas reiterações, já lhe reservam um lugar particular no moderno teatro brasileiro... O que lhe dá uma qualidade peculiar que o diferencia tanto em relação ao que se tem feito como em face daquilo que ele compôs de relevante em anos anteriores? É claro que, se não se quiser recorrer às facilidades das inspirações "geniais" e seus recursos mágicos, a resposta há de passar, com a personalidade do artista-encenador e seu poder de inventividade, pelas ideias que presidem o seu trabalho, pelo modo de organizar e processar sua materialização artística em cena.

Entretanto, foi marcadamente a partir de 1982, ao aceitar o convite do Sesc, que suas experimentações e encenações ganharam maiores possibilidades de aprofundamento e efetivação.

A meu ver, três aspectos sobressaem em sua obra de homem exclusivamente dedicado ao palco, mesmo quando observado pelo monitor da televisão, como na versão de *Vestido de noiva*, de Nelson Rodrigues: a escolha do texto e do tema, a concepção cênica e a pedagogia na habilitação dos atores.

Quanto ao repertório, verifica-se, pela maioria das escolhas realizadas, que Antunes ou se apoia e presta seu preito aos grandes textos da literatura dramática (*Romeu e Julieta*, *Macbeth*, *Medeia*, *As troianas*, *Antígona*), ou se consagra à exposição e ao debate das realidades brasileiras, rurais e urbanas, sociais e psicológicas (*Nelson 2 Rodrigues*, *Vereda da salvação*, *A hora e a vez de Augusto Matraga*, *Xica da Silva*, *Paraíso Zona Norte*, *A Pedra do Reino*, *Senhora dos afogados*, *Policarpo Quaresma*), a maioria apresentada no Teatro Sesc

Anchieta. Dessa forma, como se vê, ele transita do universal e clássico ao nacional, específico e contemporâneo.

Em termos de concepção cênica, Antunes revelou-se um artista interessado e comprometido com as novas leituras de palco e de plateia da modernidade – não só aquelas que se expressaram em escritos dramatúrgicos (e aqui basta lembrar, além de Brecht e Artaud, Bob Wilson, Tadeusz Kantor, Kazuo Ohno ou Grotowski), mas também com as propostas e o debate crítico de um entendimento multicultural mais acurado do mundo, inclusive de um ponto de vista científico. É evidente que as concepções modernistas e a própria cultura do tempo vivido influenciaram as constantes mudanças havidas em sua forma e metodologia de trabalho. Trata-se de um valor estético em incessante busca da incorporação do novo, de mesclas e confluências, mesmo as mais díspares por suas origens ou intenções: no caso particular de Antunes, é frisante seu interesse pela física contemporânea e pelas tradições do pensamento oriental.

Ao mesmo tempo, não se deve esquecer de sua ética existencial, entendendo por isso a responsabilidade vigilante que tem sobre a liberdade de encenação. Desde seu ingresso no TBC e a criação do Pequeno Teatro da Comédia, não é nenhuma novidade que Antunes vive o teatro como um sentido de sua própria vida, sobrepondo-se a outros interesses, talvez mais corriqueiros e materiais, como o de tomá-lo por um meio, como qualquer outro, de sobrevivência.

No que diz respeito à sua pedagogia, Antunes e o CPT são um caso isolado no Brasil. Se o teatro depende fundamentalmente do ator, é nele que se devem depositar as primeiras e melhores energias, o maior desvelo. Trata-se da disponibilidade do corpo e da voz, mas também de um estado de concentração mental na geração do gesto e do signo cênicos. Assim sendo, creio ser indispensável ao ator desenvolver duas compreensões: uma, mais evidente e imediata, é a do papel que assume em uma representação em particular; outra, a do profissional e artista que escolheu agir para revelar o desdobramento da própria natureza humana, em todas as suas variações ou pormenores, nas mais distintas circunstâncias sociais e históricas. São compromissos sérios, e não passatempos inócuos.

Neste percurso, cumpre acentuar, mais uma vez, que a interseção de Antunes Filho e o Sesc mostrou-se notavelmente profícua e transparece tanto na produção constante e de alto nível do CPT, na rara oportunidade que oferece de ensino e realizações teatrais, quanto na inclusão cultural. Prova-o a contínua afluência de espectadores e os generosos aplausos aos espetáculos do Teatro Sesc Anchieta.

Esse enlace entre instituição, diretor e teatro é, portanto, uma reserva de inteligência e dedicação que poderia servir de exemplo a outras instituições, não só no que concerne ao teatro, mas a quaisquer outras iniciativas de expressão e formação artísticas.

FANTASMAS, SOMBRAS E REPRODUTIBILIDADE EM *XICA DA SILVA*

Ivan Delmanto

*Como sombra invasora e transbordada
de asa de cinza e chuva quebradiça
tu desterras o tempo interrompido
com tua solidão alucinada.[...]
Tão sortilégio, tão solitária e erma
que pareces escada submarina
para eu descer imerso, no teu reino
investido dos mantos decisivos.*

Jorge de Lima

No Brasil, a partir da década de 1980, é intenso o debate sobre o "esvaziamento" dos teatros, cada vez mais marcados pela ausência e o desinteresse crescentes por parte do público. Para diversos articulistas presentes na imprensa no período, questões como a renda *per capita* em declínio e a violência urbana intensificada explicariam esse fenômeno. O CPT de Antunes Filho parecia não escapar à situação de desolamento. Segundo o Anuário Teatral de 1988, publicação interna organizada pelo Sesc São Paulo:

> Quanto ao Anchieta, parece que o público o esqueceu [...] Ele está há algum tempo com Antunes Filho e seu CPT. *Xica da Silva* não recebeu as benesses do público. Por várias razões, creio eu. A primeira foi ter recebido uma versão muito distante da cinematográfica, que tanto agrada o público. E a segunda me parece ligada ao momento social que vivemos. Somos, hoje, um povo desalentado e desiludido. Não queremos ver nosso insucesso, nosso fracasso social no palco. Ainda mais quando nos é imputada grande responsabilidade social nesse fracasso [...] *Xica da Silva* nos mostrava o quanto somos ingênuos e pusilânimes enquanto povo. Não, ninguém queria ver isso.

Salvo engano, podemos encontrar no trecho anterior uma explicação mais dialética para o esvaziamento do Teatro Sesc Anchieta durante a temporada de *Xica da Silva*. A crise de público pela qual passava o teatro em São Paulo relacionava-se, além de fatores como a violência urbana e o preço dos ingressos, aos impasses próprios do fenômeno teatral em tempos de produção espetacular de mercadorias culturais. Tal crise deve ser mais bem situada, em todas as suas múltiplas contradições: há, durante o mesmo período, um verdadeiro assalto do público às plateias do teatro chamado de "besteirol". Haveria, assim, uma crise de determinadas formas e manifestações do fenômeno teatral durante os anos 1980, que pode ter suas origens em algo mais do que apenas "uma dificuldade de contemplar nosso fracasso no palco". A pista que vamos seguir está na afirmação de que a versão de *Xica da Silva* apresentada pelo CPT estava muito distante do conhecido filme sobre a mesma personagem dirigido por Cacá Diegues. Talvez possamos encontrar, no confronto com sua imagem especular – posta em circulação pela infinita reprodutibilidade técnica do cinema –, rastros para revermos, décadas depois, o *Xica da Silva* do CPT.

Walter Benjamin define *aura* como "[...] a aparição única de uma realidade longínqua por mais próxima que esteja"[1]. Atribui a qualidade aurática aos objetos que têm a capacidade de devolver o nosso olhar. Isso significa que são as marcas de temporalidade e a vivência do próprio objeto que forçam o olhar a demorar-se nele, a confrontar-se com uma profundidade, um valor que ultrapassa o valor comercial ou de exposição. A aura seria assim um veículo de *desaceleração*, que parece se diluir ou ser incompatível, na visão do autor, com a experiência de *choque* da modernidade e com os sonhos de consumo imediato do capitalismo.

---

1. Walter Benjamin, *A obra de arte na era da reprodutibilidade técnica*, São Paulo: L&PM, 2014.

Para Benjamin, com a reprodução técnica, o aqui e o agora, característicos da obra de arte tradicional, desaparecem, ocasionando a destruição da *aura* da obra de arte e, com isso, abalando o próprio conceito de arte, que, de fenômeno estético singular, passa a ser um evento de massas.

A multiplicação de cópias permite que o evento produzido uma só vez se transforme num fenômeno de massas, e o objeto reproduzido ofereça à visão, ou à audição, em quaisquer circunstâncias, conferindo-lhe atualidade permanente. O surgimento do cinema representaria, então, o nascimento de uma arte cuja gênese já não repousa no âmbito da tradição; surge, pelo contrário, como a própria negação daquilo que é a essência da arte tradicional. O cinema também surgiria como uma possibilidade de arte não pela sua autenticidade, mas devido justamente à sua possibilidade de reprodução, ou seja, aquilo que era único, feito por um artista único, em uma época única, e somente possível de ser observado em um único local (salas de concerto, museus etc.), pode ser sentido em diferentes lugares e épocas, ou em vários lugares ao mesmo tempo, em contextos e circunstâncias diferentes.

A busca da representação do instantâneo e do "real" aparece como ponto de partida do projeto cinematográfico nascente. Consequências dessa busca são visíveis nas teorias do cineasta russo Sergei Eisenstein sobre a *montagem*. O processo consiste no desenvolvimento de uma técnica de montagem psicologicamente calculada para a captação das percepções, ou seja, capaz de atrair o espectador e assim conduzi-lo por meio de choques sensoriais e psicológicos, que, por sua vez, constituem a única possibilidade de alcançar uma conclusão de sentido perceptível. Esses choques foram primeiramente utilizados por Eisenstein no teatro, e depois, inevitavelmente empregados nas técnicas cinematográficas.

No entanto, tal visão do advento do cinema e de perda da aura – presente em Benjamin –, assim como de toda arte submetida à reprodução técnica, permanece impregnada de um otimismo em que a perda da aura consiste em uma necessidade da arte de atingir novas dimensões, de se libertar dos domínios burgueses do século XIX e de se contrapor, utilizando as armas do inimigo, à cultura de massa dominante. Esse otimismo baseia-se na hipótese de que o encerramento de dada concepção de arte engendra também o surgimento de novas possibilidades estéticas configuradas e regidas por outras leis contrárias à autenticidade e duração, a saber, ligadas ao conceito de *repetição*.

Se a reprodutibilidade técnica pode servir ao teatro, talvez as plateias vazias de *Xica da Silva* respondam que em tempos de ultramodernidade há um teatro fadado a morrer. Se a reprodutibilidade técnica pode servir ao teatro, talvez as plateias cheias da década de 1980 respondam que qualquer forma de arte, em tempos de valorização estetizada do capital, pode ser reproduzida massivamente, transformada em mercadoria e atingir os padrões de circulação essenciais à obra de arte na era de sua reprodutibilidade técnica.

Tal fenômeno contraditório, a coexistência de formas e experiências teatrais distintas e segmentadas, caracteriza a arte sem aura do estágio tardio do capital, e uma análise que pretenda escovar o *Xica da Silva* do CPT a contrapelo precisa ater-se a tal dualidade. A crítica do espetáculo, publicada no período, transita por tais paradoxos:

> Mas as qualidades que são a marca do encenador, como a movimentação de sua gente no palco nu em constantes e deslumbrantes surpresas, não isentam o espetáculo de parecer inacabado. A ação esgarça-se, com alguns vazios de ligação e certo mecanismo que alterna conversas políticas e o folclore de *Xica da Silva*. O começo com o narrador e o rapaz do baú é frouxo, preguiçoso e sem consequência, até porque o narrador depois acaba desaparecendo.

O autor da crítica, bem como o público que esqueceu o espetáculo dirigido por Antunes Filho, escreve por demais apegado à forma infinitamente reproduzível do filme de Cacá Diegues. Os critérios empregados para analisar *Xica da Silva* estão contaminados por parâmetros do cinema de massa: o alegado "inacabamento" da forma e o início "frouxo e preguiçoso", a meu ver, não podem ser encarados como defeitos da versão teatral de Antunes, mas são sim aspectos que distanciam seu *Xica da Silva* da reprodutibilidade técnica da experiência artística do cinema hegemônico.

O crítico de arte David Sylvester, em ensaio sobre a pintura tardia de Paul Klee, observa que seus quadros caracterizam-se por uma aglomeração de signos que não possui início ou fim, já que parece poder ir além dos limites da tela ou do papel, e não possui um eixo, um ponto focal em que o olho possa repousar para ver o quadro como um todo ordenado.

Deparando-se com um labirinto incoerente ou às vezes com uma confusa dança de cores, o espectador tenta compreender o quadro fixando o olhar num ponto focal para onde todos os signos estejam orientados. Na pintura tardia de Klee, cada ponto é tão crucial quanto qualquer outro e nunca há um ponto no qual o olho do espectador possa finalmente repousar. Segundo Sylvester:

> Logo o espectador descobre que esse movimento do olho de signo para signo o puxa, em imaginação, para dentro do quadro. Ele se rende a essa atração magnética, entra em algum ponto do quadro e começa a percorrê-lo. É então que a pintura começa a se tornar legível e articulada. Ele encontra um signo e para, move-se ao longo dele e descobre que ele lhe indica a direção a tomar em seguida, o próximo signo a ser encontrado. E assim segue o seu caminho, frequentemente retornando a um signo que já visitou para descobrir que este agora significa algo diferente do que significava quando fora abordado numa outra direção[2].

Circular pelo quadro é a primeira ação do espectador criador: habitar a obra, em uma experiência individual e única, que não pode ser reproduzida. Além de espacial, para Paul Klee a atividade do espectador é também temporal.

O acúmulo e a justaposição de uma multiplicidade de visões de uma obra artística representam as percepções de um espectador em diferentes etapas de um passeio que habita a obra, modificando sua noção cotidiana de espaço e de tempo. Tal espectador depara-se sucessivamente com signos em sua jornada pela obra, que, não sendo mais limitada por sua moldura original, é como um caminho que muda em estrutura à medida que o espectador o percorre no tempo; o espaço nessa obra é criado pelo movimento do espectador, o qual é sempre o ponto focal. A obra torna-se, assim, perpétuo devir, e o espectador precisa projetar-se para dentro deste fluxo, pois interpretá-lo consiste em habitar tal devir.

Talvez possamos identificar no quase fracasso de público que envolveu o *Xica da Silva* do CPT uma forma teatral distante dos padrões da reprodutibilidade técnica do cinema contemporâneo. A forma do *Xica da Silva* de Antunes Filho estaria relacionada ao projeto inicial do cinema, à montagem de Eisenstein, capaz de empreender um convite para que o espectador experimentasse um novo espaço e um novo tempo, o espaço e o tempo das obras teatrais, tornando-o dramaturgo, criador de sentidos. Quanto às suas influências como diretor, Antunes Filho afirma: "[...] primeiro eu digo uma frase do Venturi, depois eu respondo que gosto, sim, do Bob Wilson, do Tadeusz Kantor e do Peter Brook. A frase da citação do Venturi é a seguinte: '[...] qualquer elemento de um contexto, em outro contexto, tem um novo significado'"[3].

Cabia ao espectador de *Xica da Silva* criar seus próprios contextos. Para criar esse novo tempo e novo espaço, o espectador deveria ter aberto à sua frente o caminho que o instiga a se mover e a se transformar. Tal abertura deve retirá-lo da posição fixa de imobilidade e de julgamento, convidando-o a participar do tempo e do espaço da obra.

No ensaio *Montagem*, de 1938, Eisenstein afirma que o conceito de montagem assemelha-se ao produto, porque o resultado da justaposição de elementos difere sempre qualitativamente de cada um de seus elementos componentes, tomados em separado. Assim, a montagem exige

---

2. David Sylvester, *Sobre arte moderna*, São Paulo: Companhia das Letras, 2007.

3. Antunes Filho em entrevista concedida ao *Jornal da Tarde*, São Paulo: 30 set. 1978.

uma participação ativa do espectador, que passa a ser, em relação à obra, um criador. Tal concepção de montagem exigiria, assim, a transformação do espectador de *consumidor* em *consumador* da obra, exigência que talvez ilumine as plateias cheias de fantasmas durante a temporada de *Xica da Silva*.

A montagem estaria relacionada, então, à busca de um conteúdo de verdade, da verdade de uma realidade que a obra artística seria capaz de desvelar. Pensamos aqui com Theodor Adorno acerca do conceito de *conteúdo de verdade*: "[...] as obras de arte saem do mundo empírico e produzem um mundo com uma essência própria, contraposto ao empírico, como se também existissem". As obras de arte seriam como enigmas que "[...] ao exigirem solução, remetem para o conteúdo de verdade, só acessível mediante reflexão"[4]. Esse mundo próprio e enigmático criado pelas obras de arte é capaz de exprimir o que de outra forma não poderia ser dito sobre a realidade, e aí está o seu conteúdo de verdade.

---

4. Theodor W. Adorno, *Teoria estética*, Lisboa: Edições 70, 1970.

TEATRO SESC ANCHIETA: BERÇO DE UMA NOVA ESCOLA DRAMÁTICA

Sebastião Milaré

Os atores flutuam. Na estrutura de ferro e vidro emergem figuras perpassadas de mistério, em meio à luz e sombra da requintada iluminação. Carnaval no embalo de pulsações trágicas. *Paraíso Zona Norte*, composto por *A falecida* e *Os sete gatinhos*, de Nelson Rodrigues, com o CPT/Grupo Macunaíma, direção de Antunes Filho, expunha no palco do Teatro Sesc Anchieta, em 1989, notável avanço estético. Estava ali revelado em códigos artísticos, conforme disse o dramaturgo argentino Osvaldo Dragún, o corpo do homem latino-americano. Percepção esta logo mais endossada pela imprensa, em capitais latino-americanas onde o espetáculo foi apresentado.

No mesmo ano foi publicado o primeiro livro sobre o Teatro Sesc Anchieta; na matéria abordando a instalação e as atividades do CPT, incluindo os espetáculos apresentados nesse palco desde 1984, consta a declaração de Antunes Filho de que "[...] são trabalhos imperfeitos, ainda". Acrescentava o diretor: "Mas toda obra pioneira traz consigo imprecisões que só a continuidade do trabalho pode eliminar. E o Sesc compreende bem essa coisa de a gente precisar de tempo para obter bons resultados"[1]. Não era falsa modéstia, embora tais "trabalhos imperfeitos" fossem reconhecidos entre o que de melhor se produzia nas artes cênicas brasileiras. Era, sim, a plena consciência do artista quanto ao projeto em andamento no CPT. Os "bons resultados" se manifestavam, no momento em que vinha ao público essa declaração, com *Paraíso Zona Norte*, marco na trajetória do CPT e no desenvolvimento do método lá

---

1. Serviço Social do Comércio – Administração Regional no Estado de São Paulo, *Teatro Sesc Anchieta*, São Paulo: 1989, p. 118.

gestado. Todavia, foi apenas o início da nova e surpreendente fase.

Conquistas estéticas do CPT brilham no Teatro Sesc Anchieta ao longo dos anos 1990. E não se restringem à arte do ator, fundamento do método, e sim abrangem todas as disciplinas que implicam a construção do espetáculo. No Núcleo de Cenografia, J.C. Serroni, então coordenador, renovou conceitos e procedimentos, integrando o fazer cenográfico à pesquisa dos atores. Somam-se a ele o exercício de *design* sonoro, coordenado por Raul Teixeira, e o de iluminação, coordenado por Davi de Brito, áreas que transitam entre si e se alimentam mutuamente. Os espetáculos refletem os avanços da pesquisa da equipe e o apuro das técnicas do ator, revertendo-se no aprofundamento da ideia de cena metafísica, proposta básica de Antunes Filho.

Coerente com a ideologia do CPT, que não desvincula a criação artística do momento histórico, esses espetáculos trazem à reflexão os percalços do homem no fim do século. A começar por *Nova velha estória*, baseada em *Chapeuzinho Vermelho*, que usa o rito de passagem da adolescente à fase adulta como metáfora da passagem do mundo à nova ordem internacional, desencadeada pela queda do muro de Berlim. A expectativa de paz viu-se frustrada por guerras, genocídios, atos terroristas. No Brasil, a sociedade civil exigiu em grandes manifestações o *impeachment* do presidente que elegera na primeira eleição direta depois de décadas de arbítrio por "suspeitas" de corrupção e outros crimes. Por todo lado parecia triunfar o Mal. E o Mal não pode ser eliminado, mas deve ser colocado em seu lugar. Com esse pensamento surge *Trono de sangue*, aguda leitura de *Macbeth*, que interpreta a personagem de Shakespeare como o deus do Inverno, cujo poder destruidor é neutralizado e adormecido com a chegada da Primavera, mas voltará a despertar no Outono para reinar no próximo Inverno. Os massacres que se tornaram rotineiros no Brasil nos anos 1990, vitimando índios, sem-terras, meninos de rua, moradores de favelas e outros segmentos sociais, são lembrados na *Vereda da salvação*, de Jorge Andrade. Para combater o Mal, o homem deve buscar o conhecimento de si mesmo, assumi responsabilidades com a comunidade e ter presente a impermanência de todas as coisas da terra, o que se vê em *Gilgamesh*, baseado no poema sumério. O contrário disso é o Mal sem limite de tiranos sanguinários que mancham a História. Eles precisam do sangue inocente para manter a pseudovida, tema de *Drácula e outros vampiros*.

Houve um período de reclusão do CPT na sala de ensaios, quando Antunes e seus atores-discípulos dedicaram-se à sistematização do método. E reapareceram não só com espetáculos para o repertório, mas estabelecendo novo repertório, de índole puramente experimental, com as jornadas de Prêt-à-Porter. Em 1999 o CPT aproxima-se cautelosamente da tragédia grega com *Fragmentos troianos*, baseado em *As troianas*, de Eurípedes. No plano temático, permanecia a reflexão sobre o Mal, a destruição de cidades e pessoas, em clara referência à atualidade, mas com a ação fixada em Troia, no momento da invasão dos gregos. Já no plano técnico, significou a preparação dos atores para o salto à tragédia pura. Isso ocorre com *Medeia*, também de Eurípedes, vigoroso discurso ecológico que estreou no Sesc Belenzinho. O CPT retorna ao Teatro Sesc Anchieta com a tragédia plenamente realizada no âmbito ideológico do grupo, que é a atualização dos velhos mitos, com a *Antígona*, de Sófocles, em que poder e ética humana se defrontam.

Diante disso, o Anchieta foi o berço do pensamento estético, agora convertido em escola de arte dramática, que se consolida a cada espetáculo apresentado em seu palco pelo CPT/Grupo Macunaíma, na primeira década do novo século. São espetáculos diferentes no estilo, no gênero, no tom, mas de personalidade cênica única. Vão do teatro-dança, com *Foi Carmem...*, até a visão trágica de *Senhora dos afogados*, de Nelson Rodrigues, autor também de *A falecida vapt-vupt*, versão oposta à da mesma peça em *Paraíso Zona Norte*. Essa nova escola é vista agora no clima da *pop art* e da videoarte. Volta-se também à reflexão da experiência histórica brasileira mediante a adaptação de clássicos modernos da literatura nacional: *A Pedra do Reino*, de Ariano Suassuna, e *Policarpo Quaresma*, de Lima Barreto, revelando intacto o humor que marcou o *Macunaíma*. Eram evidentes também nos atores os resultados admiráveis do método concebido por Antunes Filho e ali desenvolvido.

O CÍRCULO DE DRAMATURGIA

João Roberto Faria

Entre as iniciativas de Antunes Filho à frente do CPT, o Círculo de Dramaturgia, criado em 1999, merece especial atenção, por possibilitar a jovens autores dramáticos o exercício contínuo da pesquisa e do experimento em torno da linguagem cênica. Abandonando os velhos manuais de *playwriting* que ensinam a escrever uma peça teatral com todas as regras da convenção, Antunes estimula a criatividade, entendida como resposta a estímulos dados pelo estudo da dramaturgia clássica e contemporânea e pela imersão no mundo da cultura. Sem caminhos previamente traçados, os autores escolhem temas e formas, escrevem cenas que são discutidas por todos os que participam do Círculo e eventualmente ensaiadas pelos atores do CPT, de modo que ao final do processo – que pode durar meses ou anos – ergue-se um texto dramático amadurecido pela crítica e pela reflexão.

Em 2005 o Sesc teve a feliz ideia de publicar um volume com cinco peças escritas pelos jovens dramaturgos envolvidos no processo de criação supervisionado por Antunes: *O canto de Gregório* e *O fim de todos os milagres*, de Paulo Santoro; *O céu cinco minutos antes da tempestade*, de Silvia Gomez; *Entre dois pregadores*, de Paulo Barroso; e *Banhistas*, de Rafael Vogt Maia Rosa[1].

O que impressiona de imediato no conjunto é a qualidade da linguagem empregada nos diálogos: as palavras que formam as frases são cuidadosamente escolhidas e não poucas vezes a poesia invade os textos. Não são peças fáceis, como as escritas em função do enredo, com exposição de um conflito, desenvolvimento e desenlace.

---

1. Antunes Filho (coord.), *Círculo de Dramaturgia*, São Paulo: Edições Sesc, 2005.

As personagens são densas, flagradas diante de impasses insolúveis, em situações surpreendentes, vivendo crises e enfrentando seus demônios interiores. Quase não há espaços e tempos definidos, o que significa que o que lemos ou vemos no palco não pede a velha verossimilhança realista. Assim, a marca da contemporaneidade está presente em todas as peças, tanto nos recursos formais trabalhados a partir das quebras instauradas na dramaturgia por Brecht e Beckett, que abriram possibilidades ainda não totalmente esgotadas, quanto nas questões suscitadas pelos diálogos, de alcance universal.

Antunes encenou *O canto de Gregório*, em 2005, e a estreia de Paulo Santoro foi uma grata surpresa. Sua peça põe em cena um homem que vive "um dia diferente", no qual quer aprender a ser naturalmente bom. Ele se confronta consigo mesmo, angustiado e dividido entre razão e emoção, numa trajetória em que troca ideias com Jesus, Buda, Sócrates, para então concluir que a bondade é *logicamente* impossível. O brilho dos diálogos é garantido pelo jogo da linguagem e dos argumentos das personagens, em que o predomínio da lógica é implacável e massacrante. Pensar nos faz humanos, claro, mas é um peso que carregamos e que nos castiga. Esse é o sentido da pena do juiz que condena Gregório por ter assassinado um homem: "[...] viver agrilhoado no corpo material que precisa carregar por este chão". O autor parece dialogar com peças como *A exceção e a regra* e *A alma boa de Set-Suan*, de Brecht, mas buscando outro registro que não o do teatro político. Interessa-lhe explorar todas as possibilidades lógicas da linguagem.

Também *O céu cinco minutos antes da tempestade*, de Silvia Gomez, foi encenada no CPT, sob a direção de Eric Lenate, em 2008. A peça apresenta uma atmosfera pesada, sufocante, centrada em apenas três personagens. Em princípio, um enredo convencional poderia ser criado a partir da ideia de colocar em cena um casal separado e uma filha que vive com a mãe. A volta do pai, depois de muitos anos, sempre desencadeará um conflito. Mas a autora vai além: cria um clima insólito, situando a ação dramática em uma casa estilizada, em cuja sala há uma grande caixa de correio, alguns móveis comuns e um armário de remédios, como o de um hospital. No quarto da filha um relógio digital marca sempre a mesma hora, 9h, e desperta o tempo todo. Já se vê na abertura da peça que estamos distantes do realismo psicológico e que as personagens não viverão uma história comum. Há algo de surreal, de absurdo, uma espécie de deformação expressionista nesse universo quase sem referências ao que se passa fora da casa, a não ser pelo fato de que os psicotrópicos estão fabricando loucos por aí. São personagens desequilibradas que vemos em cena, tanto a mãe, que é enfermeira e dopa a filha, quanto a própria filha, que não se lembra de quantos anos tem e só pensa em fugir, ainda que correndo na contramão, como ela mesma diz. A volta do pai não se mostra como solução para a família dilacerada; as personagens estão condenadas à infelicidade nesta peça em que os diálogos são escritos com rara beleza e força expressiva.

Igualmente bem realizadas são as outras peças do volume, ainda não encenadas. Paulo Santoro reafirma seu talento em *O fim de todos os milagres*, título tirado de um poema de Manuel Bandeira, no qual a vida se afirma como um milagre e a morte como o "fim de todos os milagres". Em cena, um casal de velhos não faz mais que conversar. Como ele diz: "Hoje em dia nós conversamos. Pelo que me parece, nós conversamos o tempo todo". Não é fácil escrever uma peça com essa premissa. Mas o autor consegue prender nossa atenção com simples conversas que se alinhavam um tanto aleatoriamente. Sobre o que conversam as personagens? Sobre a vida, a morte, o passado, o presente, o que foram, o que são, o que fizeram, ou não; conversam ainda sobre o amor, a música, o filho morto, a felicidade e a infelicidade, culminando a peça com um surpreendente confronto entre ambos, quando discutem sobre o que aconteceria se o velho contratasse uma garota de programa, desejo – ou provocação – que ele manifesta sem ter condições físicas para tal. A força dos diálogos está menos nos assuntos evocados – afinal, "tudo é tão vazio e sem sentido" – e mais na forma de escrevê-los.

Paulo Barroso, em *Entre dois pregadores*, também faz da forma trabalhada com apuro uma estratégia para pôr em cena o universo das igrejas evangélicas, com suas bispas e seus dízimos arrancados dos pobres, com a retórica inflamada de seus pregadores, que ameaçam a todos com o fogo do inferno. Um fio de enredo nos permite acompanhar a crise instaurada na igreja de uma família quando um de seus membros, evidentemente tomado pelo demônio, segundo os demais, blasfema durante o culto e revela aos fiéis os negócios espúrios que suas doações financiam. Personagens e diálogos bem construídos, o modo de armar a ação dramática e o espaço imaginado para as cenas – uma mansão com um porão que é o próprio inferno – garantem que a peça seja mais que uma mera denúncia de como a fé se tornou mercadoria em nossos tempos e a colocam em outro patamar.

Banhistas, de Rafael Vogt Maia Rosa[2], é uma peça mais hermética que as outras. As personagens em cena exprimem-se sem que os diálogos tragam sempre à tona o significado explícito do que é dito. Tudo fica em aberto e somos nós, leitores ou espectadores, que preencheremos os vazios. Afinal, como diz uma das personagens, "[...] é difícil, sim, entender o que há 'nas entrelinhas', 'no meio-fio'". A ação, que se passa num balneário um tanto abandonado, nasce do encontro entre um casal de velhos, que tem um filho surdo-mudo de 29 anos, e um casal mais jovem. A semelhança da moça com uma vizinha que o casal teve no passado – e que cantava muito bem – desencadeia no homem um desejo incontrolável de confirmar que se trata de mãe e filha. Ele ainda carrega uma fita com uma música gravada – que todos ouvem num toca-fitas –, e vagas sugestões de que foi apaixonado por aquela mulher despontam em suas falas. Como é infeliz no presente, que tudo destrói, diz à moça que ficaria muito feliz "[...] se pudesse ter a certeza de que alguns sentimentos, algumas verdades podem sobreviver nessa vida num rosto tão lindo como o seu". A evocação do passado, porém, só confirma a efemeridade das coisas, tanto as concretas, como uma casa ou um corpo humano, quanto as abstratas, como os sentimentos.

A primeira safra do Círculo de Dramaturgia, como se vê, é bastante promissora. Esses jovens dramaturgos tiveram a oportunidade de escrever seus primeiros textos sem nenhuma pressa, trocando ideias entre si, acolhendo sugestões, refletindo sobre os temas abordados, burilando os diálogos e aprimorando o desenho das personagens. A qualidade de suas peças demonstra que essa experiência deve ter continuidade no CPT, por se tratar de uma contribuição inestimável para o fortalecimento da dramaturgia brasileira. Espera-se que em um futuro próximo outros jovens talentosos possam revelar-se como dramaturgos e que aprendam, na prática, que engenho e arte não se separam.

---

2. Rafael Vogt Maia Rosa, "Banhistas", *in*: Antunes Filho (coord.), *op. cit.*

OS EMBATES DA COMÉDIA

Sérgio de Carvalho

Dedicado aos técnicos Davi, Edson e Róbson, trabalhadores do Teatro Sesc Anchieta.

A grande maioria dos artistas de teatro acredita que um espetáculo deve criar uma unidade espiritual na plateia: uma experiência emocional ou intelectual comum. A boa peça, nessa visão, é aquela em que os espectadores comungam o riso ou o choro provocado por efeitos capazes de fazer abstração das diferenças pessoais ou sociais.

Na contramão dessa tendência, o teatro épico costuma se perguntar: qual é o sentido de uma unidade sentimental numa sociedade dividida em classes? Que aspectos do tema ou da forma são os responsáveis pelos efeitos comoventes e por sua capacidade de agregar ou desagregar?

Essas questões exigem sempre reflexões práticas e são fundamentais para o teatro épico, sobretudo em sua vertente dialética, na qual o trânsito crítico entre o palco e a plateia dimensiona o alcance artístico da obra.

A primeira vez em que a Companhia do Latão enfrentou esse debate, sobre *o papel do público,* foi na ocasião da montagem de *A comédia do trabalho.*

O espetáculo estreou no Teatro Sesc Anchieta em agosto de 2000. Sendo um grupo de artistas que costuma extrair sua alegria dos assuntos da pesquisa, pouco se preocupando com os efeitos de circulação do seu trabalho, o Latão até então atentava exclusivamente para o prazer do aprendizado, pesando muito pouco no alcance social de seu trabalho.

Essa orientação, que segue forte até hoje, foi dialetizada, entretanto, com a carreira da peça *Santa Joana dos Matadouros,* de 1998, que nos aproximou de espectadores muito ativos do ponto de vista político, entre os quais movimentos sociais como o MST.

Com essa peça de Brecht, nos defrontamos, de modo irremediável, com a possibilidade de um prazer produtivo que não advém apenas da invenção formal, mas também da invenção social. Foi ali que começamos a romper o cerco das expectativas puramente culturais erguidas em volta de nosso trabalho teatral, passando a refletir sobre um embate cada vez mais necessário (em sua desigualdade de forças) com o aparelho produtivo.

A comédia do trabalho, assim, foi concebida como um desdobramento de *Santa Joana.* De um lado, ainda, como um estudo sobre um tema: o da precarização do trabalho no capitalismo periférico atual. Esse tema, por sua vez, nos cobrava um estudo de formas não dramáticas. Por outro lado, surgia como fundamento da pesquisa o desejo de aprofundar o aprendizado político gerado pelas formas de relação com públicos oriundos de movimentos sociais, sindicatos, escolas e associações. Dizíamos, entre nós, a partir da trajetória da Joana de Brecht: faremos uma montagem que tolere a presença de um bebê chorando no colo da mãe, que acolherá trabalhadores que não têm com quem deixar os filhos.

Com o convite para apresentarmos *A comédia do trabalho* no Teatro Sesc Anchieta, meu interesse em uma encenação no estilo de *agitprop* foi radicalizado. Como muitos de minha geração de teatro, mantenho uma relação afetiva com essa sala de espetáculos. Afora o fato de ser o melhor palco italiano da cidade, com excelentes condições técnicas, visuais e acústicas, foi um lugar central na formação de muitos de nós, que ali assistimos a importantes montagens nacionais e internacionais, e realizamos obras de novatos em festivais conhecidos como Jornada Sesc de Teatro. O Anchieta é, para nós, um lugar de pesquisa teatral sofisticada.

Por certo espírito de contradição mais ou menos organizado, imaginei fazer de *A comédia do trabalho* um experimento de choque antifetichista, o que deveria incidir inclusive sobre a casa de espetáculos. A força da encenação, assinada por mim e Márcio Marciano, mas, a rigor, criação coletiva, deveria ser proporcional à capacidade dela de se opor aos estereótipos pós-modernistas sobre o tema do trabalho, da luta de classes e da história. Mas ela deveria, também, ser capaz de desmontar uma aura culturalizada que começava a revestir o próprio trabalho do Latão, a despeito de suas intenções mais produtivas, e que seria amplificada por essa estreia em um templo do "teatro de pesquisa". Era importante, assim, entrar em atrito com as expectativas formais reforçadas por nossa estreia no Teatro Sesc Anchieta.

Não é o caso de relatar o processo de ensaios, já bem documentado. Mas cabe mencionar que nele se incluíram ações inéditas na história do grupo: organizamos pré-estreias para espectadores organizados. A primeira em uma escola de teatro de Santo André. A segunda e mais importante, em um assentamento rural, ao ar livre, no interior do Paraná, em que os fazendeiros da região derrubaram árvores para atrapalhar a chegada dos ônibus de camponeses. E uma terceira em um centro cultural de um bairro muito pobre da periferia de São Paulo.

Foram sessões que prepararam os atores para o corpo a corpo com qualquer público: exigiram amplificações narrativas e ajustes aos tempos das reações inesperadas. Estávamos conformando a montagem ao diálogo com plateias populares que interferem ruidosamente na cena.

Quando entramos nos preparativos da montagem para a estreia no Teatro Sesc Anchieta, já sabíamos que o trânsito entre palco e plateia deveria ser da ordem da "ocupação". A cenografia, composta em parte por um enorme tecido que simulava um jornal de classificados, combinava anúncios de empregos, de mercadorias e de escravos procurados. Foi disposta de modo a se derramar para além da boca de cena. A luminosidade brilhante de uma bateria de geral feita de duas linhas de frente e duas de contra, preenchida por refletores laterais sem gelatinas ou difusores coloridos, era feita de muitos tons de branco, segundo o ideal de uma inteligibilidade narrativa. A caixa-preta se desritualizava ao expor suas estruturas e ao se deixar abrir pelos elementos de cena. Organizamos as marcas para que ocupassem o proscênio sempre que possível. A relação teatral era escancarada. Tudo

se ofereceria de frente, em um deliberado esquematismo formal que só fazia sentido pleno no embate com a imagem do teatro como "arte elevada" carregada pelo espectador. Quanto mais complexa a relação ficcional representada (e a tessitura dramatúrgica da peça, por baixo das falas objetivas, era sofisticada, articulando muitos planos), mais a cena se fazia direta, coral e anti-individualista. O efeito cômico nascia, assim, de um conjunto de fatores. Não vinha só das visões sobre o capitalismo em luta (o que invariavelmente dividia os espectadores), mas também de opiniões diversas sobre a função do teatro. Era uma peça que separava os espectadores de acordo com visões sobre a luta de classes: Você está rindo de quem? Com quem?

Começava ali, no palco do Anchieta, não apenas a história de um dos mais importantes espetáculos da Companhia do Latão, mas também um projeto novo, em que a crítica ao aparelho produtivo do teatro e a reflexão sobre os modos de desmontar o *pathos* unificador da plateia entram em cena como ferramentas de uma reativação da tarefa de crítica da ideologia (esse gato de sete vidas, que sempre renasce, como já disse Bento Prado Jr.).

O mesmo Teatro Sesc Anchieta veio a acolher estreias de realizações dramatúrgicas mais importantes na Companhia do Latão, como *Visões siamesas* (2004). Mas nunca o espaço teatral – e sua ideologia – foi tão radicalmente incorporado à montagem como em *A comédia do trabalho.*

Certa vez, durante aquela temporada sempre lotada, vi um senhor de óculos sair do banheiro e dizer de modo muito audível para sua esposa: "tem uma gente estranha aí dentro". Logo depois, o grupo suspeito atravessava a porta para o saguão: eram estudantes, todos jovens negros, alguns com bonés e roupas da cultura *hip-hop*, trazidos da periferia por um professor politizado. Desse "estranho grupo" vieram as gargalhadas mais animadas naquela sessão de um espetáculo que, a despeito de sua inteligência, muita gente desqualificava como formalmente grosseiro. O decisivo, no teatro, não acontece no palco, mas através dele.

CRONOLOGIA
E FICHAS TÉCNICAS
DOS ESPETÁCULOS
1967-2016

Apesar de todo o empenho durante a pesquisa, alguns espetáculos não apresentam a ficha completa.

1968

ESPETÁCULOS EM TEMPORADA

Título: *A mulher de todos nós*
Cidade: Rio de Janeiro, RJ
Texto: Henry Becque
Direção: Fernando Torres
Adaptação: Millôr Fernandes
Elenco: Cledi Marisa, Fernanda Montenegro, Ítalo Rossi, Perry Salles e Sérgio Britto
Cenografia: João Maria dos Santos

Título: *Carlitos vai ao circo*
Cia.: Ricardo Bandeira
Cidade: São Paulo, SP
Texto e direção Ricardo Bandeira
[Apesar de ser o primeiro mímico paulistano, e quiçá brasileiro, a ser reconhecido e a viver de seu trabalho, é extremamente difícil encontrar material sobre o ator. Há, no entanto, um documento a respeito de seus 25 anos de carreira. Trata-se de "Homenagem do século XXI a Ricardo Bandeira", São Paulo, s/d.]

Título: *Electra*
Cia.: Grupo Teatro Rotunda
Cidade: Campinas, SP
Texto: Sófocles
Tradução: Mário da Gama Kury
Direção: Teresa Aguiar
Elenco: Ana Lucia Vasconcelos, Ariclê Perez, Carlos Veloso, Cristina Mello, Elzinha, José de Abreu, Jota de Oliveira, Lourdes de Moraes, Maria Lucia, Maria Luiza, Renata Barros, Ronaldo Baroni, Rosamaria, Rose, Silvia e Zezé
Cenografia: Geraldo Jurgensen
Figurinos: Ana Lucia
Iluminação: Amadeu Tilli

Título: *Hamlet*
Cia.: Ricardo Bandeira
[Paralelamente às temporadas dos espetáculos, *Carlitos vai ao circo* e *Hamlet*, Ricardo Bandeira também oferece um curso de mímica.]

Título: *Jorge Dandin*
Cia.: Grupo de Teatro da Cidade
Cidade: Santo André, SP
Texto: Jean-Baptiste Poquelin – Molière
Direção: Heleny Guariba
Elenco: Ademir Rossi, Aníbal Guedes, Antônio Natal, Antônio Petrin, Clésio Bronjado, Dilma Maximiliano, Estrimilique, Flávio Galeazzo, Josias de Oliveira, Luzia Carmela, Manuel de Andrade, Otto Coelho, Silvia Borges, Sônia Braga e Sônia de Oliveira
Cenografia e figurinos: Flávio Império
[O espetáculo contou com a participação de operários no elenco. Pelo excelente trabalho na direção, Heleny Guariba recebe, em 1969, o prêmio de direção revelação, concedido pela Associação Paulista de Críticos Teatrais – APCT. Ligada à organização Vanguarda Popular Revolucionária – VPR, Heleny é presa em março de 1971. Em julho do mesmo ano, é enviada para o Rio de Janeiro, e desde então nunca mais se ouve falar dela.]

FESTIVAL DE TEATRO AMADOR DO SESC

Título: *A incelença*
Cia.: Escola de Arte Dramática - EAD
Cidade: São Paulo, SP
Texto: Luís Marinho
Direção e adaptação: Rui Nogueira
Elenco: Ana Maria Barreto, Célia de Lima, Claudio Lucchesi, Cleusa Ventura, Eliana Vieira, Esther Góes, Jefferson del Rios, José Carlos Leme, Joaquim Marques, Jurandir Magalhães, Neide Deritto, Lourenço Tenore, Lúcia Carvalho, Ney Latorraca, Oslei Delamo e Tárcio Cardelli
[Espetáculo de abertura do festival, posteriormente reapresentado no Festival EAD.]

Título: *O santo milagroso*
Cia.: Teatro de Arena do Sesc
Cidade: Santos, SP
Texto: Lauro César Muniz
Direção: Eugênio de Lima
Elenco: José Greghi Filho, Romeu Demtchuk, Sérgio Gomes e Terezinha Coelho Covas
Cenografia e figurinos: José Greghi Filho

Título: *Ária do campo*
Cia.: Nosso Grupo do C. S. João de Vasconcellos
Cidade: São Paulo, SP
Texto: Edna Marie St. Milley
Direção: Carlos Lupinacci
[Por ter conquistado o 2º lugar no Festival de Teatro Amador do Sesc em 1968, o espetáculo foi reapresentado em 3 de março de 1969.]

Título: *O prodígio do mundo ocidental*
Cia.: Tequi – Teatro de Equipe do Sesc Avenida Paulista
Cidade: São Paulo, SP
Texto: John M. Synge
Direção: José Carlos Proença
Elenco: Dan La Laina, entre outros

Título: *O auto da fé*
Cia.: Grupo Experimental de Teatro Sesc Avenida Paulista
Cidade: São Paulo, SP
Texto: Tennessee Williams
Direção: Ruben Meyer

Título: *Um elefante no caos*
Cia.: Pequeno Teatro de Vanguarda
Cidade: Presidente Venceslau, SP
Texto: Millôr Fernandes
Direção: Nelson Reis Oberlander

Título: *Dias felizes*
Cia.: Teatro do Sesc do C. S. Orval Cunha
Cidade: Taubaté, SP
Texto: Claude-André Puget
Direção: Osmar Barbosa

Título: *Procura-se uma roupa*
Cia.: Grupo Teatral Gil Vicente
Cidade: Bauru, SP
Texto: Pedro Bloch
Direção: Celina Lourdes Alves Neves

Título: *O mestre*
Cia.: Teatro Amador dos Estudantes

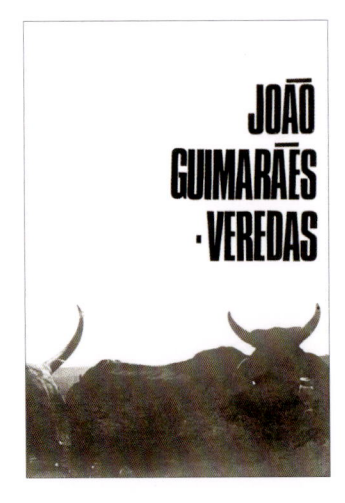

Cidade: Penápolis, SP
Texto: Eugène Ionesco
Direção: Enio Soliani Jr.

Título: *O auto da compadecida*
Cia.: Corpo Cênico Ujelan
Cidade: São Paulo, SP
Texto: Ariano Suassuna
Direção: Thales de Castro Maia

Título: *Electra*
Cia.: Grupo Tarefa do Sesc Carmo
Cidade: São Paulo, SP
Texto: Sófocles
Direção: Sebastião Milaré

Título: *A pena e a lei*
Cia.: Grupo de Teatro do Sesc Vila Nova
Cidade: São Paulo, SP
Texto: Ariano Suassuna
Direção: Maria Dolores Pruano

Título: *Alô, alguém lá?*
Cia.: Grupo Experimental dos Orientadores Sociais
Cidade: São Paulo, SP
Texto: William Saroyan
Direção: O grupo

Título: *À margem da vida*
Cia.: Grupo Studium do Sesc Vila Nova
Cidade: São Paulo, SP
Texto: Tennessee Williams
Direção: Carlos Olail de Carvalho
Elenco: Nilda Sevilla Rambeli, Hilde Desirée Lotufo, João Augusto Geraldini e Gilberto Piam

Título: *O médico volante*
Cia.: Grupo Arespa do Sesc
Cidade: Ribeirão Preto, SP
Texto: Jean-Baptiste Poquelin – Molière
Direção: Wagner Cabral Spagnol

Título: *Antígona*
Cia.: Gotas – Grupo Original de Teatro Amador do Sesc
Cidade: São Carlos, SP
Texto: Sófocles
Direção: Nevio Dias

Título: *A estória do zoológico*
Cia.: Creta – Centro Renovador de Estudos Teatrais
Cidade: Ribeirão Preto, SP
Texto: Edward Albee
Direção: Ademir Anibal Greggi

Título: *A guerra mais ou menos santa*
Cia.: Grupo Ultimatum
Cidade: Campinas, SP
Texto: Mário Brasini
Direção: Alcides José Moura Lot

FESTIVAL EAD – ESCOLA DE ARTE DRAMÁTICA

Título: *O relicário*
Texto: Coelho Neto
Direção: Maria José de Carvalho
Cenografia: José Joaquim Marques

Título: *O rato no muro* e *O visitante*
Texto: Hilda Hilst
Direção e adaptação: Terezinha de Aguiar
Elenco: Anamaria Barretto, Bri Fiocca, Célia Olga Benvenutti, Cláudio Luchesi, Esther Góes, Isa Kopelman, Lilita de Oliveira Lima, Maria Antonieta Penteado, Maria Terezinha Fonseca, Mariclaire Brant, Maura Soares Arantes e Oslei Delamo
Cenografia: Geraldo Jurgensen
Figurinos: Cláudio Luchesi

Título: *As alegres comadres de Windsor*
Texto: William Shakespeare
Tradução: Esther Mesquita
Direção: Alfredo Mesquita
Elenco: Anamaria Barreto, Antonio Januzelli, Bolívio Wernz, Bri Fiocca, Carlos Alberto de Simone, Carlos Alberto Riccelli, Carlos Alberto Soffredini, Célia Olga Benvenutti, Cláudio Luchesi, Cleusa Ventura, Darcio Gardelli, Eliana Vieira, Edna Falchetti, Isa Kopelman, Isabel Torres, Jefferson del Rios, José Carlos de Aquino Lemes, José Joaquim Marques, Jurandir Magalhães, Lilita de Oliveira Lima, Maria Alice da Costa, Mariclaire Brant, Ney Latorraca, Oslei Delamo, Paulo Hesse, Sérgio Luiz Rossetti, Vicente de Lucca, Walter Cruz e Walter Franco

Cenografia: Gilda Muller
Figurinos: José Carlos Proença

Título: *O defunto*
Texto: René Obaldia
Tradução e adaptação: Alfredo Mesquita
Direção: Silnei Siqueira

Título: *Entre quatro paredes*
Texto: Jean-Paul Sartre
Tradução: Guilherme de Almeida
Direção e adaptação: Paulo Hesse

1969

ESPETÁCULOS EM TEMPORADA

Título: *Histórias do Brasil*
Cia.: Os Jograis de São Paulo
Cidade: São Paulo, SP
Texto: Os Jograis de São Paulo
Direção e adaptação: Ruy Affonso
Elenco: Gustavo Pinheiro, Nilson Condé e Wolney de Assis

Título: *As criadas*
Cia.: Escala
Cidade: Curitiba, PR
Texto: Jean Genet
Tradução: Francisco Pontes de Paula Lima
Direção e adaptação: Oraci Gemba
Elenco: Antonio Sérgio, Auci Guarnieri, Christo Dikoff, Danilo Avelleda, Denise Stoklos, Hárcia Macarena, Iris Weigert, Lola Moncada e Siomara Gomide
Cenografia: Oraci Gemba
Figurinos: Maria Correia Lopes

Título: *João Guimarães: veredas*
Cia.: Nydia Licia e Teatro Rotunda
Cidade: São Paulo e Campinas, SP
Texto: João Guimarães Rosa
Direção e adaptação: Renata Pallottini
Elenco: Afonso Cláudio, Alceu Nunes, Alexandre Dressler, Emmanuel Cavalcanti, Jofre Soares, José Marinho, Néri Victor, Nydia Licia, Otávio Marinho, Petrúcio Araujo e Sônia Samaia
Cenografia: Maureen Bisilliat

Título: *Romanceiro da Inconfidência*
Cia.: Teatro Universitário
Cidade: Piracicaba, SP
Texto: Cecília Meireles
Direção e adaptação: J.M. Ferreira

Título: *Natal na praça*
Cia.: Plateia

Título: *A moreninha*
Cia.: Companhia Teatral Cláudio Petraglia
Cidade: São Paulo, SP
Texto: Joaquim Manuel de Macedo
Direção: Osmar Rodrigues Cruz
Adaptação: Miroel Silveira e Cláudio Petraglia
Elenco: Adolfo Machado, Carlos Alberto, Cláudia Mello, Gésio Amadeu, Iná Rodrigues, Lúcia Melo, Marília Pêra, Nilson Condé, Paulo Condini, Perry Salles, Regina Viana, Ricardo Petraglia, Sônia Oiticica e Zezé Motta
Cenografia e figurinos: Flavio Phebo
Direção musical: Cláudio Petraglia

Título: *Hamlet*
Cidade: São Paulo, SP
Texto: William Shakespeare
Tradução: Geir Campos e Flávio Rangel
Direção e adaptação: Flávio Rangel
Elenco: Antonio Marcos, Antonio Pedro, Armando Borghi Jr., Beatriz Segall, Carlos Silveira, Cláudio Corrêa e Castro, Clovis Marcos, Eduardo Zá, Fernando Esposel, Fredi Kleemann, Geraldo Malheiros, Iacov Hillel, Jonas Bloch, Januário Adriano, José Santana, Laerte Tvardovsky, Lilian Lemmertz, Linneu Dias, Lutero Luiz, Marco Antonio Leão, Otávio Augusto, Paulino Ferranti, Raul Santos, Sérgio Gontijo, Urias Arantes, Waldemar Silas, Waldires Bruno, Walmor Chagas, Zanoni Ferrite, Zezé Motta e Zózimo Bulbul
Cenografia: Flávio Rangel
Figurinos: Alceu Penna
[Espetáculo também apresentado em 1970.]

II FESTIVAL DE TEATRO AMADOR DO SESC

Título: *Tartufo*
Cidade: Belo Horizonte, MG
Cia.: Teatro Universitário de Minas Gerais
Texto: Jean-Baptiste Poquelin - Molière
Tradução: Jacy Monteiro e Pontes de Paula Lima
Direção e adaptação: Haydée Bittencourt
Elenco: Ademar Rodrigues, Arimatéa Cunha, Áurea Cintra, Carlos Ronci, Elena Antipova, Elias Martins, Irene Corrêa, João Bosco Alves, Maria José Rezende, Marilene Nasario, Newton Zimmerer, Orlando Soares e Washington Lasmar

Título: *A mandrágora*
Cia.: Teatro Jovem
Cidade: São José do Rio Preto, SP
Texto: Nicolau Maquiavel
Tradução: Mário da Silva
Direção e adaptação: José Eduardo Vendramini
Elenco: Fábio Marques dos Santos, Humberto Sinibaldi Neto, José Reinaldo Barbosa, Maria Cristina Miceli, Nair Rocha, Raildo Viana e Ricardo Albuquerque
Cenografia: Leopoldo Miceli
Figurinos: José Eduardo Vendramini
Iluminação: Hugo Saur

Título: *Gênesis*
Cia.: Niilista
Cidade: São Paulo, SP
Texto e direção Gilberto Souto
Elenco: Celso Lucas, Maitê Luanda, Marilene Sanches e Umberto Eufran

Título: *As troianas*
Cia.: Teatro Amador Sion
Cidade: São Paulo, SP
Texto: Eurípides
Tradução: Mário da Gama Kury
Direção e adaptação: Cláudio Luchesi
Elenco: Ana Helena Moura de Souza Barros, Ana Maria Buoniconte, Angelina Franceschini, Beatriz Viana Pérez, Cecília Helena Moura de Souza Barros, Constança Vieira de Carvalho, Cristina Ricardo, Isabel Gomes Pinheiro, Maria Haydée Machado de Moraes, Maria Helena Barbosa Gonçalves, Maria Salete Siqueira Prado, Regina Cordeiro, Stella Beatriz de Abreu, Susana Paiva de Barros e Sylvia Miguêz
Cenografia: Cláudio Luchesi
Figurinos: Maria Helena Moura de Souza Barros
Iluminação: José Ricardo Barbosa Gonçalves

Título: *Máscaras*
Cia.: Studium
Cidade: São Paulo, SP
Texto: Menotti del Picchia
Direção e adaptação: João Augusto Geraldini
Elenco: Desirée Pian, Eduardo Karan, Gilberto Pian e João Augusto Geraldini
Cenografia, figurinos e iluminação: Desirée Pian

Título: *Testemunha de acusação*
Cia.: Grupo Iniciativa do Centro Social Mário França
Cidade: São Paulo, SP
Texto: Agatha Christie
Direção: Aristeu Ladeira Jr.
Elenco: Anatole Grecu, Aristeu Ladeira Jr., Célia Rocha, Cledeston Farah, Maria Alice Delboni, Maria Estela Silva, Ricardo Oliveira e Rosalina Fiusa
Iluminação: José Borges

Título: *Debaixo do plátano*
Cia.: Gente do Centro Social Alfredo Aranha de Miranda
Cidade: Campinas, SP
Texto: Samuel Spewack
Direção e adaptação: Lidia Colaferri
Elenco: Carlos Alberto Nunes, Cláudia Gonçalves Rodrigues, Eliana Ribeiro Fernandes, Elizete Zanlorenzi, Ethel Schwartzman, Irene Macedo Pires, Janete Previde, José Francisco Abdal, Josênia de Oliveira, Luis Antonio Calais, Maria de Fátima Abdal, Maria de Fátima Silvano, Maria Silvia F. Duarte do Páteo, Nilcy Neiva Motta, Ricardo João Nunes, Rosa Maria C. Fagnani, Rosângela Guimarães, Rubens Lourenço Denófrio e Suely Nunes de Almeida
Cenografia: Jerônimo Nobory e o grupo

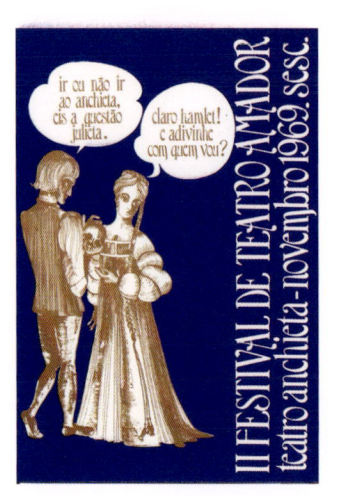

Figurinos: Maria Irma Hadler e Lidia Cola Ferri
Iluminação: Carlos Alberto Vieira do Amaral

Título: *Esse ovo é um galo*
Cia.: Grupo Teatral Gil Vicente do C. S. Nelson Fernandes
Cidade: Bauru, SP
Texto: Lauro César Muniz
Direção e adaptação: Celina Lourdes Alves Neves
Elenco: Adilson Santini, Alziro Rosa, Carlos Alberto Laves Neves, Carlos Antonio Sanches, Clovis Portinho, Emier Barreto Jr., Izavan Dias, Julio Roberto de Oliveira, Nilton de Oliveira, Pedro Mesquita, Solange Maria Teodoro, Sônia Micilei Braga e Terezinha Volpato
Cenografia e figurinos: Celina Lourdes Alves Neves
Iluminação: Edvaldo Santina

Título: *O patinho preto*
Cia.: Teatro Amador dos Estudantes
Cidade: Penápolis, SP
Texto: Walter Quaglia
Direção e adaptação: Maria Tereza A. Viana
Elenco: Célia F. Anhesine, Célia R. Vallego, Cristina Teixeira, Fernando C. Vallego, Jânio J. Raimundo, Maria José Pereira, Mauro Pacheco, Otávio Mandra, Rosely Fattori, Waldir Serra e Wilce de Souza
Cenografia: Nancy Pastore, Adauto Moreira e Waldir Serra
Figurinos: Maria Tereza A. Viana, Cristina Teixeira e Maria José Pereira
Iluminação: Rafael Lacava e Francisco Faria

Título: *O rio*
Cia.: Grupo Motivo
Cidade: São José dos Campos, SP
Texto: João Cabral de Melo Neto
Direção e adaptação: Pedro Paulo T. Pinto
Elenco: André Luís Cardoso Freyre, Cyro Pereira, José Almir Reis, José Renato, Maria José Gomes da Silva, Murilo Cesar Soares e Paulo Eduardo de Souza

Título: *Mortos sem sepultura*
Cia.: Pequeno Teatro de Vanguarda
Cidade: Presidente Venceslau, SP
Texto: Jean-Paul Sartre
Direção e adaptação: Nelson Reis Oberlaender
Elenco: Antonio Fávaro, Clóvis Borborema Santana, Ernesto Cavalheiro Scorza Neto, Jaime Isidoro Pereira, José Marcos Alves Ribeiro, Luiz Augusto Guirro, Mauricio de Lima, Nelson Reis Oberlaender, Roosevelt Roque dos Santos, Rubens Paulo da Silva, Vitória Cristina D'Incao e Walter Dias

Título: *Electra*
Cia.: Teatro do Colégio do C. S. Horácio Rodrigues
Cidade: Santos, SP
Texto: Sófocles
Tradução: Mário da Gama Kury
Direção e adaptação: Carlos Alberto Soffredini
Elenco: Arlindo Nunes, Eleonora Nogueira, Evandro Molinari, Flávia Maria Fontes, Gladslene Teixeira, João Albano, Leliane Tobar Galan, Lelita Tobar Galan, Lucia Helena Karaoglan, Lúcia Morgado, Maria Elizabeth Fontes, Maria Elizabeth Vivian, Maria Flávia Caslidne, Maria Luiza da Veiga, Maria Tereza Yago, Nélio Mendes, Regina Helena Bittencourt, Selma Prado Luchesi, Sílvia Benatti e Vanessa de Araújo Medeiros
Cenografia: Antonio Faraco
Figurinos: Gilberta Von Pfuhl
Iluminação: Jéssen Cavalcanti

Título: *Não se preocupe, Dóris, tudo vai acabar bem*
Cia.: Teatro de Equipe do C. S. Horácio de Mello
Cidade: São Paulo, SP
Texto: Jean-Claude van Itallie
Direção e adaptação: Sílvio de Abreu
Elenco: Antonio Roberto Malzoni, Bayard Tonelli, Dan La Laina Sene, Gilberto Assad, Lilian Meyer, Maria Cristina de Moraes, Maria do Carmo V. de Moraes, Miriam Rapsys, Neuza Maria Mollon, Raymundo Alves de Souza, Samira Yázigi Farah e Waldemar Bonaccio
Cenografia e figurinos: José Carlos Proença

Título: *Morte e vida severina*
Cia.: Grupo Terb do C. S. João Di Pietro
Cidade: Catanduva, SP
Texto: João Cabral de Melo Neto
Direção e adaptação: Wagner Roberto Belicimo Homem
Elenco: Álvaro Rogério, Ana Maria Belicimo Homem, Ana Maria Esteves, Carlos Sgarbi, Carmen Cristina Bernardo Franco, Carmen Silva, Doroty Moreno Gil, Feres Coury, José Alberto Urbinatti, José Luis Verdelli, Jussara Amorim, Manoel D'Arco, Maria Aparecida Adano, Maria Silvia Barbosa Elias, Nelson Amanthea, Neusa de Souza, Olga Regina Debenedetti, Raimundo Rodas, Roseni Calsa, Sara Miriam Oliveira, Vera Ester da Costa, Wagner Roberto Belicimo Homem e Walker Braz Canonice
Iluminação: Flávio Costa Perez

Título: *Alô, alguém lá?*
Cia.: Faculdade de Serviço Social
Cidade: São Caetano, SP
Texto: William Saroyan
Direção e adaptação: Márcio Moreira

1970

ESPETÁCULOS EM TEMPORADA

Título: *Coração de vidro*
Cia.: Ricardo Bandeira
Cidade: São Paulo, SP
Texto: José Mauro de Vasconcelos
Direção e adaptação: Ricardo Bandeira
Elenco: Alexandre Jardim, César Macedo, Marcela Ponti, Márcia Petilo, Mariana Jobim, Ricardo Bandeira e Tadeu Valério

Título: *Martins Penna: comédia*
Cia.: Grupo Teatro Moderno de Arte
Direção e adaptação: Ewerton de Castro

Título: *O escorpião de Numância*
Cia.: Teatro da Gonto
Texto: Miguel de Cervantes
Direção: Alexandre Dressler e José Rubens Siqueira
Adaptação: Renata Pallottini

Elenco: Cacilda Lanuza, Cláudio Corrêa e Castro, Ditter Werner, Heleno Prestes, Lourdes de Moraes, Lutero Luiz e Ricardo de Lucca
Cenografia: Sara Feres
Figurinos: Helena Grambecki

Título: *O vermelho*
Cia.: Meta
Cidade: Campinas, SP
Texto: José Ayrton Salvagnini
Direção e interpretação: José Ayrton Salvagnini

Título: *Medeia*
Cia.: Companhia Cleyde Yáconis
Cidade: São Paulo, SP
Texto: Eurípides
Tradução: Aldomar Conrado e Carlos de Queiroz Telles
Direção e adaptação: Silnei Siqueira
Elenco: Ana Lúcia Vasconcelos, Bebeto, Claudia Decastro, Cleyde Yáconis, Daniel Carvalho, Ewerton de Castro, Jandira Martini, Jonas Mello, Laudi Regina, Luzia Junqueira, Marlene Santos, Neusa Messina, Oscar Felipe, Regina Vianna, Rildo Gonçalves, Silvia Leblon e Vic Militello. Palestrantes: Emílio Di Biasi e Timochenco Wehbi
Cenografia e figurinos: José Armando Ferrara e Fernando Fabrini

III FESTIVAL DE TEATRO AMADOR DO SESC

Título: *Um uísque para o rei Saul*
Cidade: Rio de Janeiro, RJ
Texto: César Vieira
Direção: B. de Paiva
Elenco: Glauce Rocha
[Espetáculo convidado para abertura do festival.]

Título: *A sagrada família*
Cia.: Teatro Federação
Cidade: São José do Rio Preto, SP
Texto: Paulo Afonso Grisoli e Tite de Lemos
Direção: Eduardo Vendramini
Elenco: Ana Lúcia Cavalieri, Antonio Garcia Vilela, Antônio Jesus da Silva, Carlos Gardin, Cristine Conforti, Dagmar Sanches, Divino de Oliveira, Fábio Marques dos Santos, Humberto Sinibaldi Neto, José Carlos Maquezin, J.C. Serroni, José Osmar Gaspar, José Roberto Arduin, Lúcia Helena Berton, Luiz Roberto Sempionato, Márcia Vescovi, Maria Luísa Pessin, Miguel Ângelo Fortunato, Rosalva Stella Xavier e Vera Gonçalves
Cenografia: J.C. Serroni e Antonio Hudson Buck
Figurinos: José Eduardo Vendramini
Iluminação: Hugo Saur

Título: *Todos ao subúrbio*
Cia.: Teatro Jambaí de Comédias
Cidade: São Paulo, SP
Texto e direção Hamilton Saraiva
Elenco: Antônio Pizzo, Eden Silvério, Flor Magalhães, Jacy Saraiva, Lino Celestini, Natividade Pereira e Nélia Brandão
Cenografia: José Roberto Pizzo
Iluminação: Nourival Trindade

Título: *Pedreira das almas*
Cia.: Teatro Estudantil de Novos do C. S. Horácio Rodrigues
Cidade: Santos, SP
Texto: Jorge Andrade
Direção e adaptação: Wilson Geraldo dos Santos
Elenco: Adolfo Andrade, Aparecida Celestino, Carlos Gilberto, Carmo Eduardo, Cláudia Ribeiro, Elisa Corrêa, Elmo Cardoso, Isamar Madsen, Juarez Semog, Levy Alves Carneiro, Maria Teresa Alves, Marlene Marques, Neusa Marques, Sérgio Gomes, Stella Gonzales, Tabajara Campos e Walter Rodrigues
Cenografia: Elmo Cardoso
Figurinos: Walter Rodrigues
Iluminação: Wilson Geraldo

Título: *Mortos sem sepultura*
Cia.: Scurial, do C. S. Mário França de Azevedo
Cidade: São Paulo, SP
Direção: Caetano Martins Fernandes
Elenco: Aureliano Alves, Dan Laina Sene, Gilberto de Moraes, Jaime Motter, José Adriano Martinelli, José do Carmo Soares, Rivaldo Ribeiro, Roberto Miranda Alves e Silvia Cerboncine
Cenografia: Caetano Martins Fernandes
Figurinos: Horlência Gonzalo
Iluminação: Luiz Eduardo F. Giglio

Título: *A muralha da China*
Cia.: Teatro de Grupo
Cidade: São José do Rio Preto, SP
Texto: Max Frisch
Direção: Fernando Muralha
Elenco: Ana Maria Pimentel, Aparecida dos Santos, Batista de Oliveira, Fábio Marques dos Santos, Humberto Sinibaldi, J.C. Serroni, José Roberto Arduin, Leonildo Fabiano, Lizabete, Lorival Macedo, Lucia Helena Berton, Luiz Carlos Rossi, Márcia Vescovi, Miguel Angelo, Nivaldo Alcântara, Oedes Brandt, Pedro de Freitas, Raildo Viana, Reni Cardoso, Roberto de Freitas, Romildo Sant'Ana e Sérgio Luciano
Cenografia e figurinos: José Eduardo Vendramini

Título: *O choque das raças*
Cia.: Grupo de Teatro Paulo Eiró
Cidade: São José do Rio Preto, SP
Texto: Hamilton Saraiva
Direção: Miguel Ângelo Fortunato
Elenco: Antonia Melchiades, Batista de Oliveira, Izabel Carareto, J.C. Serroni, Leonildo Fabiano, Luiz Destefani, Luiz Rossi, Luz C. Bardari, Marco Antonio Silveira, Regina A. Caprara e Sérgio Luciano
Cenografia: José R. Arduin
Figurinos: José Eduardo Vendramini
Iluminação: Roberto de Freitas

Título: *As desventuras de uma criança*
Cia.: Pequeno Teatro de Vanguarda
Cidade: Presidente Vencesláu, SP
Texto: Martins Pena
Direção e adaptação: Nelson Reis Oberlaender
Elenco: Adinir Teixeira Roque, Cidene Miranda Mello, Ernesto Scorza Neto, Tito Livio Ferreira, Vitoria Cristina D'Incao e Walter Dias
Cenografia: Elizabeth Coser Oberlaender
Iluminação: Gerson Dias

Título: *Como matar um playboy*
Cia.: Grupo Teatral Gil Vicente, do C. S. Nelson Fernandes
Cidade: Bauru, SP
Texto: João Bethencourt
Direção: Celina Lourdes Alves Neves
Elenco: Adilson Santini, Carlos Alberto Alves Neves, Francisco de Assis Marcelino, Isavam Dias da Silva, Marcelino e Sônia Miciley Braga
Iluminação: Edvaldo Santini

Título: *O rato no muro*
Cia.: Teatro Situação
Cidade: São Paulo, SP
Texto: Hilda Hilst
Direção: Cláudio Luchesi
Elenco: Ana Judite Barros, Ana Luisa Stavik, Ana Maria Bouniconti, Cecilia Bastos, Cora Tostes, Isabel Pinheiro, Magaly Tango, Maria da Graça Barreto, Maria Emilia Vanzolini e Teresa Kawal
Cenografia e figurinos: Cláudio Luchesi
Iluminação: Salete Prado e Cristina Ricardo

Título: *Morte e vida severina*
Cia.: Jovem Teatro Amparense
Cidade: Amparo, SP
Texto: João Cabral de Melo Neto
Direção: Joacir da Silva Castro
Elenco: Ana Leite, Célia Ferreira, Cezina Fortim, Dorival da Silva, Edmur Lopes Alves, Iêda Matos, João Carlos Leme, Joel Armelini, José Alfredo Leite, José Alves, José Aparecido Miguel, Maria Helena Bueno, Maria Helena Fávero, Natalino Silva e Sérgio Gonçalves
Figurinos: Cleide Formigari
Iluminação: Hamilton Negrão

Título: *Zumbi*
Cia.: Grupo Cênico Regina Pacis
Cidade: São Bernardo do Campo, SP
Texto: Gianfrancesco Guarnieri, Augusto Boal e Edu Lobo
Direção: Antonino Assumpção
Elenco: Alcides Médici, Ana Maria Médici, Calixto de Inhamuns, Clotilde Azevedo, Hélio Roberto de Lima, Hilda Breda, José Antônio Guazzelli, Maria Tereza Guazzelli, Viva Ramos e Wanda Célia Machado

Iluminação: Antonino Assumpção
Direção musical: Mário

Título: *Woyzeck*
Cia.: Teatro de Ensaio do CCD Carlos de Souza Nazareth
Cidade: São Paulo, SP
Texto: Georg Büchner
Direção: Ibsen Wilde
Elenco: Antonio S. Pascoal, Antonio V. Ribeiro, Cassilda Wood, Cláudia Guida, Cleize Tavares, Clélia Fernandes, Denise Alves, Denise Lais Lopes, Dirceu Gomes, Flávio Cordeiro, Francisco Ramos, João Carlos Guaraci, Jorge Cotoman, José Pereira, Luiz Brandini, Madi Aimovici, Marcília Rosário, Márcio Bruno, Marina Mendes, Marly Stramandinoli, Milton C. Blaser, Reinaldo Santiago, Sueli Tavares, Wagner Gama, Waldecir Ribeiro, Waldemir Pitareli e Zilda Biacco
Cenografia: Jorge Cotoman
Figurinos: Mady Haimovici
Iluminação: Flávio Rodrigues Cordeiro

Título: *O livro de Cristovão Colombo*
Cia.: Teatro Experimental do Sesc, do C. S. João di Pietro
Cidade: Catanduva, SP
Texto: Paul Claudel
Direção: Gilberto Motta
Elenco: Adhemar Gomyde, Ailton França, Ari Sigorini, Clóvis Molinari Jr., Eliseu Moraes, Gilberto Motta, José Antonio Venturini, José Carlos Tadeu, Manoel Alonso, Pedro Buch, Romeu Nassar Junior e Siderlei de Castro
Figurinos: Carolina Carvalho Ribeiro
Iluminação: José Alfredo Homem

Título: *Evangelho segundo Zebedeu*
Cia.: Teatro do Onze
Cidade: São Paulo, SP
Texto: César Vieira
Direção: Silnei Siqueira
Elenco: Anibal Figueiredo, Antônio Augusto, Auristela Leão, Belisário dos Santos Jr., Claire Marie, Diva Maria, Eduardo Ricardo, Eliane Faia, Elizabeth Nazar, Fausto Pavan, Francisco Medeiros, José Júlio Lucena, Jota Ferreira, Lilian Ribeiro, Luís Alberto Piccina, Márcia Ramos, Márcio Luís Valente, Marco Antônio, Marco Cícero Botino, Marici Abreu Bonafé, Naia Ferreira, Neriney Evaristo Moreira, Onofre Gioia, Pedro Abrahão, Ricardo Vespucci, Rodolfo Malanga, Rosana Paulielo, Thais Elena e Walter Correia
Cenografia e figurinos: José de Anchieta
Iluminação: Milton Lopes

A ESCOLA VAI AO TEATRO

Título: *O comprador de fazendas*
Texto: Monteiro Lobato
Direção: Dulcina de Moraes
Adaptação: Miroel Silveira
Elenco: Buru, Canarinho, Cuberos Neto, Dulcina de Moraes, Fernando Benini, Haercio Suguimoto, Hamilton Monteiro, Henrique César, Ildefonso Filho, Ileana Kwasinski, Ivan Lima, João Pontes, J. Rosemberg, Lurdinha Felix, Nelson de Jesus, Paulo Lara, Salomé Parísio, Silvio Rocha, Waldir Gonçalves da Silva e Wilson Ribaldo
Cenografia e figurinos: Carmélio Cruz
Direção musical: Sandino Hohagen

Título: *O macaco da vizinha*
Cia.: Teatro da Gente
Cidade: São Paulo, SP
Texto: Joaquim Manuel de Macedo
Direção: Cláudio Corrêa e Castro
Elenco: Carlos Alberto, Cecília Maciel, Eraldo Rizzo, Eudósia Acuña, Hugo Duarte e Rui Rezende
Cenografia e figurinos: Campello Netto
Direção musical: Marina Pimentel

1971

ESPETÁCULOS EM TEMPORADA

Título: *Só porque você quer*
Cia.: Paulo Autran
Cidade: São Paulo, SP
Texto: Luigi Pirandello
Tradução: Paulo Autran
Direção: Flávio Rangel
Elenco: Bri Fiocca, Chico Martins, Hedy Siqueira, Hélio Ary, Ibsen Wilde, Izaías Almada, Jorge Chaia, Kleber Macedo, Lafayette Galvão, Madalena Nicol, Marilena Ribeiro, Myriam Muniz, Neuza Rocha e Paulo Autran
Cenografia: Túlio Costa
Figurinos: Ninette van Vuchelen

Título: *As sabichonas*
Cia.: Paulo Autran
Cidade: São Paulo, SP
Texto: Jean-Baptiste Poquelin – Molière
Tradução: Millôr Fernandes
Direção: Silnei Siqueira
Elenco: Chico Martins, Hedy Siqueira, Hélio Ary, Izaías Almada, Jorge Chaia, Kleber Macedo, Lafayette Galvão, Madalena Nicol, Myriam Muniz, Neuza Rocha e Paulo Autran
Cenografia: Túlio Costa
Figurinos: Gilberta von Pfhul
Iluminação: José da Silva

Título: *Mirandolina*
Cia.: Companhia Grupo Teatro da Cidade
Cidade: Santo André, SP
Texto: Carlo Goldoni
Direção: Emílio Di Biasi
Elenco: Amaury Alvarez, Antônio Petrin, José Henrique, Josmar Martins, Luis Parreiras, Luiza Carmela, Manoel Andrade, Osley Delamo, Sônia Guedes e Sylvia Borges
Cenografia: Luiz Parreiras
Iluminação: Manoel

IV FESTIVAL DE TEATRO AMADOR DO SESC

Título: *Prólogo de um festival*
Concepção e apresentação: Walmor Chagas

Título: *Os cegos*
Cia.: Teatro Jovem
Cidade: São José de Rio Preto, SP
Texto: Michel de Ghelderode
Direção: O grupo
Elenco: Ataíde Farias, João Galli, Leopoldo Miceli e Luiz Alberto Araújo. Coro de duendes: Batista, Demilton, Derly, Humberto, Leonildo, Luiz, Marquezin, Nagib, Toninho e Zé Carlos
Cenografia e figurinos: O grupo
Iluminação: Roberto de Freitas

Título: *Leonce e Lena*
Cia.: Teatro Experimental Mogiano
Cidade: Mogi das Cruzes, SP
Texto: Georg Büchner
Direção: Milton Feliciano de Oliveira
Elenco: Amair Ferraz de Campos, Carlos Pires Aguiar, Gerson Benedito de Barros, Iraceles de Abreu, Márcio Chaer, Maria Inês Mariano, Milton Feliciano, Orivaldo Lopes e Valter Padgurschi
Iluminação: Marcos Afonso

Título: *O verbo, o homem, depois o caos*
Cia.: Grupo Cênico Regina Pacis
Cidade: São Bernardo do Campo, SP
Texto: O grupo
Direção: Antonino Assumpção e Sérgio Luiz Rossetti
Elenco: [no programa não constam os sobrenomes, mas em outras fontes foi possível achar alguns dos nomes completos] Albino Alves, Alcides Médici, Ana Maria Médici Cavalhieri, Antonino Assumpção, Borges, Darci Camilo, Guazzelli, Hélio Roberto de Lima, Hilda Breda, Ignês, Isaias, José Antônio, Ladislau, Leodelina, Mário, Maristela, Roberto, Valdir e Viva Ramos
Figurinos: Ivette J. C. Assumpção
Iluminação: Antonio Pinto dos Santos

Título: *O inspetor geral*
Cia.: Teatro Universitário Barão de Mauá
Cidade: Ribeirão Preto, SP
Texto: Nicolai Gogol
Direção: Paulo Roberto Moreira
Elenco: Ariovaldo de Almeida, Benedicto Galvão Mugnaini do Amaral, David dos Santos Cabral, Ivan Romero Sírio, Laudelino Pires Filho, Luís Paulo de Souza Pereira, Maria Alice Azevedo, Maria Bernadete Mori, Nilton Brunelli de Azevedo, Reynaldo Lopes Francisco, Rita Maria Scarabel, Roberto Saraceni, Rubens Chiaroti e Walkiria Borcari
Iluminação: Jair Beloube

Título: *Aquele que diz sim, aquele que diz não*
Cia.: Teatro Universitário Moura Lacerda
Cidade: Ribeirão Preto, SP
Texto: Bertolt Brecht
Direção: Paulo Sérgio Fabrino
Elenco: Ana Maria Nascimento, Eduardo Augusto Coelho, Eunice Mendes do Nascimento, Paulo Sérgio Fabrino e Suely de Lazzar
Figurinos: Adria Ferreira
Iluminação: George Esteves Leão

Título: *A última chuva de verão*
Cia.: Teatro Estudantil Prudentino
Cidade: Presidente Prudente, SP
Texto: Timochenco Wehbi
Direção: Dilma de Melo
Elenco: Antonio José Nogueira, Hilton Nogueira Ferreira, José Maria Campos Freitas e Laerte Silva
Figurinos: Esmeralda Costa
Iluminação: Paulo Roberto Nespoli

Título: *Prometeu acorrentado*
Cia.: Teatro Estudantil Vicente de Carvalho
Cidade: Santos, SP
Texto: Ésquilo
Tradução e Direção: Carlos Alberto Soffredini
Elenco: Angela Maria Marques, Antonio Rodrigues Fernandez, Carlos Alberto, Célia Maria Ferraz, Denir Moreira, Helena Harumi, João Albano Pereira, José Carlos Herédia, José Luiz Rodrigues, Juarez Gomes, Lindalva Parolini, Luis Freire, Marcio Soares, Maria Antonia Miranda, Maria Holanda, Mario Vaz Filho, Orlando Celso, Osnir Santiago, Rodrigo Augusto, Rui Cesar Pietropaulo, Selma Luchesi, Simone Cabral, Silvio Roberto e Thais Guaiba
Figurinos: Nelson Ramos Filho
Iluminação: Eduardo von Pfuhl
[Espetáculo apresentado também em temporada em 1972.]

Título: *O pagador de promessas*
Cia.: Associação de Representações Teatrais
Cidade: Sorocaba, SP
Texto: Dias Gomes
Direção: César Oliveira
Elenco: Adilson Barros, Cesar Oliveira, Eliane Giardini, Ismenia Rogik, Janice Vieira, João Batista, Lúcia Bevevino, Paulo Betti, Regina Oliveira e Walter Rodrigues
Cenografia: Walter Rodrigues
Figurinos: Elizete Giardini
Iluminação: Clóvis e Fernando

Título: *A balada de Manhattan*
Cia.: Teatro Estudantil de Vanguarda
Cidade: Santos, SP
Texto: Leo Gilson Ribeiro
Direção: Wilson Geraldo
Elenco: Adolfo Andrade, Alcídio Barbosa, Amilcar Giudice, Angela Maria Rodrigues, Carlos Alberto Lima, Carlos Gilberto, Carlos Pinto, Deise Rubino, Hilda Auxiliadora, Isamar Gonzalez, Jairo Leão, José Carlos Herédia, Juarez Gomes, Lenimar Rios, Maria Tereza Alves, Marlene de Oliveira, Paulo Novaes, Rogério e Sérgio Pinto Gomes
Figurinos: Walter Rodrigues
Iluminação: Rodrigo Augusto

Título: *Ralé*
Cia.: Teatro de Ensaio
Cidade: São Paulo, SP
Texto: Máximo Gorki
Tradução e Direção: Ibsen Wilde
Elenco: Alfio Abate Jr., Antonio Campos, Antonio de Souza, Aristides Nunes, Augusto Trindade, Celso Guida, Cesar A. Miranda, Claudio Marim, Diná de Lara, Eugenio Crambassi, Eunice Toledo Rodrigues, Francisco Miranda Filho, Gabriel Figueiredo, Gelasio Domingues, José Benedito Correia, Joveline Oliveira, Lidia Oliveira, Luiz Carlos Gouveia, Maria Aparecida A. Lescano, Maria Aparecida Oliveira, Maria Rosa Crespo, Márcio Tadeu, Marcos Celso Costa, Ranolfo Lima, Reinaldo Rodrigues, Roberto Luiz Talarico, Roberto Oliveira e Rosemira Valino
Cenografia: Francisco Miranda
Figurinos: Gelasio Domingues e Claudio Marim
Iluminação: Benedito Correia

Título: *Os demônios*
Cia.: Grupo Experimental de Movimento Teatral
Cidade: São Paulo, SP
Texto: Clóvis Moura
Direção: Luiz Ponzetto

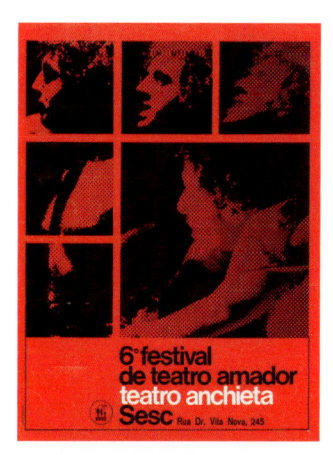

Elenco: Antonio Claudio Ponzetto, Carlos Alberto Monteiro, Carlos Roberto Coelho, Cinira Sartori, Edgar, José Antonio da Silva, Luís Benedito, Maria Aparecida de Souza, M. Bernadete Araújo, Nair e Noemia Sartori

Título: *O homem do princípio ao fim*
Cia.: Grupo Cênico Regina Pacis
Cidade: São Bernardo do Campo, SP
Texto: Millôr Fernandes
Direção: Sérgio Luiz Rossetti
Elenco: Alcides Médici, Ana Maria Médici, Antoninho, Antonino Assumpção, Hélio Roberto de Lima, Hilda Breda, Ignês Vanzella, José Antonio Guazzelli, Leodelina Montibeller e Viva Ramos
Figurinos: Ivette J. C. Assumpção
Iluminação: Antonio Pinto dos Santos
[Espetáculo também apresentado em temporada em 1972.]

Título: *Antígona*
Cia.: Grupo Paulo Eiró
Cidade: São José do Rio Preto, SP
Texto: Sófocles
Tradução: Guilherme de Almeida
Direção: Miguel Ângelo Fortunato
Elenco: Fábio Marques dos Santos, José Eduardo Vendramini, Leonildo Fabiano, Lúcia Berton, Luiz Carlos Rossi, Márcia Vescovi, Maria Luiza Pessin e Sérgio Luciano
Cenografia: José Roberto Arduin
Figurinos: José Eduardo Vendramini
Iluminação: Roberto de Freitas

Título: *Mirandolina*
Cia.: Grupo Teatro da Cidade
Cidade: Santo André, SP
Texto: Carlo Goldoni
Direção: Emílio Di Biasi
Elenco: Amaury Alvarez, Antônio Petrin, José Henrique, Josmar Martins, Luis Parreiras, Luiza Carmela, Manoel Andrade, Osley Delamo, Sônia Guedes e Sylvia Borges
Cenografia: Luiz Parreiras
Iluminação: Manoel

A ESCOLA VAI AO TEATRO

Título: *Um homem é um homem*
Cia.: Companhia Cleyde Yáconis-Carlos Miranda-Oscar Felipe
Cidade: São Paulo, SP
Texto: Bertolt Brecht
Tradução: Aldomar Conrado e Carlos Queiroz Telles
Direção: Emílio Di Biasi
Elenco: Carlos Martins, Carlos Miranda, Cláudio Pucci, Cleyde Yáconis, Daniel Carvalho, Germano Filho, Hélio Ary, João Augusto, Kito Pizano, Lafayette Galvão, Luís Carlos Becker, Marlene Santos, Oscar Felipe e Walter Breda
Cenografia e figurinos: Lucio Menezes

Título: *O santo e a porca*
Cia.: Companhia Cleyde Yáconis-Carlos Miranda-Oscar Felipe
Cidade: São Paulo, SP
Texto: Ariano Suassuna
Direção: Silnei Siqueira
Elenco: Carlos Arena, Daniel Carvalho, Germano Filho, Liana Duval, Neusa Messina, Oscar Felipe e Silvia Leblon
Cenografia e figurinos: Lucio Menezes

1972

ESPETÁCULOS EM TEMPORADA

Título: *Pena que o nosso país não seja a cores ou Quem tem medo de McLuhan*
Direção: Flávio Rangel

Título: *A capital federal*
Cidade: São Paulo, SP
Texto: Artur Azevedo
Direção: Flávio Rangel
Elenco: Ana Maria Barreto, Carlos Koppa, Francarlos Reis, Francisco Milane, Gracindo Freire, Ileana Kwasinski, Laerte Morrone, Lutero Luiz, Suely Franco
Cenografia e figurinos: Gianni Ratto e Ninette van Vuchelen
Coreografia: Marika Gidali
Direção musical: Théo de Barros
Produção executiva: Cleyde Yáconis

Título: *O homem de La Mancha*
Cidade: São Paulo, SP
Texto: Dale Wasserman
Tradução: Paulo Pontes e Flávio Rangel
Direção: Flávio Rangel
Elenco: Alejandro Schwartz, Analy Alvarez, Antônio Mercado, Antônio Petrin, Ariclê Perez, Benedito Corsi, Bernadete Figueiredo, Bibi Ferreira, Celso Karan, Celso Luiz, Dante Ruy, Flávio Siqueira, Francisco Menezes, Geysa Gama, Izaías Almada, Jorge David, Lourival Pariz, Maneco Bueno, Marco Antônio Leão, Odilon Wagner, Paulo Autran, Richard Filho, Roberto Azevedo e Rubens Teixeira
Iluminação: Flávio Rangel
Direção musical: Murilo Alvarenga

Em 1972 o Festival de Teatro Amador do Sesc não apresenta nenhum espetáculo, retornando no ano seguinte.

1973

ESPETÁCULOS EM TEMPORADA

Título: *Tango*
Texto: Slawomir Mrozek
Tradução: Hélio Bloch e E. Kauder
Direção: Amir Haddad
Elenco: Consuelo Leandro, Francisco Dantas, Ivan Setta, Jaime Barcelos, Sadi Cabral, Selma Caronezzi, Tereza Raquel e Vinicius Salvatori
Cenografia e figurinos: Joel de Carvalho

Título: *O carrasco do Sol*
Cia.: Teatro Estável
Cidade: São Paulo, SP
Texto: Peter Shaffer
Tradução e Direção: Madalena Nicol
Elenco: Carlos di Simoni, Danilo Avelleda, Dionísio de Azevedo, Fábio Rocha, Hilton Have, Isaias, Jair Assumpção, Lourival Pariz, Luiz Fernando Rezende, Malu Rocha, Reinaldo Cenes, Ricardo Blat, Rui Frati, Tadeu Rocha, Walter Marins e Zanoni Ferrite
Cenografia: José Armando Ferrara
Figurinos: Edio Guerra
Iluminação: Antonio Mercado

Título: *Botequim*
Cidade: São Paulo, SP
Texto: Gianfrancesco Guarnieri
Direção: Antônio Pedro

Elenco: Alvim Barbosa, Érico de Freitas, Isolda Cresta, Ivan Candido, Jorge Chaia, Marlene (cantora), Nivaldo Mattos, Octavio César, Oswaldo Louzada, Paschoal Villaboim, Toninho Vasconcelos e Vera Lúcia Lima
Cenografia e figurinos: Arlindo Rodrigues

Título: *Casa de bonecas*
Cia.: Espetáculo com elenco especialmente selecionado
Cidade: Rio de Janeiro, RJ
Texto: Henrik Ibsen
Direção: Cecil Thiré
Elenco: Carlos Kroeber, Luiz de Lima, Margot Louro, Nelson Dantas, Rosita Thomaz Lopes e Tônia Carrero
Cenografia: Napoleão Moniz Freire
Figurinos: Aparício Basílio

Título: *Da necessidade de ser polígamo*
Texto: Silveira Sampaio
Elenco: Etty Fraser, Ewerton de Castro e Jayme Barcellos

V FESTIVAL DE TEATRO AMADOR DO SESC

Título: *Rei Momo*
Cia.: Teatro do XI de Agosto
Cidade: São Paulo, SP
Texto e direção César Vieira
Elenco: Ana Lúcia Miranda, Antônio Jordão, Camille Sosser, Cristina Mutarelli, Edna Tosath, Edson Tadeu Branco, Gilberto Carvalho, Gilberto Lopes de Almeida, Hélio Brunetti, Henrique Lisboa Taubaté, Igor Fuser, João Carlos Leme, João Valdomiro de Moraes Filho, José Carlos Cardoso, José Lopes Netto, Laura Tetti, Lázara Ravaglio, Luiz Eduardo Greenhalgh, Luiz Fernando Rezende, Luiz Ravaglio, Marcelino Buru Moreira, Marcos Caruso, Maria Bernardeth, Maria Júlia Pascale, Maria Lúcia Bierronbach, Marici Abreu Bonafé, Miguel Cury, Nadir Santos Silva, Neriney Moreira, Oiran Antonioni, Paulo Carrera, Pedro Abraão Filho, Pedro Minhoco, Roberto Azzi, Sérgio Oliveira, Sérgio Pimentel, Sueli Pacheco, Vera Agostinho, Vitor Bertolluci Jr. e Wilson Xavier

Cenografia e figurinos: Laura Tetti
Direção musical: Vitor Bertolluci Jr.

Título: *Revolução dos beatos*
Cia.: Centro Cultural Guimarães Rosa
Cidade: São Bernardo do Campo, SP
Texto: Dias Gomes
Direção: Sérgio Luiz Rossetti
Elenco: Abdias Gomes, Ana Maria Ramos, Antônio Molina, Cícero Jorge Ferreira, Cláudio Louceiro, Ednaldo Freire, Jussara Freire, Luís Alberto de Abreu, Maria Augusta de Abreu, Maria de Souza Amorim, Mario Lúcio Duarte, Marta Megiolaro, Noemi Gerbelli, Primo Gerbelli, Roberto Barbosa, Sheila Amarante e Tânia A. Franklin
Cenografia e figurinos: Ednaldo Freire

Título: *Os carecentes*
Cia.: Teatro Universitário de Ribeirão Preto
Cidade: Ribeirão Preto, SP
Texto: Eudinyr Fraga
Direção: Graça Melo
Elenco: Adalmir Magalhães, Carlos Nunes, Carolina Bianchi, Célia Pandolphi, Divino de Souza, Guido Heleno, Luciano Mendes, Magda de Moura, Marcos Boschi, Maurício Pandolphi, Norio Higashi, Paulo Giolo, Sérgio Antonio e Valter Strafacci

Título: *Ralé*
Cia.: Grupo Cênico Regina Pacis
Cidade: São Bernardo do Campo, SP
Texto: Máximo Gorki
Direção: Myriam Muniz e Sylvio Zilber
Elenco: Alcides Médici, Aldino Secol, Antonio Borges, Antonio Pinto, Aparecido Alencar, Cícero Alvarenga, Hélio Roberto de Lima, Hilda Breda, José Antonio Guazzelli, José Bonifácio de Carvalho, José Ricardo Nogueira, Juarez Jardim, Judith de Almeida, Neide Gomes Modro, Valdir Montagner, Viva Ramos e Wanda Célia Machado
Figurinos: Ivette Assumpção
Iluminação: Leodelina Montibeller

Título: *O Tiradentes é isso aí*
Cia.: Jambaí
Cidade: São Paulo, SP

Texto: Armando Lopes, Hamilton Saraiva e João Buonome
Direção: Jacques Lagôa
Elenco: Celina Maciel, Conceição Polezzi, Eunice Bosi, Eunice Mendes, Felipe José, Galvão do Amaral, Maria Alice Azevedo, Norberto Angeloco, Nilza Cruz, Regina Célia Carucci, Rubens Chiatorri, Sandra Martins e Suely de Lazzari
Cenografia e figurinos: Paulo Sérgio Fabrino
Iluminação: Antonio Gomes

Título: *Auto da compadecida*
Cia.: Elenco Teatral do Serviço de Educação Supletiva
Cidade: São Paulo, SP
Texto: Ariano Suassuna
Direção: Marcelino Buru
Elenco: Antonio Francisco de Oliveira, Antonio Miranda de Araújo Souza, Arnaldo Gomes, Castiliano da Silva, Elisabeth V. Dorgan, José Luiz Campanhola, Lídio Sarapião, Manoel Marcelino Rocha, Marcelo Lima, Maria Aparecida, Pedroso de Almeida, Severino R. Ferreira, Simplício Zanine, Suiomar, Thony Jarbas e Valdir G. de Oliveira

Título: *As troianas*
Texto: Eurípides
Direção: Carlos Alberto Soffredini
Coordenação geral: Emílio Di Biasi
[Espetáculo composto por integrantes dos grupos selecionados para o festival, após um laboratório coletivo.]

1974

ESPETÁCULOS EM TEMPORADA

Título: *As desgraças de uma criança*
Cia.: Camila Amado
Cidade: Rio de Janeiro, RJ
Texto: Martins Pena
Direção: Antonio Pedro
Elenco: Betty Mendes, Camila Amado, Eduardo Dusek, Lafayette Galvão, Luiz Serra, Marco Nanini e Wolf Maya
Cenografia e figurinos: Colmar Diniz
Direção musical: John Neschling

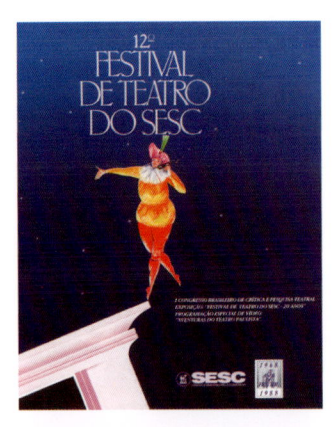

Título: *Um bonde chamado desejo*
Cidade: São Paulo, SP
Texto: Tennessee Williams
Direção: Kiko Jaess
Elenco: Antônio José, Denise Stoklos, Ednei Giovenazzi, Eva Wilma, Flávio Cardoso, Gilson Filho, Maria Helena, Nuno Leal Maia, Pepita Rodrigues, Rubens Rollo, Yvete Bonfá
Cenografia e figurinos: Gianni Ratto

VI FESTIVAL DE TEATRO AMADOR DO SESC

Título: *O inspetor geral*
Cia.: Teatro da Fundação das Artes
Cidade: São Caetano do Sul, SP
Texto: Nicolai Gogol
Direção: Jonas Bloch
Elenco: Airton Andrade Leite, Antonio Carlos da Silva, Celso Alexandre de Paschoal, Edésio Rodrigues Jr., Edson Marcellos, Elber Borges, Fernando Antonio de Mello, Francisco Nilson Modesto, Haydée Figueiredo, Isabel Maria Ramos, Jair Assumpção, Lineu Constantino, Marcos Antonio Stocco Castro Neves, Maria do Carmo Fávero, Maria Margarete Galvão, Paulo Demétrio Soares, Ricardo Marciano, Silvio Alonso e Valdir Zanini
Cenografia e figurinos: O grupo
Iluminação: Richards Paradizzi

Título: *Os pequenos burgueses*
Cia.: Teatro de Arte – Tear
Cidade: Santo André, SP
Texto: Máximo Gorki
Direção: Jonas Bloch
Elenco: Célia Leal, Isabel Maria, Ivo Rodrigues, Jair de Assumpção, Judith Pupo, Lucilara Vidal, Marcos de Oliveira, Milton Ferreira, Noreta Vezzá, Ricardo Marciano e Sérgio Cricca
Cenografia e figurinos: Jonas Bloch
Iluminação: Leda Senise

Título: *Tempo dos inocentes e tempo dos culpados*
Cia.: Teatro Amador Doces e Salgados
Cidade: Santo André, SP
Texto: Siegfried Lenz
Tradução: Elizabeth e Roberto Vignati

Direção: Roberto Vignati
Elenco: Aylton de Oliveira, César Camargo, Cláudio Camargo, Ednaldo Freire, Luís Alberto [de Abreu], Luiz Antônio Marigo, Mário César Camargo, Mário Lúcio Duarte, Primo Gerbelli, Roberto Barbosa e Rubens Agrippino
Cenografia: O grupo
Figurinos: Jussara Freire
Iluminação: Roberto Vignati

Título: *Morte e vida severina*
Cia.: Grupo de Teatro Estudantil do C. E. de Paecará
Cidade: Guarujá, SP
Texto: João Cabral de Melo Neto
Elenco: Aneliza Santos, Antonio Carlos, Célia Lima, Cida Gama, Glacy Cléa, João Batista, Josefa Araújo, Juricema Batista, Lola Cardoso, Luiz Amorim, Luiz Miranda, Maria Monção, Maria Nazaré, Maria Santana, Marilene Santos, Regina Aparecida, Sônia Oliveira, Valmir Moreira, Waldery Almeida e Zenilde Teles

Título: *A lição*
Cia.: Teatro Amador Porão 7
Cidade: São Carlos, SP
Texto: Eugène Ionesco
Tradução: Luiz de Lima
Direção: Fernando César
Elenco: Angelo Bonicelli, Dirce Semensato e Sueli Bicaletto
Cenografia: Fernando César
Figurinos: Carlos Pegatin
Iluminação: José Cerruti Sobrinho

Título: *O defunto*
Cia.: Teatro Experimental dos Universitários
Cidade: Santos, SP
Texto: René Obaldia
Direção: Valter Rodrigues
Elenco: Adolfo Andrade, Carlos Lima, Sérgio Gomes e Valter Rodrigues
Cenografia: Adolfo Andrade
Figurinos: Sérgio Gomes
Iluminação: Jair Degastro

Título: *Ubu-rei*
Cia.: Teatro Estudantil dos Universitários
Cidade: São Paulo, SP
Texto: Alfred Jarry

Direção: Sérgio Luiz Bambace
Elenco: Luiz Henrique, entre outros
Figurinos: Luiz Henrique
Iluminação: Roger Salário

Título: *Vereda da salvação*
Cia.: Grupo Vereda do Centro de Artes da Educabrás
Texto: Jorge Andrade
Direção: Carlos Fischer
Elenco: Amélia Silveira, Carolina Camargo, Ismael Ivo, José Antonio, Nivaldo Todaro, entre outros
Iluminação: Eduardo Mandell
Direção musical: Carlos Fischer

Título: *A alma boa de Set-Suan*
Cia.: Grupo Jambaí
Cidade: São Paulo, SP
Texto: Bertolt Brecht
Direção: Saraiva

1975

ESPETÁCULO EM TEMPORADA

Título: *Réveillon*
Texto: Flávio Márcio
Direção: Paulo José
Elenco: Ênio Gonçalves, Mário Prata, Regina Duarte, Sérgio Mamberti e Yara Amaral
Cenografia e figurinos: Flávio Império
Iluminação: Abel Kopanski

1976

ESPETÁCULOS EM TEMPORADA

Título: *Doutor Knock*
Texto: Jules Romains
Tradução e direção: Paulo Autran
Elenco: Henriette Morineau, Karin Rodrigues, Paulo Autran, Ruthinéia de Moraes e Walter Stuart
Cenografia: Marcos Flaksman

Título: *A rainha do rádio*
Texto: José Saffioti Filho
Direção: Antônio Abujamra
Elenco: Cleyde Yáconis
Cenografia e figurinos: Elias Andreato

Título: *Seria cômico... se não fosse sério*
Texto: Friedrich Dürrenmatt
Tradução: Willy Keller e Nice Rissone
Direção: Celso Nunes
Elenco: Fernanda Montenegro, Fernando Torres e Sylvio Zilber
Cenografia e figurinos: Marcos Flaksman
Direção musical: Egberto Gismonti

1977

ESPETÁCULOS EM TEMPORADA

Título: *O santo inquérito*
Texto: Dias Gomes
Direção: Flávio Rangel
Elenco: Carlos Cambraia, Henrique Lisboa, João Vasques, Oscar Felipe, Paulo Leite, Regina Duarte, Sérgio Milletto, Tácito Rocha, Thaná Corrêa, Umberto Magnani e Zanoni Ferrite
Cenografia e figurinos: José de Anchieta

Título: *Um ponto de luz*
Cia.: The Royal Bexiga's Company
Cidade: São Paulo, SP
Texto e direção Fauzi Arap
Elenco: Denise Stoklos, Francarlos Reis, Ileana Kwasinski, Jandira Martini, Maria Eugênia Di Domênico, Rodrigo Santiago, Tácito Rocha e Vicente Tuttoilmondo
Cenografia e figurinos: Flávio Império

Título: *Delírio tropical*
Texto: Stanislaw Witkiewicz
Tradução: Sônia Samaia
Direção: Emílio Di Biasi
Elenco: Amilton Monteiro, Carlos Augusto Strazzer, Cláudio Mamberti, Cristina Pereira, Gilberto Mifune, Leda Senise, Linneu Dias, Luiz Roberto Galizia, Maria Alice Vergueiro, Sônia Samaia e Valdir Fernandes

1978

ESPETÁCULOS EM TEMPORADA

Título: *Chuva*
Texto: John Colton e Clemence Randolph, baseado em conto homônimo de Somerset Maugham
Tradução: Genolino Amado
Direção: Jorge Takla
Elenco: Celso Batista, Consuelo Leandro, Herson Capri, Kátia Grumberg, Marcelo Uchiyama, Márcia Uchiyama, Oswaldo Barreto, Raul Cortez, Renato Dobal, Sérgio Mamberti e Sônia Samaia
Cenografia: Julieta Lyra
Figurinos: Aparício Basílio da Silva
Iluminação: Abel Kopanski

Título: *Quem tem medo de Virgínia Woolf?*
Cidade: São Paulo, SP
Texto: Edward Albee
Tradução: Millôr Fernandes
Direção: Antunes Filho
Elenco: Eugênia de Domênico, Raul Cortez, Roberto Lopes e Tônia Carrero
Cenografia e figurinos: Julieta Lyra
Iluminação: Davi de Brito e Abel Kopanski

1979

ESPETÁCULOS EM TEMPORADA

Título: *Show: o humor de Sérgio Rabello*
Texto: Sérgio Rabello
Direção: Paulo José
Elenco: Sérgio Rabello

Título: *Quando as máquinas param*
Texto: Plínio Marcos

Título: *Mocinhos bandidos*
Cidade: São Paulo, SP
Texto e direção Fauzi Arap
Elenco: Amilton Monteiro, Bruna Lombardi, Carlos Alberto Riccelli, José Fernandes de Lira, Umberto Magnani e Walderez de Barros
Cenografia e figurinos: Elias Andreato
Iluminação: Abel Kopanski

1980

ESPETÁCULOS EM TEMPORADA

Título: *É fogo, paulista*
Texto: Sérvulo Augusto, Paulo Garfunkel, Jaime Pratinha, Jean Garfunkel e José Rubens Chasseraux
Direção: Mário Masetti
Elenco: Andréa Leão, Cacá Rosset, Chiquinho Brandão, Noemi Marinho, Rafael Ponzie Rubens de Brito e Willian Tucci
Cenografia e figurinos: Cadu Moreira e Beto Manieri
Direção musical: Sérvulo Augusto

Título: *Na carrêra do divino ou narração visionária de nhô Roque*
Cia.: Núcleo Pessoal do Victor
Cidade: São Paulo, SP
Texto: Carlos Alberto Soffredini
Direção: Paulo Betti
Elenco: Adilson Barros, Eliane Giardini, Marcília Rosário, Márcio Tadeu, Maria Elisa, Paulo Betti e Reinaldo Santiago

Título: *Tratado geral sobre a fofoca*
Cidade: São Paulo, SP
Texto: Ana Luiza Fonseca
Direção: Zecarlos de Andrade
Elenco: Ademir Arantes, Celso Batista, Cristina Pereira, Fernando Athayde, Lígia de Paula, Maria da Paixão, Oswaldo Barreto, Paulo Azevedo, Rafaela Puopolo, Regina Dourado, Selma Egrei e Vicente Baccaro
Cenografia e figurinos: Tawfik

Título: *A nonna*
Texto: Roberto Cossa
Direção: Glauco Mirko Laurelli
Elenco: Célia Helena, Cláudia Alencar, Cleyde Yáconis, Flávio Galvão, Guilherme Corrêa, Laura Cardoso e Marcos Plonka
Cenografia: Flavio Phebo
Figurinos: Cleyde Yáconis
Iluminação: Flávio Rangel

1981

ESPETÁCULOS EM TEMPORADA

Título: *Bent*
Cidade: São Paulo, SP
Texto: Martin Sherman
Tradução: Madalena Nicol e Luís Fernando Tofanelli
Direção: Roberto Vignati
Elenco: Carlos Capeletti, Carlinhos Silveira, Chico Martins, Josmar Martins, Kito Junqueira, Paulo Cesar Grande, Ricardo Petraglia e Sérgio Miletto
Cenografia e figurinos: Irênio Maia
Iluminação: Roberto Vignati, Abel Kopanski e Renato Pagliaro
Direção musical: Amilson Godói

Título: *Afinal, uma mulher de negócios*
Cia.: Teatro dos 4
Cidade: São Paulo, SP
Texto: Rainer Werner Fassbinder
Tradução: Millôr Fernandes
Direção: Sérgio Britto
Elenco: Abrahão Farc, Adilson Barros, Irene Ravache, Ivan Lima e Liana Duval
Cenografia: Paulo Mamede
Figurinos: Mimina Roveda
Iluminação: Abel Kopanski

Título: *Ensina-me a viver*
Texto: Colin Higgins
Direção: Domingos de Oliveira
Elenco: Betty Erthal, Carlos Kroeber, Cláudio Mamberti, Clemente Vyscaino, Cleyde Yáconis, Diogo Vilela, Helena Rego, Henriette Morineau, Maria Clara Machado, Mário Borges, Nathália Timberg, Paulo Bibiano e Telmo Faria
Cenografia: Marcos Flaksman
Figurinos: Kalma Murtinho
Iluminação: Davi de Brito
Direção musical: Joaquim Assis

Título: *A dama de copas e o rei de Cuba*
Texto: Timochenco Wehbi
Direção: Odavlas Petti
Elenco: Célia Coutinho, Luiz Carlos Braga e Ruthinéia de Moraes
Cenografia: Carlos Sá
Figurinos: Odavlas Petti

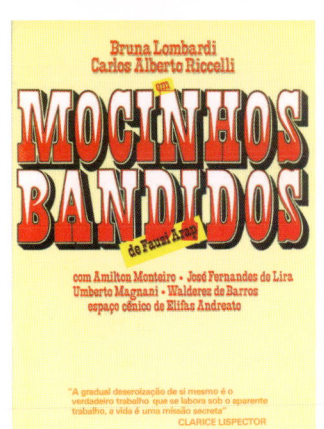

1982

ESPETÁCULOS EM TEMPORADA

Título: *O jardim das cerejeiras*
Cidade: São Paulo, SP
Texto: Anton Tchekhov
Tradução: Millôr Fernandes
Direção: Jorge Takla
Elenco: Abrahão Farc, Carlos Silveira, Cleyde Yáconis, Ednei Giovenazzi, Eugênia de Domênico, Francarlos Reis, George Otto, Ileana Kwasinski, João Paulo Mendonça, Noemi Gerbelli, Omar di Pieri, Rubens Rollo, Sérgio Ropperto e Walderez de Barros
Cenografia e iluminação: Jorge Takla
Figurinos: Kalma Murtinho

Título: *Picasso e eu*
Texto: Marilena Ansaldi
Direção: José Possi Neto
Elenco: Marilena Ansaldi e Julio Villan (participação especial em filme)
Cenografia: Felippe Crescenti
Iluminação: José Possi Neto
[Espetáculo solo apresentado por Marilena Ansaldi, uma das primeiras introdutoras do chamado teatro-dança no Brasil]

Título: *Numa nice*
Texto: Caryl Churchill
Tradução e direção: André Adler
Elenco: Ana Mauri, Bruna Lombardi, Célia Helena, Ewerton de Castro, Flávio Galvão, Miguel Ramos e Paulo Betti
Cenografia e figurinos: Flávio Império
Iluminação: Iacov Hillel
Direção musical: M. Giorgetti

1983

ESPETÁCULOS EM TEMPORADA

Título: *Cabeça & corpo*
Cidade: São Paulo, SP
Texto: Mauro Chaves e Silnei Siqueira
Elenco: Eliane Giardini, Paulo Deo, Umberto Magnani e Zecarlos de Andrade
Cenografia e figurinos: Zecarlos de Andrade
Iluminação: Davi de Brito

Título: *Salto alto*
Texto: Mário Prata
Direção: Nitis Jacon
Elenco: Ana Maria Barroso, André Luiz Lopes, Aparecido Marques, Carlos Alberto Scolari, Célia Boregas, José Carlos Cenovicz, Márcia Aparecida Scolari, Marco Antônio Scolari e Maria Fernanda Coelho
Cenografia: Nitis Jacon de Araújo Moreira e William Pereira

VII FESTIVAL DE TEATRO AMADOR DO SESC
[Após nove anos sem apresentações, o festival é retomado em 1983.]

Título: *O maracatu misterioso*
Cidade: São Paulo, SP
Texto: Cordel popular
Elenco: Antonio Nóbrega

Título: *A história do juiz*
Cia.: Pimba
Cidade: São Paulo, SP
Texto: Renata Pallottini
Direção: Luiz Cláudio de Paulo Eduardo
Elenco: Elias Toledo, Geraldo Benício, Luiz Cláudio, Tania Tonoli
Figurinos e iluminação: Compasso Errante

Título: *Estilhaços*
Cia.: Pimba
Cidade: São Paulo, SP
Texto: Jorge Miguel Marinho
Direção: Janô
Elenco: Ana Assumpção, Ana Tibiriçá, Cida de Assis, Cláudio Saltini, Cristiane Paoli-Quito, Fábio Saltini, Mate Moreira, Rogério David e Vânia Parma
Iluminação: João Telles
Direção musical: Reinaldo Garsido

Título: *As aventuras de Garga, o temerário*
Cia.: Sorvete com Pipoca
Cidade: São Paulo, SP
Texto: Vicente G. Parisi
Direção: Flávio Dias
Elenco: Denise Sales, Frank Avis, Miriam Rinaldi, Renato Poltronieri, Sandra Bueno, Sérgio Borgato, Silvana Saad e Valério Trabanco
Iluminação: Flávio Dias

Título: *O apocalipse ou o capeta de Caruaru*
Cia.: Cá Entrenós
Cidade: São Paulo, SP
Texto: Aldomar Conrado
Direção: Silnei Siqueira
Elenco: Adelcio A. Canolla, Cícero Gregório, Dagmar M. de Abreu, Daury de Carvalho, Dilma Lovina Maria, Elie Mario Deftereos, Erisvaldo Santos, Julio César de S. Lopes, Márcia Luiza Negretti, Maria R. Nagy, Maria Silvia S. Hidalgo, Marinilza C. M. da Silva, Mucio Antonio Fialho, Myriam Muccillo, Noemia Scaravelli, Paulo Francisco da Silva, Roberto Donizetti, Valério Marini e Vera Lucia Gindro
Figurinos: Noemia Scaravelli
Iluminação: Rodrigo Gregorio Sobrinho

Título: *Camarim*
Cia.: Por Que Não?
Cidade: São Paulo, SP
Texto: Fábio Namatame
Direção: O grupo
Elenco: Elizabeth Kyotoku, Fábio Namatame, Inês Sacay e Sachie Kawabe
Iluminação: Analucia Berto Iazzi

Título: *Ai, meu Paraitinga*
Cia.: Raízes de Teatro
Texto e direção: Diógenes C. Feliciano
Elenco: Jairo Gregnanin

Título: *Quebra, quebra, cabeças*
Cia.: Grupo Quebra Cabeças
Texto: Carmino Pecora
Direção: Andres dos Santos Jr.
Elenco: Carlos Raices, Jorge Iahan, Lígia de Castro, Roseli Grimaldi, Rubens Pedroso, Silvana Gianordoli e Yone Guimarães
Iluminação: Ricardo Tupy

Título: *De paletó e pés no chão*
Cia.: Grupo Teatral Cio da Terra
Texto: Coletivo
Direção: Zécarlos Machado

Elenco: Bel, Clóvis Galdino, Có, Joana Rosa, Lusia Nicolino, Magda Palação, Marisa Gregorato, Maucir, Serginho e Tânia Mara
Cenografia e figurinos: Petrônio Nascimento
Iluminação: Carlito e Zécarlos Machado
Direção musical: Solano de Carvalho

Título: *Avatar*
Cia.: Diagnóstico das Artes
Cidade: Juazeiro, BA
Texto: Paulo Afonso Grisolli
Direção: Néo Rocha
Elenco: Edwaldo Franciolli, Sandra Amorim e Sonia Baptista
Iluminação: Sergio Dialetachi

1984

ESPETÁCULOS EM TEMPORADA

Título: *Lulu*
Cidade: São Paulo, SP
Texto: Frank Wedekind
Direção: Ademar Guerra
Elenco: Ana Braga, Armando Bogus, Cacilda Lanuza, Carlos Koppa, Denis Carvalho, Eunice Mendes, Fernando Souza, Irina Greco, João Acaiabe, João José Pompeu, Jonas Bloch, Leina Krespi, Luiz Damasceno, Miguel Alexis, Osmar di Pieri, Raquel Araújo, Roberto Marti, Paulo Duarte e Sadi Cabral
Cenografia: José de Anchieta

Título: *Nosso senhor da lama*
Texto: Carolina Maria de Jesus, adaptado de *Quarto de despejo*
Direção: Stéphane Dosse
Elenco: Antonio Calloni, Ary França, João Nicanor, Madalena Bernardes, Mariana Helou, Mariana Muniz e Zenaide
Cenografia, figurinos e iluminação: Stéphane Dosse

VIII FESTIVAL DE TEATRO DO SESC

[A primeira edição do festival sem a palavra *amador*.]

Título: *Esta noite se improvisa*
Cia.: Divulgação
Cidade: Juiz de Fora, MG
Texto: Pirandello
Direção: José Luiz Ribeiro
Elenco: Alice Feesz, Anna Carla Duarte, Carlos José Campos, Danielle Tristão, Felipe Soares, Gisela Barbosa, Guy Schmidt, Iêda Alcântara, José Luiz, José Márcio de Souza, José Renato Pippa, Luciano Neiva Cabral, Luiz Augusto Bragagnolo, Marcos Orione, Marcos Venício Cordeiro, Maria de Fátima Amorin, Maria Tereza da Silva, Mônica Prado, Ronaldo Borges, Valéria Veiga Penna, Zilda Ferreira, entre outros
Cenografia: José Luiz Ribeiro
Figurinos: Malu Rocha Ribeiro
Iluminação: João Ricardo Luz

Título: *O anti-Nelson Rodrigues*
Cia.: T.A.X.I.
Cidade: São Paulo, SP
Texto: Nelson Rodrigues
Direção: Alberto Soares
Elenco: Álvaro Cueva, Antônia Jambetti, Isabel Cueva, Plínio Moherdaui, Ricardo Castro, Roberto Marx e Rose Pignatta

Título: *Orlandos e vitórias*
Cia.: Cemsabores de Teatro
Cidade: São Paulo, SP
Texto: Jeferson Luiz Mola
Direção: Coletiva
Elenco: Cilaine Verônica Teixeira, Cláudio Bartolomeu Garreti, Jefferson Mota, Mara Heleno Fernandez, Sérgio Duarte Julião, Vitória Fiori Magalhães e Viviane Teixeira
Iluminação: Edson Tadeu

Título: *Botequim*
Cia.: Téspis de Teatro
Cidade: São Paulo, SP
Texto: Gianfrancesco Guarnieri
Direção: Antônio Carlos Soares
Elenco: Alexandre Carvalho, Antonio Carlos Soares, Dirceu Isquedo, Francisco Oliveira, Hermann Hahmann, Maria Lúcia Cury, Maricarmen Castro, Mário Alves, Mário Athayde, Mário Sérgio Nogueira, Nanci Ribeiro e Pedro Cristian
Cenografia: Antônio Carlos Soares e Hermann Hahmann
Iluminação: Marcos Caruso

Título: *O evangelho segundo Zebedeu*
Cia.: ADC Mafersa
Cidade: São Paulo, SP
Texto: César Vieira
Direção: Cícero Ferreira
Elenco: Abílio Pereira de Toledo, Adeilto Cardoso de Souza, Antonio Conselheiro, Arlindo Bello de Oliveira, Carlos Rubens da Costa, Celso Eduardo Rabetti, Cláudio Sagnani, Claudionor E. Bastos, Danilo José dos Reis, Doralice dos Reis, Dorize Aparecida dos Reis, Douglas Alves, Edson Lessem Duller, Eliene Teles Gomes, Estelita de Assis, Francisco Assis de Oliveira, José Francisco, José Ronaldo Ribeiro, Luciana Costa, Marcio Alves Coelho, Marlene Rodrigues, Nilda Maia Bello, Rosana Gonçalves Cerdeira, Rosane Silva e Solange Simões
Cenografia: Celso Eduardo Rabetti
Iluminação: Rudinei Nicoli

Título: *Gota d'água*
Cia.: Bom Conselho
Cidade: São Paulo, SP
Texto: Chico Buarque de Hollanda e Paulo Pontes
Direção: José Luiz Sans Calvo
Elenco: Edgard Dardis, Francisco Teroel e Maria Cortez, entre outros

Título: *O cimento*
Cia.: Teatro Pé de Boi
Cidade: São Bernardo do Campo, SP
Texto: Gianfrancesco Guarnieri
Elenco: Adilson Sodral da Silva, Afonso Alves Teixeira, André Soares Torquato, Angela Maria de Oliveira, Antonio de Pádua Nobre Veras, Eduardo Curvelo Pereira, Joaquim Gomes da Silva, Marco Antonio F. Pellegrini, Maria Vitória D'Ericco, Maurício S. Silva Filho e Pedro Eduardo da Silva

Título: *Viúva, porém honesta*
Cia.: Ivamba
Cidade: São Paulo, SP
Texto: Nelson Rodrigues
Direção: Jayme Compri
Elenco: Agnaldo Valentin, Andréa Toffoli,

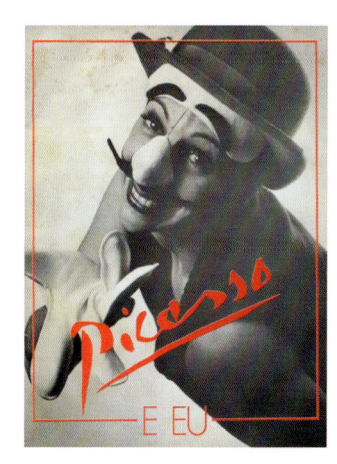

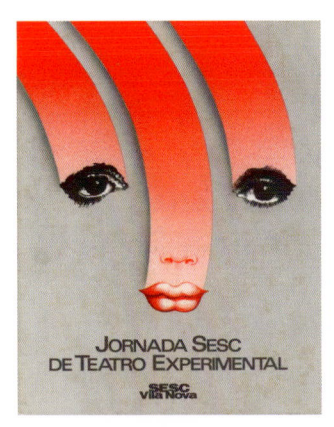

Cláudio Pinhanez, Cristina Lozano, Fernando Gonzalez, Hélcio Baurich, Heloise Baurich, João Carlos Luz, Lucélia dos Santos Oliveira, Marcelo Salmaso, Rinaldo de Oliveira, Rubens Pimentel Neto, Sérgio C. Pinho e Suzuky
Cenografia: Marcelo Salmaso, Jayme Compri e Agnaldo Valentin
Figurinos: Jayme e Cristina Lozano

Título: *Prisão no ventre*
Cia.: Teatro Fênix
Cidade: São Paulo, SP
Texto: Dario Uzan Filho
Direção: Samir Signeu
Elenco: Déo Silveira, Edmilson T. de Souza, João Carlos Guardacionni, Liliane Freitas, Luzia Freitas, Samir Signeu e Surley Valério
Cenografia e figurinos: Dario Uzan Filho e Cristina Freire
Iluminação: Dario Uzan Filho

Título: *A noite dos assassinos*
Cia.: Ciranda do Sol
Cidade: São Paulo, SP
Texto: José Triana
Direção: David George
Elenco: Edivaldo Rodrigues, Jacqueline Odenheimer, Marcelo Galdino, Marcus Vinícius Camargo, Maria Cecília Teixeira, Norma Moreno, Raquel Barcha, Ricardo Karman, Sérgio Conventi Garcia e Valda Sampaio
Iluminação: Mário Augusto de Pinho
Direção musical: Raquel Barcha

Título: *O avejão*
Cia.: Humus
Texto: Raul Brandão
Direção: José Braz Cezario
Elenco: Arani Murad, José Bizelli, José Braz Cezario, Maria Lúcia Delboni, Maria Lúcia Nogueira, Odete Haddad e Paulo Domingos Zanolli
Iluminação: Marcos Antonio

Título: *Valsa nº 6*
Cia.: Grupo de Teatro Jatubá
Cidade: Araraquara, SP
Texto: Nelson Rodrigues
Direção: Lauro Monteiro
Elenco: Silvana Santoro

Cenografia e figurinos: Lauro Monteiro
Iluminação: Lauro Monteiro e Anísio Ribeiro

Título: *Nó cego*
Cia.: Teatro Vivência
Cidade: São José do Rio Preto, SP
Texto: Carlos Vereza
Direção: Paulo Cesar Casanova
Elenco: Maurício Gomes e Ronaldo de Carvalho
Iluminação: Sérgio de Freitas Barbosa

CENTRO DE PESQUISA TEATRAL – CPT

Título: *Romeu & Julieta*
Cia.: CPT
Cidade: São Paulo, SP
Texto: William Shakespeare
Direção: Antunes Filho
Elenco: Adriana Abujamra Aith, Arciso Andreoni, Cecília Homem de Mello, Cida Rodrigues, Cissa Carvalho Pinto, Cláudio Saltini, Darci Figueiredo, Evaldo de Brito, Flávia Steward Pucci, Francisco José, Giulia Gam, João Bosco Cunha, Kiko Guerra, Lígia Cortez, Lúcia de Souza, Luiz Henrique, Malu Pessin, Marco Antônio Pâmio, Marcos Oliveira, Marlene Fortuna, Olair Coan, Oswaldo Boaretto Jr., Salma Buzzar, Ulisses Cohn e Walter Portella
Figurinos: Cissa Carvalho
Iluminação: Davi de Brito

Título: *Macunaíma*
Cia.: Grupo Pau Brasil e CPT
Cidade: São Paulo, SP
Texto: Mário de Andrade
Direção: Antunes Filho
Adaptação: Grupo Pau Brasil e Jacques Thieriot
Elenco: Arciso Andreoni, Cecília Homem de Mello, Cissa Carvalho Pinto, Darci Figueiredo, Evaldo de Brito, Flavia Pucci, Giulia Gam, João Bosco Cunha, Lígia Cortez, Lúcia de Souza, Mamma Bruschetta, Malu Pessin, Marco Antônio Pâmio, Marcos Oliveira, Marlene Fortuna, Mirtes Mesquita, Nazeli Bandeira, Olair Coan, Oswaldo Boaretto Junior, Salma Buzzar, Theodora Ribeiro, Ulisses Cohn, Walter Portella, Wanda Kosmo

e Whalmyr Barros
Cenografia e figurinos: Naum Alves de Souza
Iluminação: Luiz Marchi, Renato Pagliaro e Davi de Brito

Título: *Nelson 2 Rodrigues*
Cia.: Grupo de Teatro Macunaíma e CPT
Texto: Nelson Rodrigues
Direção: Antunes Filho
Elenco: Arciso Andreoni, Cecília Homem de Mello, Cissa Carvalho Pinto, Darci Figueiredo, Evaldo de Brito, Flávia Steward Pucci, Giulia Gam, João Bosco Cunha, Lígia Cortez, Lúcia de Souza, Luiz Henrique, Maithê Alves, Malu Pessin, Marco Antônio Pâmio, Marcos Oliveira, Marília Castello Branco, Marlene Fortuna, Olair Coan, Oswaldo Boaretto Jr., Salma Buzzar, Ulisses Cohn, Vera Zimmermann, Walter Portella e Washington Lasmar
Figurinos: Irineu Chamiso e Grupo Macunaíma
Iluminação: Davi de Brito

1985

ESPETÁCULOS EM TEMPORADA

Título: *Suna* (Zoo do deserto)
Cia.: Ban'Yu Inryoku
País: Japão
Texto e direção J.A. Seazer
Elenco: Aikiro Mizuoka, Hideyuki Okinawa, Hiromi Murata, Ikuyo Yoshida, Izumi Asano, Keiko Nakata, Keita Kobaiashi, Miho Yasukawa, Nobuhiro Nakayama, Rie Inoo, Salvador Tali, Shinji Sekine, Shizuka Ohta, Shunichi Iuchi, Takako Hakamada, Taku Kobaiashi, Yumiko Asazuma e Yutaka Nemoto
Iluminação: Kunihiko Maruyama

Título: *Crônica da cidade pequena*
Cia.: Tear
Cidade: Porto Alegre, RS
Texto: Gabriel García Márquez
Direção: Maria Helena Lopes
Adaptação: Maria Helena Lopes e Sérgio Mantovani
Elenco: Eleonora Prado, Lúcia Scrpa, Marco Fronchetti, Marcos Carbonell,

Maria Lúcia Raymundo, Marta Biavaschi, Nazaré Cavalcanti, Pedro Wayne, Roberto Mallet, Sérgio Lulkin e Sônia Cappin
Figurinos e iluminação: Antonio Barth e Grupo Tear
Direção musical: Ayrez Pothoff e Toneco

Título: *Os anjos*
Cia.: Novo Horizonte
Cidade: São Paulo, SP
Texto: Coletivo e organizado pelos integrantes do grupo
Direção: Luiz Henrique
Elenco: Amélia Conforte, Arge Ducceschi, Áurea Reis, Bebel Gomes, Cacilda Villela, Cida Falconi, Dirce Nogueira Magalhães, Eronda Beatrici, Ivanira Gouveia Borges, Joelson Amado, J. Sticha, Lázara Seugling, Leo Santini, Leonor de Nardi, Luís Castro, Marina Bert, Maria Helena Bonilha, Mary Contucci, Olga Mossa Reggiani, Paula Martins e Pesce Roizimblit
Cenografia e figurinos: O grupo
Iluminação: Davi de Brito e Robinson Teixeira

Título: *Grande e pequeno*
Cidade: Rio de Janeiro, RJ/São Paulo, SP
Texto: Botho Strauss
Tradução: Millôr Fernandes
Direção: Celso Nunes
Elenco: Abrahão Farc, Ada Chaseliov, Caique Ferreira, Catalina Bonaki, Joyce de Oliveira, Paulo Villaça, Pietro Maranca, Renata Sorrah, Roberto Lopes, Selma Egrei e Telmo Faria
Cenografia: Hélio Eichbauer
Figurinos: Dina Eichbauer
Iluminação: Aurélio de Simoni

IX FESTIVAL DE TEATRO DO SESC

Título: *Êta Goiás!*
Cia.: Grupo de Teatro Exercício
Cidade: Goiânia, GO
Texto: Hugo Zorzetti
Direção: Hugo Zorzetti
Elenco: Ilson Araújo, Mauri de Castro, Renata Roriz Magalhães de Almeida e Ricardo Grilo
Iluminação: Paulo Araújo

Direção musical: Evaldo Jad Bal Ja

Título: *Felicidade para todos*
Cia.: Grupo I.V.A.M.B.A. – Influência dos Ventos Alísios na Menstruação da Borboleta Azul
Cidade: São Paulo, SP
Direção: Jayme Compri
Elenco: Cláudio Santos Pinhanez, Cristina H. C. Pinho, Cristina Lozano, Elenita Cardoso de Sá, Fabiana Macedo de Hollanda, Fernando Gonzalez, Heloise Baurich, Jayme Compri, João Carlos de Oliveira Luz, José Antonio Correia Alexandre, Marcelo Salmaso, Moacir de Bertoli Câmara, Noêmia Duarte, Rubens Neto, Sérgio H. C. Pinho e Wagner Tamanaha
Cenografia: Wagner Tamanaha e Cláudio Santos Pinhanez
Figurinos: Cristina Lozano
Iluminação: Nando Gonzalez e Marcelo Salmaso

Título: *Doroteia*
Cia.: Grupo de Teatro Jatubá
Cidade: Araraquara, SP
Texto: Nelson Rodrigues
Direção: Lauro Monteiro
Elenco: Bernadette Passos, Elizabeth Gaspareto, Luiz Cláudio Ribeiro, Márcia Bocchile, Rita Bernardi e Tereza Negrini
Cenografia, figurinos e iluminação: Lauro Monteiro

Título: *As aventuras de Ripió Lacraia*
Cia.: Nosso Grupo – Automóvel Clube
Cidade: São José do Rio Preto, SP
Texto: Francisco de Assis
Direção: Humberto Sinibaldi Jr.
Elenco: Anevair de Moraes Filho, Antônio da Câmara, Élcio Victolazzo, Erivaldo Estivanelli, Fábio de Castro, João Antonio Delgado, José Cunha de Oliveira Mourão, Júlio César Prado, Luciano Benlatti Gonzales, Maria Aparecida Marques, Maria José Freitas, Maurício Gomes, Miriam de Cássia Ribeiro, Nair Marques Alves, Neiva Maria Higa, Renato Rezende, Rita de Cássia Higa e Valéria de Cápua
Cenografia e figurinos: O grupo
Iluminação: Vanderley Capote

Título: *Marrueiro*
Cia.: Grupo Piratininga
Cidade: São Paulo, SP
Texto e direção Cassiano Moreira
Elenco: Antonio Braga, Cassiano Moreira, Givaldo Ferreira, João Bá, Klécius Albuquerque e Luanda
Cenografia: Gilberto Moura, Heloisa Iácones e Luciana V. Alves
Figurinos: Luciana V. Alves

Título: *Culpa, má consciência & companhia*
Cia.: Após'Tolos
Cidade: São Paulo, SP
Texto e direção Fábio de Souza Mafra
Elenco: Alberto Joaquim, Ednaldo José, Fábio Mafra, Fátima Maria, Márcia Fossa, Maria Cristina, Mariza Fossa, Marjory Alves, Osmar Tello, Reginacelli Freire, Ribamar, Sérgio Conde e Sérgio Wagner
Cenografia, figurinos e iluminação: O grupo

Título: *Tiago Valles – o que nasceu para lutar*
Cia.: Recriarte
Cidade: São Paulo, SP
Texto e direção Gabriel Veiga Catellani
Elenco: Camila de Mello, Elias Sahade Jr., Esther Muniz, Gabriel V. Catellani, Isabela Lopes, Jalberto Souza, João Guimarães, Luiza Albuquerque, Márcia Vieira, Olivier Mecarelli, Orlando Longhi, Regiane Castro, Roberto Fernandes, Sonia Ptasznik e Thiago Paiva
Figurinos: Regina Catellani

Título: *Última estação*
Cia.: Teatro Experimental Mogiano
Cidade: Mogi das Cruzes, SP
Texto e direção Nelson Albissú
Elenco: Clarice Jorge, Gilberto Fuentes, Tânia Cristina Mello Siqueira

Título: *Ensaio geral*
Cia.: Souzândrade
Cidade: São Paulo, SP
Texto: O grupo
Direção: Maximiliano Gatto
Elenco: Iberê Miranda e Paulo Elzio Trevisani Jr.

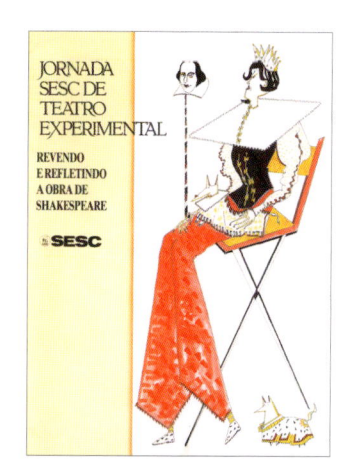

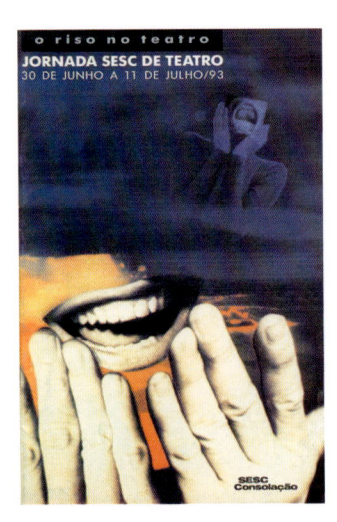

Título: Fantasia
Cia.: Trabalho Teatral
Cidade: São Paulo, SP
Texto e direção Solange Oliveira de Faria
Elenco: André Pink e Rodrigo Mateus
Cenografia: André Pink, Rodrigo Mateus e Solange Oliveira de Faria
Figurinos: André Pink e Rodrigo Mateus

Título: Três poemas tragicômicos
Cia.: Suíte Quebra-Louças
Texto: José Carlos Cordeiro
Direção: Coletiva
Elenco: Deise Capelozza, J.C. Cordeiro, Sueli Maria e Vlad Ribeiro
Cenografia e figurinos: O grupo
Iluminação: Wesley Rangel

Título: A história do zoológico
Cia.: Oficina 7
Cidade: São Paulo, SP
Texto: Edward Albee
Tradução: Luís Carlos Maciel
Direção: Adilson Azevedo
Adaptação: Sérgio Conventi
Elenco: Almir Silva, Sérgio Conventi e Tadeu Provenzano
Cenografia: Adilson Azevedo
Iluminação: Adilson Azevedo e Almir Silva

Título: Passageiros
Cia.: Grupo Teatral Medicina – Companhia Escreveu Não Leu o Palco é Meu
Cidade: São Paulo, SP
Texto e direção O grupo
Elenco: Célio dos Santos, Fernando Nogueira, Iole Miriam Lebensztajn, José Gilberto Tristão, Marta Carvalho de Almeida e Stellamaris Pinheiro de Souza Nascimento
Iluminação: Eduardo S. Cardoso

Título: Etern(a)idade... Quem sabe?
Cia.: Semente de Teatro Amador
Cidade: Osasco, SP
Texto e direção Benedito Domingos Mariano
Elenco: Francisco Adão, Inácio Gurgel, Petrônio P. de Souza, Rosemeire Santos Januário, Sônia Aparecida Balbino e Vera Lúcia Lourenço
Cenografia: Silvana e Mauro
Figurinos: Estela Catarina

Título: Sem brilho, mas convictos
Cia.: Palco
Texto e direção Renan Dimuriez
Elenco: Benedito Augusto de Oliveira e Renan Dimuriez
Iluminação: Dinalva M. Mascarenhas

Título: Berço esplêndido
Cia.: Qorpo-Santo
Cidade: Mococa, SP
Texto: Carlos Carvalho
Direção: Jefferson Zanchi
Elenco: Carlos Augusto Manetta, Cristina Zanchi, Lucia Vitto e Marcelo Romanholi
Figurinos: Lucia Vitto
Iluminação: Carlos Augusto Manetta

CENTRO DE PESQUISA TEATRAL – CPT

Título: Velhos marinheiros
Cia.: Arte Boi Voador CPT
Texto: Jorge Amado
Direção: Ulysses Cruz
Adaptação: Carlos Szlak
Elenco: Adão Filho, Alexandre Correa, Antonio Calloni, Carlos Palma, Charles Lopes, Denise Courtouké, Domingos Quintiliano, Fernanda Guerra, Helio Cicero, Isabel Maria, Jair Assumpção, Luís Rossi, Luiz Furlanetto, Luiz Thomas, Marília Lidrani, Maurício Moncosso, Roberto Moreno, Silvana Funchal e Wladimir Mafra
Assistência de Direção: Ivan Feijó e Walderez Cardoso Gomes
Coordenação técnica: Antunes Filho
Figurinos: Domingos Fuxique
Iluminação: Davi de Brito, Domingos Quintiliano e Robinson Teixeira

1986

X FESTIVAL DE TEATRO DO SESC

Título: Drops de Halley
Cia.: Teatro Terra
Cidade: Cajazeiras, PB
Texto e direção Eliézer Filho
Elenco: Anaalice Souto, Ângelo Nunes, Leide Gomes, Lincoln Rolim, Paula Francinette, Servilio Gomes, Sonia Lira, Suely Tavares e Wilma Albuquerque
Cenografia e figurinos: O grupo
Iluminação: Eliézer Filho

Título: As criadas
Cia.: Dramaticus
Cidade: São Paulo, SP
Texto: Jean Genet
Direção: Fernando Popoff
Adaptação: Marcos Lazzarini
Elenco: Alexandra Golik, Conchi Labraña e Luiza Rodenas
Cenografia e figurinos: Fernando Popoff
Iluminação: Javier Rodaignez

Título: Um grito parado no ar
Cia.: Ecos Urbanos
Cidade: São Paulo, SP
Texto: Gianfrancesco Guarnieri
Direção: Coletiva
Elenco: Ade Oliveira, Cléo Moraes, Marapuã de Oliveira, Marcos Bonsucesso, Maria Ohara e Wado Gonçalves
Cenografia: Wado Gonçalves
Figurinos: Cléo Moraes
Iluminação: Tina Santos

Título: Se correr o bicho pega, se ficar o bicho come
Cia.: Grupo Geta
Cidade: São Caetano do Sul, SP
Texto: Ferreira Gullar e Oduvaldo Vianna Filho
Direção: Mario Martini
Elenco: Cidinha, Eliana de Queiróz, Francelino de Souza, Lucia de Souza Oliveira, Maria Domicilia, Maurício dos Santos, Robério Benigno, Rubens d'Amato, Samuca Torres e Toninho Araújo
Cenografia e figurinos: Mário Martini

Título: O despertar da primavera
Cia.: Grupo de estudantes de uma das turmas da EAD
Cidade: São Paulo, SP

Texto: Frank Wedekind
Tradução: Luiz Roberto Galizia
Direção: Ulysses Cruz
Adaptação: Walderez Cardoso Gomes
Elenco: Ângela Barros, Antonio Zacharkow, Cassio Scapin, Cláudia Schapira, Denise Courtouké, Marco Antonio Farias, Maria Letícia, Miriam Rinaldi, Octávio Barbetta, Paulo Chavegatti, Regina Galdino, Salvador Reina, Wagner Salazar e Wladimir Morales
Iluminação: Domingos Quintiliano e Edvaldo Rodrigues
Direção musical: Marcos Smirkoff

Título: O doente imaginário
Cia.: Grupo Teatral do Clube Monte Líbano
Cidade: São José do Rio Preto, SP
Texto: Jean-Baptiste Poquelin – Molière
Direção: Paulo César Casanova
Elenco: Adauto Nunes da Cunha, Christiane Araújo, Elcio Victorazzo, Jocilene Domingues, José Eduardo Caldeira, Ludmila Casanova, Maria Elisa da Silva, Maurício Gomes, Roberto de Brito, Ronaldo de Carvalho e Sérgio de Freitas Barbosa
Figurinos: Marecy Carvalho Gomes
Iluminação: Paulo César Casanova

Título: Senhora dos afogados
Cia.: Grupo de Teatro Jatubá
Cidade: Araraquara, SP
Texto: Nelson Rodrigues
Direção: Lauro Monteiro
Elenco: Anísio Barros, Bernadete Passos, Ernesto Gaspar, Evaldo Barros, Flávia Marquetti, Francisco de Carlos, Silvana Santoro, Tereza Negrini e Suzana Camargo
Cenografia e iluminação: Lauro Monteiro
Figurinos: O grupo

Título: Estranho procedimento
Cia.: Grupo Cênico Regina Pacis
Cidade: São Bernardo do Campo, SP
Texto: Luis Fernando Veríssimo
Direção: Armando Azzari
Elenco: Albino Alves, Ana Maria Médici, Antonino Assumpção, Carla de Almeida, Cleide Breda, Darci Camilo, Elenice Vieira, José Bonifácio de Carvalho, José Luiz do Prado, José Monteiro Alves, Mariluci Nogueira e Viva Ramos
Cenografia: Armando Azzari
Figurinos: Mariluci Nogueira
Iluminação: Hilda Breda

Título: O arrancadentes
Cia.: Le Maschere
Cidade: São Paulo, SP
Texto: Francesco Zigrino e Roberta Barni
Direção: Francesco Zigrino
Adaptação: O grupo
Elenco: Carmem Cozzi, Cristiane Paoli-Quito, Débora Nogueira, Débora Serretiello, Mônica Jurado, Soraya Ocanha, Tiche Vianna e Vânia Leite
Cenografia: Mônica Jurado
Figurinos: Soraya Ocanha e Vânia Leite
Iluminação: Nello Landi e Cristiane Paoli-Quito

Título: God export
Cia.: Pinus Ploft Troupe D'Art
Cidade: São Paulo, SP
Texto: Colagem de textos de Woody Allen, Büchner e Darcy Figueiredo
Direção: Darcy Figueiredo
Elenco: Amaro Marinho, Hernandes Oliveira, João Carlos Soares, Lázara Seugling, Osmar Ângelo e Silvânia Barbosa
Cenografia: João Carlos Soares e Amaro Marinho
Figurinos: Hernandes Oliveira
Iluminação: Darcy Figueiredo
Direção musical: Osmar Ângelo

Título: Encontro no bar
Cia.: Grupo Teatral ADC Siemens
Cidade: São Paulo, SP
Texto: Bráulio Pedroso
Direção: Ednaldo Freire
Elenco: Cláudia Fleury, Gilmar Guido e Milton Marques
Cenografia e figurinos: Petrônio Nascimento
Iluminação: Ednaldo Freire

Título: O dia do pierrot
Cia.: Grupo de Teatro Experimental de A Hebraica
Cidade: São Paulo, SP
Texto: Timochenco Wehbl
Direção: Moisés Miastkowsky
Elenco: Alberto Chame Dwek, Fernando Ramuth, Flávio Dentes, Jairo Júnior e Samy Ramuth
Cenografia: Moisés Miastkwosky
Figurinos: Isa Rachkorsky
Iluminação: Cláudia Rachkorsky e Felício Ramuth

Título: Vem buscar-me que ainda sou teu
Cia.: Grupo Terceira Dentição
Cidade: São Paulo, SP
Texto: Carlos Alberto Soffredini
Direção: Gabriel Villela
Elenco: Alberto Gouveia, Ângelo Lopes, Ângelo Osório, Armando R. Filho, Casé Campos, Cibele Forjaz, Cláudia Moras, Davi Rocha Talu, Guilherme Filho, Lúcia Romano, Marcela de Lucca, Maria Clara Fernandes, Rachel Barcha, Romis Ferreira, Valéria Lauand e Zezé Barbosa
Cenografia e figurinos: Gabriel Villela
Iluminação: Rodrigo Matheus
Direção musical: Cristina Bertolini

Título: O noviço
Cia.: Grupo de Teatro Amador de Santos
Cidade: Santos, SP
Texto: Martins Pena
Direção: Neyde Veneziano
Elenco: Alessandra Mazagão, Beto Carlos, Carlos Alberto Bellini, Charles Möeller Falcão, Dagoberto Feliz, Elaine Carvalho, Gisele Menzen, Gláucia Corrêa, João Carlos Fonseca, Lincoln Antonio, Lizi Cristina Seixas, Marcelo Mota Monteiro, Marco Aguiar, Miguel Marcarian Jr. e Samuel da Luz
Cenografia: Rogério Falcão
Figurinos: Jorge Luiz de Oliveira e Miguel Marcarian Jr.
Iluminação: Cláudio Gabriel Floriano
Direção musical: Dagoberto Feliz e Paulo Sergio Damasceno

Título: Josmarina, a doméstica indomável
Cia.: Grupo Barganha de Teatro
Cidade: Taubaté, SP
Texto e direção Nelson de Andrade
Elenco: Deise de Paula Monteiro

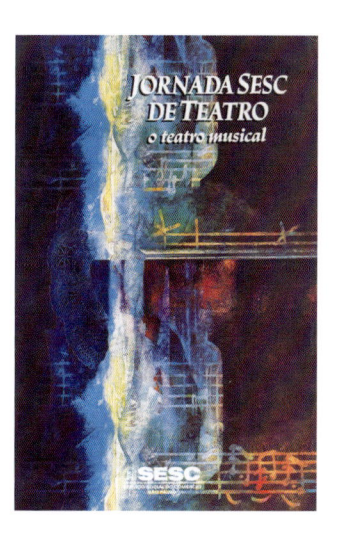

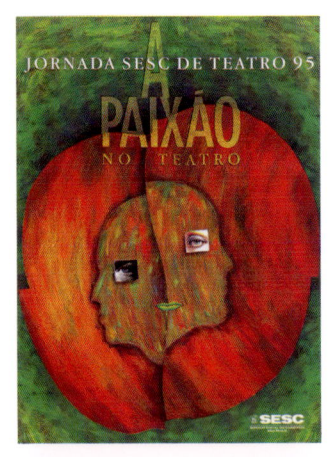

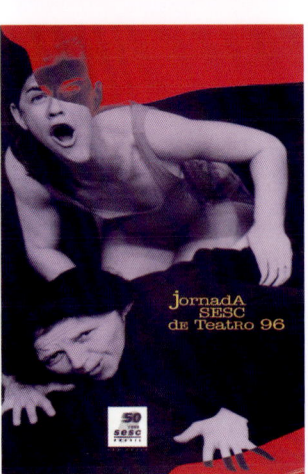

Cenografia: Nelson de Andrade
Figurinos: Deise de Paula
Iluminação: Carlos Alberto

Título: *Movimento retilíneo uniformemente variável*
Cia.: Após'Tolos de Teatro
Cidade: São Paulo, SP
Texto e direção Fábio Mafra
Elenco: Alberto Joa, Ednaldo Camargo, Márcia Fossa, Maria Tita, Marisa Fossa, Marjory Alves, Osmar Lima, Reginacelli A. Freire, Sérgio Brandão, Sérgio Conde, Thiago Paiva e Wagner Brandão
Cenografia: Fábio Mafra
Iluminação: Luiz Maria

CENTRO DE PESQUISA TEATRAL – CPT

Título: *A hora e a vez de Augusto Matraga*
Cia.: Grupo de Teatro Macunaíma e CPT
Cidade: São Paulo, SP
Direção: Antunes Filho
Elenco: Ailton Graça, Arciso Andreoni, Carlos Gomes, Cláudia Cavalheiro, Dario Uzam, Elias Batista, Francisco Carvalho, Geraldinho Mário da Silva, Giovanna Gold, Jefferson Primo, José Rosa, Kátia Regina, Lazinho Pereira, Luis Melo, Luiz Fernando de Rezende, Malu Pessin, Marcos Oliveira, Marlene Fortuna, Raul Cortez, Regina Remencius, Valdir Ramos, Walter Portella e Warney Paulo
Figurinos: Noemia Mourão
Iluminação: Davi de Brito

Título: *Rosa de cabriúna*
Cia.: Grupo Forrobodó e CPT
Texto: Luís Alberto de Abreu
Direção: Márcia Medina
Elenco: Barthô di Haro, Beth Daniel, Carla Miranda, Carlos Freire, Élida Marques, Elizete Gomes, Iolanda Vilela, Joca Santo, Luiza Albuquerque, Marcelo Presotto, Maria Prado, Naiclê Leonidas, Norcy Meira, Orestes Carossi, Poca Marques, Renatto Palhares, Sueli Rocha, Tereza Marinho, Wagner Nacarato e Warney Paulo
Figurinos: Renato Di Renzo
Iluminação: Davi de Brito

1987

ESPETÁCULOS EM TEMPORADA

Título: *Império da cobiça*
Cia.: Tear
Cidade: Porto Alegre, RS
Texto: Grupo Tear
Elenco: Ciça Reckziegel, Eleonora Prado, Lúcia Serpa, Marco Fronchetti, Marcos Carbonell, Marta Biavaschi, Pedro Wayne, Roberto Camargo e Sérgio Lulkin
Figurinos: Antônio Barth, Rosângela Cortinhas e Tear
Iluminação: Acosta e Maria Helena Lopes

Título: *Eletra com Creta*
Texto e direção Gerald Thomas
Elenco: Bete Coelho, Beth Goulart, Luiz Damasceno, Marcos Barreto, Maria Alice Vergueiro e Vera Holtz
Cenografia, figurinos e iluminação: Daniela Thomas
Direção de produção: Norma Thiré

Título: *As relações naturais*
Cia.: Giramundo
Cidade: Belo Horizonte, MG
Texto: Qorpo-Santo
Direção: Álvaro Apocalypse
Elenco: Arildo de Barros, Eduardo Rodrigues, Ezequias Marques, Ligia Lira, Matilde Biandi, Renato Tameirão e Wilma Henriques
Cenografia: Álvaro Apocalypse e Julio Espínola
Figurinos: Terezinha Veloso

Título: *Vestido de noiva*
Cia.: Núcleo do Pessoal do Victor
Cidade: São Paulo, SP
Texto: Nelson Rodrigues
Direção: Marcio Aurélio
Elenco: Alzira Andrade, Cica Camargo, Christiane Rando, Denise Del Vecchio, Hugo Della Santa, Fernando Neves, Jandira de Souza, Lilian Sarkis, Marcelo Andrade e Márcio Megaton
Cenografia: Gregório Gruber e Marcio Aurélio
Iluminação: Nei Piedade e Marcio Aurélio

XI FESTIVAL DE TEATRO DO SESC

Título: *A incapacidade de ser verdadeiro*
Cia.: Grupo da Greta
Cidade: São Paulo, SP
Texto: Carlos Drummond de Andrade
Direção: Zebba Dal Farra e Paulo Macedo
Elenco: Antonio Leal, Carlos Bárbaro, Carlos Farias, Celso Simões, Claudia Pacheco, Egberto Tássil, Marco Capuano, Mônica Guimarães, Rinaldo do Santos, Rita Poli, Sandra Rodrigues e Zé Mandula

Título: *Não se brinca com amor*
Cia.: Apresentado por projeto integrado CAC/USP-EAD
Cidade: São Paulo, SP
Texto: Alfred de Musset
Direção: José Eduardo Vendramini
Elenco: Antônio Araújo, Cibele Forjaz, Emílio de Mello, Ivana Scotelari, José Piñero, Lúcia Romano, Roberto Lobo e Vanderlei Bernardino
Cenografia e figurinos: Mestre Blazius
Iluminação: Ivana Cutelaria

Título: *Valsa nº 6*
Cia.: Grupo Teatral Elis Regina
Cidade: Suzano, SP
Texto: Nelson Rodrigues
Direção: Nilson Ferreira
Elenco: Alice Yumi Sakai, Valdirene Ferreira
Figurinos: Valdirene Ferreira
Iluminação: Nilson Ferreira

Título: *Bailei na curva*
Cia.: Grupo G.A.T.A.. e Olho-D'Água
Cidade: Santos, SP
Texto: Criação coletiva do grupo Do jeito que dá
Direção: Eliel Ferreira
Elenco: Branco Giraldi, Elisabeth Messias, Francisco de Assis, Haroldo Bittencourt, Lígia Cardoso, Lourimar Vieira, Mara Cristina, Márcia Maria, Márcio Rogério, Maria Teresa, Meire Sant'Anna, Nívio Diegues, Ronaldo Frutuoso, Rubens França e Vanise Peixoto
Iluminação: Dini Messias

Título: *A lição*
Cia.: Grupo Rangavali
Cidade: São José dos Campos, SP
Texto: Eugène Ionesco
Direção: Atul Trivedi
Elenco: Atul Trivedi, Aurélia Alice e Teresa Cristina
Cenografia: Nelson J. I. Macedo
Iluminação: Cláudio Mendel

Título: *Diário de um louco*
Cia.: Grupo A Jaca Est
Cidade: São Paulo, SP
Texto: Nicolai Gogol
Direção: José Parente
Elenco: Geraldo Fernandes e José Parente

Título: *Pedreira das almas*
Cia.: Grupo de Pesquisa Ar Teatro
Cidade: São Paulo, SP
Texto: Jorge Andrade
Direção: Rogério Wanderley Brito
Elenco: Beth Souza, Carlos Rodrigues, Isaac Martins, José Luiz de Almeida, Kael Scarlorb, Kako Matos, Márcia Valença, Marco Jr., Nilton Araújo, Patrícia Peres, Regina Guidi, Raquel Medeiros e Valéria Cristina
Iluminação: Antonio Carlos Sartini

Título: *O marinheiro*
Cia.: Grupo Galpão
Cidade: Santo André, SP
Texto: Fernando Pessoa
Direção: Eduardo Razuk
Elenco: Ângela Sbrighi, Arteli Sbrighi, Mariângela Beber e Sérgio Cammargo
Iluminação: Rafael Pedro Pellicciotta

Título: *Este ovo é um galo*
Cia.: Grupo do Automóvel Clube
Cidade: São José do Rio Preto, SP
Texto: Lauro César Muniz
Direção: Humberto Sinibaldi Neto
Elenco: Allair Epifhânio Soares, Antonio da Câmara, Beto Matioli, Carla Cristina Roncatti, Erivaldo Estivanelli, Fábio de Castro, Fátima Fernandes, Fernando Gabriel Issas, Gonzáles, Jairo César Petinari, João Antonio Delgado, José Cunha de O. Mourão, Luciano Benfatti, Maria Izabel Martho, Nair Marques Alves, Romeu Margiolo Filho, Syllas Barbosa Marçal e Wander Ferreira Jr.
Iluminação: Vanderlei Capato

Título: *Transparência*
Cia.: Grupo Independentes Paralelos
Cidade: Mogi das Cruzes, SP
Texto: Nelson Albissu
Direção: Jorge Amaro
Elenco: Cláudio Rosas
Iluminação: Ana Elvira Wuo

Título: *Seis personagens à procura de um autor*
Cia.: Companhia Stabile de Teatro Móbile, formada por estudantes da EAD e ECA/USP
Texto: Luigi Pirandello
Direção: Cláudio Luchesi
Elenco: Alberto Gouveia, Armando R. Filho, Cristiane Fischer, Fausto César Franco, Fernanda Haucke, Guilherme Filho, Joel Salomão, Jose Piñero, Luciano Chirolli, Marcela de Lucca, Maria Clara Fernandes, Valéria Lauand, Wagner Bello e Zezé Barbosa
Figurinos: Joel Salomão
Iluminação: Hamilton Saraiva

Título: *Escorial*
Cia.: As Flores do Mal
Cidade: São Paulo, SP
Texto: Michel de Ghelderode
Direção: Cristiane Paoli-Quito
Elenco: Mauro Medeiros, Pink e Paulo Marcelo
Cenografia e figurinos: Marco Antonio Lima
Iluminação: Rodrigo Matheus

Título: *Cala a boca já morreu*
Cia.: Grupo Teatral Roda Viva – ADC Mafersa
Cidade: São Paulo, SP
Texto: Luís Alberto de Abreu
Direção: Celso Eduardo Rabetti
Elenco: Abílio Pereira de Toledo, Carlos Rubens da Costa, Douglas Alves, José Francisco, Marlene Rodrigues, Rosane Silva, Tarcísio Motta e Vera Lucia Amaro
Iluminação: Maria da Graça Novais

1988

XII FESTIVAL DE TEATRO DO SESC

Título: *Namoro*
Cia.: Teatro Ponto e Vírgula
Cidade: São Paulo, SP
Texto e direção Ilder Miranda Costa
Elenco: Nicole de Bruijn, Renata Loureiro e Romina Harrison
Cenografia e figurinos: Rubens Villaça
Iluminação: Cibele Forjaz

Título: *A caverna*
Cia.: Teatro Ponto e Vírgula
Cidade: São Paulo, SP
Texto: Ilder Miranda Costa
Elenco: Nicole de Bruijn, Renata Loureiro e Romina Harrison
Cenografia e figurinos: Rubens Villaça
Iluminação: Cibele Forjaz

Título: *Viúva, porém honesta*
Cia.: Grupo Teatral Riopretense
Cidade: São Paulo, SP
Texto: Nelson Rodrigues
Direção: Manoel da Silva Neves Filho
Elenco: Alessandra Fabrícia Longo, Carlos Renato Caprio, Edma Cene Gomes, Eduardo Cezar de Abreu, Gilberto Silveira, Marcelo Luiz Girotto, Marcos Pereira Lelis, Nilson César Pagliarini, René Feliciano Farina, Ronaldo Jacinto da Silva, Rosangela das Graças Cézar, Roselaine Bueno e Rosely Ferreira
Cenografia: Ronaldo Jacinto da Silva
Figurinos: René F. Faria
Iluminação: Manoel da Silva Neves

Título: *O assalto*
Cia.: Estreia de Teatro
Cidade: São Paulo, SP
Texto: José Vicente
Direção: Celso Rodrigues
Elenco: Michel Araújo e Valdir Coró
Cenografia e figurinos: O grupo
Iluminação: Celso Rodrigues

Título: *Boca de ouro*
Cia.: Teatro Jatubá
Cidade: São Paulo, SP
Texto: Nelson Rodrigues
Direção: Lauro Monteiro

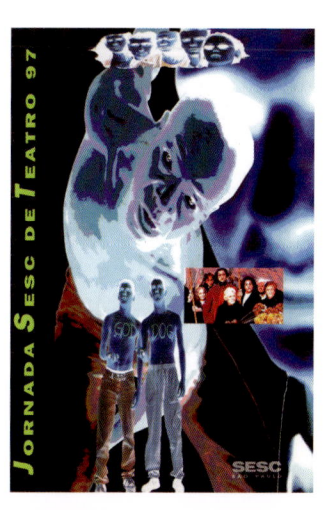

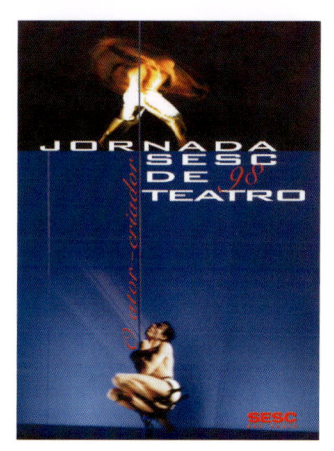

Elenco: Anísio Ribeiro, Bernadet, Francisco de Carlos, Jussara Vargas, Mário Rodrigues, Silvana Santoro, Teresa Negrini e Susana Camargo
Cenografia, figurinos e iluminação: Lauro Monteiro

Título: *O dia dos prodígios*
Cia.: Grupo Dramaticus
Cidade: São Paulo, SP
Texto: Lídia Jorge
Direção: Fernando Popoff
Elenco: Airton Santos, Alexandra Golik, Beatriz Soares, Charles Geraldi, Cláudia Wata, Emerson Rossi, José Pedro Reis, Luísa Rodenas, Mário Baggio, Rubens Gandra, Sílvia de Assis e Tina Cunha
Cenografia: Luís Frugoli
Figurinos e iluminação: Carlos Alberto Gardin

Título: *A moratória*
Cia.: Metamorfose
Cidade: São Paulo, SP
Texto: Jorge Andrade
Direção: Abílio Tavares
Elenco: Carlos Eduardo Cortelli, Dorothy Cross, Fábio Farias, Henrique de Almeida, Maristella Martino e Paola Baccin
Cenografia: William Pereira
Figurinos: Maristella Martino
Iluminação: Cibele Forjaz

Título: *Depois do breakfast*
Cia.: Anárquicos de Santa Cruz
Cidade: Osasco, SP
Texto e direção: Rubens Pignatari
Elenco: Antônio Rodrigues, Isaías Silva e Nivaldo Santana
Figurinos: Orlando Baptistim

Título: *O rufião*
Cia.: Nove
Cidade: São Paulo, SP
Texto: Joe Orton
Tradução: O grupo
Direção: Leonardo Medeiros
Adaptação: O grupo
Elenco: Arthur Rodrigues, Izabel Ortiz e Roberto Lobo
Cenografia: Leonardo Medeiros
Figurinos: O grupo

Iluminação: Leonardo Medeiros e Hamilton Saraiva

Título: *Revisitando o teatro de revista*
Cia.: Grupo Experimental de Teatro Unisantos – Gextus
Cidade: Santos, SP
Texto: Neyde Veneziano e Perito Monteiro
Direção: Neyde Veneziano
Elenco: Beto Jerê, Carlos Alberto Bellini, Dagoberto Feliz, Emanuela Veneziano, Gláucia Correa, Gisele Menzen, Lizi da Luz, Marcelo Mota Monteiro, Marco Aguiar, Miguel Marcarian Jr., Paulo Maurício, Pinduca, Renata Zhanetta, Rosângela Feliz, Samuel da Luz, Sandro Campbell e Valentina Rezende
Cenografia: Alberto Camarero
Figurinos: Miguel Marcarian Jr.
Iluminação: Cláudio Gabriel Floriano
[Espetáculo também apresentado em 1989.]

Título: *Damas e cavalheiros*
Cia.: Produtos Notáveis
Cidade: São Paulo, SP
Texto: Criação coletiva
Direção: O grupo
Elenco: Cristina Bueno, Huó Gonzales, Inês Viana, João Carlos Andreazza, Lola Sá Martin, Mônica Sucupira, Petrônio Gontijo e Verônica Fabrini
Cenografia e figurinos: O grupo
Iluminação: Beatriz Sampaio

Título: *A noite de cabelos como flores*
Cia.: Teatro Íntimo
Cidade: São Paulo, SP
Texto: junção de *Algo que não é falado*, de Tennessee Williams, e *A mais forte*, de August Strindberg
Direção: O grupo
Elenco: Lavínia Pannunzio, Regina França e Vera Figueiredo
Cenografia e figurinos: Marco Antônio Lima
Iluminação: Cristiane Paoli-Quito e Rodrigo Matheus

Título: *Delírio*
Cia.: Sótãos e Porões
Cidade: São Paulo, SP

Texto e direção: Antônio Ravan
Elenco: Antônio Ravan, Cláudia Dinali, Gilson Maganha, Marcelo Franzolin, Matheus Nachtergaele, Rosen Berg, Ricardo Martins, Sara Caldas e Sérgio Ferrara
Cenografia: Antônio Ravan e Miriam Farah
Figurinos: Antônio Ravan e Rosen Berg
Iluminação: Ademir Baldão

Título: *À margem da vida*
Cia.: Grupo de estudantes da EAD
Cidade: São Paulo, SP
Texto: Tennessee Williams
Direção: José Rubens Siqueira
Elenco: Fernanda Haucke, Jarbas de Oliveira, José D'Angelo e Valéria Lauand
Cenografia e figurinos: José Rubens Siqueira
Iluminação: Hamilton Saraiva

Título: *A falecida*
Cia.: Teatro Amador do E.C. Pinheiros
Cidade: São Paulo, SP
Texto: Nelson Rodrigues
Direção: Gabriel Villela
Elenco: Claudio Fontana, Elza do Valle, Henrique Migliano, Javert Monteiro, Márcio Di Mitri, Maurício Guilherme Jr., Mônica de Carvalho Borges, Ruy Vasconcelos e Zezé Migliano
Cenografia: Gabriel Villela
Figurinos: Marco Lima
Iluminação: Edinho

Título: *O homem da flor na boca*
Cia.: Núcleo Teatro Oculto
Cidade: São Paulo, SP
Texto: Luigi Pirandello
Direção: Cibele Forjaz
Elenco: Lúcia Romano, Luciano Chirolli e Wanderley Bernadino
Cenografia: William Pereira
Figurinos: Marco Antônio Lima
Iluminação: Cibele Forjaz

Título: *Na roça*
Cia.: Família Rastapé
Cidade: São Paulo, SP
Texto: Belmiro Braga
Direção: Fernando Reinoso
Elenco: Ana Maria Souto, João Vitti, José Tonezzi, Paulo Marcelo e Simoni Boer
Cenografia e figurinos: O grupo
Iluminação: Fernando Reinoso
Direção musical: Wanderley Martins

MOSTRA 40 ANOS DA EAD E 20 ANOS DO TEATRO SESC ANCHIETA

Título: *A disputa*
Cidade: São Paulo, SP
Texto: Marivaux
Tradução: Luiz Antônio Martinez Corrêa
Direção: José Eduardo Vendramini
Elenco: Adriano M. Cypriano, Antônio Piu, Fausto Cesar Franco, Fernanda Haucke, Isabel Ortiz, Josenildo Marinho, Marcos de Azevedo, Paula Mascero, Thaís Ferrara e Zezeh Barbosa
Iluminação: José Eduardo Vendramini

Título: *Tango*
Cidade: São Paulo, SP
Texto: Slawomir Mrozek
Tradução: E. Kander
Direção: Roberto Lage
Elenco: Antonio Galleão, Bete Dorgan, Joyce Ruiz, Pedro Veneziani, Ricardo Homuth, Sérgio Siviero e Siomara Schröeder
Iluminação: Roberto Lage

Título: *Madame de Sade*
Texto: Yukio Mishima
Tradução e Direção: Jamil Dias
Elenco: Anette Ramershoven, Christiana Caldas, Elisa Prado, Tânia Castello, Thais Fantauzzi e Vidroh Balbi
Iluminação: Jamil Dias

Título: *Doroteia*
Cidade: São Paulo, SP
Texto: Nelson Rodrigues
Direção: Roberto Vignati
Elenco: Bárbara de la Fuente, Carmem Ramiro, Elene Tziortzis, Luciana Azevedo, Luciana Chaui e Renata Leão
Cenografia: Cenografia Paulista
Figurinos: Acervo EAD
Iluminação: Roberto Vignati

CENTRO DE PESQUISA TEATRAL

Título: *Xica da Silva*
Cia.: Grupo de Teatro Macunaíma e CPT
Texto: Luís Alberto de Abreu
Direção: Antunes Filho
Elenco: Ailton Graça, Arciso Andreoni, Dirce Thomaz, Edna Ferri, Geraldinho Mário da Silva, Jefferson Primo, João Carlos Luz, Joca Santos, José Rosa, Luis Melo, Luiz Baccelli, Marlene Fortuna, Ricardo Karman, Rita Martins Tragtenberg, Roberta Nunes, Rubens Teixeira, Sandra Damas, Sueli Penha, Tânia Moura e Walter Portella
Cenografia e figurinos: J.C. Serroni
Iluminação: Davi de Brito

1989

ESPETÁCULOS EM TEMPORADA

Título: *Nossa cidade*
Cia.: Grupo Tapa e convidados
Cidade: São Paulo, SP
Texto: Thornton Wilder
Direção: Eduardo Toletino de Araújo
Elenco: Anette Lewin, Brian Penido, Cacá Soares, Clara Carvalho, Eduardo Brito, Ênio Gonçalves, Eric Nowinski, Genésio de Barros, Javert Monteiro, Marco Antonio Rodrigues, Maria Pompeu, Mario Cezar Camargo, Plínio Soares, Sérgio Oliveira, Umberto Magnani, Vera Mancini, Vera Regina e Walderez de Barros
Cenografia e figurinos: Lola Tolentino
Iluminação: Wagner Freire
Direção musical: Gustavo Kurlat

Título: *Castro Alves pede passagem*
Cia.: Grupo Arsenal das Artes
Cidade: São Paulo, SP
Texto: Gianfrancesco Guarnieri
Direção: Carlos Alberto Soffredini
Elenco: Amadeo de Luiggi, Ana Dávalos, Eleonora Prado, Fábio Lins, Figuera Júnior, Graça Berman, Natal Fioryn, Neto Alves e Ulisses Bezerra
Cenografia e figurinos: Paulo de Moraes
Iluminação: Mário Martini
Direção musical: Valmy Rocha

Título: *Foi boto, sinhá*
Cia.: Belém do Pará
Texto: Edy Augusto Proença
Direção: Geraldo Salles
Elenco: Ana Selma, André Rezende Anne Dias, Angela Durans, Betty Dopazzo, Claudio Barros, Jorge Britto, Kil Abreu, Natal Silva, Paulo Cunha, Paulo Fonseca, Paulo Pinto, Paulo Porto, Paulo Vasconcelos, Rui Guilherme e Yeye Porto
Cenografia e figurinos: Lúcia Chedieck, Nando Lima e Neder Charone
Iluminação: Ribamar Xaxim
Direção musical: Roberto Ribeiro

Título: *A vida é sonho – Fragmentos*
Cia.: Apresentado por grupo de Brasília, DF
Texto: Calderón de la Barca
Direção: Hugo Rodas
Elenco: Guilherme Reis, Hugo Rodas e Iara Pietricovsky
Cenografia e figurinos: Hugo Rodas

Título: *Noel, o feitiço da Vila*
Cia.: Cidade Belo Horizonte, MG
Texto e direção Jota D'Angelo
Elenco: Berá Lucas, Eliane Maris, Elvécio Guimarães, Geórgia de Oliveira, Geraldo Peninha, Jed Boy, José Maria Amorim, Jota D'Angelo, Luísa Mello, Nelly Rosa, Neuza Rocha, Ozanan Naves, Paulo César Pires, Ricardo Camargo, Rogério Falabella, Ronaldo Dornelles e Virgílio Dornelles
Cenografia: Raul Belém Machado
Figurinos: Mamélia Dornelles
Iluminação: Jair Russo e Jota D'Angelo
Direção musical: Ricardo Faria

Título: *O porcenteiro*
Cia.: Grupo de Goiôerê, PR
Texto: Baseado no romance de Antônio Bernadino Sena
Direção: Antônio do Vale e Donizeti Mazonas
Elenco: Adauto Mazonas, Arildo Martini, Carlos Antônio, Cláudio Martins, Donizeti Mazonas, Enivaldo Benatti, Marli Mazonas, Meyre Gonçalves, Pedro Marques, Rosália Santos e Tereza Amaral
Iluminação: Rogério Carvalho

JORNADA SESC DE TEATRO EXPERIMENTAL

Título: *Orlando*
Texto: Virginia Woolf
Direção: Bia Lessa
Elenco: Antonio Pedro Vanzolini, Betty Gofman, Cláudia Abreu, Christiane Torloni, Dany Rolland, Fernanda Torres, Julia Lemmertz, Marcos Oliveira e Otávio Müller
Cenografia e figurinos: Fernando Mello da Costa
Direção musical: Caíque Botkay e José Luiz Renaud

Título: *O sangue dos anjos*
Cia.: Teatro Fênix
Cidade: São Paulo, SP
Texto e direção Dario Uzam Filho
Elenco: Braulio Ferraz, Isadora Jager, Jardel Amato, Jucelma Araújo, Lia de Barros, Márcia Salgado, Rosa S. Rasera, Surley Valério e Tania Gaidarji
Cenografia: Marcos Lima e Surley Valério
Figurinos: Tania Gaidarji
Iluminação: Waldimar Littieri

Título: *Werther*
Cia.: Punaesius Vulgaris
Cidade: São Paulo, SP
Texto: J. W. von Goethe
Direção: Samir Signeu
Elenco: Joseli Gonçalves, Marcos Teixeira e Samir Signeu
Cenografia e figurinos: O grupo
Iluminação: Samir Signeu e Waldimar Littieri

Título: *O defunto*
Cia.: Produtos Notáveis
Cidade: Campinas, SP
Texto: René Obaldia
Direção: Petrônio Gontijo
Elenco: Mônica Sucupira e Veronica Fabrini
Cenografia: Huó Gonzales
Figurinos: Mônica Sucupira e Verônica Rocha
Iluminação: Huó Gonzales

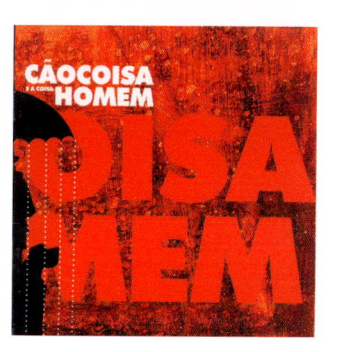

cartas de rodez

Título: *O futuro está nos ovos*
Cia.: Pompadour Tinha Melhor
Cidade: Campinas, SP
Texto: Eugène Ionesco
Direção: Waterloo Gregório
Elenco: Alessandra San Martin, Beto Matos, Carla Fioroni, Cristiane Hernandes, Daniela Ramos, Érika Barbin, Ferdinando Faria, Ricardo Puccetti e Zedú Neves
Cenografia: Marcio Tadeu e Carla Fioroni
Figurinos: Laura Zacura
Iluminação: Walmir Perez

Título: *O marinheiro*
Cia.: Grupo de Arte Pináculo
Texto: Fernando Pessoa
Direção: Paulo Sebastião
Elenco: Adriana Magoga, Carlos Paupitz, Luiz Francisco de Oliveira, Norma Sécolo e Ricardo Invernon
Cenografia e figurinos: O grupo
Iluminação: Élcio Luiz Crespi e Vander Ribeiro

Título: *Uma temporada no inferno*
Texto: Arthur Rimbaud
Tradução e Direção: William Pereira
Elenco: Aparecida Chirolli (cantora) e Luciano Chirolli
Cenografia: Marcos Pedroso e William Pereira
Iluminação: Cibele Forjaz

Título: *Lamento de Ariadne*
Texto: Friedrich Nietzsche
Direção: Cibele Forjaz
Elenco: Débora Serretiello, Letícia Teixeira e Lúcia Romano
Cenografia: Cibele Forjaz e Núcleo Barca de Dioniso
Iluminação: Cibele Forjaz

Título: *Beatrícias, cântico aos pedaços*
Cia.: Grupo Boi Voador
Cidade: São Paulo, SP
Texto: William Blake, Arthur Rimbaud e Charles Baudelaire
Direção: Jayme Compri
Elenco: Bel Kowarick, Caetano Vilela, Cristina Lozano, Cristina Pinho, Domingos Quintiliano, Fernanda Guerra, Heloise Baurich, Leal Baiolin, Marcelo Decária, Marília Adamy, Noemia Duarte e Ronaldo Passos
Iluminação: Domingos Quintiliano
Direção musical: Cristina Pinho e Ulisses Lopes

Título: *Bons tempos*
Cia.: Núcleo Beckett
Texto: Samuel Beckett
Direção: Sérgio Coelho
Elenco: Ana Maria Tabet de Oliveira e Márcio Marciano
Cenografia: Antônio Marciano e Márcio Marciano
Figurinos: O grupo

Título: *Aoi*
Cia.: Trupe das Hortênsias Afogadas
Cidade: São Paulo, SP
Texto: Yukio Mishima
Direção: Antônio Araújo
Elenco: Elisabete Dorgan, Eloisa Helena, Emílio de Mello e Lilian Bits
Cenografia: William Pereira
Figurinos: Augusto Francisco
Iluminação: Cibele Forjaz

Título: *O grande disparate*
Cia.: Nove (Associação Artística e Cultural)
Texto: Adriano Cypriano, adaptado de *O funil*, de Jacques Prévert, e inspirado na gravura *O grande disparate*, de Goya
Direção: Márcio Marciano
Elenco: Alexandre Cueva, Álvaro Cueva, Arthur Rodrigues, Daniel de Tomás, Gelson Isonis, Mara Elisa Lima, Marcelo Augusto, Marcelo Lazzaratto, Renata Kamla e Sílvia Cueva
Cenografia e figurinos: Márcio Marciano

Título: *A noite em que a menina de vestido azul-celeste decidiu ser bailarina*
Cia.: Companhia Azul-Celeste
Cidade: São José do Rio Preto, SP
Texto e direção Cássio Ibrahim e Jorge Vermelho
Elenco: Cássio Ibrahim, Jorge Vermelho e Marina Rico
Cenografia, figurinos e iluminação: Cássio Ibrahim e Jorge Vermelho

CENTRO DE PESQUISA TEATRAL – CPT

Título: *Paraíso Zona Norte*
Cia.: Grupo de Teatro Macunaíma e CPT
Cidade: São Paulo, SP
Texto: Nelson Rodrigues
Direção: Antunes Filho
Elenco: Adilson Azevedo, Alessandra Fernandez, Arciso Andreoni, Barthô di Haro, Clarissa Drebtchinsky, Eliana César, Flávia Pucci, Geraldinho Mário da Silva, Helio Cicero, Jefferson Primo, José D'Angelo, José Rosa, Luis Melo, Luiz Furlanetto, Ondina de Castilho, Pedro Paulo Eva, Raquel Marinho, Rita Martins, Roberto Audio, Samantha Dalsoglio, Teresa Negrini e Walter Portella
Cenografia e figurinos: J.C. Serroni
Iluminação: Max Keller

1990

ESPETÁCULOS EM TEMPORADA

Título: *Perversidade sexual em Chicago*
Texto: David Mamet
Tradução: Marcos Ribas de Farias
Direção: José Wilker
Elenco: Eliane Giardini, José Mayer, Caique Ferreira, Mayara Magri, Paulo Betti e Vera Fajardo
Cenário: Marcos Flaksman
Iluminação: Maneco Quinderé
Figurinos: Billy Accioly
Direção de produção: Guilherme Abrahão

Título: *Miss Sara Sampson*
País: Alemanha
Texto: Gotthold Ephraim Lessing
Direção: Frank Castorf
Adaptação: Günther Erken
Elenco: Gabriele Köstler, Karlheinz Vietsch, Nicole Leistentritt, Rufus Beck e Silvia Rieger
Cenografia e figurinos: Harmut Meyer

Título: *Vem buscar-me que ainda sou teu*
Texto: Carlos Alberto Soffredini
Direção: Gabriel Villela

Elenco: Álvaro Gomes, Claudio Fontana, Laura Cardoso, Lúcia Barroso, Luiz Santos, Paulo Ivo, Roseli Silva e Xuxa Lopes
Cenografia: Gabriel Villela
Figurinos: Romero de Andrade Lima
Iluminação: Davi de Brito
Direção musical: Dagoberto Feliz

Título: *Farsa infantil da cabeça do dragão para educação de príncipes*
Cia.: Estudantes da Escola de Arte Dramática – EAD/ECA/USP
Cidade: São Paulo, SP
Texto: Ramón del Valle-Inclán
Tradução e Direção: Cláudio Luchesi
Elenco: Antônio Galleão, Armando R. Filho, Bárbara de la Fuente, Carmo Murano, Eliana Guttman, Fausto César Franco, Giulio Guidacci, Gustavo Bayer, Josenildo Marinho, Luciana Azevedo, Paulo Marra e Renato Kramer
Cenografia e figurinos: Augusto Francisco e Cláudio Luchesi
Iluminação: Iacov Hillel
Direção musical: Ivo Bonfiglioli e Jenecy Feres

JORNADA SESC DE TEATRO EXPERIMENTAL

Título: *Ensaio aberto de Medeia*
Texto: adaptado de obras de Eurípides
Direção: Christiane Tricerri
Adaptação: Maria Alice Vergueiro e Christiane Tricerri
Elenco: Cacá Amaral, Christiane Tricerri e Maria Alice Vergueiro
Cenografia: Airton Filipelli
Figurinos: Daniela Thomas
Iluminação: Mario Martini

Título: *Antes da queda*
Cia.: Exzoo Companhia de Teatro
Texto: adaptado do conto *Os chapéus transeuntes*, de João Guimarães Rosa
Direção: René Birocchi
Elenco: Cacá Soares, Cláudio Chakmati, Cristina Lozano, Linneu Dias, Miriam Rinaldi, Petê Marchetti, Ricardo Paim e Sérgio Ferreira
Cenografia e figurinos: Carla Caffé
Iluminação: Edvaldo Rodrigues e Wagner Pirito

Título: *Vidas secas*
Cia.: Punaesius Vulgaris
Texto: Samir Signeu, baseado na obra de Graciliano Ramos
Direção: Samir Signeu
Elenco: Jô Rodrigues, João Feitosa, Leiner Abrantes, Marco Aurélio Gandra, Marcos Teixeira, Roberto Audio, Samir Signeu, Surley Valério e Walter Couto
Cenografia: Samir Signeu
Figurinos: Lúcia Helena Sacco
Iluminação: Marcos Teixeira

Título: *O cobrador*
Cia.: Teatro em Quadrinhos
Texto: Elizabeth Lopes e Luiz Cabral, adaptado de conto de Rubem Fonseca
Direção: Beth Lopes
Elenco: Ana Bach, Bel Kowarick, Fernando Vieira, Lui Strassburguer e Ronaldo Passos
Cenografia e figurinos: Luiz Fernando Pereira
Iluminação: Guilherme Bonfanti e Wagner Pinto

Título: *Abraça a tua loucura antes que seja tarde demais*
Cia.: Núcleo Teatral Roda Viva
Texto: Tarcísio Motta e Núcleo Teatral Roda Viva, adaptado de conto de Caio Fernando Abreu
Direção: Celso Rabetti
Elenco: Celso Rabetti, Cristina Di Renzo, Kiko Barone, Marcelo Ferreira, Regina Rosa e Tarcísio Motta
Cenografia: Rô Taioba
Figurinos: Rosana Bueno
Iluminação: Décio Filho

Título: *Canudos revisitada*
Texto: Benê Trevisan e Lúcia Vitto, adaptado de *Os sertões*, de Euclides da Cunha
Direção: Lúcia Vitto
Elenco: Adílson Santos, Aparecido Morgante, Carolina Posse Bon, Cibele Cristina Barbosa, Cláudia Missura, Claudinei da Costa, Douglas Horrara, Evanize Kelli Sivero, Fábio Magalhães, Ivete de Souza Ricci, João Batista Correa, José Roberto Paulino Jr., Lau Marcolino, Luís Alexandre Faria, Luís César Frade, Marcelo Romanholi, Margarete Morgante, Maria Benedita Bagodi, Mariane de Britto, Mauro Rodrigues, Mica Borges, Moacir Correa Neto, Patrícia Bal Dassin, Rogério César Albuquerque, Rogério Gomes Silva, Rogério Queiroz Carniel, Sílvia Mello, Vera Lúcia dos Santos; e as crianças Eduardo Carrara, Helena Martins, Luís Ricardo Bello, Ricardo Ribeiro Loyola e Thabata Pereira da Silva
Cenografia e iluminação: Benê Trevisan
Figurinos: O grupo

Título: *Mulheres de Jorge Amado*
Cia.: Ararama
Texto: Zé Eduardo Amarante, baseado em diversas personagens de obras de Jorge Amado
Direção: Zé Eduardo Amarante
Elenco: Abigail Wimer, Antônio Gincko, Claudia Campos, Clayre Gallizzi, Nivanda Santos, Othoniel Siqueira e Paulo Santana
Iluminação: Mario Martini
Direção musical: Antulio Madureira

1991

ESPETÁCULOS EM TEMPORADA

Título: *Bunraku: teatro tradicional de bonecos*
País: Japão
Texto: trecho de *Sagui Musuma-Hana Kurabe Shikino Kotubuki* (Moça-Garça); trecho de *Kumagai no Monogatari-Ichinotani Futaba Gunki* (A crônica da batalha de Ichinotani); trecho de *Sonazaki ShinJu* (Duplo suicídio em Sonezaki); e trecho de *Tanjin no Mori Dan*
Elenco: cantores Tayuu: Tekemoto Takatayuu e Toyotake Hanabusadayuu. Shamisen: Nozawa Kiichiro e Nozawa Kizaemon

Título: *Pierrot*
Texto: Beth Goulart, inspirada nos poemas de Albert Giraud usados em Pierrot Lunaire

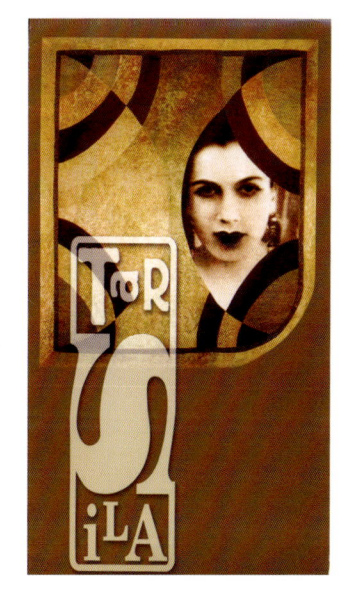

Direção: Val Folly
Elenco: Beth Goulart
Cenografia: Val Folly
Figurinos: Fábio Namatame
Iluminação: Roberto Lima e Val Folly
Direção de produção: Renato Ganhito

Título: *La ronde*
Texto: Arthur Schnitzler
Tradução: Antonio de Bonis e Paulo Andrade Lemos
Direção: Ulysses Cruz
Adaptação: Walderez Cardoso Gomes
Elenco: Antonio de Bonis, Christiana Guinle, Edgar Amorim, Licia Manzo, Marcos Winter, Maria Padilha, Rodrigo Santiago e Selma Egrei
Cenografia: Hélio Eichbauer
Figurinos: Pedro Sayad, Flávia Leão e Patrícia Nunes
Iluminação: Domingos Quintiliano
Direção de produção: Falecido Alves dos Reis

JORNADA SESC DE TEATRO EXPERIMENTAL – REVENDO E REFLETINDO A OBRA DE SHAKESPEARE

Título: *A comédia dos erros*
Cia.: Razões Inversas
Cidade: São Paulo, SP
Texto: William Shakespeare
Direção: Marcio Aurelio
Elenco: Adalberto da Palma, Ana Souto, Ariela Goldmann, Cristina Bueno, Eugênio La Salvia, Guilhermino Domiciano, Huó Gonzales, Inês Viana, João Vitti, Leonardo Medeiros, Paulo Marcelo, Raul Figueiredo e Verônica Fabrini

Título: *Rei Lear*
Texto: William Shakespeare
Tradução e Direção: Edson D'Santana
Elenco: Adalberto D'Alba, Akemi Otsu, Ângelo Coimbra Filho, Edson D'Santana, José Dias Neto, Maria Helena Bueno, Patrícia Zerino, Sérgio Fernando Ramos, Tânia Albissu e Thaís Medeiros
Figurinos e iluminação: Cissa Carvalho

Título: *Ilha*
Cia.: Centro de Empreendimentos Artísticos Barca Ltda.
Texto: William Shakespeare, baseado em *A tempestade*
Tradução e Direção: Augusto Francisco
Elenco: Cida Almeida, Gustavo Engrácia, Leopoldo Pacheco, Lúcia Romano e Marco Ricca
Cenografia e figurinos: Augusto Francisco
Iluminação: O grupo
Direção musical: Cristiano Cerneiro e Silvia Ferreira

Título: *Uma intersecção*
Cia.: Exzoo Companhia de Teatro
Texto: William Shakespeare, baseado em *Otelo*
Tradução: Fabrizia Pinto e Renê Birocchi
Direção: Fabrizia Pinto
Adaptação: Fabrizia Pinto e Renê Birocchi
Elenco: Carlos Martins, Cristina Lozano, Miriam Rinaldi, Paulo Gandolfi, Petê Marcheti, Sérgio Ferreira e Vicente Latorre **Participações especiais**: Abrahão Farc e Linneu Dias
Cenografia: Cássio Amarante e Marcelo Laurino
Figurinos: Ellen Igersheimer e Suzana Jeha
Iluminação: Guilherme Bonfanti e Marisa Bentivegna

Título: *A tempestade*
Cia.: Ori-Gen Ilê de Creação
Texto: William Shakespeare
Tradução e Direção: Zenaide Djadille
Elenco: Cleide Queiróz, Edna Ferri, Eliana Santana, Graça Andrade, Guida Libeyto, Leila Moreno, Lena Silva, Oliva da Silva Prado, Silvina Elias, Soninha Behring e Valquiria Rosa
Cenografia e figurinos: Neneco Martins

Título: *O desejo sacudindo a lança*
Cidade: Rio de Janeiro, RJ
Texto: William Shakespeare, baseado em várias obras
Tradução: Adriana Maia, Flávia Maria Samuda, Geraldo Carneiro, Sérgio Flaksman e Xando Graça

Direção: Marcos Vogel
Adaptação: Mariana Maia, Marcos Vogel e Xando Graça
Elenco: Adriana Maia, Cristiana Maia, Rubens Camelo e Xando Graça
Cenografia: Marcos Vogel e Jorge Reia
Figurinos: Adriana Maia
Iluminação: Marcos Vogel

Título: *Hamlet a bordo*
Cia.: Grupo Teatral Escorpião
Texto: William Shakespeare, baseado em *Hamlet*
Tradução: Ana Amélia Carneiro de Mendonça
Direção: Arthur Rodrigues
Elenco: Adriano Cipryano, Álvaro Cueva, Arthur Rodrigues, Cello Airoldi, Gelson Tsonis, Isabel Cueva, Marcelo Lazzaratto, Marcelo Reis, Sandra Tsonis, Sérgio Conventi Garcia e Soró
Cenografia e iluminação: Arthur Rodrigues
Figurinos: Arthur Rodrigues e Sandra Tsonis

CENTRO DE PESQUISA TEATRAL – CPT

Título: *Nova velha estória*
Cia.: Grupo de Teatro Macunaíma e CPT
Cidade: São Paulo, SP
Texto: Baseado no conto *Chapeuzinho vermelho*
Direção: Antunes Filho
Elenco: Geraldinho Mário da Silva, Helio Cicero, Ian Cristian, Inês de Carvalho, Ludmila Rosa, Luiz Furlanetto, Luis Melo, Ondina de Castilho, Samantha Dalsoglio, Sandra Babeto e Yara Nico
Cenografia e figurinos: J.C. Serroni
Iluminação: Davi de Brito

1992

ESPETÁCULOS EM TEMPORADA

Título: *A vida é sonho*
Texto: Pedro Calderón de la Barca
Tradução e adaptação: Renata Pallottini
Direção: Gabriel Villela

Elenco: Alexandre Paternost, Angélica Leutwiller, Cristina Guiçá, Dirce Carvalho, Edna Aguilar, Elaine Carvalho, Ileana Kwasinski, Jacqueline Momesso, Lara Córdula, Letícia Teixeira, Luciana Mello, Maria do Carmo Soares, Mariana Muniz, Mônica Barbosa, Regina Duarte, Renata Mattar, Vera Mancini e João Ricardo Duarte (voz em *off*)
Cenografia: Gabriel Villela
Figurinos: Romero de Andrade Lima
Iluminação: Davi de Brito
Direção musical: Samuel Kerr

Título: *O alienista*
Texto: Machado de Assis
Direção: Eugênia Thereza
Elenco: Aguinaldo Gabarrão, Amaziles de Almeida, Ana Maria Pupo, Ana Saggese, Anna Nery, Augusto de Hollanda, Carlos Albant, Cássio Brasil, Charles Geraldi, Chico César, Delurdes Moraes, Emerson Rossi, Luque Daltrozo, Marcos Valentim, Marina Alvarez, Mika Lins e Yunes Chami
Cenografia: Silvio Dworecki, Adalgisa Campos, Augusto Sampaio, Letícia Nishimoto, Mônica Schoenacker, Wilson Jorge Filho, Celestino Neto, Haroldo Lourenção e Orlando Lobosco
Figurinos: Emanoel Araújo

Título: *Laranja mecânica*
Texto: Anthony Burgess
Direção: Olair Coan
Elenco: Adler Pellegrini, Claudia Mello, Cristina Bosco, Dinho Aguiar, Élcio Sodré, Fábio Monteiro, Fernando Sampaio, Geórgia Gomide, Guilhermino Domiciano, João Paulo Leão, Jonas Mello, Keila Bueno, Marco Antônio Pâmio, Osmar Ângelo, Sérgio Carvalho e Wado Gonçalves
Cenografia: Marcos Pedroso
Figurinos: Carlos Pezette e Oscar Rovella
Iluminação: Fernando Villar

Título: *Didi vipí nopô* (Divino)
Texto: João Andreazzi e G. Macedo
Direção: João Andreazzi
Elenco: Guto Macedo, João Andreazzi, Maria Pereira, Renato Luiz Consorte e Tally Traksbetrygier
Figurinos: Jacira Minelli
Direção musical: Guto Macedo

JORNADA SESC DE TEATRO

Título: *Fantasia de Fedra Furor*
Texto: Beatriz Azevedo
Direção: Cibele Forjaz
Elenco: Paulo Márcio e Rosi Campos
Cenografia: William Pereira
Figurinos: Domingos Fuxique
Iluminação: Cibele Forjaz
Direção musical: Gustavo Kurlat

Título: *Liubliú* (Maiakovski e Lilia Brik)
Cia.: Cabaret Babel
Cidade: São Paulo, SP
Texto e direção Beatriz Azevedo
Elenco: Claudia Schapira, Jairo Matos, Paulo Márcio e Petrônio Gontijo
Cenografia: William Pereira
Figurinos: Domingos Fuxique
Iluminação: Cibele Forjaz
Direção musical: Gustavo Kurlat

Título: *Graças a Deus*
Cia.: Ato-Teatro Aberto
Cidade: Campinas, SP
Direção: Clélia Virgínia Rinaldi e Milena Milena
Elenco: Clélia Virgínia Rinaldi, Milena Milena e Marco Aurélio Alberte
Cenografia e figurinos: Clélia Virgínia Rinaldi e Milena Milena
Iluminação: Dafne Sense Michellepis

Título: *Like a Rolling Stone*
Cia.: Grupo Companhia
Cidade: Campinas, SP
Texto: Anderson do Lago Leite e Lavínia Pannunzio
Tradução: Lavínia Pannunzio
Direção e elenco: Anderson do Lago Leite e Lavínia Pannunzio
Figurinos e iluminação: Anderson do Lago Leite e Lavínia Pannunzio

Título: *Domingo*
Cia.: Idióculos
Cidade: São Paulo, SP
Texto: Cecília Moisés Gonçalves
Direção: Patrícia Soares
Elenco: Fernanda Marchetti, Nilva, Vânia Carvalho e Zeca Pezzatti
Cenografia e figurinos: Nilva

Título: *A pecadora queimada e os anjos harmoniosos*
Cia.: Grupo Companhia São Paulo
Cidade: São Paulo, SP
Texto: Clarice Lispector
Direção: José Antônio Garcia
Elenco: Agnes Zuliani, Alexandre de Oliveira, Attilio Cezar Prade, Bel Gomes, Iara Jamra, Jandir Ferrari, Leopoldo Pacheco, Lígia Lemos, Sandra Guimarães, Sérgio Mamberti e Sofia Papo
Cenografia: Felippe Crescenti
Figurinos: Luis Rossi e Fábio Brando
Iluminação: Césio Lima

Título: *Do outro lado da ilha* (prefácio decadente)
Cia.: Grupo Circo Grafitti
Cidade: São Paulo, SP
Texto: Walderez Cardoso Gomes
Direção: Sérgio Ferrara
Elenco: Helen Helene, Rosi Campos, Lélia Abramo (voz *off*) e Pedro Brandi (voz *off*)
Cenografia: Luiz Rossi
Figurinos: Adriana Ramos
Iluminação: Davi de Brito

Título: *A mais forte*
Cia.: Ato-Teatro Aberto
Cidade: São Paulo, SP
Texto: August Strindberg
Tradução: Thais A. Balloni
Direção: Dafne Sense Michellepis e Milena Milena
Elenco: Dafne Sense Michellepis e Milena Milena

Título: *O pesadelo do ator*
Cia.: Instável de Teatro
Cidade: São Paulo, SP
Texto: Christopher Durang
Tradução e Direção: Marcia Abujamra
Elenco: Carlos Moreno, Élida Marques, Mariana Suzá, Miguel Magno e Ney Piacentini
Cenografia: Luis Frugoli
Iluminação: Guilherme Bonfante

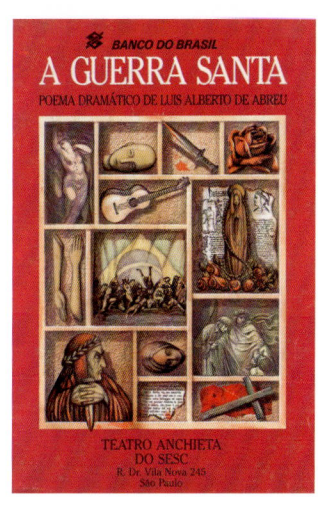

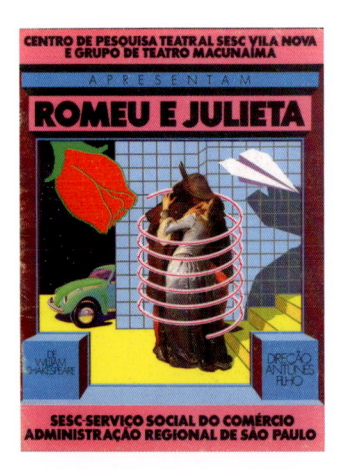

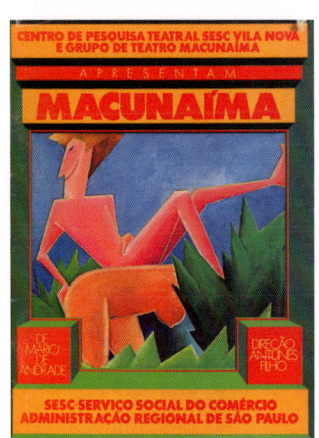

CENTRO DE PESQUISA TEATRAL – CPT

Título: *Trono de sangue – Macbeth*
Cia: Grupo de Teatro Macunaíma e CPT
Texto: William Shakespeare
Adaptação e Direção: Antunes Filho
Elenco: Adilson Azevedo, André Gontijo, Carlos Landucci, Fernando Reinozzo, Geraldinho Mário da Silva, Germano Mello, Giácomo Pinotti, Gustavo Bayer, Helio Cicero, Jaime Queiroz, José D'Angelo, Luis Melo, Luiz Mario Vicente, Luiz Mario, Ondina de Castilho, Pedro Paulo Eva, Roberto Audio, Roberto Pratusiavicius, Samantha Dalsoglio e Walter Portella
Cenografia: J.C. Serroni
Figurinos: Romero de Andrade Lima
Iluminação: Davi de Brito

1993

ESPETÁCULOS EM TEMPORADA

Título: *Viagem ao centro da terra*
Texto: Júlio Verne
Tradução: Moacyr Scliar
Direção: Bia Lessa
Elenco: Betty Gofman, Cláudia Abreu, Dany Roland, Julia Lemmertz, Marcos Oliveira, Mark Fredrichs e Otávio Müller
Cenografia: Fernando Mello da Costa
Iluminação: Paulo Pederneiras e Sylvie Claude Leblanc

Título: *A entrevista*
Cia.: Atores de Laura
Cidade: Rio de Janeiro, RJ
Texto: Bruno Levinson e Daniel Herz
Direção: Daniel Herz e Susanna Kruger
Elenco: Adriana Schneider, Ana Markun, Ana Paula Secco, Ângelo Paes Leme, Bernardo Bernardes, Breno Costa, Clara Linhart, Cristina Teran, Gabriela Gusmão, Ilana Pogrebinschi, Irene Faria, Joana Lima Verde, Karina Pino, Luiz André Alvim, Maria Acselrad, Maria Ribeiro, Moema Salgado, Renata Passos, Renata Pogrebinschi, Tiago Freire e Verônica Reis
Iluminação: Aurélio de Simoni

Título: *O mambembe*
Cia.: Escola de Arte Dramática - EAD
Cidade: São Paulo, SP
Texto: Artur Azevedo
Direção: Gianni Ratto
Adaptação: Renata Pallottini e Gianni Ratto
Elenco: Ana Paula Taglianetti, Bhá Bocchi Prince, Eliana Bolanho, Érica Bodstein, Ester Lacava, Fernanda Couto, Fernanda de Lima, Fernanda D'Umbra, Gilciane Oliveira, Graziella Moretto, Kiko Vianello, Luis Miranda, Mila Ribeiro, Mirro Rizzo, Osmar Raponi, Rodrigo Lopez, Ronaldo Artnic, Rose Tomitsuka, Silvio Giraldi e Valéria Marchi. Participação de estudantes do 1º ano: Cristina Ferreira Martinez, Elaine Loebmann, Kátia Wermelinger, Liz Guimarães, Luiz Mármora, Newton Wagner Milanez e Renato de Figueiredo
Cenografia e figurinos: Augusto Francisco
Iluminação: Gianni Ratto
Direção musical: Israel Pessoa

Título: *Guerra santa*
Texto: Luís Alberto de Abreu
Direção: Gabriel Villela
Elenco: Beatriz Segall, Claudio Fontana, Cristina Guiçá, Fernando Neves, Jaqueline Momesso, Lúcia Barroso, Lulu Pavarin, Maria do Carmo Soares, Paulo Ivo, Rita Martins, Roseli Silva, Sérgio Zurawski, Umberto Magnani e Vera Mancini
Cenografia: Gabriel Villela
Figurinos: Luciana Buarque
Iluminação: Wagner Freire
Direção musical: Tato Fischer
Direção de produção: Beti Antunes

Título: *Zerlina*
Texto: Hermann Broch
Tradução: Suzana Cabral de Mello
Direção: João Perry
Adaptação: Antônio S. Ribeiro e José Ribeiro da Fonte
Elenco: Eunice Muñoz e Carlos Pimenta. Vozes: Fernanda Alves, Maria Amélia Matta, José Manuel Mendes e José Wallenstein
Cenografia e figurinos: Pedro Calapez
Iluminação: Daniel Del Negro

JORNADA SESC DE TEATRO – O RISO NO TEATRO

Título: *Futilidades públicas*
Texto: Patricia Gasppar
Direção: Elias Andreato
Elenco: Patricia Gasppar
Cenografia: Carlos Moreno
Figurinos: Fábio Namatame
Direção musical: Plinio Cutait
Direção de produção: Mira Haar

Título: *Acuda-me*
Cia.: Faces e Beijos
Cidade: São Paulo, SP
Texto: Marta Góes
Direção e elenco: Clélia Virgínia Rinaldi e Eliete Maziero

Título: *Nunca me vi, sempre me amei*
Cia.: Paulista de Corpo e Voz
Cidade: São Paulo, SP
Direção: Guto Maia
Elenco: Agnes Zuliane, Ana de Hollanda e José Roberto Araújo
Cenografia, figurinos e iluminação: Guto Maia

Título: *Sardanapalo*
Cia.: Parlapatões, Patifes & Paspalhões
Cidade: São Paulo, SP
Texto: Hugo Possolo
Direção: Carla Candiotto
Elenco: Alexandre Roit, Hugo Possolo e Raul Barreto
Cenografia: Hugo Possolo
Figurinos: Adriana Vaz Ramos
Iluminação: Carlos Gaúcho

Título: *Boca de micróbios*
Cia.: Tao Kaos
Cidade: São Paulo, SP
Texto: Walderez Cardoso Gomes
Direção: Sérgio Ferrara
Elenco: Alexandre Franco, Cláudia Mello, Gisela Arantes, Luiz Thomas e Roney Facchini
Cenografia: Sérgio Ferrara
Figurinos: Tereza Rivas e Ronaldo Esper
Iluminação: Davi de Brito

Título: *Mistério buffo*
Cia.: Irascível e Tragicômica de Teatro
Cidade: Rio de Janeiro, RJ
Texto: Dario Fo
Tradução e Direção: Luca Baldovino
Elenco: Luis Furlanetto

Título: *Ifigônia*
Cia.: Circo Grafitti
Cidade: São Paulo, SP
Texto: Autor anônimo, fundamentado nos pressupostos dos poemas dos goliardos
Tradução: Bri Fiocca
Direção: Roney Facchini
Adaptação: Mário Vianna
Elenco: Abílio Tavares, Alexandre Franco, Álvaro Petersen, Chak Mat, Eduardo Silva, Helena Bagnoli, Maria Paula Zurawski, Rosi Campos, Tadeu Di Pietro, Valéria Sândalo e Zezeh Barbosa
Cenografia: Roney Facchini
Figurinos: Helen Helene
Iluminação: Davi de Brito
Direção musical: Pedro Paulo Bogossian

Título: *A sopa*
Texto e direção Franco Renaud
Elenco: Ana Bach, Ariel Moshe, Eber Mingardi, Luciano Bertoluzzi, Lui Strassburger, Rita de Cássia Ivanoff e Tatiana Nogueira
Cenografia e figurinos: Fábio Namatame

Título: *Além da imaginação*
Cia.: Arte Gullik
Cidade: São Paulo, SP
Texto: Alexandre Darbilly
Direção: Marco Antonio Neubarth
Elenco: Alexandre Darbilly, Eduardo Capozzi, Nan R. Breves e Sonia Coronato
Cenografia: Felippe Crescenti
Figurinos: Milena Gaspaccio
Iluminação: Wolker P. Lansing

Título: *Comigo não, violão*
Cia.: Cabaret Babel
Cidade: São Paulo, SP
Texto: Jean Cocteau, a partir do texto *O belo indiferente*
Direção: Beatriz Azevedo
Elenco: Carla Giallucca Hossri e Joca Andreazza
Cenografia: O grupo
Figurinos: Claudia Schapira
Iluminação: Cibele Forjaz

Título: *Os bípedes*
Cia.: Teatrão
Cidade: São Paulo, SP
Texto: Marcos Caruso
Direção: Silnei Siqueira
Elenco: Cristina Pikielny, Hedy Siqueira, Hugo Napoli, João Eduardo Lagos, Luciana Azevedo e Silvia Siqueira
Cenografia e figurinos: Felippe Crescenti

Título: *Malditos papéis*
Cia.: Os Alces
Cidade: São Paulo, SP
Texto: Artur Kohl, Lolio L. de Oliveira e Renato Caldas
Direção e elenco: Artur Kohl e Renato Caldas
Figurinos: Fernanda Abujamra
Iluminação: Davi de Brito

CENTRO DE PESQUISA TEATRAL – CPT

Título: *Vereda da salvação*
Cia.: Grupo de Teatro Macunaíma e CPT
Cidade: São Paulo, SP
Texto: Jorge Andrade
Direção: Antunes Filho
Elenco: Andréa Rodrigues, Ângela Banhoz, Geraldinho Mário da Silva, Gustavo Bayer, Hélio Cícero, José D'Angelo, Joice Aparecida, Laudo Olavo Dalri, Laura Cardoso, Lázara Seugling, Luis Melo, Nelson Andrade, Raquel Anastásia, Renata Jesion, Roberto Audio, Rogério F. da Costa, Rosane Bonaparte, Sandra Correa, Sueli Penha, Vanusa Ferlin, Walter Portella e Wilson Rocha
Cenografia e figurinos: J.C. Serroni
Iluminação: Davi de Brito

1994

ESPETÁCULOS EM TEMPORADA

Título: *Pentesileias*
Texto: Daniela Thomas, inspirado em *Pentesileia*, de Kleist
Direção: Bete Coelho
Elenco: Bete Coelho, Claudia Odorissio, Claudia Schapira, Giulia Gam, Lu Grimaldi, Michele Matalon, Muriel Matalon, Petê Marchetti, Renato Borghi, Rodrigo Matheus e Silvia Mazza
Cenografia e figurinos: Daniela Thomas

Título: *Os olhos cor de mel de James Dean*
Texto: Zeno Wilde
Direção: Marcelo Marcus Fonseca
Elenco: Ana Carolina, Ando Camargo, César Augusto, Hermes Barolli, Kate Hansen, Marcelo Marcus Fonseca, Patrícia Lucchesi e Paulo Pompeia
Iluminação: Davi de Brito
Direção musical: Wanderley Martins

Título: *Seria cômico… se não fosse sério*
Texto: Friedrich Dürrenmatt
Tradução: Reto Melchior
Direção: Eugênia Thereza Andrade e Reinaldo Puebla
Elenco: Augusto de Hollanda, Cássio Brasil, Eugênia Thereza, Luiz Furlanetto, Maíra Dworecki e Rubens Rollo
Cenografia: Silvio Dworecki
Figurinos: Marichilena
Iluminação: Augusto Tiburdius

Titulo: *Os três mosqueteiros*
Cia: The British Council – Mime Theatre Project of London
País: Inglaterra
Texto e direção Toby Sedgwick
Elenco: Andrew Dawson, Gavin Robertson e Robert Thirtle
Figurinos: Lizzy Crewe
Coordenação de produção: Marcello Gonzáles

JORNADA SESC DE TEATRO – O TEATRO MUSICAL

Título: *No tempo da apoteose*
Cia.: A Quem Interessar Possa
Cidade: São Paulo, SP
Texto e direção Vic Militello
Elenco: Alna Ferreira, Ana Arcuri, Angela Ivanovici, Bráulio Alexandre, Carla Schwaitzer, Deca Bolonha, Ednaldo Eiras, Eleonora Prado, Gilberto Fernandes, Laudi R. Marteli, Luzia Meneghini, Marcelo Coutinho, Marcelo Martucci, Mia Ribeiro, Nara Gomes, Olga Andrade, Raul Barreto e Rosi Campos
Cenografia e figurinos: Vic Militello
Iluminação: Davi de Brito
Direção musical: Ciro Visconti

Título: *Hagoromo – O manto de plumas*
Cia.: Komachi
Cidade: São Paulo, SP
Texto: Zeami Motokiyo
Direção: Alice K
Elenco: Alice K, Alceu José Estevam e Grupo Vésper: Ilka Cintra, Juçara Marçal, Mazé Cintra, Mônica Thiele, Nenê Cintra e Sandra Ximenez
Cenografia e figurinos: Mayumi Ito
Iluminação: Wagner Pinto
Direção musical: Fernando Carvalhaes

Título: *A voz humana*
Cia.: La Voix
Cidade: São Paulo, SP
Texto: Jean Cocteau
Tradução: Lauro Machado Coelho
Direção: Iacov Hillel
Elenco: Rachel Barcha (atriz) e Ulisses de Castro (piano)
Cenografia, figurinos e iluminação: Iacov Hillel
Direção musical: Miguel Briamonte

Título: *Bar da noite*
Cia.: Fracassados do Amor
Cidade: São Paulo, SP
Texto e direção Ricardo Leitte
Elenco: Ariel Moshe, Einat Falbel, Gabriel Catellani e Juçara Morais
Cenografia: Criação coletiva
Figurinos: Ronaldo Gutierrez
Iluminação: Ricardo Leitte
Direção musical: Luís Rey

Título: *As favoritas do rádio*
Cia.: Grupo Casca de Arroz
Cidade: São Paulo, SP
Texto: Andréa Bassit, Luciana Carnieli e Regina Galdino
Direção: Cassio Scapin e Regina Galdino

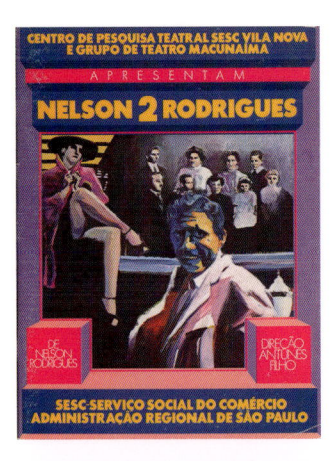

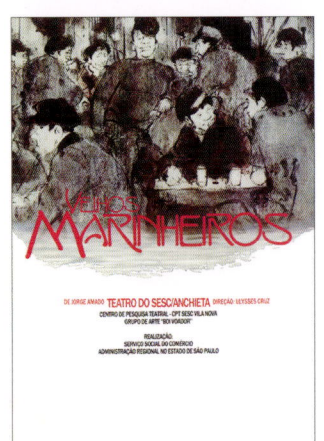

Elenco: Andréa Bassit, Cema dos Santos, Luciana Carnieli, Osvaldo Raimo e Regina Galdino
Cenografia: Regina Galdino e Cassio Scapin
Figurinos: Luís Mármora
Iluminação: Ari Nagô

Título: *A solidão dos anjos*
Cia.: Barravento
Cidade: São Paulo, SP
Texto: Ricardo Monteiro
Direção: Luiz Casado Filho
Elenco: Alexandre Pastore, Fernando Prata, Marcus Arrais, Marilise Rossato, Ricardo Monteiro e Viviane Casagrandi
Cenografia: Beatriz Corrêa e Patrícia Netto
Figurinos: Dorinha França
Iluminação: Luiz Casado Filho

Título: *E o tao do mundo não se acabou*
Cia.: Brasileira de Mystérios e Novidades
Cidade: São Paulo, SP
Texto: Lígia Veiga e Kaiq Antunes, livre adaptação do prólogo da revista *Rio de Janeiro em 1877*, de Artur Azevedo
Direção: Kaiq Antunes
Elenco: André Trindade, Bado Todão, Beth Belli, Chico César, Girley Miranda, Hugo Hori, Kaiq Antunes, Lelena Anhaia, Lígia Veiga, Mauro Sanches, Rick Cukerman, Rita Ribeiro, Simone Soul e Virgínia Jancso
Cenografia: Milton de Biasi e Milton Filipetti
Figurinos: O grupo
Iluminação: Diggio

Título: *Vicente Celestino – uma homenagem ao trovador*
Cia.: Macetes e Mambembes
Cidade: São Paulo, SP
Texto: Pato Papaterra
Direção: Douglas Munhoz
Elenco: Anita Deixler, José Marson, Pato Papaterra e Sônia Carbonell
Cenografia: Marcos Botassi
Figurinos: Adriana Figueirodo
Iluminação: Paulo Almeida

IV FESTIVAL INTERNACIONAL DE ARTES CÊNICAS DE SÃO PAULO

Título: *The Aboriginal Islander Dance Theatre*
Cia.: The Aboriginal Dance Theatre
País: Austrália
Direção artística: Raymond Blanco
Direção dos ensaios: Marilyn Miller
Direção de cena: Simon Lampton
Elenco: Bree-An Munns, Dujon Niue, Françoise Phillibert, Gary Lang, Johnny Maryka, Linda Boston, Margaret Roberts, Peta Strachan, Tracey Gray, Raymond Blanco, Steven Gray e Sidney Saltner

Título: *Calderón*
Cia.: Teatro Stabile Di Torino
País: Itália
Texto: Pier Paolo Pasolini
Direção: Luca Ronconi
Elenco: Alberto Mussap, Alfonso Veneroso, Angelia Buzzolan, Barbara Gai Barbieri, Caterina Panti Liberovici, Cristian Maria Giammarini, Cristina Manara, Daniele Salvo, Davide Cuccuru, Domenico Castaldo, Elena Russo, Enrico Dusio, Erika Urban, Fabrizio Dardo, Franca Penone, Francesco Gagliardi, Giancarlo Judica Cordiglia, Gilda Postiglione, Giorgio Lupano, Irene Ivaldi, Jacopo Serafini, Laura Landolfi, Lorenzo Fontana, Marta Richeldi, Martina Guideri, Massimiliano Mecca, Monica Mignolli, Olivia Manescalchi, Patrizia Motolla, Rossana Mortara, Sara D'Amario, Silvia Iannazzo, Stefania Parisella, Valentina Fago e Viola Pornaro
Cenografia: Carmelo Giammello
Figurinos: Ambra Danon
Iluminação: Franco Nuzzo

Título: *Manjacy – Their Master's Voice*
Cia.: Actors of Cricot 2
País: Polônia
Direção: Andrzej Welminski
Elenco: Adam Wojtowicz, Andrzej Welminski, Eugeniusz Bakalarz, Krzystof Dominik, Marta Welminska, Mira Rychlika, Stanislaw Michno, Teresa Welminska, Woiciech Michno e Zbigniew Berdnarczyk

1995

ESPETÁCULOS EM TEMPORADA

Título: *A rua da amargura – 14 passos lacrimosos sobre a vida de Jesus*
Cia.: Grupo Galpão
Cidade: Belo Horizonte, MG
Texto: Eduardo Garrido, adaptação de *O mártir do calvário*
Tradução: Arildo de Barros
Direção: Gabriel Villela
Adaptação: Eduardo Garrido
Elenco: Antonio Edson, Arildo Barros, Beto Franco, Bia Fraga, Eduardo Moreira, Inês Peixoto, Júlio César Maciel, Lydia Del Picchia, Paulo André, Rodolfo Vaz e Teuda Bara
Cenografia: Gabriel Villela
Figurinos: Maria Castilho e Wanda Sgarbi
Iluminação: Maneco Quinderé

Título: *Tantã*
Cia.: Casa da Gávea
Cidade: Rio de Janeiro, RJ
Texto: Rafael Camargo
Direção: Elias Andreato
Elenco: Cristina Pereira
Cenografia e figurinos: Ronald Teixeira
Iluminação: Paulo César Medeiros

Título: *Frank Dell's – The Temptation of St. Antony*
Cia.: The Wooster Group
País: Inglaterra
Texto: Livre adaptação de *La tentation de Saint Antoine*, de Gustave Flaubert, com texto adicional de James Strahs
Direção: Elizabeth LeCompte
Elenco: Ana Köller, Clayton Hapaz, Cynthia Hedstrom, Dave Shelley, J. J., Kate Walk, Michael Nishball, Peyton Smith, Tracy Leipold e Willem Dafoe
Cenografia: Jim Clay Burgh
Iluminação: Clay Shirk

JORNADA SESC DE TEATRO

Título: *A sonata fantasma*
Cia.: Atores Brasileiros
Cidade: São Paulo, SP
Texto: August Strindberg

Tradução e Direção: André Pink
Elenco: Eliete Mejorado, Germano Mello, Leonardo Callarfi, Marcelo Augusto dos Reis, Maria Angélica Angelucci, Regina França e Virgínia Costabile
Cenografia: Atílio Beline Vaz
Figurinos: Angélica Angelucci e Val Barreto
Iluminação: Juliano Zetti

Título: *Aguadeira*
Texto: Patricia Gasppar
Direção: Vivien Buckup
Elenco: Patricia Gasppar
Cenografia: Carlos Moreno
Figurinos: Mira Haar
Iluminação: Wagner Freire

Título: *Endecha das três irmãs*
Cia.: As Graças
Cidade: São Paulo, SP
Texto: Vânia Terra, inspirado em obra de Adélia Prado
Direção: Vânia Terra
Elenco: Angelita Gomes Bassi, Cida Sampaio, Daniela Schitini, Eliana Bolanho, Élida Marques, Flávia Ferraz, Ignes Lopes, Juliana Gontijo, Lázara Seugling, Leo Santini, Leonor Valente e Paula Cosenza. Vozes em *off*: Antônio Perale, Fábio Esposito, Fernando Prata e William Amaral. Cantoras: Flávia Ferraz, Paula Andréa Tomazini e Rachel Ripani
Cenografia: Davi Taiu
Figurinos: Carolina Li
Iluminação: Lena Roque
Direção musical: Ricardo Monteiro

Título: *O catálogo*
Texto: Jean-Claude Carrière
Tradução e Direção: Sérgio de Carvalho
Elenco: Graziella Moretto e Ney Piacentini
Cenografia e figurinos: Fábio Namatame
Iluminação: Wagner Pinto

Título: *A comédia do coração*
Texto: Paulo Gonçalves
Direção: Vic Militello
Elenco: Ana Arcuri, Carla Schwaitzer, Doroti Via Monteiro, Gabriela Martelli Machado, Juju Militello, Laudi Regina Martelli, Marli Alheiros, Mia Ribeiro, Nara Gomes, Olga Andrade e Raul Barreto
Cenografia: Vic Militello
Figurinos: Lena Carvalho
Iluminação: Davi de Brito

V FESTIVAL INTERNACIONAL DE ARTES CÊNICAS DE SÃO PAULO

Título: *Phaedra*
Cia.: Teatrul National Craiova
País: Romênia
Texto: *Hipólito*, de Eurípides, e *Phaedra*, de Sêneca
Direção: Silviu Pucarete
Elenco: Adrian Andone, Adriana Minela Popa, Anca Dinca, Anca Dinu, Angel Rababoc, Constanta Nicolau, Constanti Cicort, Constanti Florescu, Denisa Pirlogea, Gabriela Baciu, Georgeta Luhian, Geri Massim, Iolanda Manescu, Ileana Sandu, Josefina Stoia, Lamia Beligan, Leni Pintea-Homeag, Marian Negrescu, Mirela Cioaba, Monica Mondreanu, Natasa Raab, Ozana Oancea, Rodica Radu, Silviu Geamanu, Tamara Popescu, Theodor Marinescu, Tudorei Petrescu, Valentin Mihali, Valeria Andrei e Valeriu Dogaru
Cenografia e figurinos: Stefania Cenean
Iluminação: Vadim Levinschi

Título: *La Langage du Sphinx*
Cia.: Ariadne
País: Japão/França
Elenco: Carlotta Ikeda, Cristin Choo, Hitomi Urata, Léone Cats Barril, Sabine Seume, Yumi Kogawa e Yuraki Nio

Título: *S/N*
País: Japão
Texto: Teiji Furuhashi
Direção: Shiro Takatani e Toru Koyamada
Elenco: Izumi Kagita, Kenjiro Ishibashi, Mayumi Tanaka, Misako Yabuuchi, Noriko Sunayama, Peter Golyghithy e Tadasu Takamine

Título: *Anthony & Cleopatra*
Cia.: Moving Theatre
País: Inglaterra
Texto: William Shakespeare
Direção: Vanessa Redgrave
Elenco: Aicha Kossoko, Andy McEwan, Anthony Skordi, Ariyon Bakare, Don Campbell, Daniel Cerqueira, David Harewood, David Hargreaves, Ewart James Walters, Howard Saddler, Kate Hargreaves, Michael Rochester, Nick Waring e Vanessa Redgrave
Cenografia: Vanessa Redgrave
Iluminação: Jimm Simmons

CENTRO DE PESQUISA TEATRAL – CPT

Título: *Gilgamesh*
Cia.: Grupo de Teatro Macunaíma e CPT
Cidade: São Paulo, SP
Texto: Antunes Filho, baseado no poema épico babilônico *Gilgamesh*
Direção: Antunes Filho
Elenco: Adriano Costa, Alfredo Penteado, Bruno Costa, Edson Montenegro, Geraldinho Mário da Silva, Lianna Mateus, Luis Melo, Luiz Furlanetto, Raquel Anastásia, Roberto Audio, Rosane Bonaparte e Sandra Babeto
Cenografia e figurinos: J.C. Serroni
Figurinos: J.C. Serroni
Iluminação: Davi de Brito

1996

ESPETÁCULOS EM TEMPORADA

Título: *Dias felizes*
Texto: Samuel Beckett
Tradução: Bárbara Heliodora
Direção: Jacqueline Laurence
Elenco: Fernanda Montenegro e Fernando Torres
Cenografia, figurinos e iluminação: J.C. Serroni

Título: *O lado fatal*
Texto: Lya Luft
Direção: Márcio Vianna
Elenco: Beatriz Segall
Cenografia e figurinos: Teca Fichinski
Iluminação: Paulo César Medeiros
Direção musical: Marcito Vianna

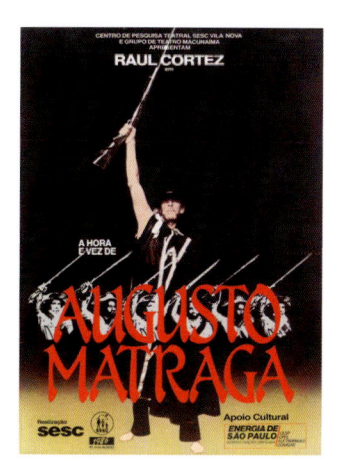

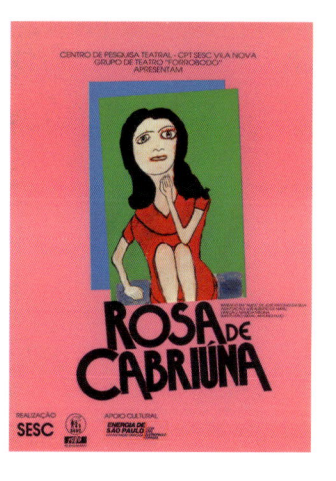

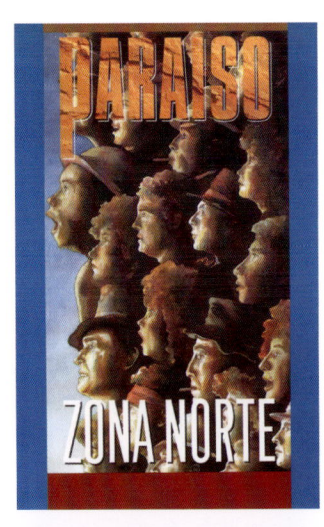

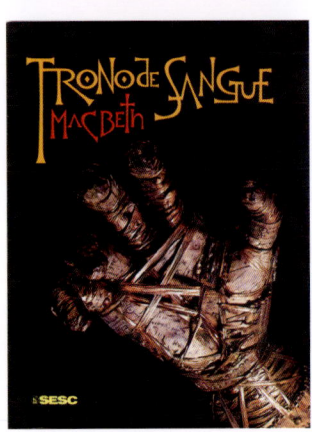

Título: *Frida*
Texto: Ricardo Halac
Direção: Fauzi Arap e Marcus Alvisi
Elenco: Bel Kutner, Ênio Gonçalves, Gabriela Rabello, Lara Córdula, Márcio Tadeu, Marcos Loureiro, Mário Bortolotto, Mika Lins e Mirtes Mesquita
Cenografia: Márcio Medina
Figurinos: Luciana Buarque
Iluminação: Davi de Brito

JORNADA SESC DE TEATRO

Título: *U Fabuliô*
Cia.: Parlapatões, Patifes & Paspalhões
Cidade: São Paulo, SP
Texto e direção Hugo Possolo
Elenco: Alexandre Roit, Ângela Dip, Armando Júnior, Carmo Murano, Hugo Possolo e Raul Barreto
Cenografia e figurinos: Hugo Possolo
Direção musical: Márcio Werneck

Título: *Um céu de estrelas*
Cia.: Um Céu de Estrelas
Cidade: São Paulo, SP
Texto: Fernando Bonassi
Direção: Fernando Bonassi, Jean-Claude Bernardet, Lígia Cortez e Tata Amaral
Elenco: Eugênia de Domênico, Fábio Nogueira, Luah Guimarães, Ney Piacentini e Suely Oliveira
Cenografia: Ulisses Cohn
Figurinos: Atílio Beline Vaz
Iluminação: Tata Amaral e Lígia Cortez

Título: *Eídolon*
Cia.: Companhia Somos Dez de Teatro
Cidade: São Paulo, SP
Texto e direção Solange Dias
Elenco: Atílio Belline Vaz, Cássio Castelan, Débora Dubois e Mônica Guimarães
Cenografia: Petrônio Nascimento
Figurinos: Atílio Beline Vaz
Iluminação: Mário de Castro

Título: *As Priscillas de Elvis*
Cia.: As Priscillas de Elvis
Cidade: São Paulo, SP
Texto: Ana Claudia Zambianchi
Direção: Washington Luiz Gonzales
Elenco: Ana Claudia Zambianchi, Lavínia Pannunzio, Luciana de Mello e Regina França
Cenografia: Ana Claudia Zambianchi
Figurinos: Val Barreto
Iluminação: Mirella Brandi

Título: *Não me abandones no inverno*
Cia.: Quatro Estações
Cidade: São Paulo, SP
Texto: Avelino Alves
Direção: Hugo Villavicenzio
Elenco: Vicente Latorre e Luciana Schwinden
Cenografia e figurinos: O grupo
Iluminação: Guilherme Bonfanti

Título: *Opus profundum*
Cia.: Fenômenos Extremo-nos
Cidade: São Paulo, SP
Texto e direção Dionisio Neto
Elenco: Raquel Anastásia, Renata Jesion, Rosane Bonaparte, Roberto Audio, entre outros
Cenografia: O grupo
Figurinos: Adriano Costa, Mariana Lima e Roberto Audio
Iluminação: Fran Barros

Título: *Amigos para sempre*
Texto: Luiz Arthur Nunes e Tônia Carrero
Direção: Luiz Arthur Nunes
Elenco: Paulo Autran e Tônia Carrero
Iluminação: Hugo Tolipan e Luiz Arthur Nunes

VI FESTIVAL INTERNACIONAL DE ARTES CÊNICAS DE SÃO PAULO

Título: *Dong gong, xi gong* (Palácio oeste, palácio leste)
País: China
Texto e direção Zhang Yan
Elenco: Hu Jun, Lio Xiao Pin, Liu Yu Xiao e Ma Wen

Título: *Canard pékinois*
Cia.: Centre Chorégraphique National d'Orléans
País: França
Texto e direção Josef Nadj
Elenco: Cynthia Phung Ngoc, Frank Micheletti, Gyork Szakonyi, Josef Nadj, Mathilde Lapostolle, Peter Gemza e Yvan Mathis
Iluminação: Raymond Blot

Título: *Les Frères Zenith*
Cia.: Apresentado pelo Grupo Jérôme Deschamps
País: França
Direção: Jérôme Deschamps e Macha Makeieff
Elenco: François Morel, Jean-Marc Bihour, Jérôme Deschamps e Philippe Duquesne

Título: *Mahâkâl*
Cia.: The Chandralekha Group Madras
País: Índia
Direção: Chandralekha
Elenco: K. Krishnamurthy, N. Yagnaprabha, R. Karpagam, R. Rajalakshmi, Sridhar, Shaji John, Sudha Jagannath, Usha Nair e V. A. Sunny

CENTRO DE PESQUISA TEATRAL – CPT

Título: *Drácula e outros vampiros*
Cia.: Grupo de Teatro Macunaíma e CPT
Cidade: São Paulo, SP
Direção: Antunes Filho
Elenco: Anete Colacioppo, Álvaro Augusto, Caetano Vilela, Carlos Ramiro Fensterseifer, Diana Sinenberg, Edgar Castro, Eduardo Córdobhess, Emerson Danesi, Fábio Elias, Fábio Mendes, Frederico Eckschimidt, Geraldinho Mário da Silva, Germano Melo, Isabela Graeff, Justine Otondo, Laelson Vitorino, Lianna Mateus, Lulu Pavarin, Ludmila Rosa, Marlene Filipini, Nathalie Fari, Newton Maciel, Norma Britto, Ondina de Castilho, Sabrina Tozatti Greve e Walney Virgílio
Cenografia e iluminação: J.C. Serroni
Iluminação: Davi de Brito

1997

ESPETÁCULOS EM TEMPORADA

Título: *Ubu!*
Cia.: Sobrevento

Cidade: Rio de Janeiro, RJ
Texto: Alfred Jarry
Direção: Luiz André Cherubini
Elenco: Luiz André Cherubini, Miguel Vellinho e Sandra Vargas
Cenografia: Hélio Eichbauer
Figurinos: Maurício Carneiro
Iluminação: Renato Machado
Direção musical: José Roberto Crivano

Título: *Viúva, porém honesta*
Cia.: Círculo de Comediantes
Cidade: São Paulo, SP
Texto: Nelson Rodrigues
Direção: Marco Antonio Braz
Elenco: Adriano Costa, Amarílio Sales, Ana Gomes, Clayton Freitas, Fábio Nazar, Joana Curvo, Lau Carvalho, Luis Eduardo Frin, Marcos Oliveira, Maurício Marques, Roberto Audio, Sérgio Milagre, Silvana Abreu, Valéria Theodoro e Yaci Tatá
Cenografia: Gustavo Lanfranchi
Iluminação: Celso Marques

Título: *O segredo do casarão*
Cidade: São Paulo, SP
Texto: Criação coletiva
Direção: Carlos Lupinacci Pinto
[Espetáculo resultante de oficinas desenvolvidas com grupo de terceira idade do Sesc Consolação.]

Título: *Medeia*
Texto: Eurípides e Sêneca
Tradução: Mário da Gama Kury
Direção: Jorge Takla
Elenco: Carlos Alberto Teixeira, César de Castro, Eliézer de Souza, Francarlos Reis, Kao Monteiro, Oswaldo Mendes, Otávio Juliano, Rodrigo Lombardi e Walderez de Barros
Cenografia e figurinos: Charles Moeller
Iluminação: Jorge Takla e Davi de Brito

Título: *Hajj (A viagem que o homem faz a Meca)*
Cia.: Mabou Mines
País: Estados Unidos
Texto: Baseado no poema do diretor Lee Breuer
Direção: Lee Breuer

Elenco: Lute Ramblin, Phil Schenk e Ruth Maleczech
Cenografia e iluminação: Julie Archer

Título: *A resistível ascensão de Arturo Ui*
Cia.: Berliner Ensemble
País: Alemanha
Texto: Bertolt Brecht
Direção: Heiner Müller
Elenco: Achmed Bürger, Axel Werner, Catherine Stoyan, Christoph Müller, Georg Bonn, Götz Schulte, Günter Junghans, Hans Fleischmann, Hans-Peter Reinecke, Heinrich Buttchereit, Hermann Beyer, Klaus Hecke, Margarita Broich, Martin Wuttke, Michael Altmann, Ruth Glöss, Stefan Lisewski, Stephan Suschke, Traute Hoess, Uwe Preuss, Veit Schubert, Victor Deiss e Volker Spengler
Assistente de Direção: Stephan Suzuki
Cenografia e figurinos: Hans Joachim Schlieker
Iluminação: Dietrich Baumgarten, Mario Seeger e Steffen Heinke

JORNADA SESC DE TEATRO

Título: *A comédia dos amantes ou os amantes da comédia*
Texto: Luiz Arthur Nunes
Direção: Cláudia Borioni
Elenco: Ana Beatriz Wiltgen e José de Abreu
Cenografia: Rogério Wiltgen
Figurinos: Celestino Sobral
Iluminação: Rogério Wiltgen
Direção musical: César Pezzoli

Título: *Exercício para Antígona* (Uma homenagem a Cacilda Becker)
Cia.: Arte Degenerada
Cidade: São Paulo, SP
Texto: Sófocles
Tradução: Guilherme de Almeida
Direção: Sérgio Ferrara
Elenco: Alexandre Franco, Cida Falconi, Deborah Lobo, Débora Ferruço, Dênis Goyos, Eliana Cezar, Eduardo Semerjian, Klaus Novais, Lázara Seuglin, Leo Santini, Leonor Denardi, Marco Antônio Pâmio, Maria Cecília, Paulo Autran, Rita Alves, Rita Martins, Roberto Rocha e Valter C. Portella
Cenografia e figurinos: Luis Rossi
Iluminação: Caetano Vilela

Título: *Labirinto*
Cia.: Ato Físico
Cidade: São Paulo, SP
Texto: Márcia Bozon, a partir de textos do livro *Galáxias*, de Haroldo de Campos, e de fragmentos da obra de Bispo do Rosário
Direção: Márcia Bozon
Elenco: Augusto Pompeu, Cristina Belluomini, Kiran d'Souza, Luciana Gandolfo e Silvia Geraldi
Cenografia: Márcia Bozon
Figurinos: Ronaldo Fraga
Iluminação: Fernando Guimarães

Título: *Desembest@il*
Cia.: Desembest@i!
Cidade: São Paulo, SP
Texto e direção Dionísio Neto
Elenco: Alessandro Eugênio, Edison Torres, Fabiana Prado, Gabriel Pinheiro, Iara Jamra, Jaime Queiroz, Jean Fábio, José Piñeiro, Luís Pacini, Maurício Bosco, Melina Anthis, Nando Nogueira, Patrícia Rizzi, Paula Di Paula, Pedro Homem de Mello, Renata Jesion, Renata Leirner, Roberto Audio, Rui Di Sinna, Thiago Pinheiro, Silvia Gamino e Zernesto Pessoa
Cenografia: Osmar Pinheiro
Figurinos: Osmar Pinheiro e Dionísio Neto
Iluminação: Lee Dawkins

Título: *O vento não levou*
Cia.: Trupe de Truz
Cidade: São Paulo, SP
Texto: Roberto Vignati
Direção: Roberto Vignati
Elenco: Lúcia Romano, Luciana Azevedo, Roberto Vignati e Sérgio Cavalcante
Cenografia e figurinos: Augusto Francisco
Iluminação: Platão Filho

Título: *Eu era tudo pra ela... E ela me deixou*
Cia.: Depois a Gente Vê
Cidade: São Paulo, SP

Texto: Emílio Boechat
Direção: Ariel Moshe e Roney Facchini
Elenco: Amadeu Lamounier, Mika Winiaver e Paulo Vasconcelos
Cenografia e figurinos: Fábio Namatami
Iluminação: Caetano Vilela

Título: *Cárcere privado*
Cia.: Tal
Cidade: São Paulo, SP
Texto e direção Leonardo Alkmim
Elenco: Adão Filho, Adriano Garib, Francisco Brêtas, Javert Monteiro, Leonardo Alkmim, Malu Bierrenbach e Roberto Matos
Cenografia e figurinos: Jean-Charles Mandou
Iluminação: Domingos Quintiliano e Mirella Brandi

MOSTRA KAZUO OHNO – BUTOH

Título: *Tendoh Chidoh* (Caminho no céu, caminho na terra)
Elenco: Juan Saler, Kazuo Ohno e Yoshito Ohno
Figurinos: Etsuko Ohno
Iluminação: Toshio Mizohata

Título: *Suiren* (Ninfeias)
Elenco: Kazuo Ohno e Yoshito Ohno
Figurinos: Etsuko Ohno
Iluminação: Toshio Mizohata

1998

ESPETÁCULOS EM TEMPORADA

Título: *Caminhos do destino*
Cia.: Teatro de Histórias Itinerantes
Cidade: São Paulo, SP
Texto e direção Tininha Calazans
Elenco: Tininha Calazans

Título: *Colagens – movido a feijão*
Cia.: Companhia do Feijão
Cidade: São Paulo, SP
Texto: Companhia do Feijão
Direção: Pedro Pires
Elenco: Cuca Bolaffi, Deborah Serretiello e Heraldo Firmino

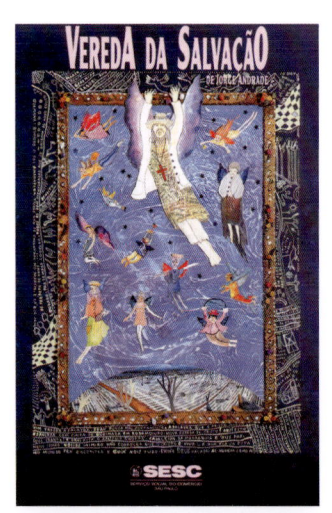

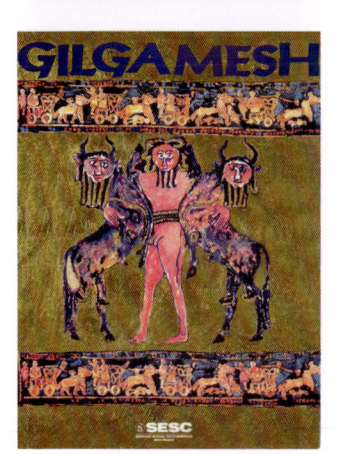

Título: *Cabaré megamini*
Texto: Gabriel Guimard e Eleonora Prado
Elenco: Eleonora Prado e Gabriel Guimard
Cenografia: Luciana Bueno

Título: *Cerimônia do adeus*
Texto: Mauro Rasi
Direção: Ulysses Cruz
Elenco: Angelo Lopes, Antônio Abujamra, Cleyde Yáconis, Hugo Peake, Ileana Kwasinski, Marcos Frota, Rômulo Arantes e Sonia Guedes
Cenografia: Marco Antônio Lima e Ulysses Cruz
Figurinos: Domingos Fuxique
Iluminação: Domingos Quintiliano e Rodrigues

Título: *Prêt-à-Porter I*
Textos: *BR-116*, *Um minuto de silêncio* e *Sopa de feijão*
Elenco: Daniella Nefussi, Gabriela Flores e Silvia Lourenço
[Também apresentado em 1999 e 2000.]

Título: *Prêt-à-Porter II*
Texto: *Na contramão*, *Horas de castigo*, *Leque de inverno* e *Asas da sombra*
Elenco: Emerson Danesi, Lianna Matheus, Luiz Päetow, Sabrina Greve e Silvia Lourenço

JORNADA SESC DE TEATRO – O ATOR-CRIADOR

Título: *Caramelados*
Cia.: Grupo Comilões
Cidade: São Paulo, SP
Texto e direção Lena Whitaker
Elenco: Lena Whitaker, Luis Felipe, Marcelo Varzea e Vanella Pelegrini
Figurinos: Sandra Fukelmann

Título: *Medeia – memórias do mar aberto*
Cia.: Scena Produções Artísticas
Cidade: São Paulo, SP
Texto: Consuelo de Castro
Direção e elenco: Eliana Rocha
Figurinos: Célia Orlandi

Título: *Os Charles e Cia. – Parte IV*
Cia.: Os Charles e Companhia
Cidade: São Paulo, SP
Texto e direção Os Charles
Elenco: Alessandro Azevedo, Clerouak e Paulo Federal
Figurinos: Os Charles

Título: *13 movimentos or if you drink, não dirija! (it's up to you)*
Cia.: Teatro Íntimo
Cidade: São Paulo, SP
Texto: Charles Bukowski, Janete Clair, José Saramago, Lillian Witte Fibe, Machado de Assis, Marcelo Gleiser, Miguel de Cervantes, Rubem Fonseca, Salman Rushdie, Stanley Elkin, Stephen Hawking, Thomas Bernhard, Koltès e Wole Soyinka
Equipe de criação: Alexandre Stockler e Lavínia Pannunzio

Título: *O canto do cisne*
Texto: Anton Tchekhov
Tradução: Coelho Neto
Direção: Roberto Vignati
Elenco: Nilda Maria e Roberto Vignati
Figurinos: Nilda Maria
Iluminação: Roberto Vignati

Título: *Belo*
Cia.: Companhia de Teatro Por Fora
Cidade: São Paulo, SP
Texto: Vadim Nikitin, baseado em Jean Cocteau
Direção: Vadim Nikitin
Elenco: Gustavo Machado
Iluminação: Companhia de Teatro Por Fora

Título: *O açougue*
Cia.: Companhia 3x4 de Teatro
Cidade: São Paulo, SP
Texto: Ricardo Leitte
Direção: Ricardo Leitte
Elenco: Raquel Marinho, Roberto Rocha e Vera Villela
Figurinos: Luis Rey
Iluminação: Ricardo Leitte

Título: *Triálogo*
Cia.: Grupo Godot Vem Aí!
Cidade: São Paulo, SP

Texto: Pedro Vicente
Direção: Nilton Bicudo e Pedro Vicente
Elenco: Nilton Bicudo, Pedro Vicente e Regina França
Figurinos: Cristina Camargo
Iluminação: Zé Carratu

PROJETO EU SOU MAIS ZEUS – MITO E CONSCIÊNCIA

Título: *Sopro do amor e do feminino na mitologia grega*
Cia.: Grupo Girassonhos
Cidade: São Paulo, SP
Texto: Grupo Girassonhos
Direção: Bebeto Souza, Fernando Gontijo, Léo Doktorczyk, Márcia Murat e Vânia Borges

Título: *Liberdade para Prometeu*
Texto: Ésquilo
Direção: Pascoal da Conceição
Elenco: Pascoal da Conceição
Assistente de Direção: Patricia Wincesky

1999

ESPETÁCULOS EM TEMPORADA

Título: *Cartas de Rodez*
Cia.: Companhia Amok
Cidade: Rio de Janeiro, RJ
Texto: Antonin Artaud, baseado em obras e cartas
Tradução: Lilian Escorel
Direção: Ana Teixeira
Adaptação: Ana Teixeira e Stephane Brodt
Elenco: Stephane Brodt
Cenografia: Ana Teixeira
Iluminação: Wilson Reis
[Espetáculo apresentado durante a reforma do teatro, na área "em escombros".]

Título: *Delírio*
Texto: Anie Welter e Ângelo Madureira
Direção: Anie Welter
Elenco: Ângelo Madureira

Título: *Que mistérios tem Clarice?*
Texto: Clarice Lispector
Direção: Luiz Arthur Nunes
Adaptação: Luiz Arthur Nunes e Mário Piragibe
Elenco: Rita Elmôr

Título: *Paraíso*
Texto: Grace Gianoukas
Direção: Luciene Adami
Elenco: Grace Gianoukas

Título: *Navegadores*
Cia.: Grupo Pia Fraus Teatro
Cidade: São Paulo, SP
Texto: O grupo
Direção: O grupo
Elenco: Alberto Medina, Alessandro D'Agostini, Beto Andretta, Beto Lima, Carla Candioto, Domingos Montagner e Fernando Sampaio
Cenografia: O grupo
Figurinos: Beto Lima
Iluminação: Davi de Brito e Robson Bessa

Título: *One Clown Show*
Texto: Marcel Marceau
Direção: Bruno Di Trento
Elenco: Vitor de Seixas

Título: *Nowhere Man*
Cia.: Companhia de Ópera Seca
Cidade: São Paulo, SP
Texto e direção Gerald Thomas
Elenco: Camila Morgado, Ismael Caneppele, Ludoval Campos, Luiz Damasceno e Marcos Azevedo

Título: *Alice através do espelho*
Cia.: Armazém Companhia de Teatro
Cidade: Rio de Janeiro, RJ
Texto: Lewis Carroll
Direção: Paulo de Moraes
Adaptação: Maurício Arruda Mendonça
Elenco: Isabel Pacheco, Liliana Castro, Marcelo Guerra, Patrícia Selonk, Raquel Karro, Ricardo Martins, Sérgio Medeiros, Simone Mazzer, Simone Vianna, Thales Coutinho e Verônica Rocha

Título: *A voz da mãe*
Cia.: Grupo Caixa de Imagens

Cidade: São Paulo, SP
Texto e direção Herton Roitman
Elenco: Carlos Gaucho, Cida Moreyra (cantora), Evelyn Cristina e Mônica Simões
Cenografia: Aby Cohen e Lee Dawkins

MOSTRA MULHERES CRIADORAS
[Devido à reforma, os espetáculos foram apresentados no *hall* do Sesc Consolação.]

Título: *Arte oculta*
Texto: Cristina Mutarelli
Direção: Elias Andreato
Elenco: Carlos Moreno e Cristina Mutarelli

Título: *A confissão de Leontina*
Texto: Lygia Fagundes Telles
Direção: Oswaldo Boaretto
Elenco: Olair Coan

MOSTRA TEATRO DAS VINTE
[Devido à reforma, os espetáculos foram apresentados no *hall* do Sesc Consolação.]

Título: *Ensaio sobre o latão*
Cia.: Companhia do Latão
Cidade: São Paulo, SP
Texto: Bertolt Brecht, baseado em escritos teóricos
Direção: Márcio Marciano e Sérgio de Carvalho
Elenco: Edgar Castro, Gustavo Bayer, Maria Tendlau, Ney Piacentini, Otávio Martins e Vicente Latorre
Cenografia e figurinos: Companhia do Latão
Iluminação: Paulo Heise
Direção musical: Lincoln Antonio

Título: *Por água abaixo*
Texto: Ângela Dip
Direção: Vivien Buckup
Elenco: Ângela Dip

Título: *Cordel, 500 anos de estória*
Cia.: Companhia de Teatro Cores Vivas
Cidade: São Paulo, SP
Texto: Cacau Brasil
Direção: Cacau Brasil
Elenco: Cacau Brasil e Marília Moreira

Título: *Tabaco*
Texto: Anton Tchekhov
Direção: Vadim Nikitin
Elenco: Pascoal da Conceição

MÍMICA EM MOVIMENTO
[A programação compreendeu a apresentação de peças teatrais, espetáculos de mímica e de pantomima, espetáculos de teatro-dança, a linguagem do *clown*.
As obras foram selecionadas a partir de quatro temas específicos: o que é a mímica; mímica corporal dramática; relação da mímica com outras artes; e mostra internacional de mímica.]

Título: *Em busca do riso*
Texto: Alberto Gaus
Direção e elenco: Alberto Gaus

Título: *Antes só que acompanhado*
Direção: Fernando Vieira
Elenco: Cláudio Carneiro

Título: *Linhas cruzadas*
Direção: Luis Louis
Elenco: Luis Louis e Vanessa Ceresini

Título: *Operário patrão*
Texto e direção Mauro Zanatta
Elenco: Mauro Zanatta e Richard Rebelo

Título: *Fala ou não fala?*
Texto e direção Eduardo Coutinho
Direção: Eduardo Coutinho
Elenco: Eduardo Coutinho e Newton Yamassaki

Título: *Café com queijo*
Cia.: Centro de Pesquisa Teatral Lume
Cidade: Campinas, SP
Texto e elenco: Ana Cristina Cola, Jesser de Souza, Raquel Scotti Hirson e Renato Ferracini

Título: *Por detrás do silêncio*
Texto e direção Jiddu Saldanha
Direção: Jiddu Saldanha
Elenco: Denise Wal, Jiddu Saldanha e Mucio Medeiros

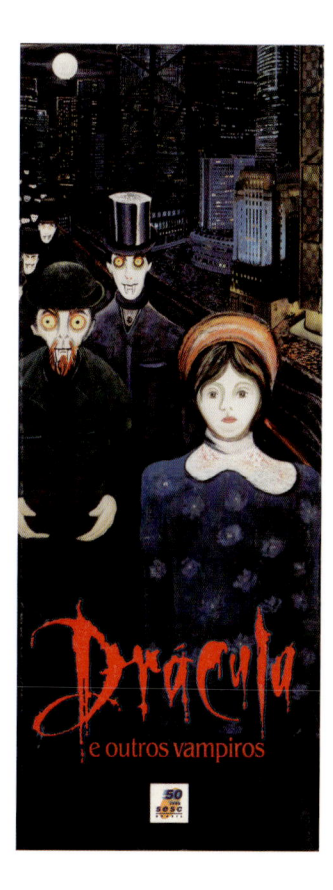

Título: *Solitude*
Texto: Adaptação da peça-poema *Matsukase* (Vento do pinheiro)
Direção: Dennis Salim
Elenco: Alice K

Título: *Passeios*
Cia.: Companhia Nova Dança 4
Cidade: São Paulo, SP
Direção: Cristiane Paoli-Quito

Título: *Victor James*
Cia.: Centro Teatral Etc. e Tal
Cidade: Rio de Janeiro-RJ
Texto: Paulinho Tapajós
Direção: Álvaro Assad
Elenco: Álvaro Assad e Melissa Teles-Lôbo

Título: *O julgamento do filhote de elefante*
Cia.: Companhia do Feijão
Cidade: São Paulo, SP
Texto: Bertolt Brecht
Direção: Pedro Pires
Elenco: Cuca Bolaffi, Deborah Serretiello e Pedro Pires

Título: *Os sete pecados*
Texto e direção Fernando Vieira
Elenco: Fernando Vieira

Título: *Istrik & nik*
Elenco: Alberto Gaus e Vanderli Santos

CENTRO DE PESQUISA TEATRAL – CPT

Título: *Fragmentos troianos*
Cia.: CPT
Cidade: São Paulo, SP
Texto: Eurípides
Direção: Antunes Filho
Elenco: Adriano Albuquerque, Donizeti Mazonas, Emerson Danesi, Erondine Magalhães, Gabriela Flores, Gilda Nomacce, Juliana Galdino, Kleber Caetano, Luiz Päetow, Mônica Lebrão Sendra, Patrícia Dinely, Raquel Rocha, Sabrina Greve, Simone Martins e Suzan Damasceno
Cenografia e figurinos: Cibele Alvares Gardin, Jacqueline Castro Ozelo e Joana Pedrassolli Salles

2000

ESPETÁCULOS EM TEMPORADA

Título: *Reflection*
Cia.: Companhia Derevo
País: Rússia, sediada na Alemanha
Elenco: Tanya Khabarova
Iluminação: Lena Iarovaia e Vadim Golobov

Título: *Vestido de noiva*
Cia.: Teatr 77
País: Polônia/Brasil
Texto: Nelson Rodrigues
Tradução: Elzbieta Milewska
Direção: Eduardo Tolentino de Araújo
Elenco: Boguslawa Pawelec, Bronislaw Wroclawski, Danuta Rynkiewicz, Ewelina Serafin, Ireneusz Czop, Jan Kraska, Karol Wróblewski, Karolina Szamfeber, Klaudia Wozniak, Krystyna Tolewska, Maciej Trzebenski, Natalia Strzelecka, Wojciech Droszczynski e Zofia Uzelac
Cenografia: Carlos Colabone
Figurinos e figurinos: Lola Tolentino

Título: *Hachioji kuruma ningyo*
Cia.: Companhia Teatral Koryu Nishikawa
País: Japão
Direção: Nishikawa Koryu
Iluminação: Mizobe Masatoshi

Título: *Barboni*
Cia.: Companhia Pippo Delbono
País: Itália
Direção: Pippo Delbono
Elenco: Amando Cozzuto, Bobò, Elena Guerrini, Gustavo Giacosa, Lucia Della Ferrera, Marina Mondini, Margherita Clemente, Mario Intruglio, Mr. Puma, Pepe Robledo, Piero Corso, Pippo Delbono e Simone Goggiano

Título: *A comédia do trabalho*
Cia.: Companhia do Latão
Cidade: São Paulo, SP
Texto: Companhia do Latão, com redação final de Sérgio de Carvalho e Márcio Marciano
Direção: Sérgio de Carvalho e Márcio Marciano

Elenco: Adriana Mendonça, Alessandra Fernandez, Heitor Goldflus, Maria Tendlau e Ney Piacentini
Cenografia e figurinos: Márcio Medina
Iluminação: Paulo Heise
Direção musical: Lincoln Antonio e Walter Garcia

Título: *Dona Rosita, a solteira*
Cia.: Casa da Gávea
Cidade: Rio de Janeiro, RJ
Texto: Federico García Lorca
Tradução: Carlos Drummond de Andrade
Direção: Antonio Grassi e Cristina Pereira
Elenco: Anderson Cunha, Andréa Ulhôa, Camilo Bevilacqua, Cristina Pereira, Dorinha Soares, Duse Naccarati, Érica Menezes, Leonardo Vieira, Lourenço Ponzi, Marcelina Andrade, Miriam Desidério, Nídia Ferreira, Patrícia Mauro, Rubens Araújo, Teresa Monteiro e Vic Militello
Cenografia e figurinos: Ronald Teixeira
Iluminação: Paulo César Medeiros

Título: *Bugiaria – o processo de João Cointa*
Cia.: Péssima Companhia
Cidade: Rio de Janeiro, RJ
Texto e direção Moacir Chaves
Elenco: Alberto Magalhães, Cândido Damm, Cláudio Baltar, Cláudio Mendes, Josie Antello e Orã Figueiredo
Cenografia: Fernando Mello da Costa
Figurinos: Bia Salgado e Luciana Maia
Iluminação: Aurélio de Simoni
Direção musical: Marco Abujamra

Título: *O espírito da terra*
Cidade: São Paulo, SP
Texto: Frank Wedekind
Tradução: Christine Röhrig
Direção: Marcio Aurelio
Elenco: Débora Duboc
Cenografia, figurinos e iluminação: Marcio Aurelio
Direção musical: Lincoln Antonio

Título: *A vida é cheia de som e fúria*
Cia.: Sutil Companhia de Teatro
Cidade: Curitiba, PR

Texto: Nick Hornby
Direção: Felipe Hirsch
Elenco: Caio Marques, Edson Rocha, Erica Migon, Fabíola Werlang, Fernanda Farah, Guilherme Weber, Marcio Abreu, Maureen Miranda, Rosana Stavis e Taís Tedesco
Cenografia: Felipe Hirsch
Figurinos: Erica Menon
Iluminação: Beto Bruel
[Espetáculo também apresentado em 2003.]

Título: *Satã, a cortesã de Deus – guerra e ética no mundo globalizado*
Cia.: Companhia de Dança Burra
Cidade: Belo Horizonte, MG
Texto e direção Marcelo Gabriel
Elenco: Marcelo Gabriel
Cenografia: Carmem Diniz
Figurinos e iluminação: Marcelo Gabriel
Direção musical: Marcelo Gabriel

Título: *Ricardo III*
Cia.: Odeon Companhia Teatral
Cidade: Belo Horizonte, MG
Texto: William Shakespeare
Tradução: Anna Amélia de Queiroz Carneiro de Mendonça
Direção: Yara de Novaes
Elenco: Cristina Vilaça, Ernani Maletta, Gabriel Fontes Paiva, Henrique Carsalade, Gustavo Werneck, Jefferson da Fonseca, Jorge Emil, Marcelo Campos, Nivaldo Pedrosa e Yara de Novaes
Cenografia e figurinos: André Cortez e Daniela Thomas
Iluminação: Telma Fernandes

Título: *Ladrão de frutas*
Cia.: Companhia Circo Mínimo
Cidade: São Paulo, SP
Texto e direção Rodrigo Matheus
Elenco: Anna Cláudia Mendes, Carolina Bonfanti, Cláudia Diogo, Clarissa Drebtchinsky, Clô Mudrik, Denise Bruno, Nilson Muniz, Ricardo Rodrigues e Ronaldo Michelotto
Cenografia: Duda Arruk e Eliane Koseki
Figurinos: Luciana Bueno
Iluminação: Davi de Brito

Título: *Check-up*
Texto: Paulo Pontes
Direção: Bibi Ferreira
Elenco: Eduardo Cabús, Helena Ignez, Marcelo Sandryni, Maria Cláudia e Samir Murad
Cenografia: Leonel Amorim
Figurinos: Pamela Vicente
Iluminação: Ricardo Moreira

Título: *Um porto para Elizabeth Bishop*
Texto: Marta Góes
Direção: José Possi Neto
Elenco: Regina Braga
Cenografia: Jean-Pierre Tortil
Figurinos: Lu Pimenta
Iluminação: Wagner Freire

Título: *Prêt-à-Porter III*
Textos: *Bom dia*, *Leque de inverno*, *Posso cantar?* e *Um minuto de silêncio*
Elenco: Donizeti Mazonas, Emerson Danesi, Gabriela Flores, Juliana Galdino, Sabrina Greve e Silvia Lourenço

Título: *Insônia*
Texto: Nelson Rodrigues, baseado em *Valsa nº 6*
Direção: Hebe Alves
Elenco: Débora Moreira, Elaine Lima, Killiana Britto e Tatiana de Lima
Cenografia: Eliézer Rolim
Figurinos: Rino Carvalho
Iluminação: Fábio Espírito Santo

Título: *Zaac e Zenoel*
Cia.: Grupo Oficcina Multimédia
Cidade: Belo Horizonte, MG
Texto: O espetáculo se desenvolve a partir de um roteiro de imagens.
Direção: Ione de Medeiros
Elenco: Dulce Coppedê, Juliana Guerra, Leandro Acácio, Paulo Pimentel, Rafael Otávio e Victor Garcia
Iluminação: Telma Fernandes

Título: *Dobrado que nem tapioca*
Cia.: Balé Popular da Universidade Federal da Paraíba
Direção: Maurício Germano
Elenco: Adriano Bezerra, Amanda Silveira, Edilete Bezerra, Flávia Moraes, Joacy Alves, Jocideia Barros, Lisianne Saraiva, Márcia Lima, Marx Lamare e Weber Fernandes
Cenografia: Adilson Lucena, José Sereco e Adriano Bezerra
Figurinos: Márcia Lima, Marx Lamare e Weber Fernandes
Iluminação: João Batista e Maurício Germano

Título: *Cordel, sonho e sátira*
Cia.: Grupo Espaço de Dança do Amazonas – Gedam
Cidade: Manaus, AM
Direção: Conceição de Souza

Título: *12 poemas para dançarmos*
Cia.: Companhia de São Paulo
Texto e direção Gisela Moreau

2001

ESPETÁCULOS EM TEMPORADA

Título: *Prêt-à-Porter IV*
Texto: *Eter.n@mente*, *Ah, com'e bella!* e *Os esbugalhados olhos de Deus*
Elenco: Adriana Patias, Donizeti Mazonas, Gabriela Flores, Juliana Galdino e Suzan Damasceno

Título: *Subúrbia*
Cia.: Núcleo Elenko
Cidade: São Paulo, SP
Texto: Eric Bogosian
Tradução: Francisco Medeiros, Marcelo Rubens Paiva e Rosana Seligmann
Direção: Francisco Medeiros
Elenco: André Custódio, Bárbara Paz, Beto Magnani, Julio Pompeo, Karina Barum, Luciano Gatti, Marcos Damigo, Rita Martins e Rosana Seligmann
Cenografia e figurinos: J.C. Serroni
Iluminação: Wagner Freire

Título: *Pantagruel*
Cia.: Grupo Parlapatões, Patifes & Paspalhões
Cidade: São Paulo, SP
Texto: Hugo Possolo e Mário Viana, inspirado na obra de François Rabelais
Direção: Hugo Possolo
Elenco: Alexandre Roit, Claudinei Brandão, Henrique Stroeter, Hugo Possolo, Paula Arruda, Pedro Guilherme, Raul Barreto e Rui Minharro
Cenografia: Luciana Bueno
Figurinos: Luciana Bueno e Olintho Malaquias
Iluminação: Wagner Pinto
Direção musical: Abel Rocha

Título: *Esperando Beckett*
Cia.: Companhia de Ópera Seca
Cidade: São Paulo, SP
Texto: Samuel Beckett
Direção: Gerald Thomas
Elenco: Bruce Gomlevsky, Camila Morgado, Fabiana Guglielmetti, Fábio Mendes, Ludmila Rosa, Marcelo Bosschar e Marília Gabriela
Figurinos: Clô Orozco
Iluminação: Gerald Thomas e Carina Camurati

Título: *Copenhagen*
Texto: Michael Frayn
Tradução: Aimar Labaki
Direção: Marco Antonio Rodrigues
Elenco: Carlos Palma, Oswaldo Mendes e Selma Luchesi
Cenografia: Ulisses Cohn
Figurinos: Pablo Moreira
Iluminação: PH

Título: *História de pescador*
Cia.: Companhia Circo Mínimo
Cidade: São Paulo, SP
Texto: Inspirado em *O velho e o mar*
Direção: Rodrigo Matheus
Elenco: Anna Cláudia Mendes, Carolina Bonfanti, Clarissa Drebtchinsky, Claudia Diogo, Clô Mudrik, Denise Bruno, Milhem Cortaz, Ricardo Rodrigues e Ronaldo Michelotto
Cenografia e figurinos: Luciana Bueno
Iluminação: Davi de Brito e Robson Bessa

Título: *Um trem chamado desejo*
Cia.: Grupo Galpão
Cidade: Belo Horizonte, MG
Texto: Decorrente de improvisação do Grupo Galpão, com texto final de Luís Alberto de Abreu

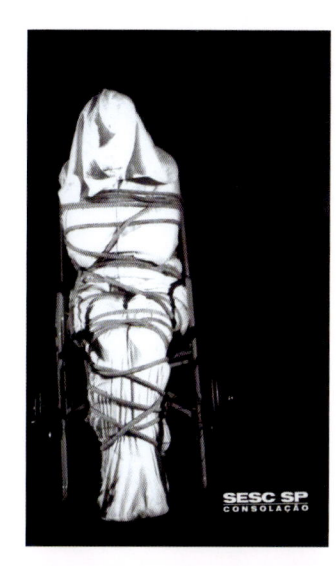

Direção: Chico Pelúcio
Elenco: Antonio Edson, Arildo Barros, Beto Franco, Chico Pelúcio, Eduardo Moreira, Fernanda Vianna, Inês Peixoto, Lydia Del Picchia, Paulo André, Simone Ordones e Teuda Bara
Cenografia e figurinos: Márcio Medina
Iluminação: Alexandre Galvão e Wladimir Medeiros
Direção musical: Fernando Muzzi

Título: *A terra prometida*
Texto: Samir Yazbek
Direção: Luiz Arthur Nunes
Elenco: Luiz Damasceno e Marco Antônio Pâmio
Cenografia e figurinos: J.C. Serroni
Iluminação: Guilherme Bonfanti

Título: *O rei do Brasil*
Cia.: Mamelucos de Teatro
Cidade: São Paulo, SP
Texto: Luís Alberto de Abreu
Direção: Renata Zhaneta
Elenco: César Figueiredo, Fernando Nitsch, Francisco Landin, Letícia Balducci, Maria Juliana Camargo, Paula Malfatti, Perla Bernardi, Renata Coloni, Renata Lara e Yael Pecarovich
Cenografia: Ulisses Cohn
Figurinos: Atílio Beline Vaz
Iluminação: Érick Busoni e Renata Zhaneta
Direção musical: Sérgio Nóbrega

2002

ESPETÁCULOS EM TEMPORADA

Título: *Descent*
Cia.: Companhia Attis Theatre
País: Grécia
Texto: baseado no mito de *Traquínias*, de Sófocles, e no de *Hercules enfurecido*, de Eurípides
Direção: Theodoros Terzopoulos
Elenco: Kosta Antalopoulos, Sofia Hill, Sofia Mihopoulou, Tasos Dimas e Yetkin Dikinciler
Cenografia: Ermofilos Hondolidis
Iluminação: Heodoros Terzopoulos e Konstantinos Bethanis

Título: *A noite de Helver*
Cia.: Teatr Powszechny
País: Polônia
Texto: Ingmar Villquist
Direção: Zbigniew Brzoza
Elenco: Krystyna Janda e Slawomir Pacek
Cenografia: Barbara Hanicka

Título: *La Dance des poules*
Cia.: Courage Mon Amour – Abel & Gordon
País: França
Texto: O grupo
Elenco: Dominique Abel e Fiona Gordon

Título: *Once...*
Cia.: Derevo
País: Rússia
Direção: Anton Adassinski
Elenco: Alexey Merkuchev, Anton Adassinski, Elena Iarovaia, Oleg Zhukovsky e Tatiana Khabarova
Cenografia: Maxim Issaev
Iluminação: Falk Dittrich

Título: *Aux pieds de la lettre*
Cia.: Dos à Deux Théâtre Gestuel
País: Brasil/França
Texto: André Curti e Artur Ribeiro
Elenco: André Curti e Artur Ribeiro
Figurinos: Charlotte Leo
Iluminação: Raphael Keller

Título: *City Life*
País: Holanda
Texto: Karina Holla
Direção: Karina Holla
Elenco: Dries van der Post, Marcelo Evelin e Natasha Lusetic
Cenografia: Roel Schneemann
Figurinos: Rien Bikes
Iluminação: Kees van de Lagemaat

Título: *Bambie 6*
Cia.: Bambie
País: Holanda
Direção e elenco: Gerindo Kamid Kartadinata, Jochem Stavenuiter e Paul van der Laan
Figurinos: Atty Kingma

Título: *Antígona*
País: Grécia
Cia.: Teatro Nacional da Grécia
Texto: Sófocles
Direção: Niketi Kondouri
Adaptação: Nikos Panayotopoulos, para o grego moderno
Elenco: Andreas Natsios, Aristotelis Aposkitis, Christos Taktikos, Dimitris Kanellos, Dimitris Karaviotis, Dimitris Kotzias, Dimitris Petropoulos, Fedon Kastris, Kosmas Fondoukis, Kostas Triantaphylloupoulos, Leonidas Chissomallis, Lydia Koniordou, Maria Katsiadaki, Miranda Zafiropoulou, Nikos Arvanitis, Panagiotis Sakellariou, Sophoclis Peppas, Telemachos Krevaekas, Themistoklis Panou, Thodoros Katsafados, Vlassis Zotis e Yiannis Anastasakis
Cenografia e figurinos: Yorgos Patsas
Iluminação: Lefteris Pavlopoulos

Título: *Lua e conhaque*
Texto: Carlos Drummond de Andrade, Manuel Bandeira e Vinicius de Moraes
Direção: Clemente Portella e Walmor Chagas
Elenco: Clara Becker e Walmor Chagas
Cenografia: Chico Caruso
Figurinos: Caio da Rocha
Iluminação: Walmor Chagas
Direção musical: Leandro Braga

Título: *Mãe coragem e seus filhos*
Cia.: Companhia de Arte Degenerada
Cidade: São Paulo, SP
Texto: Bertolt Brecht
Tradução: Alberto Guzik, Maria Alice Vergueiro e Sérgio Ferrara
Direção: Sérgio Ferrara
Elenco: Adriana Seiffert, Álvaro Franco, Anton Chaves, Beatriz Tragtenberg, Jiddu Pinheiro, José Rubens Chachá, Luciano Chirolli, Manoel Candeias, Márcia Martins, Maria Alice Vergueiro, Mariana Muniz, Rubens Caribé e Sérvulo Augusto
Cenografia: J.C. Serroni
Figurinos: Leopoldo Pachoco e Marco Lima
Iluminação: Davi de Brito
Direção musical: Abel Rocha e Miguel Briamonte

Título: *Num lugar de La Mancha – amores e aventuras de dom Quixote*
Cia.: Espetáculo apresentado por internos da Febem, do projeto Febem Arte
Cidade: São Paulo, SP
Texto: Mario García-Guillén, adaptado de *Dom Quixote de La Mancha*, de Miguel de Cervantes
Direção: Valéria Di Pietro
Cenografia: Douglas Scott e adolescentes do elenco
Figurinos: Kinkas Neto
Iluminação: Luciana Barone
Direção musical: Jarbas Mariz

Título: *A casa de Bernarda Alba*
Cia.: Grupo Oficcina Multimédia
Cidade: Belo Horizonte, MG
Texto: Federico García Lorca
Direção: Ione de Medeiros
Elenco: Dulce Coppedê, Escandar Alcici Curi, Francisco César, Henrique Mourão, Jonnatha Horta Fortes, Juliana Guerra, Leandro Acácio, Marcos Ferreira, Mônica Ribeiro e Rafael Otávio
Cenografia e figurinos: Ione de Medeiros
Iluminação: Leonardo Pavanelli

Título: *Meu destino é pecar*
Cia.: Companhia dos Atores
Cidade: Rio de Janeiro, RJ
Texto: Suzana Flag, pseudônimo de Nelson Rodrigues
Direção: Gilberto Gawronski
Adaptação: Gilberto Gawronski e Pedro Pontes
Elenco: Bel Garcia, César Augusto, Dira Paes, Gustavo Gasparani, Malu Galli e Marcelo Olinto
Cenografia: Cristina Novaes e Mina Quental
Figurinos: Marcelo Olinto
Iluminação: Adriana Ortiz
Direção musical: Marcelo Neves

Título: *Cãocoisa e a coisa homem*
Cia.: Ateliê de Criação Teatral
Cidade: Curitiba, PR
Texto: Aderbal Freire-Filho, com a criação coletiva dos integrantes do grupo
Direção: Aderbal Freire-Filho

Elenco: André Coelho, Andrei Moscheto, Gabriel Gorosito, Janja, Luis Melo, Nena Inoue, Patrícia Ramos, Regina Bastos, Renata Hardy e Silvia Contursi
Cenografia: Fernando Marés
Figurinos: Fernando Marés
Iluminação: Beto Bruel

2003

ESPETÁCULOS EM TEMPORADA

Título: *Prêt-à-Porter V*
Texto: *Uma fábula*, *Mulher de olhos fechados* e *O poente do sol nascente*
Elenco: Arieta Corrêa, Emerson Danesi, Juliana Galdino e Suzan Damasceno
Figurinos: Anne Cerutti

Título: *Tarsila*
Texto: Maria Adelaide do Amaral
Direção: Sérgio Ferrara
Elenco: Agnes Zuliani, Esther Góes, José Rubens Chachá e Luciano Chirolli
Cenografia: Maria Bonomi
Figurinos: Beth Filipecki
Iluminação: Domingos Quintiliano

Título: *Os sete afluentes do rio Ota*
Texto: Robert Lepage, em criação coletiva do grupo Ex-Machina
Direção: Monique Gardenberg
Elenco: Beth Goulart, Bruno de Oliveira, Caco Ciocler, Charly Braun, Felipe Kannenberg, Gilles Gwizdek, Giulia Gam, Helena Ignez, Jiddu Pinheiro, Julia Barreto, Lorena da Silva, Madalena Bernardes, Maria Luisa Mendonça, Pascoal da Conceição, Thierry Tremouroux e Vera Zimmermann
Cenografia: Hélio Eichbauer
Figurinos: Marcelo Pies
Iluminação: Maneco Quinderé

Título: *Pessoas invisíveis*
Cia.: Armazém Companhia de Teatro
Cidade: Rio de Janeiro, RJ
Texto: Maurício Arruda Mendonça e Paulo de Moraes, inspirado na obra em quadrinhos de Will Eisner
Direção: Paulo de Moraes
Elenco: Fabiano Medeiros,

Kiko Mascarenhas, Marcelo Guerra, Marcos Martins, Renato Linhares, Sérgio Medeiros, Simone Mazzer, Simone Vianna e Stella Rabello
Cenografia: Carla Berri e Paulo de Moraes
Figurinos: João Marcelino
Iluminação: Paulo César Medeiros

Título: *Alice ou A última mensagem do cosmonauta para a mulher que ele um dia amou na antiga União Soviética*
Cia.: Sutil Companhia de Teatro
Cidade: Curitiba, PR
Texto: David Greig
Tradução: Erica Migon e Ursula de Almeida Rego Migon
Direção: Felipe Hirsch
Elenco: Edson Rocha, Erica Migon, Guilherme Weber, Paulo Alves, Rosana Stavis, Simone Spoladore e Zeca Cenovicz
Cenografia: Daniela Thomas
Figurinos: Marcos Nasci
Iluminação: Beto Bruel

Título: *Casca de noz*
Cia.: Armazém Companhia de Teatro
Cidade: Rio de Janeiro, RJ
Texto: Maurício Arruda Mendonça e Paulo de Moraes, inspirado na obra *As cosmicômicas*, de Ítalo Calvino
Direção: Paulo de Moraes
Elenco: Fabiano Medeiros, Liliana Castro, Patrícia Selonk, Sérgio Medeiros e Simone Mazzer
Cenografia: Paulo de Moraes e Carla Berri
Figurinos: João Marcelino
Iluminação: Paulo César Medeiros

Título: *As artimanhas de Scapino*
Cia.: Companhia de Teatro Atores de Laura
Cidade: Rio de Janeiro, RJ
Texto: Jean-Baptiste Poquelin – Molière
Tradução: Carlos Drummond de Andrade
Direção: Daniel Herz
Elenco: Anderson Mello, Charles Fricks, João Marcelo Pallottino, Leandro Castilho, Marcio Fonseca, Paulo Hamilton, Raphaela Cotrim, Susanna

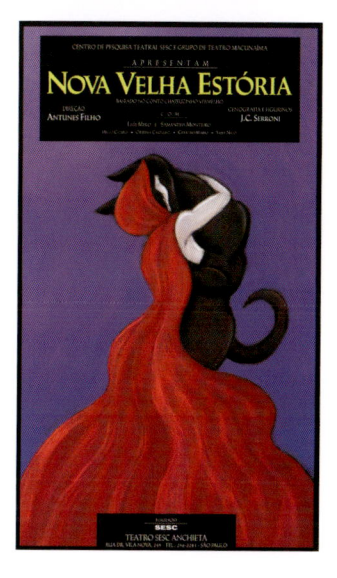

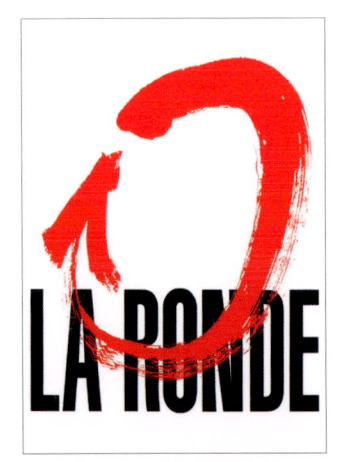

Kruger, Val Elias e Vanessa Dantas
Cenografia: Ronald Teixeira
Figurinos: Heloisa Frederico
Iluminação: Aurélio de Simoni

Título: *Decote*
Cia.: Companhia de Teatro Atores de Laura
Cidade: Rio de Janeiro, RJ
Texto: criação coletiva, com texto final de Daniel Herz
Direção: Daniel Herz e Susanna Kruger
Elenco: Ana Paula Secco, Charles Fricks, Leandro Castilho, Luiz André Alvim, Marcio Fonseca, Paulo Hamilton, Robert Carvalho, Susanna Kruger, Vanessa Dantas, Verônica Reis, Virgílio Eduardo e Viviane Florêncio
Cenografia: Lidia Kosovski
Figurinos: Ana Paula Secco
Iluminação: Aurélio de Simoni

Título: *Pequeno sonho em vermelho*
Cia.: Linhas Aéreas
Cidade: São Paulo, SP
Texto: Criação coletiva, com texto final de Fernando Bonassi
Direção: Francisco Medeiros e Lucienne Guedes
Elenco: Bel Mucci, Dany Rabello, Erica Stoppel, Luciano Quirino, Natália Presser, Nicolas Trevijano e Ziza Brisola
Cenografia e figurinos: Daniela Garcia
Iluminação: Domingos Quintiliano
Direção musical: Gustavo Kurlat

Título: *Hagoromo – o manto de plumas*
Cia.: Grupo de Teatro Nô Kaga-Hosho
País: Japão
Direção: Watanabe Younosuke
Elenco: Kameda Hajime, Kikuchi Kyoko, Kikuchi Tatsuo, Koyama Yuko, Mimura Yoko, Nanbu Mitsue, Nouka Tokuji, Oma Toyomitsu, Omori Yoshihiro, Ozaki Masaji, Sano Hajime, Taya Kunio, Terai Kiyomasa, Tomita Takashi e Yabu Toshihiko

Título: *4.48 psychose*
Texto: Sarah Kane
Tradução: Evelyne Pieiller
Direção: Claude Rég
Elenco: Gérard Watkins e Isabelle Huppert

Cenografia: Daniel Jeanneteau
Figurinos: Ann Williams
Iluminação: Dominique Bruguière

MOSTRA SESC DE ARTES – LATINIDADES

Título: *Brasil deportado*
Cia.: Luis Louis
Cidade: São Paulo, SP
Texto e direção Luis Louis
Elenco: Carol Pieroni, Débora Vivian, Iris Yazbek, Lene Bastos, Luis Louis e Ricardo Sawaya
Cenografia: Leonardo Ceolin e Thais Stoklos Kignel
Iluminação: Denílson Marques
Direção musical: Duca Belintani

Título: *Humus*
Cia.: Grupo El Ojo de la Majada
País: Argentina
Direção: Soledad González
Elenco: Antonieta Pallero, Francisco Argañaraz, Lucía Martínez e Valeria Lombardelli
Figurinos: Antonieta Pallero, Francisco Argañaraz, Lucía Martínez e Valeria Lombardelli

MOSTRA – VESTÍGIOS DO BUTÔ

Título: *O olho do tamanduá*
Cia.: Companhia Tamanduá de Dança-teatro
Cidade: São Paulo, SP
Direção: Takao Kusuno
Elenco: Dorothy Lenner, Emilie Sugai, Eros Leme, José Maria Carvalho, Marco Xavier, Patrícia Noronha e Siridiwê Xavante
Iluminação: Abel Kopanski

Título: *Quimera – o anjo sai voando*
Cia.: Companhia Tamanduá de Dança-teatro
Cidade: São Paulo, SP
Direção: Takao Kusuno
Elenco: Emilie Sugai, Key Sawao, Ricardo Iazzetta e Sérgio Pupo
Iluminação: Abel Kopanski

Título: *Rubicão*
Elenco: Mitsuru Sasaki
Cenografia: Takakazu Takeuchi
Figurinos: Jennifer Blose
Iluminação: Horst Mühlberger

Título: *Les poupées*
Texto, direção e elenco: Marta Soares
Iluminação: Marcelo Esteves de Oliveira

Título: *Delírio de uma infância*
Elenco: Ismael Ivo
Iluminação: Heinze Baumann

Título: *Florescerei para ti, florescendo orgulhosamente*
Elenco: Akira Kasai e Yoshito Ohno
Figurinos: Etsuko Ohno
Iluminação: Toshio Mizohata

Título: *Nocturne*
Cia.: Butoh-sha Tenkei
País: Japão
Elenco: Ebisu Torii e Mutsuko Tanaka
Cenografia e figurinos: Ebisu Torii
Iluminação: Toshio Mizohata

Título: *Wedding on the Field – Into the Spiral of Seasons* (Bodas no campo – dentro da espiral das estações)
Elenco: Yukio Waguri
Figurinos: Yukio Waguri
Iluminação: Masaru Soga

Título: *As galinhas*
Texto: Dorothy Lenner, Ismael Ivo e Renée Gumiel
Direção: Takao Kusuno
Elenco: Dorothy Lenner, Ismael Ivo e Renée Gumiel
Iluminação: Takao Kusuno

2004

ESPETÁCULOS EM TEMPORADA

Título: *E aí, quando o dia raiou, eu adormeci*
Cia.: Boomerang
País: França
Texto: Serge Valletti
Direção: Michel Didym

Elenco: Christiane Cohendy e Denise Weinberg

Título: *Epigoni*
Cia.: Attis Theatre
País: Grécia
Texto: síntese dramática baseada em fragmentos das tragédias perdidas de Ésquilo
Tradução: Eleni Varopoulou
Direção: Theodoros Terzopoulos
Elenco: Meletis Elias, Savvas Stroumbos, Tasos Dimas, Thanasis Alevras, Theodoros Terzopoulos e Vasilis Boulougouris
Cenografia: Alexandros Kokkinos
Iluminação: Konstantinos Bethanis, Panagiotis Psihas e Theodoros Terzopoulos

Título: *Da vida de Komikaze*
Cia.: Teatro de Braga
País: Portugal
Texto: Alexei Chipenko
Tradução e Direção: Regina Guimarães
Elenco: Carlos Feio, Jaime Monsanto, Jaime Soares, João Melo, Larissa Miwako, Mônica Lara, Rogério Boane, Rui Madeira, Solange Sá e Waldemar Sousa
Figurinos: Marta Silva
Iluminação: Saguenail

Título: *En un sol amarillo (Memorias de un temblor)*
Cia.: Teatro de Los Andes
País: Bolívia
Texto e direção César Brie
Elenco: Alice Guimarães, Daniel Aguirre, Gonzalo Callejas e Lucas Achirico

Título: *A vida na praça Roosevelt*
Cia.: Thalia Theater
País: Alemanha
Texto: Dea Loher
Direção: Andreas Kriegenburg
Elenco: Hans Löw, Judith Hofmann, Markwart Müller-Elmau, Natali Seelig, Peter Moltzen e Verena Reichhardt
Cenografia: Thomas Schuster
Figurinos: Andreas Kriegenburg e Thomas Schuster

Título: *K2*
Texto: Patrick Meyers
Tradução: Gabriel Braga Nunes e Marco Antônio Pâmio
Direção: Celso Nunes
Elenco: Gabriel Braga Nunes e Petrônio Gontijo
Cenografia: Marcos Flaksman
Figurinos: Inês Salgado
Iluminação: Aurélio de Simoni

Título: *Credores*
Texto: August Strindberg
Tradução: Marcos Ribas de Faria
Direção: Antonio Gilberto
Elenco: Alessandra Negrini, Emilio de Mello e Marcos Winter
Cenografia: Hélio Eichbauer
Figurinos: Kalma Murtinho
Iluminação: Maneco Quinderé

Título: *O que diz Molero*
Texto: Dinis Machado
Direção: Aderbal Freire-Filho
Elenco: Augusto Madeira, Chico Diaz, Cláudio Mendes, Gillray Coutinho, Orã Figueiredo e Raquel Iantas
Cenografia: José Manuel Castanheira
Figurinos: Biza Vianna
Iluminação: Maneco Quinderé

Título: *Tauromaquia*
Cia.: Companhia de Teatro Balagan
Cidade: São Paulo, SP
Texto: criação coletiva com finalização de Alessandro Toller
Direção: Maria Thaís
Elenco: Antônio Salvador, Cláudio Queiroz, Daniel Ribeiro, Ivaldo de Melo, Lúcia Romano, Marcos de Andrade, Melissa Vettore, Sidnei Caria, Tomas Vinicius e Walter Breda
Cenografia e figurinos: Márcio Medina
Iluminação: Lúcia Chedieck
Direção musical: Fernando Carvalhaes

Título: *O canto de Gregório*
Texto: Paulo Santoro
Direção: Antunes Filho
Elenco: Arieta Corrêa, Carlos Morelli, César Augusto, Daniel Tavares, Emerson Danesi, Geraldinho Mário da Silva, Haroldo Joseh, Juliana Galdino, Kaio Pezzutti, Marcelo Szpektor, Rodrigo Fregnan e Vimerson Cavanilas
Cenografia: J.C. Serroni
Figurinos: Anna Cerutti e equipe
Iluminação: Davi de Brito e Robson Bessa
[Apresentado no Espaço CPT, 7º andar.]

Título: *Prêt-à-Porter VI*
Texto: *A casa de Laurinha*, *Senhorita Helena* e *Estrela da manhã*
Elenco: Arieta Corrêa, Carlos Morelli, Emerson Danesi, Juliana Galdino, Kaio Pezzutti e Simone Feliciano

PROJETO UNDERGROUND – ?PASSADO/PRESENTE?

Título: *Single Singers Bar*
Cia.: Grupo Folias d'Arte
Cidade: São Paulo, SP
Direção: Dagoberto Feliz
Elenco: Bruno Guida, Cacau Merz, Dagoberto Feliz, Demian Pinto, Fabio Saltini, Kleber Montanheiro, Liliane Cury, Nani de Oliveira, Silmara Deon, Val Pires e Yael Pecarovich
Cenografia: Dagoberto Feliz
Figurinos: Adriana Chung

REFLEXOS DE CENA – ARTAUD: CORPO, PENSAMENTO E CULTURA

Título: *Van Gogh + Van Gogh, o suicidado da sociedade*
Direção: Marcia Abujamra
Elenco: Elias Andreato e Pascoal da Conceição

MOSTRA 7 ANOS DA COMPANHIA DO LATÃO

Título: *Visões siamesas*
Texto: criação coletiva a partir do conto *As academias de Sião*, de Machado de Assis, com texto final de Sérgio de Carvalho e Márcio Marciano
Direção: Márcio Marciano e Sérgio de Carvalho
Elenco: Émerson Rossini, Fernando Paz, Heitor Goldflus, Helena Albergaria, Izabel Lima, Marina Henrique, Ney Piacentini e Victória Camargo
Cenografia e figurinos: Fábio Namatame
Iluminação: Domingos Quintiliano
Direção musical: Martin Eikmeier e Walter Garcia

Título: *O mercado do gozo*
Texto: criação coletiva com texto final de Sérgio de Carvalho e Márcio Marciano
Direção: Márcio Marciano e Sérgio de Carvalho
Elenco: Beto Mattos, Émerson Rossini, Helena Albergaria, Izabel Lima, Martin Eikmeier, Ney Piacentini e Victória Camargo
Cenografia: Antonio Marciano e Márcio Marciano
Figurinos: Márcio Medina
Iluminação: Paulo Heise
Direção musical: Luís Felipe Gama, Martin Eikmeier e Walter Garcia

Título: *Auto dos bons tratos*
Texto: criação coletiva a partir de fragmentos do processo inquisitorial de Pero do Campo Tourinho, com texto final de Sérgio de Carvalho e Márcio Marciano
Direção: Márcio Marciano e Sérgio de Carvalho
Elenco: Beto Mattos, Émerson Rossini, Heitor Goldflus, Helena Albergaria, Izabel Lima e Ney Piacentini
Cenografia: Antonio Marciano e Márcio Marciano
Figurinos: Helena Albergaria e Renata Deuse
Iluminação: Paulo Heise
Direção musical: Walter Garcia

Título: *Equívocos colecionados*
Texto: criação coletiva a partir de entrevistas do dramaturgo alemão Heiner Müller, com texto final de Sérgio de Carvalho e Márcio Marciano
Tradução das entrevistas: Christine Röhrig
Direção: Márcio Marciano e Sérgio de Carvalho
Elenco: Émerson Rossini, Heitor Goldflus, Helena Albergaria, Izabel Lima, Marina Henrique e Ney Piacentini
Figurinos: Helena Albergaria
Iluminação: Paulo Heise
Direção musical: Martin Eikmeier

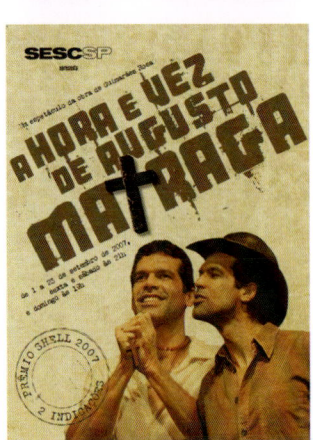

2005

ESPETÁCULOS EM TEMPORADA

Título: *O diário (Pamietnik)*
Cia.: Teatr Dramatyczny de Varsóvia
País: Polônia
Texto: Witold Gombrowicz
Direção: Piotr Cieslak
Elenco: Anna Deszowska, Dominika Kluzniak, Jacek Blazejewski, Krzysztof Bauman, Krzysztof Ogloza, Maciej Makowski, Piotr Siwkiewicz, Tadeusz Baba e Waldemar Barwinski
Cenografia: Szymon Gaszczynski
Iluminação: Tadeusz Todziewski

Título: *Dervish*
Texto: Zyia Azazi
Elenco: Zyia Azazi
Iluminação: Germano Milite

Título: *Prêt-à-Porter VII*
Texto: *Castelos de areia*, *Chuva cai e bambu dorme* e *A garota da internet*
Elenco: Arieta Corrêa, Emerson Danesi, Juliana Galdino, Marcelo Szpektor e Nara Chaib Mendes

Título: *Dilúvio em tempos de seca*
Cidade: Rio de Janeiro, RJ
Texto: Marcelo Pedreira
Direção: Aderbal Freire-Filho
Elenco: Giulia Gam e Wagner Moura
Cenografia: Fernando Melo da Costa
Figurinos: Marcelo Pires

Título: *Muito barulho por quase nada*
Cia.: Grupo Clowns de Shakespeare
Cidade: Natal, RN
Texto: William Shakespeare
Direção: Fernando Yamamoto e Eduardo Moreira
Elenco: César Ferrário, George Holanda, João Júnior, Marco França, Nara Kelly, Renata Kaiser e Titina Medeiros
Cenografia e figurinos: João Marcelino
Iluminação: Rogério Ferraz
Direção musical: Marco França

Título: *A última viagem de Borges*
Texto: Ignácio de Loyola Brandão
Direção: Sérgio Ferrara
Elenco: Fernando Pavão, Flávia Pucci, Luiz Damasceno, Marco Antônio Pâmio, Olair Coan e Rodrigo Bolzan
Cenografia: Maria Bonomi
Iluminação: Caetano Vilela

Título: *Verissimilitude*
Cia.: Zikzira Physical Theatre
País: Inglaterra/Brasil
Texto: Fernanda Lippi e André Semenza, a partir do texto *As quatro similitudes*, de Michel Foucault
Direção: André Semenza
Elenco: Heloísa Domingues, Lívia Rangel, Marçal Costa e Tuca Pinheiro
Cenografia: Orlando Castaño
Figurinos: Marney Heitmann
Iluminação: Guilherme Bonfanti

Título: *Essa nossa juventude*
Texto: Kenneth Lonergan
Tradução: Christiane Riera e Maria Luisa Mendonça, com colaboração de Bráulio Mantovani
Direção: Laís Bodanzky
Elenco: Gustavo Machado, Paulo Vilhena e Silvia Lourenço
Cenografia: Cássio Amarante e Marcelo Larrea
Figurinos: Verônica Julian
Iluminação: Alessandra Domingues

SARTREANAS – SARTRE 100 ANOS

[Curadoria de Eugênia Thereza de Andrade]

Título: *Encontro no Café de Flores*
Texto: inspirado em cartas e textos de Jean-Paul Sartre e Simone de Beauvoir, com texto final de Luiz Carlos Maciel
Direção: Luiz Carlos Maciel
Elenco: Chico Diaz e Mika Lins

Título: *Os existencialistas*
Texto: composto por intervenções teatrais de Eugênia Thereza de Andrade
Direção: Eugênia Thereza de Andrade
Elenco: Maíra de Andrade e Olair Coan

Título: *O Diabo e o bom Deus*
Texto: Jean-Paul Sartre
Direção: Eugênia Thereza de Andrade
Adaptação: Luiz Carlos Maciel
Elenco: Almir Martins, Caio Zaccariotto, Carlos Alberto Escher, Jorge Luiz Alves, José de Brito, Maíra de Andrade, Marcelo Mello e Maurício de Souza Lima
Figurinos: Jefferson Miranda
Iluminação: José Augusto Mello

MOSTRA SESC DE ARTES DO MEDITERRÂNEO

Título: *The Orpheus Complex (Manonash)*
Cia.: Théâtre de l'Ange Fou
País: França/Inglaterra
Texto: Corinne Soum e Steven Wasson
Direção: Corinne Soum e Steven Wasson
Elenco: André Guerreiro Lopes, Arianna D'Angio, Carmen Amigo, Corine Soum, Jane Douglas, Jorge Bettencourt, Kentaro Suyama, Monica Giacomin, Oscar Valsecchi, Renata Hitomi Collaço e Valentina Temussi
Cenografia: Oscar Valsecchi, Kentaro Suyama e Théâtre de l'Ange Fou
Iluminação: Matthew Britten

FESTIVAL CENTENÁRIO IBSEN

Título: *Solness, o construtor*
Direção: Mário Bortolotto

Título: *Hedda Gabler*
Direção: Paulo de Moraes

Título: *O inimigo do povo*
Direção: Sérgio Ferrara

Título: *Quando despertamos entre os mortos*
Direção: Zé Celso Martinez Corrêa

Título: *O pequeno Eyolf*
Direção: Paulo de Moraes
Elenco: Carla Martins, Fernando Alves Pinto, João Vitti, Náshara e Tânia Pires
Cenografia: Carla Berri e Paulo de Moraes
Figurinos: Sérgio Ennes
Iluminação: Maneco Quinderé

CENTRO DE PESQUISA TEATRAL – CPT

Título: *Antígona*
Texto: Sófocles
Tradução: Mário da Gama Kury
Direção: Antunes Filho
Elenco: Adriani Suto, Arieta Corrêa, Carlos Morelli, César Augusto, Emerson Danesi, Geraldinho Mário da Silva, Haroldo Joseh, Juliana Galdino, Juliana Maria Souza, Kaio Pezzutti, Lázara Seugling, Marcelo Szpektor, Marília Simões, Paula Arruda, Rodrigo Fregnan, Sandra Luz, Simone Feliciano e Vimerson Cavanillas
Cenografia e figurinos: J.C. Serroni
Iluminação: Davi de Brito e Robson Bessa

2006

ESPETÁCULOS EM TEMPORADA

Título: *Noite de reis*
Cia.: Cheek by Jowl
País: Inglaterra/Rússia
Texto: William Shakespeare
Direção: Declan Donnellan
Elenco: Alexander Feklistov, Alexei Dadonov, Andrei Kuzitchev, Dmitry Dyuzhev, Dmitry Shcherbina, Evgeny Tsyganov, Igor Yasulovich, Ilia Ilin, Mikhail Dementiev, Mikhail Zhigalov, Sergey Mukhin, Vladimir Vdovichenkov e Vsevolod Boldin

Título: *Sizwe Banzi est mort*
Cia.: Centro Internacional de Criação Teatral/Théâtre des Bouffes du Nord
País: França
Texto: Athol Fugard, John Kani e Winston Ntshona
Direção: Peter Brook
Adaptação: Marie-Hélène Estienne, para o francês
Elenco: Habib Dembélé e Pitcho Womba Konga
Iluminação: Philippe Vialatte

Título: *Bye-bye Phantom*
Cia.: Grupo Gekidan Kaitaisha [Teatro da Desconstrução]
País: Japão
Direção: Shinjin Shimizu
Elenco: Hiruko Hino, Kenjiro Kumamoto, Miyuki Nakajima, Reiko Anjo, Reiko Aota e Shiro Amemiya
Iluminação: Naoki Kasai

Título: *Centro nervoso*
Texto e direção Fernando Bonassi
Elenco: Alessandra Domingues, Daniela Garcia, Eucir de Souza, Luciene Guedes, Malu Bierrenbach, Marcelo Pellegrini, Marlene Salgado, Pascoal da Conceição, Thereza Piffer e Vivien Buckup
Cenografia e figurinos: Daniela Garcia
Iluminação: Alessandra Domingues

Título: *Utopia*
Cia.: Péssima Companhia
Cidade: Rio de Janeiro, RJ
Texto: Thomas More
Direção: Moacir Chaves
Elenco: Alessandra Maestrini, Danielle Barros, Josie Antello e Luciana Borghi
Cenografia: Fernanda Mello da Costa e Rostand Albuquerque
Figurinos: Inês Salgado
Iluminação: Aurélio de Simoni
Direção musical: Tato Taborda
Direção de produção: Walter Santos Filho

Título: *Um homem é um homem*
Cia.: Grupo Galpão
Cidade: Belo Horizonte, MG
Texto: Bertolt Brecht
Tradução: Fernando Peixoto
Direção: Paulo José
Elenco: Antonio Edson, Arildo de Barros, Beto Franco, Eduardo Moreira, Fernanda Vianna, Inês Peixoto, Júlio Maciel, Lydia Del Picchia, Paulo André, Rodolfo Vaz e Simone Ordones
Cenografia: Alexandre Rousset, Tereza Bruzzi e Paulo José
Figurinos: Kika Lopes
Iluminação: Alexandre Galvão e Wladimir Medeiros
Direção musical: Ernani Maletta
Direção de produção: Gilma Oliveira

Título: *Otelo da Mangueira*
Texto: Gustavo Gasparani, a partir da obra de William Shakespeare
Direção: Daniel Herz
Elenco: Aldri Anunciação, Anderson Mello, Gustavo Gasparini, Jorge Maya, Jorge Medina, Juliana Clara, Jurema Moisés, Marcelo Capobiango, Patrícia Costa, Pedro Lima, Sheila Mattos, Sueli Guerra e Susana Ribeiro
Cenografia: Ronald Teixeira
Figurinos: Marcelo Olinto
Iluminação: Maneco Quinderé
Direção musical: Josimar Carneiro

Título: *Prêt-à-Porter VIII*
Texto: *Ponto sem retorno*, *Exiladas* e *Velejando na beirada*
Elenco: Aline Filócomo, Emerson Danesi, Marcelo Szpektor, Marília Simões e Pedro Abhull
[Também apresentado em 2007.]

Título: *Super Night Shot*
Cia.: Coletivo Gob Squad
País: Inglaterra/Alemanha
Elenco: Berit Stumpf, Sean Patten e Simon Will. Artistas brasileiros convidados: Caio Martingo, Camila Vinhas, Cristiana Ceschi, Cynthia Margareth, Fernanda Felix, Fernando Lopes Lima, Michel Blois e Rodrigo Nogueira

Título: *Sopro*
Cia.: Grupo Lume
Cidade: Campinas, SP
Direção: Tadashi Endo
Elenco: Carlos Simioni
Figurinos: Adelvane Néia
Iluminação: Tadashi Endo
Direção de produção: Pedro de Freitas
Produção executiva: Cynthia Margareth

CENTRO DE PESQUISA TEATRAL – CPT

Título: *A Pedra do Reino*
Cia.: CPT
Cidade: São Paulo, SP
Texto: Baseado nas obras *Romance d'a Pedra do Reino e o príncipe do sangue do vai-e-volta* e *História do rei degolado*

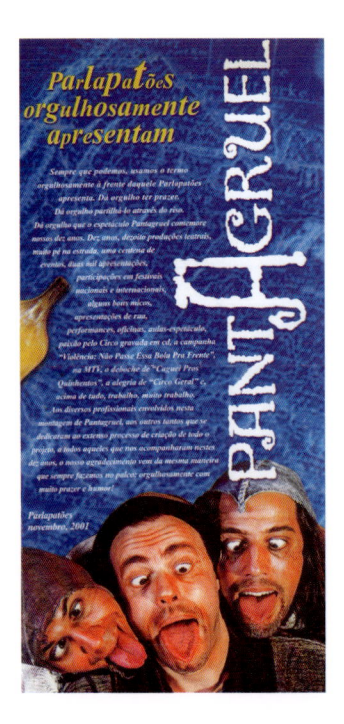

nas caatingas do sertão: ao sol da onça caetana, de Ariano Suassuna
Adaptação e Direção: Antunes Filho
Elenco: Angélica Di Paula, Chantal Cidonio, Cláudio Cabral, Diogo Jaime, Eric Lenate, Erick Gallani, Geraldinho Mário da Silva, Kokimoto Rocha, Leandro Paixão, Lee Taylor, Luiz Filipe Peña, Marcelo Villas Boas, Marcos de Andrade, Nara Chaib Mendes, Osvaldo Gazotti, Patrícia Carvalho, Pedro Abhull, Rhode Mark, Rodrigo Audi, Simone Iliescu e Vanessa Bruno
Figurinos: Juliana Fernandes
Iluminação: Davi de Brito e Robson Bessa
Direção musical: Rhode Mark
[Temporadas também em 2007 e 2008.]

2007

ESPETÁCULOS EM TEMPORADA

Título: *Pequenos milagres*
Cia.: Grupo Galpão
Cidade: Belo Horizonte, MG
Texto: "Cabeça de cachorro", inspirado no texto homônimo de João Celso dos Santos; "O pracinha da FEB", inspirado no texto de Thereza Alvarenga; "O vestido", inspirado no texto "Vestido do desejo", de Maristela de Fátima Carneiro; "Casal náufrago", inspirado em texto anônimo. Os textos selecionados foram recebidos durante a campanha "Conte sua história".
Direção: Paulo de Moraes
Elenco: Antonio Edson, Arildo de Barros, Beto Franco, Chico Pelúcio, Eduardo Moreira, Inês Peixoto, Júlio Maciel, Lydia Del Picchia, Paulo André e Simone Ordones
Cenografia: Carla Berri e Paulo de Moraes
Figurinos: Rita Murtinho
Iluminação: Maneco Quinderé
Direção de produção: Gilma Oliveira
Produção executiva: Beatriz Radicchi

Título: *As folias do látex*
Cia.: Teatro Experimental do Sesc do Amazonas – Tesc
Cidade: Manaus, AM
Texto: Márcio Souza
Direção: Daniel Mazzaro e Márcio Souza
Elenco: Adriano Antony, Carla Menezes, Daniele Peynado, Denni Sales, Dimas Mendonça, Efrain Mourão, Eliézia de Barros, Emerson Nascimento, Gomes de Lima, Katleen Karine, Márcio Braz, Robson Ney Costa, Sidney Fernandes e Vicente Henrique
Iluminação: Daniel Mazzaro
Direção musical: Vicente Henrique

Título: *O púcaro búlgaro*
Texto: Campos de Carvalho
Direção: Aderbal Freire-Filho
Elenco: Ana Barroso, Augusto Madeira, Gillray Coutinho, Isio Ghelman e Sávio Moll
Cenografia: Fernando Mello da Costa e Rostand Albuquerque
Figurinos: Biza Vianna
Iluminação: Maneco Quinderé
Direção de produção: José Luiz Coutinho

Título: *Pinocchio*
Cia.: Giramundo Teatro de Bonecos
Cidade: Belo Horizonte, MG
Texto: Carlo Collodi
Direção: Beatriz Apocalypse, Marcos Malafaia e Ulisses Tavares
Adaptação: Beatriz Apocalypse
Elenco: Antônio Edson, Arildo Barros, Beto Franco, Chico Pelúcio, Cláudio Márcio de Lima, Eduardo Moreira, Ezequias Marques, Fernanda Vianna, Inês Peixoto, Itamar Bambaia, Márcio Miranda, Marcos Malafaia, Paulo André, Raimundo Bento, Rodolfo Vaz, Teuda Bara e Ulisses Tavares. Marionetistas: Ana Flávia Fagundes, Beatriz Apocalypse, Gabriela Reis, Giulianna Gambogi, Paulo Emílio Luz, Raimundo Bento e Rooney Tuareg
Cenografia: Beatriz Apocalypse, Marcos Malafaia e Ulisses Tavares
Figurinos: Renata Bessa
Iluminação: Beatriz Apocalypse, Marcos Malafaia e Ulisses Tavares

Título: *Álbum de família*
Texto: Nelson Rodrigues
Direção: Alexandre Reinecke
Elenco: Ângela Barros, Cacá Amaral, Denise Weinberg, Eldo Mendes, Gabriel Pinheiro, Helena Cerello, João Vitor D'Alves, Rennata Airoldi, Riba Carlovich e Ronaldo Dias
Cenografia e figurinos: Carlos Colabone
Iluminação: Lucia Chedieck
Direção de produção: Carolina Mendes

Título: *Wotan*
Texto e direção Fabio Mazzoni
Elenco: Bruna Anauate, Carlos Morelli, Carolina Manica, Ed Moraes, Eduardo Reis, Juliana Santos, Luna Martinelli, Rita Batata, Roberto Aguiar e Silvia Wolff
Figurinos: J.C. Serroni e Telumi Hellen
Iluminação: Fabio Mazzoni

Título: *Alice*
Cia.: Estelar de Teatro
Cidade: São Paulo, SP
Texto: Viviane Dias
Direção: Ismar Rachmann
Elenco: Eliane Rizk, Gabriela Fontana, Liana Poiani, Nei Gomes e Viviane Dias
Cenografia e figurinos: Juliana Pedreira
Iluminação: PH

Título: *Yo soy o que a água me deu – Frida*
Cia.: Teatro das Epifanias
Cidade: São Paulo, SP
Direção: Wagner de Miranda
Elenco: Camilo Brunelli, Daniela Smith, George Sander (Eduardo Reis), Lilih Curi, Manuel Boucinhas e Márcio Martins
Iluminação: Davi de Brito
Direção musical: Márcio Martins

Título: *Terra em trânsito*
Texto e direção Gerald Thomas
Elenco: Fabiana Gugli e Pancho Cappeletti
Cenografia: Domingos Varela
Figurinos: Fabiana Gugli
Iluminação: Gerald Thomas

Título: *Rainha montira/Queen liar*
Texto e direção Gerald Thomas
Elenco: Anna Américo, Fabiana Gugli, Fabio Pinheiro, Luciana Fróes e Pancho Cappeletti

Cenografia: Domingos Varella
Iluminação: Gerald Thomas

Título: *A hora e a vez de Augusto Matraga*
Texto: João Guimarães Rosa
Direção: André Paes Leme
Elenco: Adriano Saboya, Cyda Morenyx, Fábio Lago, Francisco Salgado, Georgiana Góes, Jackyson Costa, Leandro Castilho e Marcelo Flores
Cenografia: Carlos Alberto Nunes
Figurinos: Ney Madeira
Direção musical: Alexandre Elias
Direção de produção: Ana Luísa Lima e Andréa Lima

Título: *A queda*
Cidade: São Paulo, SP
Texto: Albert Camus
Tradução: Luciano Loprete
Adaptação e Direção: Aury Porto
Elenco: Aury Porto, Luah Guimarãez, Ricardo Morañez e Rogê
Cenografia e figurinos: David Schumaker
Iluminação: Ricardo Morañez

Título: *Um dia, no verão*
Texto: Jon Fosse
Tradução: Lya Luft
Direção: Monique Gardenberg
Elenco: Bia Junqueira, Dadá Maia, Fernando Eiras, Gabriel Braga Nunes, Renata Sorrah e Silvia Buarque
Cenografia: Hélio Eichbauer
Figurinos: Rita Murtinho
Iluminação: Maneco Quinderé
Direção de produção: Bianca de Felippes e Francisco Accioly

Título: *O natimorto – um musical silencioso*
Texto: Lourenço Mutarelli
Direção: Mário Bortolotto
Elenco: Maria Manoella, Martha Nowill e Nilton Bicudo
Cenografia: Valdy Lopes
Figurinos: Cássio Brasil
Ilumnação: Lenise Pinheiro

Título: *Hamlet*
Cia.: Teatro del Contrajuego

País: Venezuela
Texto: William Shakespeare
Direção: Orlando Arocha
Elenco: Alexander Leterni, Diana Peñalver, Eulalia Siso, Julio Bouley, Ludwig Pineda, Ricardo Nortier, Rober Calzadilla, Vicente Peña e Xavier Agudo
Cenografia e figurinos: Orlando Arocha

MOSTRA SESC DE ARTES – CIRCULAÇÕES

Título: *Atentados a sua vida*
Texto: Martin Crimp
Direção: Fernando Kinas
Elenco: Chiris Gomes, Fábio Salvatti, Fernanda Azevedo, Fernando Kinas, Márcia Bechara, Márcio Branco
Assistente de Direção: Fábio Salvatti

Título: *Carne*
Texto e direção Fernando Kinas
Elenco: Chiris Gomes e Fernanda Azevedo
Assistente de Direção: Fábio Salvatti

Título: *Ruanda*
Texto e direção Fábio Salvatti, a partir de Philip Gourevitch e outros
Elenco: Chiris Gomes, Fernanda Azevedo e Maíra Chasseraux

Título: *Eu quero ser superficial*
Cia.: Kiwi
Cidade: São Paulo, SP
Texto: Elfriede Jelinek
Tradução: Adriano Távora
Direção: Fernando Kinas
Elenco: Fernanda Azevedo e Marísia Brüning

Título: *Carta aberta*
Cia.: Kiwi
Cidade: São Paulo, SP
Texto: Denis Guénoun
Tradução e Direção: Fernando Kinas
Elenco: Lori Santos
Figurinos: Marina Willer
Iluminação: Nadja Flügel

Título: *Teatro/mercadoria #1*
Cia.: Kiwi
Cidade: São Paulo, SP

Textos [canibalizados]**:** Antonio Gramsci, Bertolt Brecht, Che Guevara, Ernst Bloch, Georg Büchner, Guy Debord, Karl Marx, Klaus Mann, Mao Tsé-tung, Mario Benedetti, Pier Paolo Pasolini, Rosa Luxemburgo, Theodor Adorno e Walter Benjamin
Direção: Fernando Kinas
Elenco: Chiris Gomes, Eduardo Contrera, Fábio Salvatti, Fernanda Azevedo, Fernando Kinas, Gavin Adams, Lori Santos, Márcia Bechara, Valéria Di Pietro e Yuri Pinheiro

Título: *Aqui ninguém é inocente*
Cia.: coletivos Atelier de Manufactura Suspeita e Companhia Linhas Aéreas
Cidade: São Paulo, SP
Direção: Maurício Paroni de Castro
Elenco: Alexandre Magno, Fábio Marcoff, Fernanda Moura, Roberto Alencar, Vanderlei Bernardino e Ziza Brisola

PROJETO 7 LEITURAS DRAMÁTICAS
7 encontros, 7 autores, 7 diretores

Tema: O barateamento da vida humana
Concepção e direção geral: Eugênia Thereza de Andrade
Pesquisa de textos: Marcelo Mello

Título: *A exceção e a regra*
Texto: Bertolt Brecht
Direção: Marco Antônio Rodrigues
Elenco: Aline Meyer, Carlos Alberto Escher, Carlos Palma, Demian Pinto, Gustavo Trestini, Maíra de Andrade e Marcelo Mello

Título: *As eruditas*
Texto: Molière
Tradução: Millôr Fernandes
Direção: Mika Lins
Elenco: Ângela Dip, Carlos Palma, Cassio Scapin, Claudio Fontana, Iara Jamra, Maíra de Andrade, Mika Lins e Rubens Caribé

Título: *Hécuba*
Texto: Eurípedes
Tradução: Mário da Gama Kury
Direção: Gabriel Villela

Elenco: Ando Camargo, Cacá Toledo, Gustavo Wabner, Pascoal da Conceição, Pedro Henrique Moutinho, Rodolfo Vaz, Rodrigo Fregnan. Participação especial: Walderez de Barros

Título: *À margem da vida*
Texto: Tennessee Williams
Tradução: Léo Gilson Ribeiro
Direção: Eugênia Thereza de Andrade
Elenco: Maíra de Andrade, Pedro Guilherme e Rodrigo Penna. Participação especial: Glória Menezes

Título: *Sete contos*
Texto: Anton Tchekhov
Tradução: Boris Schnaiderman
Direção: Marcelo Mello
Elenco: Bel Kowarick, Carlos Alberto Escher, Helena Albergaria, Kelly Alonso, Luiz Damasceno e Marcelo Mello

Título: *A morte do caixeiro-viajante*
Texto: Arthur Miller
Tradução: Flávio Rangel
Direção: Aimar Labaki
Elenco: Carlos Baldim, Clara Carvalho, Denise Weinberg, Eduardo Reyes, Ênio Gonçalves, Genézio de Barros, Milhem Cortaz e Paulo Ivo

Título: *Rasga coração*
Texto: Oduvaldo Vianna Filho
Direção: Eugênia Thereza de Andrade e Marcelo Mello
Elenco: Carlos Palma, Celso Sim, Francisco Eldo Mendes, Kelly Alonso, Luciana Brites, Marcelo Selingardi e Rubens Caribé. Participação especial: Genézio de Barros

2008

ESPETÁCULOS EM TEMPORADA

Título: *A moratória*
Cia.: Grupo Tapa
Cidade: Sao Paulo, SP
Texto: Jorge Andrade
Direção: Eduardo Tolentino de Araújo
Elenco: Augusto Zacchi, Deborah Scavone, Larissa Prado, Lu

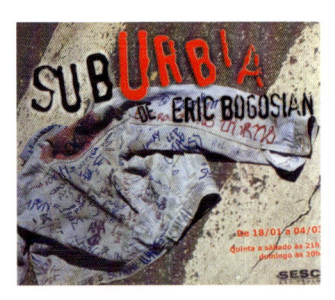

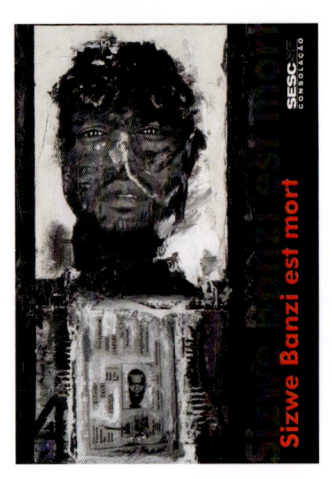

Carion, Rodolfo Freitas, Roza Grobman e Zécarlos Machado
Cenografia e figurinos: Lola Tolentino
Iluminação: Nelson Ferreira

Título: *A pane*
Texto: Friedrich Dürrenmatt
Direção: José Henrique
Adaptação: Nilo Batista
Elenco: Antonio Alves, Henrique César, Henrique Pagnoncelli, Gustavo Ottoni, Ricardo Leite Lopes, Rogério Freitas e Silvia Monte
Cenografia e figurinos: Ney Madeira
Iluminação: José Henrique
Direção de produção: Silmara Deon

Título: *Desconhecidos*
Cia.: Companhia Satélite da Cooperativa Paulista de Teatro
Cidade: São Paulo, SP
Texto: Dionisio Neto
Direção: Ivan Feijó
Elenco: Dionisio Neto e Simona Queiroz
Cenografia: Rodrigo Cerviño
Figurinos: Simona Queiroz
Iluminação: Ivan Feijó

Título: *Consumindo 68*
Cia.: Teatro Documentário
Elenco: Camila Amadei, Márcio Rossi, Marco Griesi e Natália Gonsales
Figurinos: Cintia Machado

Título: *Andrógena de Minas*
Texto e direção Cisco Aznar
Elenco: Jean-Philippe Guilois e Laure Dupont
Cenografia: Luis Lara
Figurinos: Luis Lara e Picpus Création

Título: *Aquela mulher*
Texto: José Eduardo Agualusa
Direção: Antônio Fagundes
Elenco: Marília Gabilela
Figurinos: Atelier Amarilis Arruda
Iluminação: Marcio Aurélio
Direção de produção: Fernanda Signorini

Título: *Cine-Teatro Limite*
Cia.: Zeppelin Cia.
Cidade: Rio de Janeiro, RJ
Texto: Pedro Bricio
Direção: Pedro Bricio e Sergio Módena
Elenco: Alexandre Pinheiro, Álvaro Diniz, Celso André, Erica Migon, Flávia Milloni, Gustavo Wabner, Isaac Bernat, Keli Freitas e Rodrigo Pandolfo
Cenografia e figurinos: Rui Cortez
Iluminação: Tomás Ribas
Direção musical: Marcelo Afonso Neves

Título: *Prêt-à-Porter IX*
Textos: *Um escritório ao entardecer*, *Edifício Copan* e *Bibelô de estrada*
Elenco: Angélica di Paula, Emerson Danesi, Marília Simões, Osvaldo Gazotti, Simone Iliescu e Vanessa Bruno
[Também apresentado em 2009.]

Título: *Coletânea 1 – Prêt-à-Porter*
Textos: *A filha do senador*, *A garota da internet* e *Ponto sem retorno*
Elenco: Ana Cecília Junqueira, Arieta Corrêa, Emerson Danesi e Marcelo Szpektor

Título: *Coletânea 2 – Prêt-à-Porter*
Textos: *Estrela da manhã*, *Bibelô de estrada* e *Poente do sol nascente*
Elenco: Emerson Danesi, Kaio Pezzutti, Marília Simões e Suzan Damasceno

FESTIVAL PALCO GIRATÓRIO

Título: *O pupilo quer ser tutor*
Cia.: Sim… Por Que Não?
Cidade: Florianópolis, SC
Texto: Peter Handke
Tradução: José Ronaldo Faleiro
Direção: Francisco Medeiros
Elenco: Leon de Paula e Nazareno Pereira
Assistência de direção: José Ronaldo Faleiro
Cenografia: Fernando Marés
Figurinos: Fernando Marés
Iluminação: Domingos Quintiliano
Direção de produção: Júlio Maurício

MACHADO DE ASSIS, LEITOR DO BRASIL

Exposições, oficinas, saraus, vídeos, apresentações teatrais e leituras.

Título: *Entre o céu e a terra*
Cia.: Companhia do Latão

Título: *Quase ministro*
Cia.: Cia. do Feijão

Título: *Nonada*
Cia.: Cia. do Feijão

Título: *Nascemos, morremos, é tudo que sabemos!!!*
Cia.: Núcleo Bartolomeu de Depoimentos

Título: *Machado 3x4*
Cia.: Nós do Morro

PROJETO 7 LEITURAS DRAMÁTICAS
7 autores, 7 diretores, 7 encontros

Tema: A tradição da comédia
Concepção e direção geral: Eugênia Thereza de Andrade
Pesquisa de textos: Sérgio Carvalho

Título: *Um deus chamado dinheiro*
Texto: Aristófanes
Direção: Hugo Possolo
Elenco: Alexandre Bamba, Claudinei Brandão, Henrique Stroeter, Hugo Possolo, Potiguara Novazzi e Raul Barreto

Título: *Trabalhos de amor perdido*
Texto: William Shakespeare
Direção: Mika Lins

Título: *O misantropo*
Texto: Molière
Direção: Marcia Abujamra
Elenco: Bel Kowarick, Fabiano Medeiros, Henrique Stroeter, Luciano Gatti, Luiz Päetow, Marcelo Andrade, Melissa Vettori, Mika Lins e Sergio Rufino

Título: *O inspetor geral*
Texto: Nicolai Gogol
Direção: Ednaldo Freire
Elenco: Aiman Hammoud, André Collazzi, Fernando Paz, Fúlvio Filho, Leo Stefanini, Luciana Viacava, Mairun Sevá, Marcelo Andrade, Márcia de Oliveira, Márcio Castro, Mirtes Nogueira e Pedro Lemos

Título: *O santo e a porca*
Texto: Ariano Suassuna
Direção: Eugênia Thereza de Andrade
Elenco: Bel Kowarick, Claudinei Brandão, Iara Jamra, Igor Lopes, Luiz Damasceno, Mika Lins e Raul Barreto. Participação especial: Toninho Ferragutti

Título: *O homem e o cavalo*
Texto: Oswald de Andrade
Direção: Marcelo Drummond
Elenco: Adriana Capparelli, Adriana Viegas, Ageboh Cyrille Didiane, Anthero Montenegro, Ariclenes Barroso, Camila Mota, Cellia Nascimento, Juliane Elting, Juscelino Wabes, Leticia Coura, Lucas Wegliski, Marcelo Drummond, Marcio Telles, Naomy Schölling, Rubsley Cruz e Sylvia Prado. Participação especial: José Celso Martinez Corrêa

Título: *O senhor Puntila e seu criado Matti*
Texto: Bertolt Brecht
Tradução: Millôr Fernandes
Direção: Reinaldo Maia
Elenco: Alessa Monticelli, Armando Junior, Carlos Francisco, Fábio Takeo, Fernando Nitsch, Flavio Tolezani, Gisele Valeri, Heloisa Maria, Tatiana Eivazian e Val Pires
Assistente de Direção: Fernando Nitsch

CENTRO DE PESQUISA TEATRAL – CPT

Título: *Senhora dos afogados*
Texto: Nelson Rodrigues
Direção e adaptação: Antunes Filho
Elenco: Adriano Bolshi, Ana Carina Linares, Ana Carolina Lima, Angélica di Paula, César Augusto, Cláudio Cabral, Eric Lenate, Erick Gallani, Fred Mesquita, Geraldinho Mário da Silva, Leandro Paixão, Lee Taylor, Lucas Lassen, Luiz Filipe Peña, Mairun Sevá, Marcos de Andrade, Nara Chaib Mendes, Osvaldo Gazotti, Pedro Abhull, Rodrigo Audi e Valentina Lattuada
Assistente de direção: Michelle Boesche
Figurinos: Rosangela Ribeiro
Iluminação: Davi de Brito e Robson Bessa

Produção executiva: Emerson Danesi

Título: *Foi Carmen*
Direção: Antunes Filho
Elenco: Emilie Sugai, Lee Taylor, Patrícia Carvalho e Paula Arruda
Figurinos: J.C. Serroni
Iluminação: Davi de Brito

2009

ESPETÁCULOS EM TEMPORADA

Título: *Viver sem tempos mortos*
Texto: retirado das correspondências de Simone de Beauvoir e Jean-Paul Sartre
Direção: Felipe Hirsch
Elenco: Fernanda Montenegro
Assistente de Direção: Tiago Morena
Cenografia: Camuflagem
Iluminação: Beto Bruel
Direção de produção: Carmen Mello
Produção executiva: Bianca Siqueira, Carmen Mello e Tiago Morena

Título: *Maria Stuart*
Texto: Friedrich Schiller
Tradução: Manuel Bandeira
Direção: Antônio Gilberto
Elenco: Adriano Motta, Alexandre Cruz, Amélia Bittencourt, André Corrêa, Clemente Viscaino, Felipe Lopes, Henrique César, Julia Lemmertz, Lígia Cortez, Mário Borges, Mauricio Souza Lima e Silvio Kaviski. Participação especial: Ednei Giovenazzi
Cenografia: Hélio Eichbauer
Figurinos: Marcelo Pires
Iluminação: Tomás Ribas
Direção de produção: Celso Lemos
Produção executiva: Lílian Bertin

Título: *O zoológico de vidro*
Texto: Tennessee Williams
Tradução: Marcos Daud
Direção: Ulysses Cruz
Elenco: Cássia Kis, Erom Cordeiro, Karen Coelho e Kiko Mascarenhas
Cenografia: Hélio Eichbauer
Figurinos: Beth Filipecki e Renaldo Machado
Iluminação: Domingos Quintiliano

Título: *Homemusica*
Elenco: Edson Menezes, João di Sabatto e Michel Melamed

Título: *Por um fio*
Texto: baseado no livro de Drauzio Varella
Direção: Moacir Chaves
Elenco: Regina Braga e Rodolfo Vaz
Cenografia: J.C. Serroni
Figurinos: Verônica Julian
Iluminação: Aurélio de Simoni
Direção de produção: Claudio Fontana

Título: *Gardênia*
Cia.: Núcleo de Teatro El Oro
Texto: Gabriel García Márquez, inspirado em *O amor nos tempos do cólera*

Título: *Kavka: agarrado num traço a lápis*
Cia.: Grupo Lume Teatro
Cidade: Campinas, SP
Texto: Ricardo Puccetti e Naomi Silman, inspirado em textos de Franz Kafka e Ricardo Puccetti
Direção: Naomi Silman
Elenco: Ricardo Puccetti
Cenografia: Maxim Bucharetchi
Figurinos: Juliana Pfeifer
Iluminação: Eduardo Albergaria

Título: *A inveja dos anjos*
Cia.: Armazém Companhia de Teatro
Cidade: Rio de Janeiro, RJ
Direção: Paulo de Moraes
Cenografia: Carla Berri e Paulo de Moraes
Figurinos: Rita Murtinho
Iluminação: Maneco Quinderé

Título: *Ao cair da tarde*
Cia.: Cia. Lambe-Lambe de Teatro e Afins
Direção: Mônica Sucupira
Elenco: Aguinaldo Bueno, Ana Paes, Cecília Rodrigues, Dina Otaviano, Ernandes Araújo, Júlia Baranowski, Laurieta Galvina Gomes, Lucily Campo Trabanco, Mafalda Dato, Maria Aparecida Costa Manso, Maria do Carmo Ferreira, Maria Eliete Alencar, Maria Leme Martins, Mariana Sucupira, Marize Piva, Mayumi Oyamada, Maristela Estrela, Mônica Sucupira, Railde Barbosa Lima, Tika

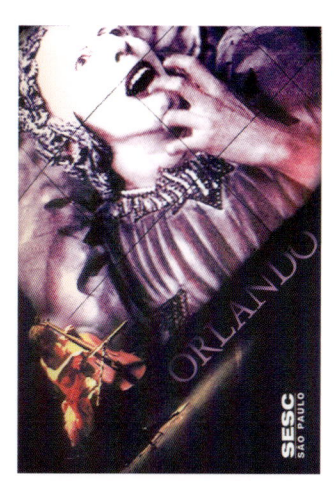

Tiritilli, Vera Archanjo Oliva e Waldenice Nigro
Cenografia: Silvia Noronha
Figurinos: Maristela Estrela
Iluminação: Otto Gonzales de Lima

Título: *Sonho de outono*
Texto: Jon Fosse
Tradução: Susana Schild
Direção: Emilio de Mello
Elenco: Adriano Garib, Christiana Kalache, Daniele do Rosário e Zemanuel Piñero. Atriz convidada: Camilla Amado
Cenografia: Flavio Graff
Figurinos: Marcelo Olinto
Iluminação: Tomás Ribas

AMÉRICA EM RECORTES – O TEATRO CHILENO EM EVIDÊNCIA

Título: *Diciembre*
Cia.: Teatro en el Blanco
País: Chile
Texto e direção Guilhermo Calderón
Elenco: Jorge Eduardo Becker, Paula Zuñiga e Trinidad González
Produção: Jenny Romero

ANO DA FRANÇA NO BRASIL

Título: *Le Grand inquisiteur (O grande inquisidor)*, leitura dramática
Texto: Fragmento de *Irmãos Karamazov*, de Fiódor Dostoiévski
Concepção, direção, iluminação e atuação: Patrice Chéreau

Título: *La Douleur* (A dor)
Texto: Marguerite Duras
Direção: Patrice Chéreau e Thierry Thieû Niang
Elenco: Dominique Blanc

PROJETO 7 LEITURAS DRAMÁTICAS
7 encontros, 7 autores, 7 diretores

Tema: Intolerância
Concepção e direção geral: Eugênia Thereza de Andrade
Pesquisa de textos: Eugênia Thereza de Andrade e Mika Lins

Título: *O santo inquérito*
Texto: Dias Gomes
Direção: Eugênia Thereza de Andrade
Elenco: Carlos Alberto Escher, Claudinei Brandão, Igor Lopes, Jorge Luís Alves, Maíra Dvorek, Marat Descartes, Marco Antônio Pâmio e Pascoal da Conceição

Título: *The Zoo Story*
Texto: Edward Albee
Tradução: Luiz Carlos Maciel
Direção: Roberto Alvim
Elenco: Gustavo Machado e Marat Descartes

Título: *As bruxas de Salém*
Texto: Arthur Miller
Tradução: Brutus Pereira
Direção e adaptação: Marco Antônio Pâmio
Elenco: Abrahão Farc, Beatriz Tragtenberg, Carolina Bianchi, Carolina Faria, Claudinei Brandão, Eliete Cigarini, Gabriela Cerqueira, Gisela Millás, Jane Fernandes, João Bourbonnais, Joca Andreazza, Jonas Mello, Maíra Dvorek, Marat Descartes, Martha Nowill e Rubens Caribé

Título: *O interrogatório*
Texto: Peter Weiss
Tradução: Tereza Linhares e Carlos de Queiroz Telles
Direção: Mika Lins
Elenco: Abrahão Farc, Alípio Freire, Claudinei Brandão, Daniel Mazzarolo, Hercules Morais, Joca Andreazza, José Geraldo, Júlio Machado, Maíra Dvorek, Marat Descartes, Marco Antônio Pâmio, Nicolas Trevijano, Rubens Caribé e Tuna Dwek. Participação especial de Dora Martins, juíza

Título: *Calabar, o elogio da traição*
Texto: Chico Buarque e Ruy Guerra
Direção: Chico Buarque e Ruy Guerra
Elenco: Cristiano Karnas, Cybele Jácome, Dárcio de Oliveira, Érika Moura, Eugênio la Salvia, Júlio Machado, Luciana Paes, Luiz Mármora e Marco Antônio Pâmio

Título: *Oração para uma negra*
Texto: William Faulkner
Tradução: Guilherme Figueiredo
Direção: Ariela Goldmann
Adaptação: Albert Camus
Elenco: Eucir de Souza, Germano Pereira, Henrique Cesar, Luciano Chirolli, Maíra Dvorek e Maria Gal

Título: *Galileu Galilei*
Texto: Bertolt Brecht
Tradução: Roberto Schwarz
Direção: Marcio Aurélio
Elenco: Abrahão Farc, Eduardo Silva, Hugo Coelho, Joca Andreazza, Luciano Chirolli, Maíra Dvorek, Ricardo Homuth e Tuna Dwek. Participação especial: Les Commediens Tropicales

CENTRO DE PESQUISA TEATRAL – CPT

Título: *A falecida vapt-vupt*
Texto: Nelson Rodrigues
Direção: Antunes Filho
Elenco: Adriano Bolshi, André de Araújo, Andrell Lopes, Angélica Colombo, Bruna Anauate, Cida Rodrigues, Eloisa Costa, Erick Gallani, Fernando Aveiro, Geraldo Mário, João Paulo, Lee Taylor, Marcos de Andrade, Michelle Boesche, Tatiana Lenna e Ygor Fiori. Participação (mesas): Anderson Franco, Marília Moreira, Markito Alonso, Natalie Pascoal, Oclides Carballo, Rober Caligari, Roberto Borenstein, Rosângela Ribeiro, Rubens Gonçalves e Walter Granieri
Cenografia e figurinos: Rosângela Ribeiro
Iluminação: Davi de Brito

2010

ESPETÁCULOS EM TEMPORADA

Título: *Os irmãos Tchekhov – Cenas da vida familiar*
Cia.: Stanislavsky Drama Theatre de Moscou e Festival Tchekhov
Tradução: Diego Moschkovich
Direção: Alexander Galibin
Elenco: Alexander Panteleyev, Anna Dubov, Anton Semkin, Daria Kolpikova, Irina Savitskova, Stanislav Ryadinsky, Svetlana Varfolomeyev e Vsevolod Boldin
Cenografia e figurinos: Elizabeth Dzutseva
Iluminação: Sergey Skornetsky
Produção executiva: Jussara Rahal e Ricardo Frayha

Título: *Corte seco*
Texto e direção Christiane Jatahy
Elenco: Branca Messina, Cristina Amadeo, Eduardo Moscovis, Felipe Abib, Leonardo Netto, Marjorie Estiano, Paulo Dantas, Ricardo Santos, Stella Rabello e Thereza Piffer
Cenografia: Marcelo Lipiani
Figurinos: Domingos de Alcântara e Luciana Cardoso
Iluminação: Paulo César Medeiros
Direção musical: Rodrigo Marçal

PROJETO 7 LEITURAS DRAMÁTICAS
7 autores, 7 diretores, 7 encontros

Tema: O amor
Concepção e direção geral: Eugênia Thereza de Andrade
Pesquisa de textos: Eugênia Thereza de Andrade e Mika Lins

Título: *Muito barulho por nada*
Texto: William Shakespeare
Tradução: Beatriz Viégas-Faria
Direção: Marco Antônio Pâmio
Elenco: Alex Gruli, Gilmar Guido, Gustavo Haddad, João Bourbonnais, Jorge Tarquini, Luciano Andrey, Martha Meola, Mika Lins, Otávio Martins, Paulo Goulart Filho, Rubens Caribé, Tatiana Thomé e Theresa Piffer

Título: *Phaedra*
Texto: Jean Racine
Tradução: Millôr Fernandes
Direção: Antônio Abujamra
Elenco: Bárbara Bruno, Juliana Calligaris, Maíra Dvorek, Michelle Ferreira, Priscila Gontijo, Solange Akierman, Tânia Bondezan e Tatiana de Marca
Assistência de direção: Pedro Paulo Zupo

Título: *Ligações perigosas*
Texto: Christopher Hampton, baseado no romance de Choderlos de Laclos
Tradução: Rachel Ripani
Direção: Roberto Alvim
Elenco: Ana Paula Csernik, Danielle Cabral, Janaina Afhonso, José Geraldo Jr., Júlia Neves, Juliana Galdino, Karine Carvalho, Marat Descartes, Ricardo Grasson e Rodrigo Pavon

Título: *Louco de amor*
Texto: Sam Shepard
Tradução: Alexandre Tenório
Direção: Aimar Labaki
Elenco: Adriana Londoño, Augusto Zacchi, Carlos Baldim e Paulo Hesse
Sonoplastia: Aline Meyer

Título: *Don Juan*
Texto: Otávio Frias Filho
Direção: Mika Lins
Elenco: Carlos Careqa, Claudinei Brandão, Julia Bobrow, Maíra Dvorek, Plínio Soares, Rubens Caribé e Tatiana de Marca

Título: *As lágrimas amargas de Petra von Kant*
Texto: Rainer Werner Fassbinder
Direção: Denise Weinberg
Elenco: Ana Lúcia Torre, Bárbara Paz, Clara Carvalho, Denise Weinberg, Dinah Feldman, Lilian Blanc e Luanda Eliza

Título: *Amores de Dom Perlimplim com Belisa em seu jardim*
Texto: Federico García Lorca
Direção: Eugênia Thereza de Andrade
Elenco: Eduardo Silva, Lívia Guerra e Luiz Damasceno

CENTRO DE PESQUISA TEATRAL – CPT

Título: *Policarpo Quaresma*
Texto: Lima Barreto
Direção: Antunes Filho
Elenco: Adriano Bolshi, André Bubman, André de Araújo, Angélica Colombo, Bruna Anauate, Carlos Morelli, Carolina Meinerz, Erick Gallani, Fernando Aveiro, Flávia Strongolli, Geraldinho Mário da Silva, Ivo Leme, João Paulo Bienemann, Lee Taylor, Marcos de Andrade, Marília Moreira, Michelle Boesche, Natalie Pascoal, Roberto Borenstein, Ruber Gonçalves, Tatiana Lenna e Ygor Fiori
Cenografia e figurinos: Rosângela Ribeiro
Iluminação: Edson FM e Ederson Duarte
Produção executiva: Emerson Danesi

Título: *Lamartine Babo*
Texto: Antunes Filho
Direção: Emerson Danesi
Direção musical: Fernanda Maia
Elenco: Adriano Bolshi, Domingas Person, Flávia Strongolli, Ivo Leme (*stand-in:* Marcelo Villas Boas), Leonardo Santiago (*stand-in:* Nelson Alex Brolese), Marcos de Andrade, Natalie Pascoal, Patrícia Rita, Ricardo Venturin, Rodrigo Mercadante (*stand-in:* André Araújo) e Sady Medeiros

2011

ESPETÁCULOS EM TEMPORADA

Título: *Recordar é viver*
Texto: Hélio Sussekind
Direção: Eduardo Tolentino de Araújo
Elenco: Ana Jansen, Anna Cecília Junqueira, Camilo Bevilacqua, José Roberto Jardim, Sérgio Britto e Suely Franco
Cenografia e figurinos: Lola Tolentino
Iluminação: Paulo César Medeiros
Direção de produção: Luiz Joselli

Título: *La omisión de la família Coleman*
Direção: Claudio Tolcachir
Elenco: Araceli Dvoskin, Claudio Tolcachir, Gerardo Otcro, Gonzalo Ruiz, Inda Lavalle, Jorge Castaño, Miriam Odorico e Tamara Kiper
Assistência de direção: Macarena Trigo
Iluminação: Omar Possemato

Título: *Fragmentos de desejo*
Cia.: Dos à Deux
País: Brasil/França

Texto: André Curti
Direção: André Curti e Artur Ribeiro
Elenco: André Curti, Artur Ribeiro, Maria Adélia e Matias Chebel
Cenografia: André Curti e Artur Ribeiro
Figurinos: Hérve Poeydomenge
Iluminação: Artur Ribeiro e Thierry Alexander
Direção de produção: Sergio Saboya (Brasil)

Título: *Se uma janela se abrisse*
Texto: Tiago Rodrigues
Elenco: Cláudia Gaiolas, DJ ALX, Paula Diogo, Tiago Rodrigues e Tónan Quito
Cenografia, figurinos e iluminação: Magda Bizarro e Tiago Rodrigues
Produção executiva: Magda Bizarro

Título: *Resta pouco a dizer*
Texto: Samuel Beckett
Tradução: Bárbara Heliodora
Direção: Adriano Guimarães e Fernando Guimarães
Elenco: Bruno Torres, Camila Márdila, Diego de Léon, Fábio Barreto, Felipe Ventura, Leandro Menezes, Mateus Ferrari, Michelly Scanzi, Otávio Salas, Tati Ramos e Valéria Rocha
Cenografia: Adriano Guimarães e Fernando Guimarães
Figurinos: Ana Miguel
Iluminação: Dalton Camargos
Direção de produção: Maitri Produções
Produção executiva: Bruna Madsen e Cláudio Codagnola

Título: *Devassa, segundo "A Caixa de Pandora" (Lulu)*
Cia.: Cia. dos Atores
Texto: Frank Wedekind
Tradução: Nehle Franke e Robert Franke
Direção: Nehle Franke
Elenco: Alexandre Akerman, Bel Garcia, César Augusto, Marcelo Olinto, Marina Vianna e Pedro Brício
Cenografia: Aurora dos Campos
Figurinos: Marcelo Olinto
Iluminação: Maneco Quinderé
Direção musical: Rodrigo Marçal
Direção de produção: Henrique Mariano e Marcelo Olinto

Título: *Espectros*
Texto: Henrik Ibsen
Direção: Francisco Medeiros
Adaptação: Ingmar Bergman
Elenco: Clara Carvalho, Flavio Barollo, Nelson Baskerville, Patricia Castilho e Plínio Soares
Direção de produção: Luque Daltrozo

Título: *Depois daquela viagem – Diário de bordo de uma jovem que aprendeu a viver com Aids*
Texto: Dib Carneiro, baseado no livro de Valéria Piassa Polizzi
Direção: Abigail Wimer
Elenco: Camila Minhoto, Carol Capacle, Charlene Chagas, Daphne Bozaski, Eliot Tosta, Geraldo Rodrigues, Giovani Tozi, Leonardo Stefanini, Maria Bia Martins, Mariana Leme, Naiara de Castro, Osvaldo Antunes, Rafael Sola e Renata Fasanella
Cenografia e figurinos: Márcio Medina
Iluminação: Domingos Quintiliano
Direção de produção: Roseli Tardelli

Título: *A agonia do rei*
Texto: Eugène Ionesco
Tradução: Luís de Lima
Direção: Dudu Sandroni
Elenco: Alexandre Mofati, Ednei Giovenazzi, Gustavo Arthiddoro, Paula Sandroni, Viviana Rocha e Thais Tedesco
Cenografia: Lidia Kosovski
Figurinos: Natália Lana
Iluminação: Paulo César Medeiros
Direção de produção: Alexandre Mofati e Dudu Sandroni

Título: *Preferiria não?*
Texto e direção Denise Stoklos
Elenco: Denise Stoklos
Figurinos: UMA
Iluminação: Marcel Gilber

Título: *Oxigênio*
Cia.: Companhia Brasileira de Teatro
Cidade: Curitiba, PR
Texto: Ivan Viripaev
Tradução: Irina Starostina e Giovana Soar
Direção: Marcio Abreu
Adaptação: Marcio Abreu, Patrícia Kamis e Rodrigo Bolzan

Elenco: Patrícia Kamis e Rodrigo Bolzan
Cenografia: Fernando Marés
Figurinos: Ranieri Gonzalez
Iluminação: Nadja Naira
Direção de produção: Giovana Soar

Título: *Tomo suas mãos nas minhas*
Texto: Carol Rocamora
Tradução e Direção: Leila Hipólito
Elenco: Miriam Freeland e Roberto Bomtempo
Cenografia: Fernando Mello da Costa e Rostand de Albuquerque
Figurinos: Kika Lopes
Iluminação: Maneco Quinderé

Título: *Prêt-à-Porter X*
Textos: *Adorável Callas*, *O homem das viagens* e *Cruzamentos*
Elenco: Geraldo Mario, Marcelo Szpektor, Marcos de Andrade, Nara Chaib Mendes, Natalie Pascoal e Patrícia Carvalho

PROJETO 7 LEITURAS DRAMÁTICAS
7 autores, 7 diretores, 7 encontros

Tema: Família
Concepção e direção geral: Eugênia Thereza de Andrade
Pesquisa de textos: Eugênia Thereza de Andrade e Mika Lins

Título: *Tango*
Texto: Slawomir Mrozek
Tradução: Hélio Bloch
Direção: Eugênia Thereza de Andrade
Adaptação: Ana Sagesse
Elenco: Carlos Careqa, Claudinei Brandão, Joca Andreazza, Maíra Dvorek e Marco Antônio Pâmio. Participação especial: Dulce Muniz e Sonia Guedes. Pianista convidado: Marcelo Ghelfi

Título: *Intensa magia*
Texto: Maria Adelaide Amaral
Direção: Mika Lins
Elenco: Cynthia Falabella, Germano Melo, Lilian Blanc, Marcelo Varzea e Riba Carlovich

Título: *Pai*
Texto: August Strindberg

Direção: Iacov Hillel
Elenco: Davi Reis, Eliana Guttman, Erika Altimeyer, Giulio Lopes, Lilian Sarkis, Luciano Andrey, Luiz Damasceno e Sylvio Zilber

Título: *Longa jornada noite adentro*
Texto: Eugene O'Neill
Tradução: Bárbara Heliodora
Direção: Francisco Carlos
Elenco: Angela Ribeiro, Caco Ciocler, Celso Frateschi, Hercules Morais e Lilian Blanc

Título: *Álbum de família*
Texto: Nelson Rodrigues
Direção: Luiz Arthur Nunes
Elenco: Alexandre Cruz, Ana Guasque, Cinthya Chaves, Maíra Dvorek, Marco Antônio Pâmio, Maria Tuca Fanchin, Mário Borges e Suzana Saldanha

Título: *Festa de família*
Texto: David Eldridge e Thomas Vinterberg
Tradução: Rachel Ripani
Direção: Mika Lins
Elenco: Abrahão Farc, Ana Lúcia Torre, Edson Montenegro, Joca Andreazza, Jonas Mello, Julia Machado, Maíra Dvorek, Malu Bierrenbach, Marco Antônio Pâmio, Oswaldo Mendes, Rachel Ripani, Riba Carlovich, Ricardo Homuth e Tatiana de Marca

Título: *Rosa de dois perfumes*
Texto: Emilio Carballido
Tradução: Roberto Athayde
Direção: Marco Antônio Pâmio
Elenco: Mika Lins e Tuna Dwek

2012

ESPETÁCULOS EM TEMPORADA

Título: *Gêmeos (Gemelos)*
Cia.: Compañia Teatro Cinema (ex-La Troppa)
País: Chile
Direção: Juan Carlos Zagal, Laura Pizarro e Jaime Lorca
Elenco: José Manuel Aguirre, Juan Carlos Zagal e Laura Pizarro

Título: *Palácio do fim*
Texto: Judith Thompson
Direção: José Wilker
Elenco: Antonio Petrin, Camila Morgado e Vera Holtz
Iluminação: Maneco Quinderé
Figurinos: Beth Filipecki
Cenário: Marcos Flaksman

Título: *O filho eterno*
Cia.: Atores de Laura
Cidade: Rio de Janeiro, RJ
Texto: Cristovão Tezza
Direção: Daniel Herz
Adaptação: Bruno Lara Resende
Elenco: Charles Fricks
Cenografia: Aurora dos Campos
Figurinos: Marcelo Pies
Iluminação: Aurélio de Simoni
Direção musical: Lucas Marcier

Título: *A mecânica das borboletas*
Texto: Walter Daguerre
Direção: Paulo de Moraes
Elenco: Ana Kutner, Eriberto Leão, Otto Júnior e Suzana Faini
Cenografia: Carla Berri e Paulo de Moraes
Figurinos: Rita Murtinho
Iluminação: Maneco Quinderé
Direção de produção: Bianca de Felippes

Título: *A projetista*
Texto: Dudude
Direção: Cristiane Paoli-Quito
Elenco: Dudude
Figurinos: Marco Paulo Rolla
Iluminação: Wellington de Oliveira

Título: *Um conto de fadas*
Texto: Luciana Pessanha
Direção: Susana Ribeiro
Elenco: Débora Duboc, Hossen Minussi, Natália Lage, Nina Morena e Roberto Souza
Cenografia: Fernando Mello da Costa
Figurinos: Kika Lopes
Iluminação: Renato Machado
Direção musical: Ricco Viana
Direção de produção: Andréa Alves
Produção executiva: Valesca Sandes

Título: *A volta ao lar*
Cia.: Cia Teatro Esplendor
Texto: Harold Pinter
Tradução: Millôr Fernandes
Direção: Bruce Gomlevsky
Elenco: Arieta Corrêa, Bruce Gomlevsky, Gustavo Damasceno, Jaime Leibovitch, e Milhem Cortaz. Ator convidado: Tonico Pereira
Cenografia: Bel Lobo
Figurinos: Rita Murtinho
Iluminação: Luiz Paulo Nenen
Produção executiva: Priscila Fialho

PROJETO 7 LEITURAS DRAMÁTICAS
7 autores, 7 diretores, 7 encontros

Tema: Utopia
Concepção e direção geral: Eugênia Thereza de Andrade
Pesquisa de textos: Eugênia Thereza de Andrade, Mika Lins, Nando Ramos, Oswaldo Mendes e Sérgio de Carvalho

Título: *Liberdade, liberdade*
Texto: Millôr Fernandes e Flávio Rangel
Direção: Eugênia Thereza de Andrade
Elenco: Denise Weinberg, Jonas Mello e Luciano Andrey. Participação especial: Ná Ozzetti. Pianista convidado: Paulo Braga

Título: *Botas de aço*
Texto: David Gow
Tradução: Oswaldo Mendes
Direção: Mika Lins
Elenco: Nicolas Trevijano e Oswaldo Mendes

Título: *Santa Joana*
Texto: Bernard Shaw
Tradução: Dinah Silveira de Queiroz
Direção: Marco Antônio Pâmio
Elenco: Carlos Morelli, Flávia Teixeira, Helio Cicero, Joca Andreazza, José Rosa, Marco Furlan, Nicolas Trevijano, Riba Carlovich, Rogério Brito e Rubens Caribé

Título: *Democracia*
Texto: Michael Frayn
Tradução: Oswaldo Mendes, Augusto César e Eduardo Tolentino de Araújo
Direção: Eduardo Tolentino de Araújo
Elenco: Adriano Bedin, Augusto César, Brian Penido, Gustavo Trestini, Haroldo Ferrary, Ivo Müller, Marcelo Pacífico, Oswaldo Mendes, Riba Carlovich, Ricardo Dantas e Zécarlos Machado

Título: *O caminho da utopia – Jornada*
Texto: Tom Stoppard
Tradução: Rodrigo Haddad
Direção: Paula Klein
Elenco: Carolina Portela, Cybele Jácome, Dárcio de Oliveira, Flávio Porto, Marília Adamy, Marita Prado, Nicolas Trevijano, Paula Arruda, Rodrigo Haddad, Rodrigo Ramos e Virgínia Buckowski

Título: *Comuna*
Texto: Bertolt Brecht
Adaptação e direção: Sergio de Carvalho
Elenco: Núcleo de Estudos Anatol Rosenfeld e atores da Companhia do Latão

Título: *Fuenteovejuna*
Texto: Lope de Vega
Tradução: Mário Lago
Elenco: Claudinei Brandão, Clovis Gonçalves, Dani di Donato, Eduardo Estrela, Fábio Espósito, Joca Andreazza, Juliano Barone, Maíra Goés, Mika Lins, Nicolas Trevijano e Pascoal da Conceição. Participação especial: Banda Urbana Arruda Brasil

CENTRO DE PESQUISA TEATRAL – CPT

Título: *Toda nudez será castigada*
Texto: Nelson Rodrigues
Direção: Antunes Filho
Elenco: Aline Guimarães, Daphne Bozaski, Felipe Hofstatter, Fernando Aveiro, Leonardo Ventura, Lucas Rodrigues, Marcos de Andrade, Mariana Leme, Mayara Luni, Naiene Sanchez, Natália Kwast, Ondina Claís e Ruber Gonçalves
Figurinos: Rosângela Ribeiro
Iluminação: Edson FM e Ana Catarina Romitelli
Produção executiva: Emerson Danesi

2013

ESPETÁCULOS EM TEMPORADA

Título: *As barcas*
Texto: Gil Vicente
Direção: João Garcia Miguel
Elenco: Costanza Givone, David Pereira Bastos, Felix Lozano e Sara Ribeiro

Título: *Carta ao pai*
Texto: Denise Stoklos, fragmentos de Franz Kafka
Direção e elenco: Denise Stoklos
Cenografia: Thais Stoklos Kignel
Figurinos: Gilda Midani
Direção de produção: Carla Estefan

BIENAL INTERNACIONAL DE TEATRO DA UNIVERSIDADE DE SÃO PAULO – USP

Título: *Macbeth: Leila & Ben – A Bloody History*
Cia.: Artists Producteurs Associés – APA
País: Tunísia
Texto: William Shakespeare
Direção: Héla Soui
Adaptação: Anissa Daoud, Jawhar Basti e Lofti Achour
Elenco: Anissa Daoud, Jawhar Basti, Mariem Sayeh, Moncef Ajengui, Noomen Hamda, Riadh Larousse e Walid Soltan
Cenografia: Jean-Nöel Duru
Figurinos: Slym Achour
Iluminação: Manuel Bernard
Direção musical: Jawhar Basti
Direção de produção: Olfa Ben Achour

OCUPAÇÃO WORKCENTER DE JERZY GROTOWSKI E THOMAS RICHARDS

Título: *A sala de estar*
Direção: Thomas Richards
Elenco: Antonin Chambon, Benoît Cheville, Bradley High, Cécile Richards, Jessica Losilla Hébrail, Min Jun Park, Tara Ostiguy, Thomas Richards e Tzu-Lin Chen

Título: *Eu sou América*
Texto: Allen Ginsberg

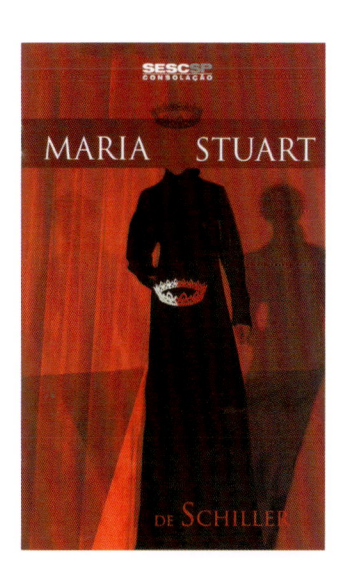

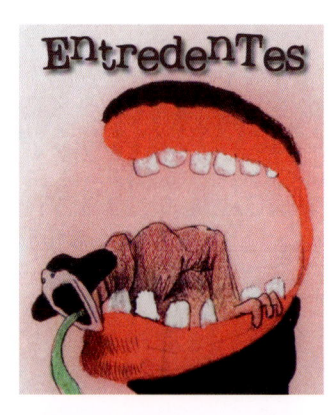

Direção: Mario Biagini
Elenco: Agnieszka Kazimierska, Alejandro Rodriguez, Davide Curzio, Felicita Marcelli, Graziele Sena, Lloyd Bricken, Mario Biagini e Suellen Serrat

PROJETO 7 LEITURAS DRAMÁTICAS
7 encontros, 7 autores, 7 diretores

Tema: Sete vezes Shakespeare
Concepção e direção geral: Eugênia Thereza de Andrade
Pesquisa de textos: Eduardo Cabús, Eugênia Thereza de Andrade, Marco Antônio Pâmio e Mika Lins

Título: *Medida por medida*
Texto: William Shakespeare
Tradução: Bárbara Heliodora
Direção: Marco Antônio Pâmio
Elenco: Carlos Morelli, Djin Sganzerla, Fábio Espósito, Flávia Teixeira, Henrique Stroeter, Hugo Coelho, Joca Andreazza, Mariana Muniz, Nicolas Trevijano, Rafael Boese, Rogério Brito e Rubens Caribé

Título: *Noite de reis*
Texto: William Shakespeare

Título: *Otelo*
Texto: William Shakespeare
Tradução: Maria Silvia Betti
Direção: Paula Klein
Elenco: Augusto César, Carolina Portella, Celso Nascimento, Claudinei Brandão, Danilo Grangheia, Dionisio Neto, Jonas Mello, Maíra Dvorek, Mariana Muniz e Nicolas Trevijano. Participação especial: maestro Lincoln Antonio

Título: *Ricardo III*
Texto: William Shakespeare
Tradução e adaptação: Jô Soares
Direção: Eugênia Thereza de Andrade
Elenco: Augusto César, Bel Kowarick, Clara Carvalho, Claudinei Brandão, Denise Weinberg, Dionísio Neto, Jair Assumpção, Joaz Campos, Jorge Luiz Alves, Nicolas Trevijano, Rogério Brito, Sonia Guedes e Zoé Reis. Participação especial: Ná Ozzetti, maestro Lincoln Antonio e Celso Nascimento
Assistente de Direção: Paula Klein
Figurinos: Caio Rocha

Título: *Rei Lear*
Texto: William Shakespeare
Direção: Mariana Senne
Adaptação: Ana Souto
Elenco: André Capuano, Carlos Morelli, Luciana Carnieli, Luis Mármora, Marcelo Szpektor, Marco Antônio Pâmio, Mika Lins, Milton Morales, Nicolas Trevijano, Paula Cohen, Plínio Soares e Sofia Botelho
Assistente de Direção: Paula Klein

Título: *Conto de inverno*
Texto: William Shakespeare
Tradução e adaptação: Marco Antônio Pâmio
Direção: Mika Lins
Elenco: Beatriz Diaféria, Bel Kowarick, Camila Turim, Carlos Alberto Escher, Claudinei Brandão, Daniel Mazzarolo, Domingas Person, Germano Melo, Ivo Müller, Marcelo Szpektor, Marco Antônio Pâmio, Nicolas Trevijano, Oswaldo Mendes e Rafaela Cassol

Título: *Timon de Atenas*
Texto: William Shakespeare
Direção: Juliana Galdino
Adaptação: Marco Antônio Pâmio
Elenco: Bruno Ribeiro, Danilo Grangheia, Fernando Gimenes, Gabriela Ramos, José Roberto Jardim, Marcelo Rorato, Martina Gallarza, Paula Spinelli, Renato Forner, Ricardo Grasson, Roberto Alvim e Rodrigo Fregnan

CENTRO DE PESQUISA TEATRAL – CPT

Título: *Nossa cidade*
Cia.: Grupo de Teatro Macunaíma
Texto: Thornton Wilder, reconstrução de Antunes Filho
Direção: Antunes Filho
Elenco: Amanda Mantovani, Antonio de Campos, Carlos Sério, Diego Melo, Ediana Souza, Fagundes Emanuel, Felipe Hofstatter, Gui Martelli, Leonardo Ventura, Luiz Gustavo Lopes, Luiza Lemmertz, Mateus Carrieri, Naiene Sanchez, Nelson Alexander e Sheila Faermann
Cenografia: Sandra Pestana

Figurinos: Camila Nuñez
Iluminação: Edson FM e Elton Ramos
Produção executiva: Emerson Danesi

2014

ESPETÁCULOS EM TEMPORADA

Título: *Entredentes*
Texto e direção Gerald Thomas
Elenco: Edi Botelho, Maria de Lima e Ney Latorraca
Assistente de Direção: André Bortolanza
Cenografia e figurinos: Gerald Thomas e Lu Bueno
Iluminação: Gerald Thomas e Wagner Pinto

Título: *Através do espelho*
Texto: Ingmar Bergman
Tradução: Yara Nagel
Direção: Ulysses Cruz
Adaptação: Marcos Daud
Elenco: Gabriela Duarte, Lucas Lentini, Marcos Suchara e Nelson Baskerville
Assistente de Direção: Leonardo Bertholini
Cenografia: Lu Bueno
Figurinos: Cássio Brasil
Iluminação: Domingos Quintiliano
Direção de produção: Giuliano Ricca
Produção executiva: Carmem Oliveira

Título: *O dia em que Sam morreu*
Direção: Paulo de Moraes
Elenco: Jopa Moraes, Lisa Eiras, Marcos Martins, Otto Jr., Patrícia Selonk, Ricardo Martins e Ricco Viana
Assistente de Direção: José Luiz Jr.
Cenografia: Carla Berri e Paulo de Moraes
Figurinos: Rita Murtinho
Iluminação: Maneco Quindere
Direção musical: Ricco Viana
Produção executiva: Flávia Menezes

Título: *Sit Down Drama – do almanaque de férias de Michelle Ferreira*
Texto: Michelle Ferreira
Direção: Eric Lenate
Elenco: Ando Camargo, Caco Ciocler,

Chris Couto, Danilo Grangheia, Diego Dac, Fernanda Belinatti, Luciana Azevedo, Marcelo Villas Boas, Martina Gallarza, Noemi Marinho, Ricardo Grasson e Veronica Ned
Assistente de Direção: Diego Dac
Cenografia: David Diniz e Mônica Ventura
Iluminação: Fran Barros
Direção de produção: Maria Bethânia Oliveira e Ricardo Grasson
Produção executiva: Cícero de Andrade e Martina Gallarza

PROJETO 7 LEITURAS DRAMÁTICAS
7 leituras, 7 autores, 7 diretores

Tema: Sete pecados capitais e especial para João Ubaldo Ribeiro
Concepção e direção geral: Eugênia Thereza de Andrade
Pesquisa de textos: Eduardo Cabús, Eugênia Thereza de Andrade, Marco Antônio Pâmio e Mika Lins

Título: *Preguiça – a farsa da boa preguiça*
Texto: Ariano Suassuna
Direção: Sergio Ferrara
Elenco: Carlos Morelli, Jair Assumpção, Jhe Oliveira, Joaz Campos, José Rosa, Luciana Azevedo, Nani de Oliveira, Nicolas Trevijano e Paula Sassi

Título: *Inveja – Amadeus*
Texto: Peter Shaffer
Tradução: Flávio Rangel
Direção: Juliana Galdino
Adaptação: Naum Alves de Souza
Elenco: Caco Ciocler, Danilo Grangheia, Daniela Biancardi, Don Correa, Marcelo Rorato, Paula Cohen, Pedro Henrique Moutinho, Renato Forner, Ricardo Grasson e Rodrigo Fregnan

Título: *Ira – Prometeu acorrentado*
Texto: Ésquilo
Tradução: Mário da Gama Kury
Direção: Mika Lins
Elenco: Beatriz Diaféria, Camila Turim, Carlos Morelli, Fernando Gimenes, Marcos Damigo, Nicolas Trevijano, Paula Cohen e Rafaela Cassol. Participação especial: Sônia Guedes

Título: *Para João Ubaldo Ribeiro: Ricardo III*
Texto: William Shakespeare
Tradução: Jô Soares
Direção: Eugênia Thereza de Andrade
Elenco: Augusto César, Carlos Morelli, Claudinei Brandão, Ella Bellissoni, Joaz Campos, Lee Taylor, Leonardo Rocha, Maíra Dvorek, Marcelo Szpektor, Paula Cohen, Rogério Brito, Sônia Guedes e Zoé Reis. Participação especial: Ná Ozzetti e os músicos Celso Nascimento e Lincoln Antonio
Assistente de Direção: Paula Klein e Ana Lídia Saggese
Figurinos: Caio da Rocha

Título: *Avareza – O avarento*
Texto: Molière
Direção: Dagoberto Feliz
Elenco: Carlos Morelli, Claudinei Brandão, Ella Bellissoni, Flávio Tolezani, Joaz Campos, Jorge Luiz Alves, Luciana Paes, Nani de Oliveira e Rogério Brito

Título: *Soberba – A moratória*
Texto: Jorge de Andrade
Direção: Eduardo Tolentino de Araújo
Elenco: Augusto Zacchi, Déborah Scavone, Paloma Galasso, Rodolfo de Freitas, Roza Grobman e Zécarlos Machado

Título: *Luxúria – Amor e restos humanos*
Texto: Brad Fraser
Tradução e Direção: Marco Antônio Pâmio
Elenco: Ana Cecília Costa, Felipe Ramos, Nicolas Trevijano, Otávio Martins, Paula Cohen, Rubens Caribé e Tuna Dwek

2015

ESPETÁCULOS EM TEMPORADA

Título: *Beije minha lápide*
Texto: Jô Bilac
Direção: Bel Garcia
Elenco: Carolina Pismel, Júlia Marini, Marco Nanini, Paulo Verlings e Pedro Henrique Moutinho (*stand-in*)
Cenografia e direção de arte: Daniela Thomas
Figurinos: Antônio Guedes
Iluminação: Beto Bruel
Concepção e direção de vídeo: Julio Parente e Raquel André
Trilha sonora original: Rafael Rocha
Produção: Fernando Libonati

Título: *1 Gaivota – É impossível viver sem teatro*
Texto: Anton Tchekhov
Adaptação e Direção: Nelson Baskerville
Elenco: Élcio Nogueira, Erika Puga, Julia Ianina, Noemi Marinho, Pascoal da Conceição, Rafael Primot, Renato Borghi e Thaís Medeiros
Cenografia: Amanda Vieira e Nelson Baskerville
Figurinos: Marichilene Artisevskis
Iluminação: Wagner Freire
Música original: Daniel Maia
Direção de produção: Carla Estefan

Título: *Krum*
Texto: Hanoch Levin
Tradução: Giovana Soar
Adaptação: Marcio Abreu e Nadja Naira
Direção: Marcio Abreu
Elenco: Cris Larin, Danilo Grangheia, Edson Rocha, Grace Passô, Inez Viana, Ranieri Gonzalez, Renata Sorrah, Rodrigo Bolzan e Rodrigo Ferrarini
Cenografia: Fernando Marés
Figurinos: Ticiana Passos
Iluminação: Nadja Naira
Trilha e efeitos sonoros: Felipe Storino
Direção de produção: Cássia Damasceno e Faliny Barros

Título: *Família Lyons*
Texto: Nicky Silver
Tradução: Juliana Burneiko
Direção: Marcos Caruso
Elenco: Emilio Orciollo Netto, Pedro Osório, Rogério Fróes, Rose Lima, Suzana Faini e Zulma Mercadante
Cenografia: Alexandre Murucci
Figurinos: Patrícia Muniz
Iluminação: Felipe Lourenço
Direção musical: Marcelo Alonso Neves
Direção de produção: Cláudio Rangel

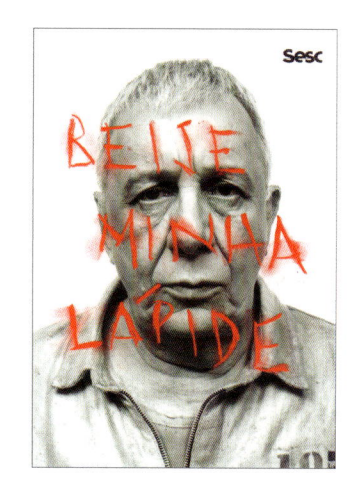

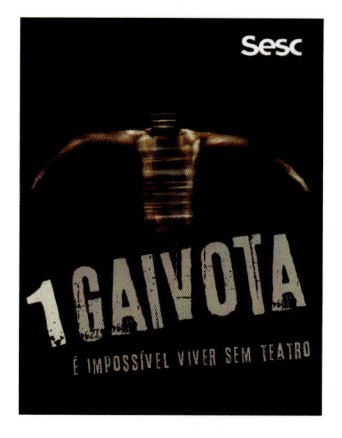

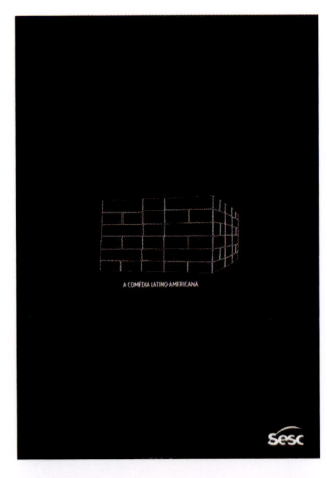

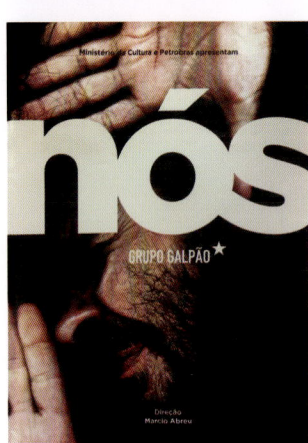

Título: *Desterrados – Ur ex des machine*
Cia.: Cia. Antropofágica
Cidade: São Paulo, SP
Texto e direção Thiago Reis Vasconcelos
Elenco: Adonis Rossato, Alessandra Queiroz, Alex Rabello, Amanda Freire, Andrews Sanches, Daniel Solnik, Danilo Santos, Deborah Hathner, Débora Xavier, Fabi Ribeiro, Flávia Ulhôa, Jaques Cardeal, José Abrão, Karina Pêra, Maristela Rodrigues, Martha Guijarro, Rafael Frederico, Rafael Graciola, Renata Adrianna, Ruth Melchior e Suelen Moreira
Cenografia: Marcia de Barros e Thiago Reis Vasconcelos
Figurinos: Alfredo Jorge Corrêa de Sá
Iluminação: Renata Adrianna e Rafael Frederico
Direção musical: Lucas Vasconcelos

Título: *Vendo gritos e palavras: um recital*
Texto: inspirado em textos de Julio Cortázar
Adaptação, dramaturgia, coreografia, direção e performances solo: Denise Stoklos
Cenografia e fotografia: Thais Stoklos Kignel
Figurinos: UMA – Raquel Davidowicz
Iluminação: Aline Santini
Direção de produção: Carla Estefan – Metropolitana Gestão Cultural

MIT SP – 2ª MOSTRA INTERNACIONAL DE TEATRO DE SÃO PAULO

Título: *Canção de muito longe*
Cia.: Toneelgroep Amsterdam
País: Holanda
Texto: Simon Stephens
Direção: Ivo van Hove
Elenco: Eelco Smits
Cenografia e iluminação: Jan Versweyveld
Música: Mark Eitzel
Dramaturgia: Bart van den Eyden
Direção de produção: Michiel van Schijndel

2016

ESPETÁCULOS EM TEMPORADA

Título: *A tragédia latino-americana e A comédia latino-americana*
Texto: Andrés Caicedo (Colômbia), Augusto Monterroso (Honduras), César Vallejo (Peru), Dôra Limeira (Brasil), Gerardo Arana (México), Glauco Mattoso (Brasil), Guillermo Cabrera Infante (Cuba), Hector Galmés (Uruguai), J. P. Zooey (Argentina), J. R. Wilcock (Argentina), Jaime Sáenz (Bolívia), Leo Maslíah (Uruguai), Lima Barreto (Brasil), Marcelo Quintanilha (Brasil), María Luisa Bombal (Chile), Pablo Katchadjian (Argentina), Pablo Palacio (Equador), Reinaldo Moraes (Brasil), Roberto Bolaño (Chile), Salvador Benesdra (Argentina), Samuel Rawet (Brasil), Teresa Wilms Montt/Teresa de la Cruz (Chile), Virgilio Piñera (Cuba)
Direção geral: Felipe Hirsch
Elenco: Caco Ciocler, Caio Blat, Camila Márdila, Danilo Grangheia, Georgette Fadel, Guilherme Weber, Isabel Teixeira, Javier Drolas, Julia Lemmertz, Magali Biff, Manuela Martelli, Nataly Rocha e Pedro Wagner. Participação especial: Arthur de Faria (piano e sintetizadores), Adolfo Almeida Jr. (fagote e efeitos), Mariá Portugal (bateria, percussões e tímpanos), Gustavo Breier (processamentos eletrônicos), Georgette Fadel (trompete), Luccas Bracco (baixo acústico e elétrico) Pedro Sodré (guitarras e overdrives) (Ultralíricos Arkestra)
Direção de arte: Daniela Thomas e Felipe Tassara
Figurinos: Veronica Julian
Iluminação: Beto Bruel
Direção musical: Arthur de Faria

Título: *Amadores*
Cia.: Hiato
Cidade: São Paulo, SP
Equipe: Alino Filócomo, Aura Cunha, Cassiano Tosta, Chicão Paraizo, Dalva Cardoso, Dom Lino, Fabi de Farias, Fernanda Stefanski, Fernando Machado Coelho, Giovanni Barontini, Leonardo Moreira, Lígia Jardim, Loupan, Luciana Paes, Márcia Nishitani, Mariah Amélia B. Farah, Marisa Bentivegna, Maurício Oliveira, Miguel Caldas, Nairim Bernardo, Nsona Kiaku Arão Isidoro Jorge, Oswaldo Righi, Paula Picarelli, Ricardo Seco, Roberto Alves, Ronaldo de Morais, Rose Sforcin, Thiago Amaral e Yumi Ogino

Título: *Brasil: o futuro que nunca chega*
Texto e direção Samir Yasbek
Elenco Princesa Isabel: Gabriela Flores, Helio Cicero, Janete Santiago e Rogério Brito. Participação: Carla Laiene e Fernando Trauer
Elenco d. Pedro II: Eduardo Mossri, Gabriela Flores, Helio Cicero, Henrique Zanoni e Rogério Brito. Participação: Carla Laiene e Fernando Trauer
Cenografia: André Cortez
Figurinos: Anne Cerutti
Iluminação: Domingos Quintiliano
Trilha sonora: Gregory Slivar

Título: *Nós*
Cia.: Grupo Galpão
Cidade: Belo Horizonte, MG
Direção: Marcio Abreu
Dramaturgia: Marcio Abreu e Eduardo Moreira
Elenco: Antonio Edson, Chico Pelúcio, Eduardo Moreira, Júlio Maciel, Lydia Del Picchia, Paulo André e Teuda Bara
Cenografia: Play Arquitetura – Marcelo Alvarenga
Figurinos: Paulo André
Iluminação: Nadja Naira
Trilha e efeitos sonoros: Felipe Storino

Título: *Leite derramado*
Cia.: Club Noir
Cidade: São Paulo, SP
Texto original: Chico Buarque
Adaptação, direção, cenografia e concepção: Roberto Alvim
Elenco: Caio D'Aguilar, Diego Machado, Juliana Galdino, Luis Fernando Pasquarelli, Marcel Gritten, Nathalia Manocchio, Renato Forner e Taynã Marquezone
Cenotecnia e adereços: Fernando Brettas

Figurinos: João Pimenta
Iluminação: Domingos Quintiliano
Trilha sonora: Vladimir Safatle

Título: *Jacqueline*
Cia.: Empório de Teatro Sortido
Cidade: São Paulo, SP
Texto e direção Rafael Gomes
Elenco: Arieta Corrêa, Daniel Costa, Fabricio Licursi e Natália Lage
Cenografia: André Cortez
Figurinos: Fause Haten
Iluminação: Wagner Antônio
Desenho de som: Miguel Caldas

PROJETO 7 LEITURAS DRAMÁTICAS
7 leituras, 7 autores, 7 diretores

Tema: Justiça
Concepção e direção geral: Eugênia Thereza de Andrade
Pesquisa de textos: Eugênia Thereza de Andrade, Marco Antônio Pâmio e Mika Lins

Título: *Antígona*
Texto: Sófocles
Tradução: Millôr Fernandes
Direção: Mika Lins
Elenco: Bel Kowarick, Denis Victorazo, Iara Jamra, Jhe Oliveira, Lucienne Guedes, Marcos Damigo e Rafael Maia. Coro: Camilla Ferreira, Dafne Rufino, Isabely Fernandes, Julia Elisa Marques, Luciano Araki e Rafaela Milanez

Título: *A bilha quebrada*
Cia.: Razões Inversas
Cidade: Campinas, SP
Texto: Heinrich von Kleist
Tradução e adaptação: O grupo
Direção: Marcio Aurelio
Elenco: Débora Duboc, Fernando Vianna, Gonzaga Pedrosa, Indy Tavares, Lavínia Pannunzio, Leonardo Medeiros, Paulo Marcello, Regina França e Washington Luiz

Título: *Um inimigo do povo*
Texto: Henrik Ibsen
Tradução e adaptação: Pedro Mantiqueira
Direção: Roberto Alvim
Elenco: Arthur Rangel, Cláudio Curi, Diogo Machado, Juliana Galdino, Luisa Micheletti, Renato Forner e Vinícius Tardelli

Título: *O mercador de Veneza*
Texto: William Shakespeare
Tradução: Maria Lúcia Pereira
Direção: Débora Dubois
Elenco: Antônio Vanfill, Carol Portes, Karina Alencar, Luis Felipe Correa, Marcelo Galdino, Marcio Macena, Rafael Maia, Ricardo Cardoso, Samuel de Assis e Yael Pecarovich

Título: *A pena e a lei*
Texto: Ariano Suassuna
Direção: Sergio Ferrara
Elenco: Carlos Morelli, Carlos Palma, Gustavo Martins, Jair Assumpção, Joaz Campos, Josemir Kowalick, Lucas Fiorello, Luciana Azevedo, Rogério Brito e Vinícius Franzolini

Título: *O vento será tua herança*
Texto: Jerome Lawrence e Robert E. Lee
Tradução: José Henrique Moreira
Direção: Juliana Galdino
Elenco: Caio D'Aguilar, Diego Machado, Julia Ianina, Luis Fernando Pasquarelli, Lulu Pavarin, Marcel Gritten, Marcelo Galdino, Renato Forner e Rodrigo Fregnan

Título: *O santo inquérito*
Texto: Dias Gomes
Direção: Eugênia Thereza de Andrade
Elenco: Diego Machado, Joca Andreazza, Jorge Luiz Alves, Maíra Dvorek, Marcelo Galdino, Oswaldo Mendes e Renato Forner. Participação especial: Filipe Massum e Ná Ozzetti

CENTRO DE PESQUISA TEATRAL – CPT

Título: *Blanche*
Texto: Tennessee Williams
Direção: Antunes Filho
Elenco: Alexandre Ferreira, Andressa Cabral, Antonio Carlos de Almeida Campos, Bruno Di Trento, Felipe Hofstatter, Guta Magnani, Luis Fernando Delalibera, Marcos de Andrade, Stella Prata e Vânia Bowê
Cenografia e figurinos: Rosângela Ribeiro
Iluminação: Davi de Brito

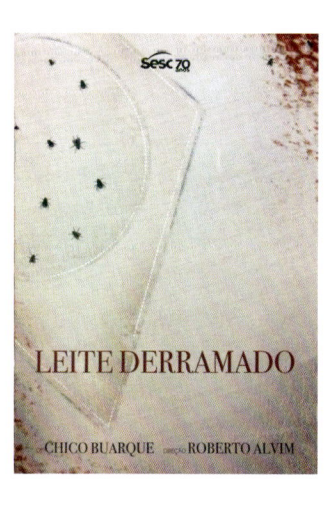

EPÍLOGO

No Brasil, o trabalho artístico-cultural é comumente considerado árduo, tendo em vista aspectos relacionados à criação, oferta de infraestrutura, formação de público, além de financiamento e manutenção de projetos e/ou espaços culturais. Nesse contexto, com quase cinco décadas de atividade constante, prezando por uma programação de qualidade, distinta, múltipla e continuamente renovada, o Teatro Anchieta é motivo de contentamento para distintos profissionais que atuam em nome da arte e da cultura. Cabe também lembrar que, no decorrer desse período, mesmo atravessando duas grandes reformas, as atividades ali acolhidas jamais deixaram de ser realizadas, espalhando-se por outros espaços do Sesc Consolação. Prova disso são os comentários que revelam que o espectador, amante de teatro, tem a certeza de que algo bom poderá ser visto no Teatro Anchieta, mesmo que saia de casa ignorando o roteiro cultural.

Frequentemente, a história do teatro brasileiro costuma contemplar de forma exclusiva a dramaturgia. No entanto, na cidade de São Paulo, a partir da década de 1990, essa perspectiva começou a mudar quando diversos coletivos teatrais tomaram para si a tarefa de documentar suas experiências políticas e estéticas, permitindo que a história do teatro passasse a ser construída e difundida a partir de referenciais múltiplos. Artistas, críticos, pesquisadores, universidades, editoras documentam experiências relevantes considerando toda a cadeia produtiva do teatro: bastidores da criação, encenação, recepção por parte dos espectadores, trajetória de grupos, espaços de representação, entre outros aspectos.

Pode-se, assim, perceber que o desejo de compartilhar, socializar as experiências vividas, tem mobilizado sujeitos e instituições ao trabalho de registro de processos e de organização e guarda (quando possível) de documentos. Muitos grupos de teatro passaram a documentar e a escrever sobre suas trajetórias. Revelam-se, pois, paisagens culturais significativas propiciadas por novos objetos de reflexão cujo acesso torna-se possível.

O conhecimento de experiências anteriores dá rumo ao presente, potencializa o viver e tende a tornar apreensível a dialética representada pelo lembrar e pelo esquecer. Considerando a intensidade dos processos de espetacularização, é preciso ressaltar que a preservação da memória de um teatro, como instituição de caráter público, constitui-se em luta contra a barbárie e o esquecimento.

Como uma arte definida pelo encontro fugidio entre tempo e espaço, artista e espectador, é certo que a experiência teatral não pode ser capturada em sua totalidade por nenhum tipo de registro documental, apesar dos esforços empreendidos nesse sentido, mantendo-se apenas na memória daqueles que compartilharam o instante em si do espetáculo.

Temos em mãos, portanto, mais uma tentativa de romper a impotência diante da precariedade da memória, ainda que seja preciso considerar questões relacionadas ao registro e guarda de documentos, bem como o acesso a informações sobre o cotidiano do teatro como linguagem artística ou espaço cultural. Assim, ainda que algumas omissões e esquecimentos possam ter ocorrido, ao falarmos do Teatro Anchieta e do que nele foi representado, das diferentes perspectivas sobre a experiência ali vivida por artistas, profissionais e público, sabemos que nos resta apenas a ilusão de recuperar parte de algo definitivamente perdido.

OBRAS CONSULTADAS

ANCHIETA, José de. *Na festa de São Lourenço*. São Paulo: Comissão do IV Centenário da Cidade de São Paulo, 1954.

ANDRADE, Jorge. *Marta, a árvore e o relógio*. São Paulo: Perspectiva, 1970.

ANDRADE, Mário de. *Paulicea desvairada*. São Paulo: Casa Mayença, 1922. *Fac-símile da publicação original inserida em Jorge Schwartz (org.). Caixa Modernista*. São Paulo/Belo Horizonte: Edusp; Imprensa Oficial; Editora UFMG, 2003.

BRYAN, Guilherme. *Quem tem um sonho não dança: cultura jovem brasileira nos anos 80*. Rio de Janeiro/São Paulo: Record, 2004.

BURKE, Peter. (org.). *A escrita da história: novas perspectivas*. São Paulo: Edunesp, 1992.

CAFEZEIRO, Edwaldo; GADELHA, Carmem. *História do teatro brasileiro: de Anchieta a Nelson Rodrigues*. Rio de Janeiro: Editora da UFRJ; Eduerj; Funarte, 1996.

CASTRO, Consuelo de. "Prova de fogo". *In: Urgência e ruptura – Consuelo de Castro*. São Paulo: Perspectiva; Secretaria de Estado da Cultura, 1989.

CAVALCANTI, Pedro (ed.). *Memórias em linha reta – Franco Montoro*. São Paulo: Senac, 2000.

CERTEAU, Michel de. *A invenção do cotidiano: 1. Artes de fazer*. 2ª ed. Petrópolis: Vozes, 1996.

COSTA, Iná Camargo; CARVALHO, Dorberto. *A luta dos grupos teatrais de São Paulo por políticas públicas para a cultura: os cinco primeiros anos da Lei de Fomento ao Teatro*. São Paulo: Cooperativa Paulista de Teatro, 2008.

DIMENSTEIN, Gilberto. *O cidadão de papel: a infância, a adolescência e os direitos humanos no Brasil*. São Paulo: Ática, 2004.

FERNANDES, Rofran. *Teatro Ruth Escobar: vinte anos de resistência*. São Paulo: Global, 1985.

FISCHER, Ernst. *A necessidade da arte*. Rio de Janeiro: Zahar Editores, 1980.

GALEANO, Eduardo. *De pernas pro ar: a escola do mundo ao avesso*. 9ª ed. Porto Alegre: L&PM, 2007.

GASPARI, Elio. *A ditadura escancarada*. São Paulo: Companhia das Letras, 2002.

_____. *A ditadura envergonhada*. São Paulo: Companhia das Letras, 2002.

_____. *A ditadura derrotada*. São Paulo: Companhia das Letras, 2003.

_____. *A ditadura encurralada*. São Paulo: Companhia das Letras, 2004.

GIANNOTTI, Vito. "Do golpe de 64 à explosão das greves (1964-1979)". *In: História da luta dos trabalhadores no Brasil*. Rio de Janeiro: Mauad X, 2007.

HALBWACHS, Maurice. *A memória coletiva*. São Paulo: Vértice, 1990.

HELLER, Agnes. *O cotidiano e a história*. 2ª ed. São Paulo: Paz e Terra, 1992.

HOBSBAWM, Eric. *A era dos impérios. 1875-1914*. Rio de Janeiro: Paz e Terra, 1988.

_____. *Sobre história*. 2ª ed. São Paulo: Companhia das Letras, 2006.

_____. *Era dos extremos: o breve século XX: 1914-1991*. São Paulo: Companhia das Letras, 2007.

HUYSSEN, Andreas. "Passados presentes: mídia, política, amnésia". *In: Seduzidos pela memória: arquitetura, monumentos, mídia*. Rio de Janeiro: Aeroplano, 2000.

KOTSCHO, Ricardo. *Explode um novo Brasil: diário da campanha das Diretas*. São Paulo: Brasiliense, 1984.

KUCINSKI, Bernardo. "Vítimas da abertura". *In: Abertura, história de uma crise*. São Paulo: Brasil Debates, 1982.

LEFEBVRE, Henri et al. *Teatro e vanguarda*. Lisboa: Presença, 1970.

LE GOFF, Jacques. *História e memória*. 5ª ed. Campinas, SP: Editora da Unicamp, 2003.

MAGALDI, Sábato; VARGAS, Maria Thereza. *Cem anos de teatro em São Paulo (1875-1974)*. São Paulo: Editora Senac São Paulo, 2000.

MENESES, Ulpiano Toledo Bezerra de. "Os paradoxos da memória". In: MIRANDA, Danilo Santos de (org.). *Memória e cultura: a importância da memória na formação cultural*. São Paulo: Edições Sesc, 2007.

MILARÉ, Sebastião. *Hierofania: o teatro segundo Antunes Filho*. São Paulo: Edições Sesc, 2010.

MICHALSKI, Yan. *O teatro sob pressão: uma frente de resistência*. Rio de Janeiro: Jorge Zahar, 1985.

MORAES, Marcelo Leite. *Madame Satã: o templo do underground dos anos 80*. São Paulo: Lira, 2006.

PATRIOTA, Rosangela. *Vianninha, um dramaturgo no coração de seu tempo*. São Paulo: Hucitec, 1999.

PORTA, Paula. *História da cidade de São Paulo: a cidade na primeira metade do século XX*. São Paulo: Paz e Terra, 2004.

RIBEIRO, Darcy. *Ensaios insólitos*. Porto Alegre: L&PM, 1979.

SÁ, Nelson de. *Divers/idade: um guia para o teatro dos anos 90*. São Paulo: Hucitec, 1997.

SERVIÇO Social do Comércio – Administração Regional no Estado de São Paulo. *Teatro Sesc Anchieta – 20 anos*. São Paulo: 1989.

SILVA, José Armando Pereira da. *A cena brasileira em Santo André: 30 anos do Teatro Municipal*. Santo André: Secretaria de Esportes, Cultura e Lazer, 2001.

TAKEDA, Cristiane Layher. *O cotidiano de uma lenda: cartas do Teatro de Arte de Moscou*. São Paulo: Perspectiva; Fapesp, 2003.

TAUNAY, Afonso d'Escragnolle. *São Paulo nos primeiros anos: ensaio de reconstituição social; São Paulo no século XVI: história da vila piratiningana*. São Paulo: Paz e Terra, 2003.

VICENTE, Gil. *Obras-primas do teatro vicentino*. São Paulo: Difel, 1975.

_____. *Auto da Índia; Auto da Barca do Inferno; Farsa de Inês Pereira*. Benjamin Abdala Junior (org.) São Paulo: Editora Senac São Paulo, 1996.

VIEIRA, César. *Em busca de um teatro popular*. 4ª ed. atualizada. Rio de Janeiro: Funarte, 2006.

OUTRAS FONTES DOCUMENTAIS

ABREU, Luís Alberto de. "Cansaço dos 80". *Palco e Plateia*. Especial, nº 6. São Paulo: 1988, p. 45.

BORNHEIM, Gerd A. "Os entreatos do besteirol". *Revista Mambembe*. Rio de Janeiro: Minc; Inacen, ago. 1986, p. 21.

COSTA, Eliene Benício Amâncio. *Saltimbancos urbanos: a influência do circo na renovação do teatro brasileiro das décadas de 80 e 90*. Tese (Doutorado em) Teatro ECA/USP. São Paulo: 1999.

LIMA, Mariangela Alves de. "História das ideias". In: *Dionysos*. Rio de Janeiro: MEC; DAC-Funarte; SNT, out. 1982, pp. 40-1.

MATE, Alexandre. *A produção teatral paulistana dos anos 1980: r(ab)iscando com faca o chão da história: tempo de contar os (pré)juízos em percursos de andança*. Tese (doutorado em história social) – FFLCH/USP, São Paulo: 2010. (2 vol.).

REVISTA Civilização Brasileira. Caderno Especial nº 2 *(Teatro e Realidade)*. Rio de Janeiro: Civilização Brasileira, 1969.

SERVIÇO Social do Comércio – Administração Regional no Estado de São Paulo. *ABCena: memória e invenção no teatro do ABC Paulista*. São Paulo, 2010.

SOBRE OS AUTORES

ALEXANDRE MATE
É mestre em teatro-educação pela ECA/USP e doutor em história social pela FFLCH/USP. Professor de graduação e pós-graduação no IA/Unesp e pesquisador de teatro com inúmeras publicações e participações nas mais importantes comissões de seleção de projetos na área teatral.

IVAN DELMANTO
É diretor teatral, dramaturgo e educador. Bacharel em direção teatral pela ECA/USP, é mestre em teoria literária e literatura comparada pela FFLCH/USP e doutorando no departamento de Artes Cênicas da ECA/USP, na área de teoria teatral. Como dramaturgo e assistente de direção, trabalhou em *BR-3*, do Teatro da Vertigem. Desde 2000, é diretor e dramaturgo da II Trupe de Choque. Atua no Programa Vocacional, tendo exercido diferentes funções desde 2004.

JACÓ GUINSBURG
É professor titular aposentado de estética teatral e teoria do teatro da ECA/USP, jornalista, crítico literário e teatral, tradutor e editor. É autor, entre outros títulos, de *Diálogos sobre teatro* (com Armando Sérgio da Silva, 1992); *Aventuras de uma língua errante: ensaios de literatura e teatro ídiche* (1996); *Stanislávski e o Teatro de Arte de Moscou* (2001). Organizador da Coleção Judaica, em 13 volumes, e dos escritos de Anatol Rosenfeld, publicados pela editora Perspectiva.

JOÃO ROBERTO FARIA
É professor titular de literatura brasileira na FFLCH/USP, pesquisador do CNPq e membro do Nupebraf – Núcleo de Pesquisa Brasil-França do IEA/USP. Entre outros títulos, é autor de *O teatro realista no Brasil: 1855-1865* (1993) e *Ideias teatrais: o século XIX no Brasil* (2001). Colaborou para *Décio de Almeida Prado: um homem de teatro* (1997) e foi um dos coordenadores do *Dicionário do teatro brasileiro: temas, formas e conceitos* (2006; 2ª ed. 2009). Em 2008, organizou o volume *Machado de Assis: do teatro – Textos críticos e escritos diversos*, reunindo a produção crítica do escritor sobre teatro.

MARIANGELA ALVES DE LIMA
Crítica, ensaísta e pesquisadora. Formada pela ECA/USP, exerceu a crítica teatral no jornal *O Estado de S. Paulo* de 1971 a 2011. Integrou a equipe de pesquisa do Idart, órgão da Secretaria Municipal de Cultura de São Paulo, entre 1978 e 1987. É autora, entre outros, de *Teatro operário na cidade de São Paulo: teatro anarquista* (com Maria Thereza Vargas, 1980), além de *Imagens do teatro paulista* (1985). Com José Arrabal, escreveu *Anos 70 – Teatro* (1980) e *O nacional e o popular na cultura brasileira – Teatro* (1983).

MARIA THEREZA VARGAS
Pesquisadora e historiadora do teatro brasileiro. Formou-se em dramaturgia e crítica pela EAD/USP. Entre 1975 e 1997, foi pesquisadora do Idart, órgão de pesquisa ligado à Secretaria Municipal de Cultura de São Paulo. Entre suas principais publicações estão: *O teatro operário na cidade de São Paulo: teatro anarquista* (com Mariangela Alves de Lima, 1980), *Uma atriz: Cacilda Becker* (com Nanci Fernandes, 1983); *Giramundo: o percurso de uma atriz – Myrian Muniz* (1998); *Cem anos de teatro em São Paulo* (com Sábato Magaldi, 2000).

NEWTON CUNHA

Foi animador e programador cultural no Sesc São Paulo entre 1972 e 2007. É formado em jornalismo e pós-graduado em filosofia pela Sorbonne. É autor de *A felicidade imaginada: as relações entre os tempos de trabalho e de lazer* (1987) e do *Dicionário Sesc, a linguagem da cultura* (2003). Traduziu: *Ética contra estética*, de Amélia Valcárcel; *Diderot, o enciclopedista*; *Descartes, obras selecionadas*; *O teatro espanhol do século de ouro*, textos de Juan del Encina; *A música grega*, de Théodore Reinach.

SEBASTIÃO MILARÉ

Jornalista, escritor, crítico e pesquisador de teatro. Atuou como crítico teatral na revista *Artes* por duas décadas. Foi curador de teatro do Centro Cultural São Paulo por 15 anos. É autor dos livros *Antunes Filho e a dimensão utópica* (1994); *Batalha da quimera* (2009); e *Hierofania: o teatro segundo Antunes Filho* (Edições Sesc, 2010), entre outros textos publicados em revistas e obras coletivas como *Estrategias postmodernas y postcoloniales en el teatro latinoamericano*, organizada por Alfonso de Toro (2004), além de peças teatrais como *A solidão proclamada* (1998).

SILVANA GARCIA

É pesquisadora, dramaturgista e professora da ECA/USP. É autora dos livros *Teatro da militância* (2005) e *As trombetas de Jericó: teatro das vanguardas históricas* (1997) e de inúmeros ensaios sobre teatro brasileiro, publicados no país e no exterior. Foi diretora da Divisão de Pesquisas/Idart (Centro Cultural São Paulo/Secretaria Municipal de Cultura, 2001-2004) e coordenadora para São Paulo do Projeto Royal Court de Dramaturgia (2002-2004). Integra a Cátedra Itinerante de Teatro Latino-Americano e pertence ao núcleo gestor do Archivo Virtual de Artes Escénicas (Universidade Castilla-La Mancha, Espanha).

SILVIA FERNANDES

É professora titular do departamento de Artes Cênicas da ECA/USP. Pesquisadora do CNPq, atua nas áreas de teatro brasileiro contemporâneo e teoria teatral. Foi docente do departamento de Artes Cênicas do IA/Unicamp e pesquisadora do Idart, ligado à Secretaria Municipal de Cultura de São Paulo. Entre outros trabalhos, publicou *Memória e invenção: Gerald Thomas em cena* (1996) e *Teatralidades contemporâneas* (2010). Organizou com Jacó Guinsburg, em 2008, *O pós-dramático: um conceito operativo?*.

SÉRGIO DE CARVALHO

É jornalista, diretor, dramaturgo, crítico teatral e professor de teoria do teatro e literatura dramática no departamento de Artes Cênicas do IA/Unicamp. Assinou a dramaturgia de *O paraíso perdido*, primeiro trabalho de Antônio Araújo à frente do Teatro da Vertigem. Em 1997, com outros artistas, fundou a Cia. do Latão, responsável pelas montagens de *Santa Joana dos matadouros* (1998), *A comédia do trabalho* (2000) e *Círculo de giz caucasiano* (2006), entre outros trabalhos.

CRÉDITOS DAS IMAGENS

Acervo Fernanda Montenegro 35, 56

Acervo Sesc 21, 166

Alexandre Nunis 96, 130, 132, 192, 193 (acima)

Ana Casatti 93

Arquivo/Estadão Conteúdo 22, 69 (abaixo)

Célia Thomé 107, 108, 111 (dir., acima)

Centro Cultural São Paulo/Arquivo Multimeios 75 (abaixo, foto de Teresa Pinheiro), 78 (abaixo, foto de Teresa Pinheiro)

Daniel Ducci 24, 25

Ed Figueiredo 133, 195, 374-5

Emidio Luisi 45 (abaixo), 54, 120 a 122, 125 (acima), 129 (abaixo), 140 (acima)

Evelson de Freitas 97 (esq., abaixo)

Gabriel Cabral 20, 112 (dir., abaixo), 168 (dir.)

Guga Melgar 91

Guto Muniz 47, 60 (acima)

Isabel D'Elia 87, 126

Inês Correa 140 (abaixo)

Jeff Dias 97 (acima)

Jefferson Pancieri 58

João Caldas Fº 49 (abaixo), 60 (abaixo)

João Marcos Rosa Barbosa de Souza 88 (acima)

Kenji Honda/Estadão Conteúdo 75 (acima)

Lenise Pinheiro 45 (acima), 48, 55, 57 (dir), 61, 63 (abaixo), 78 (acima, mcio), 80 (dir. acima e abaixo), 82, 84, 85, 88 (abaixo), 89, 137, 138, 176, 186, 187, 190

Luiz Doro Neto 174 (dir.)

Marcelo Villas Boas 63 (esq., acima)

Matheus José Maria 50

Michele Mifano 193 (abaixo)

Monalisa Lins/Estadão Conteúdo 83 (acima)

Nilton Silva 125 (abaixo), 128, 129 (acima), 135, 191

Nilo Viegas 134

Pablo Pinheiro 83 (abaixo)

Paquito 33, 37, 38, 40, 43, 69 (acima), 72, 73, 76, 79, 80 (esq.), 104 a 106, 111 (esq.), 112 (acima e abaixo à esq.) a 114, 116 a 119, 163, 164, 168 (esq.), 170 a 173, 174 (esq.), 175, 177, 188

Piu Dip 92

Rafael Pimenta 95 (abaixo)

Sandra Delgado 49 (acima)

Sylvia Bahiense 36

Stela Guedes 57 (esq.)

Thais Stoklos 95 (acima)

Teresa Pinheiro 52

Tuca Vieira 59

Vania Toledo 53

Wilton Junior/Estadão Conteúdo 63 (dir., acima)*
*Millôr Fernandes by Ivan Rubino Fernandes

Foram realizados todos os esforços para obter a permissão dos detentores dos direitos autorais e/ou fotógrafos, e houve o cuidado de catalogar e conceder seus devidos créditos. Será uma satisfação corrigir quaisquer créditos nas tiragens futuras, caso recebamos mais informações.

ENGLISH VERSION

PREFACE

Danilo Santos de Miranda
Regional Director of Sesc São Paulo

The Anchieta Theater is a shelter.

Antunes Filho

Even if today we experience a certain level of formal freedom concerning the spatial delimitation of theatrical staging, which might occur in venues at times unforeseen – alternative, public or private – one cannot deny the link between the acting space and the urban space. In this context, the theater is capable of driving the spectator towards a sociocultural interpretation of the world originating from that perception.

Since its inauguration in 1967, the Sesc Anchieta Theater and the city of São Paulo have established an intense, ongoing relationship that has turned the venue into an icon of São Paulo, a reference point for both audiences and artists as to the relevance of the art performed there and the debates arousing from it. This outlook harks back to the idea of the Greek polis, a democratic political space in which the theater abandons sacralization to humanize itself and exist within the town.

Located in the downtown area of the city of São Paulo, the Sesc Anchieta Theater has hosted performances of high technical and esthetic quality which, owing to their high productions costs, as well as the themes addressed, have had few opportunities to be commercially staged. This working perspective, adopted from the very beginning of its activities, has contributed to consolidate the Anchieta as a cultural landmark in the city.

This book features statements by actors, actresses, technicians and other professionals, composing a broad mosaic about the Sesc Anchieta Theater, a play forever in the making for its willingness to embrace memories and stories as yet unrecorded. The photographs, in turn, portray a past often erased from the memory of the portrayed themselves; after all, they illustrate five decades of narratives on stage and among the audience.

Speaking of her experience at the Anchieta, Cleyde Yáconis endorses Antunes Filho's view when she affirms that "it is a loving, welcoming space. You feel warm inside, human." Invoking the intrinsically human side, Yáconis, one of the most important actresses in the history of Brazilian theater, underscores the idea that the theater environment enables a sensitive exchange of knowledge, behaviors and desires inherent to our existence.

It is in this sense that the Anchieta Theater goes beyond its vocation of mere physical space and penetrates the vicissitudes of our spirit. Sesc aims at more than the opportunity of enjoyment. From an educational viewpoint, the Anchieta has established itself as a producer whose artistic creation is merged with the training of audiences and professionals in the field of performing arts.

The Amateur Theater Festival, with 12 editions in 20 years (from 1968 to 1988); The School Goes to the Theater project (from 1968 to 1972), conceived by Miroel Silveira alongside the actress and educator Maria Alice Vergueiro, which would attract groups of students to the theater and originated from the staging for youngsters of the play *A moreninha* (The Little Brunette – 1968); the partnership in 1971 with the group ran by Cleyde Yáconis, Oscar Felipe and Carlos Miranda to offer shows to audiences of different age groups at different times; the Sesc Journey of Experimental Theater (from 1989 to 1998); art exhibits, seminars and events involving other artistic manifestations such as cinema, literature, music, mime and dance. These are some examples of how the institution's action enabled the presence and contact of Brazilian audiences with artistic creation, in a true educational effort to foster the development of skills, perseverance and sensibilities required by cultural production.

A further kind of exchange of experiences proved to be (to this day) essential in building citizenship to guide us along safer routes amidst the rights and duties of the population of a locality (from a town to a country): the ones which occurred – and still do – in the interaction with international performances. Many of them would probably never have had the opportunity to be staged in Brazil. Brought to the country by Sesc, they ended up inserting the city of São Paulo into the world theater circuit. Stagings from various parts of the world, such as Latin America, USA, Europe and Japan, enabled the institution to participate in curating shows and publicizing international productions among Brazilian audiences.

Situated at the core of the policy for cultural action developed by Sesc São Paulo, the Sesc Anchieta Theater represents one of its noblest domains, while the Centro de Pesquisa Teatral – CPT (Theater Research Center), directed by Antunes Filho, is its most shining star, framing, creating and reinventing dramaturgy. Descrying a transcendent character of the man-actor, with his contradictions, fears and hopes, the CPT establishes itself, as of 1982, as one of the institution's healthiest partnerships, reflecting and enhancing the quality of the theatrical productions in content and technique, and developing talents whose performances have become theatrical milestones under the mastery of the director.

Essential to theater are the sensitive, keen eye, and the constant generosity of renewal. For Sesc, the Sesc Anchieta Theater keeps alive a permanent space for reflection and creation, an everyday undertaking in search of new perspectives for art and reality itself.

INTRODUCTION

We need a type of theater which not only releases the feelings, insights and impulses possible within the particular historical field of human relations in which the action takes place, but employs and encourages those thoughts and feelings which help transform the field itself.

Bertolt Brecht

The project of a work comprising the plays staged and presented at the Sesc Anchieta Theater throughout the almost 50 years of its existence motivated an immersion into archives and the memories of many people who took part in that history. The written and photographic records and, above all, the passionate accounts of those who participated in or witnessed the memorable performances constitute the foundation of the work here presented.

Three research teams, under the coordination of Alexandre Mate, cooperated in researching and gathering material. The first phase included uncovering documents and primary sources, then reading the surveyed material and preparing critical introductions for each stage production. This resulted in a document with credit lists, commentaries and critical supplements of all plays for adults staged at the Sesc Anchieta Theater.

The second phase involved researching iconographic material, both in the Sesc São Paulo collections and the personal archives of photographers dedicated to stage photography. Additionally, playbills, posters and advertising material were used as an important source to compose both the iconographic and the textual material, thanks to the quality of these records, which frequently included critical commentaries.

Mainstream press archives were examined for analyses and reflections by theater critics of the city of São Paulo. However, the use of this kind of material as a source was restricted by the increasingly limited space reserved for theater in the written press.

The scope of the research was based on the following archival sources: Sesc São Paulo archives; Department of Research and Multimedia Archives of Centro Cultural São Paulo; specialized books and publications; theses and dissertations; theater yearbooks; press releases of theater groups and productions; informal conversations with artists and people involved in theater.

Furthermore, interviews were conducted by Alexandre Mate[1] with spectators, Sesc technicians and staff, and artists and scholars with the aim of reflecting on the management of the venue and the creation and reception of the plays, considering different historical moments. The following people contributed accounts: Antunes Filho, Carlos Lupinacci Pinto, Cleyde Yáconis, Danilo Santos de Miranda, Davi de Brito, Emerson Danesi, Gabriel Villela, Geraldinho Mário da Silva, Giulia Gam, José Cetra Filho, José Menezes Neto, J.C. Serroni, Laura Maria Casali Castanho, Lee Taylor, Lígia Cortez, Marco Antônio Pâmio, Maria Alice Vergueiro, Marília Pêra, Raul Teixeira, Salma Buzzar, Sérgio Mamberti and Sueli Guimarães.

The book is divided into three parts. The first one, composed of six chapters, focuses on the historical background and memory of the Sesc Anchieta Theater, within the context of the cultural policy guiding the venue's actions and projects, such as the creation of the Centro de Pesquisa Teatral – CPT (Theater Research Center), under the direction of Antunes Filho. It additionally covers the production of amateur and professional theater journeys, festivals and expositions, as well as the reception of foreign productions marked by the excellence of their texts, players and performances. The second part presents reflections by Ivan Delmanto, Jacó Guinsburg, João Roberto Faria, Mariangela Alves de Lima, Maria Thereza Vargas, Newton Cunha, Sebastião Milaré, Silvana Garcia, Silvia Fernandes and Sérgio de Carvalho. The third brings a chronology of plays staged between 1967 and 2016 and their respective credit lists.

It should also be noted that although the Sesc Anchieta Theater is an icon of the city of São Paulo, in continuous activity since 1967, this book does not claim to be a comprehensive reading of the collected material. Much more could be written or used for further reflection, interpretation or enjoyment, since both dramatic art and the experience captured in the theatrical space involve vain attempts of understanding life. What we have here, therefore, is a significant framing of what has been produced at the Sesc Anchieta Theater, celebrating theater as an ephemeral art and a public space of unique political value.

---

1. The interviews were conducted through oral history methodology approaches developed by the Núcleo de Estudos em História Oral – Neho/USP (Oral History Center of the University of São Paulo), systematized in the book by José Carlos Sebe Bom Meihy, *Manual de história oral,* São Paulo: Loyola, 1996,

PART I.
A HISTORY OF THE SESC ANCHIETA THEATER

CHAPTER 1 – HISTORICAL BACKGROUND AND THE BIRTH OF A THEATER

A DRAMATIST PRIEST IN THE TERRITORY OF PIRATININGA

José de Anchieta was a grammarian, a poet, a playwright and a historian. Known as the Apostle of Brazil, he was born in La Laguna, Spain, in 1534, and died in Reritiba, currently Anchieta, in the Brazilian state of Espírito Santo, in 1597. At the age of 14, he moved to Coimbra (Portugal) to study philosophy. He entered the Society of Jesus in 1551, becoming responsible for keeping records of colonial events.

> On the 25th of January of the Year of our Lord 1554 we celebrated, in an extremely humble and cramped little house, the first mass, on the day of the conversion of the apostle Saint Paul, to whom we have, therefore, dedicated our house![1]

He was still quite young on arriving in Brazil, in 1553, after Manuel da Nóbrega, the first Provincial of the Jesuits in the country, requested extra hands for evangelical work in the lands to be settled. Sometime later, already in São Paulo de Piratininga, he helped establish the Jesuit College, the town's founding site. He also devoted time to writing dramas with the main purpose of converting the local Native population to the Catholic faith. After land settlement and economic exploitation, catechization was one of the main objectives of the King of Portugal as a means of attaining his colonial objectives, promoting the assimilation by the Indians of Catholic values and, consequently, of European social and cultural values. Therefore, as he composed several religious plays, it can be said that the city of São Paulo was founded by a playwright priest.

The Pátio do Colégio (College Courtyard) became the birth site of a city that spilled over into its present area. Among the urbanization projects which slowly transformed it over the centuries, the rivers, the previous pathways of local life, were replaced by paved tracks, crossings and new arterial roads for wheeled vehicles. Thus, between the end of the 19th and the beginning

---

1. José de Anchieta, *Cartas: informações, fragmentos históricos e sermões do Padre Joseph de Anchieta (1554-1594)*, Rio de Janeiro: Officina Industrial Graphica, 1933. Available in: <www.brasiliana.usp.br/bbd/handle/1918/00381630#page/66/mode/1up>. Accessed on: January 20, 2015.

of the 20th century, the city experienced intense urban change, mainly through fast population growth and industrial development aimed at the production of goods to supply human needs. A new way of life was imposed where Father Anchieta had left his footprints, and progress set to work, at times uniting, at times alienating the inhabitants, in what would become the biggest city in the country.

The small urban center unfolded itself: the *old* section, limited to the valley of the Anhangabaú river, and the *new* section, which, with the construction of the Viaduto do Chá (Tea Viaduct), spread out to Consolação Street, close to the namesake neighborhood church. In the new downtown area, on Dr. Vila Nova Street, Sesc built its first unit with the characteristics that compose the institution's contemporary image. With the nearby YMCA building on 197 Nestor Pestana Street as a reference point, Sesc introduces its model of wide and diversified cultural awareness, with both physical and artistic activities, but, above all, creating venues where education in its wider and non-formal sense plays a crucial role in these activities.

By then, the city already boasted other cultural projects. The Municipal Theater, designed by Ramos de Azevedo and the Italian architects Cláudio Rossi and Domiziano Rossi, was inaugurated in 1911; the Municipal Library was founded in 1925, later renamed the Mário de Andrade Library, following expansion and changes in the 1960s.

Thus, in 1967, close to where Father José de Anchieta had established himself as a Jesuit and playwright in the course of his doctrinal work, a venue for the cult of art was established: a theater named after him.

A THEATER IN THE CITY OF SÃO PAULO

In 1967, the most recent Sesc unit is named after a prominent local businessman, Carlos de Souza Nazareth. The same name had previously been used for a sports and culture center sold to Serviço Nacional de Aprendizagem Comercial – Senac (National Service of Commercial Instruction), located on 271 Francisco Matarazzo Avenue. Up to 1984, Sesc units were named after their patrons. As of that year, under the direction of Danilo Santos de Miranda, and without losing that denomination, they were named after the districts or municipalities where they were located. Therefore, in 1993, the Vila Nova unit was renamed Sesc Consolação.

Designed by the architect Ícaro de Castro Mello[2], the building included a sports gymnasium, a sauna, a heated pool, a hall for various activities and the Sesc Anchieta Theater, currently with a 316 seating capacity, the first of a series of theatrical spaces built by Sesc in São Paulo.

Today there are theaters in Sesc units all over the city, in the districts of Belenzinho, Bom Retiro, Interlagos, Ipiranga, Pinheiros, Pompeia, Santana, Santo Amaro and Vila Mariana.

The concept of the theater and its original stage, sceno-technical and lighting projects were designed by Aldo Calvo, who arrived in Brazil in 1947 and was hired by Franco Zampari, general manager of Teatro Brasileiro de Comédia – TBC (Brazilian Comedy Theater), to head the company's new technical department, which would be inaugurated in 1948.

In the book *Hierofania: o teatro segundo Antunes Filho* (Hierophany: Theater According to Antunes Filho)[3], Sebastião Milaré titles his work with a term that alludes to the theater as a place with a sacred connotation. In that sense, the place of acting is compared to a sacred site.

Therefore, regardless of the space where the theatrical performance takes place, what one sees is the result of collective work. As a phenomenon, the space, from the architectural point of view, prioritizes the work in action, erected with distinctive doses of great effort, constructed by layers and layers of symbols, whose materiality is drawn from the cultural repertoire of the citizens. As an action involving ways of seeing and being, the theatrical performance is fulfilled in a site which favors an exchange of symbolic experiences. Despite being separate places, stage and auditorium are in permanent interaction and compose a single space, called theater, whose etymology is "place for viewing", "place to see", "open air space".

In an acting venue, the performance generates, to a certain extent, a fracture of daily life and may provoke multiple reactions. The space in which the spectator is accommodated to behold the play might bring him closer to or even distance him from a broader perspective of what is being viewed.

---

2. "Ícaro de Casto Mello (1913-1986) was an architect and urbanist. From 1930 to 1945, he pursued careers both as an architect-engineer and athlete. […] He designed around one hundred sports facilities in Brazil and Latin America; as an athlete, he developed an acute sensibility to architectural issues related to the practice of sports. *Enciclopédia Itaú Cultural*. Available at: <enciclopedia.itaucultural.org.br/pessoa445855/Icaro-de-Castro-Mello>. Accessed on: September 24, 2014.

3. Sebastião Milaré, *Hierofania: o teatro segundo Antunes Filho*, São Paulo: Edições Sesc, 2010.

Among the people we interviewed, there is a consensus regarding the good memories of the space and performances presented at the Sesc Anchieta Theater, which, for many, is considered agreeable and welcoming. In order to become meaningful to spectators and actors, besides being sacred (hierophantic), it is essential that a place be also historical.

A performance is the source of a "community of destiny", united in the same time and space. If the physical structure of the theater is good, but not the work, there may be a feeling of comfort, but not of welcoming. If the work is exceptional, but the place is inappropriate, the body is deprived of a sense of reverie and ecstasy.

There seems to be a certain degree of unanimity regarding the excellence of the physical space and the diversity of the repertoire staged at the theater since its foundation. The consulted sources show no reservations about this. Members of the institution's staff are unanimous regarding the purposes of Sesc as a whole and of the Sesc Anchieta Theater in particular.

Theater critics such as Maria Thereza Vargas and Silvana Garcia and directors like Sérgio de Carvalho present similar reflections, reaffirming ideas constantly found both in interviews and program excerpts written by actors such as Flávio Rangel, Cleyde Yáconis, Paulo Autran, Bibi Ferreira and Walmor Chagas.

With ongoing activities since its foundation, the theater has undergone a few renovations. The first was the removal of a low wall at the apron, in 1972.

> [...] there was a low marble wall, 60 cm or more, at the apron of the stage which prevented the audience from seeing the actors in full body, since they were visible only from the knees up. One night, during the staging of A capital federal (The Federal Capital), Flávio [Rangel] said: 'This wall is coming down...' He wanted to make a catwalk for the girls to dance in Lola's Cabaret. There was a bitter dispute. The wall eventually came down. Cleyde Yáconis, in interview.

Following the removal of wall, the Anchieta Theater underwent another two renovations. The first was between January and August 1983, reopening with the play *Numa nice* (Feeling Nice). Then, in 1998 and 1999, based on a project coordinated by architect Luís Telles, the dressing-rooms and foyer were modified, the areas for handicapped spectators were expanded and the hydraulic and electric systems were serviced and changed. The renovation took 22 months and the theater reopened on 18 November with the play *Fragmentos troianos* (Trojan Fragments), directed by Antunes Filho, which ran until 19 December.

> At the Anchieta, the whole stage area was renovated. We updated the equipment, created side balconies, the dressing-rooms were altered, the auditorium was modified. [...] The acoustics are perfect, the project designed by Igor Serenevsky was not altered. He crafted the ceiling pattern with leftover wood from the construction, which gave it a marvelous acoustic quality. Later the ceiling was redone, in the same pattern, with higher quality wood. J.C. Serroni, in interview

Despite the renovation, the activities could not be interrupted. Therefore, during this period the events, especially the theatrical ones, were held in improvised locations within the facilities of Sesc Consolação. A play reading session was held at the work site in which Tom Zé presented *Too Many Clients*, by Rex Stout; Rosi Campos read *A obscena senhora D* (The Obscene Lady D), by Hilda Hilst; and Cristina Pereira read *Cronopios and Famas*, by Julio Cortázar.

Throughout the years, whether on stage or in Sesc Consolação surroundings, the Sesc Anchieta Theater, located right in the heart of the city and in middle of so many people, has proven to be a monument to the possibility of a process of transcending oneself to reach out to the other.

FOND MEMORIES

> On entering the Sesc Anchieta Theater for the first time, the sense of alienation I had previously felt regarding the Municipal Theater was transformed. I felt something different. That place presented a possibility. Something achievable was becoming clear. The Anchieta was accessible, extremely welcoming, with wonderful acoustics. [...] It was an unencumbered space; there was no-one there to hinder you. [...] On the way back to the bus, I told my colleagues: "I've just seen the place where I'm working in the future!" Laura Maria Casali Castanho, in interview.

> Normally, ninety percent of the people who watch a performance at the Anchieta Theater come out delighted and want to go back. Even more so because the theater is the physical space and it is the spectators who make the work happen. Davi de Brito, in interview.

> The Anchieta Theater was and is a kind of home. [...] besides its importance in the history of Brazilian theater, it has always been considered the best playhouse in São Paulo for its acoustic, its visibility. And to this day it is the theater people attend with most pleasure because of the good memories of excellent performances and also because it is so welcoming. Raul Teixeira, in interview.

I believe the Sesc Anchieta Theater helped a lot of people adjust better to the world, appeasing their craving for sensibility and for sharing the symbolic. It helped people to feel who they are and live their experiences thoroughly. Sueli Guimarães, in interview.

The Anchieta Theater is moving and fascinating. I have spent many hours of my life there. I have entered the Anchieta almost 200 times [the interview was conducted on January 30, 2008]. This is significant in terms of passion for the theater. The Anchieta is a relatively small and extremely comfortable playhouse. One can see very well from any seat in the auditorium. The depth of the stage is fantastic. José Cetra Filho, in interview.

It is the most generous theater for the actor when it comes to stage structure, technical conditions, acoustics. The layout of the auditorium in relation to the stage, the visibility, the wings are all impressive. In short, performing at the Anchieta is a privilege for an actor, no doubt about it. It is a welcoming theater. […] you feel embraced by the audience, having at the same time the feeling of being in an extremely vast space. It's a kind of blessed stage. […] In that theater, I can see the boy who became an actor. I'd say to many who performed there that I wished to be just like them. A complete being! Marco Antônio Pâmio, in interview.

CHAPTER 2 – THE SESC ANCHIETA THEATER AND THE CONSTRUCTION OF ITS IDENTITY

The Sesc Anchieta Theater was inaugurated on November 14, 1967, with a concert by pianist Guiomar Novaes. This was followed by other artistic events, especially in the areas of music and film, while the stage was being prepared to receive theatrical performances.

Intense curatorial work was carried out before the plays could be staged; after all, certain parameters had to be defined, such as the purpose of that space and what audiences it would cater for. The curatorial concept was structured to favor experimental and bold works that might encounter difficulties to be staged in other spaces due to high production costs and the need for sophisticated infrastructure – factors that contributed to shape the budding identity of the Sesc Anchieta Theater at the time, but that are still present to this day.

Therefore, the curatorial approach started working towards educating audiences to, among other purposes, popularize theater-going habits. Invited to develop strategies to expand this dialogue with the audience, professor, translator and stage director Miroel Silveira created, among other projects, *A Escola Vai ao Teatro* (The School Goes to the Theatre), an initiative that aimed to make the venue a reference point of theater-school integration. The project was continued for a few years and resulted in anthological productions based on works by Guimarães Rosa, Monteiro Lobato, Joaquim Manuel de Macedo, Bertolt Brecht, Ariano Suassuna and Euripides, among others.

Regarding the play *O santo e a porca* (The Saint and the Sow), by Ariano Suassuna, which at one point had four performances a day, actress Cleyde Yáconis points out:

> It was crazy. I'd get to the theater at 8 a.m. and sometimes leave at two in the morning. It was one of the best times of my professional life, and I felt a bond with the cultural movement at Sesc. It was as if we were part of that building: an integrated team composed of artists, technicians, doorman, box-office clerk, ushers, chambermaids, helping to operate an actual drama school[4].

Low ticket prices was another guiding principle of the Sesc Anchieta Theater, which was not profit-oriented.

> The Anchieta plays a key role in educating audiences. Firstly, for some of the projects it developed in the past, such as The School Goes to the Theatre. Secondly, for providing access to the theater, which, like it or not, was and remains a privilege of an affluent socioeconomic class. Today, many people have access to theatrical language via the various Sesc theaters. Theater tickets are not exactly cheap, they never have been. And I believe they cannot be, given the whole production and maintenance work involved. The Anchieta was the first to enable and, doubtlessly, democratize access to the theater through tickets sold at symbolic prices, charged for educational purposes. In that sense, I believe this is one of the greatest merits of Sesc, the continuity of its policy to foster and spread culture. José Menezes Neto, in interview.

Added to this is the way it welcomes artists, as attested by Cleyde Yáconis:

> The audience feels the harmony that exists between the venue and the management policy of the Sesc Anchieta Theater, which is not commercially-driven. It takes part in the cast's success or failure. It is not merely a landlord who owns the venue, draws back and just collects the money; no, it suffers with failures and is proud of its space. It's as if it were part of every company that opens at the theater. It takes part, it is one of the elements of the company that is representing it.

Regarding the issue of *quality* – which has multiple connotations and interpretations – the theater's concept is perhaps best understood as expressed by Nemirovich-Dantchenko in a letter to Stanislavsky "[...] If theater devotes itself exclusively to the classic repertoire and completely fails to reflect contemporary life, it will quickly find its way to an academic graveyard."[5] Thus, the programming includes diverse works, providing a theater open to both experimentation in new languages and classic dramaturgy. It is in constant renewal, seeking at the same time to train the esthetic perception of its audiences.

> I remember saying to myself when I attended the performance [Eletra com Creta] that no other institution but Sesc, with its characteristic

---

4. Serviço Social do Comércio – Administração Regional no Estado de São Paulo, *Teatro Sesc Anchieta*, São Paulo: 1989, p. 57.

5. Cristiane Layher Takeda, *O cotidiano de uma lenda*, São Paulo: Perspectiva, 2003, p. 62.

boldness, would invest in a play like that one. Laura Maria Casali Castanho, in interview.

José Menezes Neto adds that

The proposals to occupy the theater sent in by different companies were gathered and analyzed; then, the decision as to who would occupy the venue was discussed with the management. [...] we sought to choose plays that proposed innovation in terms of language, in terms of approach. We would tend to reject productions with a more commercial appeal.

In addition to material and ideal conditions, one must also bear in mind the social context surrounding all artistic dialogue. Thus, it is timely to highlight some events that influenced the historical background and whose impact, to a greater or lesser extent, can be noticed at the Sesc Anchieta Theater.

FROM 1967 TO 1979

In 1967, the Costa e Silva government institutionalizes the dictatorship by escalating repression against groups opposed to the regime, such as politicians, intellectuals, artists and students, and eliminating civil liberties.

In the cultural front, between 1967 and 1968, the tropicalist movement, breaking with left-wing nationalism and under the influence of the anthropophagic movement, sought to reinvent Brazilian arts, especially music, absorbing and transforming foreign cultural elements. Among its main representatives are musicians Tom Zé, Caetano Veloso, Gilberto Gil, Gal Costa, Os Mutantes, music producer Rogério Duprat, conductor Júlio Medaglia, authors José Agrippino Paula and Torquato Neto, and visual artists such as Lygia Clark and Hélio Oiticica.

The Cinema Novo (New Cinema) looks to define Brazil through its cultural traditions, singularities and allegories. An icon of that movement, *Terra em transe* (Entranced Earth), one of the most important and controversial films by Glauber Rocha, exposes the end of illusions in the face of the impact of institutional violence through the stalemate experienced by the character Paulo Martins (played by Jardel Filho), torn between politics and poetry. In theater, *O rei da vela* (The Candle King), by Oswald de Andrade, directed by José Celso Martinez Corrêa, is an esthetic and political milestone of the 1960s generation who took to the streets to demonstrate against the dictatorship regime in Brazil. The same rebellious spirit would be observed shortly afterwards in the student protests that took over the streets of Paris.

The year 1968 was emblematic. Around the world, demonstrators protest against the war in Vietnam and the totalitarian regimes in Latin America. In France, students question the university structure, gaining the support of different categories of workers and turning against the government of Charles de Gaulle. In Eastern Europe, the Prague Spring brings a respite of freedom to Czechoslovakia before the country succumbs yet again to Soviet rule.

In Brazil, a new generation also desired to experiment and break boundaries in different spheres of life, especially politics, sex and customs. However, the tense atmosphere reflected the lack of freedom imposed by the civil-military dictatorship. In June 1968, the March of the One Hundred Thousand in Rio de Janeiro represents the first great popular demonstration against the military government. In the following month, the self-styled organization Comando de Caça aos Comunistas – CCC (Communist Hunting Command) invades the Ruth Escobar Theater in São Paulo, where Chico Buarque de Hollanda's play *Roda viva* (Commotion) was being staged, directed by José Celso Martinez Corrêa; CCC assaults some of the actors, threatens the public and destroys the set. The play became another milestone of that period, attracting the attention of an audience eager for artistic productions and manifestations that questioned the political, social and cultural order.

The Sesc Anchieta Theater hosts the premier of the play *A mulher de todos nós* (The Woman of Us All – La Parisienne, originally), directed by Fernando Torres, whose cast included Fernanda Montenegro, Ítalo Rossi and Sérgio Britto, among others. Adapted by Millôr Fernandes, the work of French playwright Henri Becque portrays the life of a woman who is daring and hardly submissive.

To circumvent censorship, the theater, as well as other artistic languages, sought ways to express situations experienced in the period's repressive circumstances, such as fear, persecution, confinement and oppression, enhancing the use of metaphor and allegory. Within this context, *Hair*, whose Brazilian staging was directed in 1969 by Ademar Guerra at the Bela Vista Theater, challenges the "American way of life" and the Vietnam War.

Teatro da Cidade, a group formed in Santo André (SP) under the direction of Heleny Guariba, stages Molière's *George Dandin* at the Sesc Anchieta Theater. Casting Sônia Braga and Antonio

Petrin, and with set and costume design by Flávio Império, the show also featured workers on stage. For her outstanding direction, Heleny Guariba receives in 1969 the award for Best New Director of the Associação Paulista de Críticos Teatrais – APCT (São Paulo Association of Theater Critics). Linked to the organization Vanguarda Popular Revolucionária – VPR (Popular Revolutionary Vanguard), Heleny was arrested in March 1971 and currently figures in the list of missing persons of the Comissão Nacional da Verdade (National Truth Commission)[6].

Meanwhile, in the United States, in August 1969, the Woodstock Festival becomes a landmark of counterculture and quest for peace. That same year witnesses the third edition of the Brazilian Popular Music Festival, a series of shows broadcast by TV stations Excelsior, Record, Rio and Rede Globo that introduced to the audience great Brazilian songwriters and singers, such as Elis Regina, Chico Buarque, Caetano Veloso, Gilberto Gil, Nara Leão, Edu Lobo and Jair Rodrigues.

Also in 1969, actress Nydia Licia and cast stage *João Guimarães: veredas* within the project The School Goes to the Theatre. The play was inspired by Guimarães Rosa's novel *Grande sertão: veredas* and achieved great success.

In the same year, the Sesc Anchieta Theater organizes the first Sesc Amateur Theater Festival, opening up opportunities for groups from the capital and inland regions of the state of São Paulo – a feature repeated in the following twelve editions. It also hosts initiatives to encourage students, such as the EAD Festival, of the School of Dramatic Art of the University of São Paulo, from which emerged groups such as Teatro Rotunda, that in 1969 stages *Electra*, by Sophocles. Created in 1967, Rotunda is the first professional theater group founded outside the capital city in the state of São Paulo, in the city of Campinas.

In December 1969, the military regime decrees the Institutional Act No. 5 (AI-5), suspending democratic and constitutional rights in the country. This decree is extended until 1978 and legitimizes prior censorship and control over all forms of cultural expression and production, including the media. In the following year, the Medici government inaugurates the period that would go down in history as the "years of lead."

In this context, *O escorpião de Numância* (The Scorpion of Numantia), an adaptation of Miguel de Cervantes's *The Siege of Numantia*, staged at the Sesc Anchieta Theater in 1970, tells the story of a city surrounded by the Roman army. On the brink of falling to the enemy, the city opts for suicide to protest against and thwart the arrogance of the invaders.

In 1972, *Man of La Mancha* is translated by Paulo Pontes and Flávio Rangel, who also directs the show. The lyrics of the songs are translated into Portuguese by Chico Buarque and Ruy Guerra, and the cast features Paulo Autran, Bibi Ferreira and Dante Rui in the roles of Don Quixote, Dulcinea and Sancho Panza, respectively. The production is seen by nearly thirty thousand spectators.

In 1974, shortly before his death, Oduvaldo Vianna Filho writes one of the most important works of Brazilian theater, *Rasga coração* (Rend Your Heart), which won him the national playwriting contest sponsored by Serviço Nacional de Teatro (National Theater Service). However, the play's staging is prohibited by the same government that awarded the prize. It is finally staged in 1979, at the Guaíra Theater in Curitiba, directed by José Renato, one of the founders of Teatro de Arena of São Paulo in the 1950s.

At the Sesc Anchieta Theater, Antonio Pedro directs the play *As desgraças de uma criança* (A Child's Misfortunes), a comedy of manners by Martins Pena set in the 19th century with Marco Nanini, Wolf Maya, Camila Amado and Bete Mendes in the cast.

Ruth Escobar, as a cultural producer, consistently defended the need to hold festivals to draw the world's attention to what was happening in Brazil. To this end, she organizes and brings to the city plays that she consideres representative of theatrical production worldwide. Therefore, despite the periods of political persecution experienced in Brazil, Escobar produces three editions of the São Paulo International Festival of Performing Arts, in 1974, 1976 and 1981. Due to the impossibility of holding public discussions on theater practice, whether individually or as a whole, these three occasions are extremely important for a more effective exchange between Brazilian artists and their foreign counterparts who came to present their work in Brazil. Thanks to the festivals, important works of the contemporary scene can be viewed by São Paulo audiences, including Garcia Lorca's avant-garde play *Yerma*, directed by Victor Garcia[7] from Argentina and staged by the Spanish company Nuria Espert; *The Life and Work of David Clark*, created by American artist Robert Wilson; besides names such as Jerzy Grotowski from Poland and

---

6. Available at: <www.cnv.gov.br>. Accessed on: January 15, 2016.

7. A stage director and set designer, Victor Garcia (1934–1982) worked in Brazil in the 1960s and 70s, playing an important role in Brazilian theater. See Jefferson Del Rios, *O teatro de Victor Garcia: a vida sempre em jogo*, São Paulo: Edições Sesc, 2012.

Andrei Serban from Romania, who took part in debates about theater.

The Brazilian military dictatorship shows signs of multiple internal fissures as of 1975. In the theater, retrieving Oduvaldo Vianna Filho's work written for television, Chico Buarque and Paulo Pontes stage *Gota d'água* (The Last Straw), which revisits the Greek myth of Medea, set in a housing estate in Rio de Janeiro:

Underlying the story is a situation that could be considered universal in terms of our values. Jason, weary of Medea's possessive love, seeks comfort in the soothing bosom of Alma, who has the advantage of being young and rich. Medea, older than Jason and seeing no prospect of reconstructing her life, in a gesture of deep resentment suppresses the fruits of past love in order to hurt and destroy herself, which is equivalent to a cry of destruction of the world[8].

In the midst of the atmosphere of repression and escalating tension, on October 25, Vladimir Herzog, news director of TV Cultura, is killed inside the headquarters of the intelligence agency DOI-Codi. His death outrages the country and triggers a series of events that strengthen the resistance to the dictatorship. Exploiting the subject, Gianfrancesco Guarnieri writes the play *Ponto de partida* (Starting Point), staged at Teatro de Arte Israelita Brasileiro – Taib (Brazilian Israelite Art Theatre). Set in the Middle Ages, the play portrays the death of the servant Birdo, hanged for having fallen in love with the daughter of the village lords. Guarnieri, who plays the peasant Dodo, knows the truth but is afraid to reveal it.

Director Fernando Peixoto writes in the play's program:

Before a dead man, everyone must define themselves. And Guarnieri is interested in studying such behaviors and the contradictions that arise between the symbolic characters. Nothing can ever be the same. Action and omission are challenged. No one can remain indifferent. Especially when it is the Old that murders the New. And when the murdered New leaves behind the seeds that will germinate to definitively bury the Old.

Still within the context of the assassination of Vladimir Herzog, Sérgio Mamberti, one of the actors of the play *Réveillon*, staged at the Sesc Anchieta Theater in 1975, gives the following account:

This play featured a fact that had occurred with the family of Clarice [Herzog's wife]. During the Estado Novo regime [1937-1945], the family had a son involved in politics and linked to the resistance movement. On his mother's birthday, at the end of the party, the police deliver his body. He had been murdered by the government. One day during rehearsals, João Ribeiro calls me to say that Vlado [Vladimir Herzog] had been taken by the police.

As of March 1976, students reclaim the streets as a space of protest. In September, police forces invade Pontifícia Universidade Católica de São Paulo – PUC (Pontifical Catholic University of São Paulo) and arrest a large number of students. In Rio de Janeiro, the play *O último carro* (The Last Carriage), written and directed by João das Neves, is staged at Teatro Opinião.

O último carro aims to capture, in the fragmented frames of a turbulent suburban train trip, the huge gallery of characters momentarily brought together and whose fate, due to a disaster, is ultimately the same. [...] A large panel of lower classes, who suddenly feel they are heading to the abyss for the lack of an engine driver capable of controlling the runaway train[9].

At the Sesc Anchieta Theater, Fernando Torres directs Fernanda Montenegro in *Play Strindberg*:

Regarding Fernanda, one can but recall the traditional clichés that identify the mystery of great performers: magnetization, radiance, transparency, beauty of voice, expressiveness of all gestures and attitudes, with no resort to overused body language resources. Fernanda assumes the entire life experience of the character, which emerges in her stead, in an extraordinary current of magnetism. [...] Dürrenmatt (Strindberg) places her at the maturity of a silver wedding anniversary celebration, when there is no more promise or hope, only grim contact with everyday life[10].

In 1977, the theater is the venue of *O santo inquérito* (The Holy Inquest), written by Dias Gomes and directed by Flávio Rangel. The play's metaphorical nature regarding the political situation is evident.

---

8. Sábato Magaldi, "Gota d'água", in: Edla van Steen (org.), *Amor ao teatro: Sábato Magaldi*, São Paulo: Edições Sesc, 2014, p. 467.

9. *Idem*, "O último carro", in: Edla van Steen (org.), *op. cit.*, p. 510-1.

10. *Idem*, "Seria cômico... se não fosse sério", in: Edla van Steen (org.), *op. cit.*, p. 438.

The human attitudes expressed through the characters also serve as encouraging reminders for the audience. Note how Simão Dias, Branca's father, defines himself: "Firstly, man is compelled to survive at any cost, only then comes dignity." Augusto Coutinho, Branca's fiancé, believed in turn that "it is necessary to defend a minimum of dignity." He thus refused to accuse her falsely, being tortured and killed by the inquisitors. The lesson is clear: it is not worth living without this minimum of dignity, which is, above all, what must be preserved[11].

In May 1978, the struggle for the return of democracy gains strength with the outbreak of a strike in the ABC region, in the metropolitan area of São Paulo. In the following year, approval of the Amnesty Law allows political exiles to start returning to Brazil. Under the leadership of Luiz Inácio Lula da Silva, the Workers Party is founded in 1980.

FROM 1980 TO 1989

Alongside the new artistic and cultural perspectives opening up in Brazil following the recent redemocratization process, the Sesc Anchieta Theater continued establishing itself as a venue that welcomed both amateur festivals and plays by celebrated authors addressing themes that, metaphorically or literally, evoked the country's harsh reality.

As of 1982, direct elections for governors, senators, mayors, and state and federal representatives have a widespread impact, mobilizing people to participate and take to the streets in support of direct voting also at federal level. To this are added strike action in various professional categories and student rallies. In 1985, the indirect election of Tancredo Neves as president signals the end of the 21-year period of civil-military dictatorship in Brazil. However, due to Tancredo's death before his inauguration, Vice-President José Sarney takes office for the remainder of the term.

The 1980s are marked by great efforts for the return of democracy in Brazil. Even during the so-called *slow and gradual* political opening process, censorship remains active, deciding which information and artistic productions could or not reach the public at large. Prior censorship only actually ends with the enactment of the Federal Constitution in 1988.

Two venues inaugurated in 1982 would become cultural reference points for the population of São Paulo: Sesc Pompeia, designed by Lina Bo Bardi, who transformed an old steel drum factory into a space for leisure and socialization, capable of welcoming the public and hosting the most diverse artistic expressions; and Centro Cultural São Paulo (São Paulo Cultural Center), designed by architects Eurico Prado Lopes and Luiz Telles, initially conceived as a large library, but eventually redesigned to house activities related to cinema, theater, music, exhibitions and workshops.

For a few decades, vaudeville or musical theater becomes a rage, in terms of both audience and production. Absent from theaters in São Paulo and Brazil for many years, the genre is revived thanks to the tireless efforts of the couple Neyde Veneziano and Perito Monteiro, who assured its prominent position in the 1980s. The show *Revisitando o teatro de revista* (Revisiting Vaudeville Theater), staged at the Sesc Anchieta Theater in 1988, revives the tradition and portrays characters such as the hillbilly, the Portuguese man and the mulata woman.

Another important initiative revived in 1981 is the International Theater Festival. Despite her partial withdrawal from theatrical production in the 1980s after being elected state representative with the pledge of focusing on community projects, Ruth Escobar organizes the festival's third edition, whose main attractions include the groups Mabou Mines, from the US; Plan K, from Belgium; La Cuadra, from Spain; El Galpón, from Uruguay; and A Comuna, from Portugal.

Meanwhile, as of 1982, the Sesc Anchieta Theater decides to house, at the Consolação unit, a resident repertory and research theater company. Stage director Antunes Filho and his company Grupo Macunaíma are chosen, marking the creation of the Centro de Pesquisa Teatral – CPT/Sesc (Theater Research Center), whose plays thereafter would be staged at the Sesc Anchieta Theater[12].

In that same year, the first steps were taken at the Sesc Anchieta Theater to welcome international artists – among them, Kazuo Ohno[13], who staged the Butoh performances *Admirando l'Argentina* (Admiring Argentina) and *Mar morto* (Dead Sea) in 1986; and the group Ban'Yu Inryoku, which brought the show *Suna – Zoo de Deserto* (Suna – Desert Zoo) in 1985 – an initiative widely expanded in the following decade.

---

11. *Idem*, "O santo inquérito", *in*: Edla van Steen (org.), *op. cit.*, p. 498.

12. For further information, see the chapter "Antunes Filho and the creation of the Centro de Pesquisa Teatral – CPT/Sesc", p. 99.
13. As of 1986, the artist came frequently to Brazil, performing at Sesc São Paulo units. His works inspired the creation of the book *Kazuo e Yoshito Ohno*, with photos by Emidio Luisi and text by Christine Greiner, published by Edições Sesc, in 2015.

During this decade, following the signing of the Amnesty Law in 1979, many exiled artists gradually made their way back to the country. Outstanding productions at the Sesc Anchieta Theater included *A nonna* (The Granny), in 1980, with Célia Helena, Cleyde Yáconis, Laura Cardoso and cast, featuring the story of a grandmother who eats compulsively, far more than her poor family can provide; *Bremen Freedom*, in 1981, a text by German film director Rainer Werner Fassbinder, translated by Millôr Fernandes and directed by Sérgio Britto, about female oppression; *Picasso e eu* (Picasso and Me), in 1982, one of the first shows in Brazil in which Marilena Ansaldi introduces the theater-dance format; Chekhov's *The Cherry Orchard*, directed by Jorge Takla, which retrieved the theme of aristocratic decadence; *Eletra com Creta*, one of the first shows by Companhia Ópera Seca, of director Gerald Thomas; *Our Town*, a play written by American playwright Thornton Wilder in 1930, staged by Grupo Tapa in 1989 and again in 2013 by Antunes Filho and Grupo Macunaíma.

This period also comprises the productive year of 1984, in which Grupo Macunaíma staged *Romeo and Juliet,* by William Shakespeare; *Macunaíma*, by Mário de Andrade, adapted by Antunes Filho; and *Nelson 2 Rodrigues*, in which Antunes Filho combines the plays *Álbum de família* (Family Album) and *Toda nudez será castigada* (All Nudity Shall Be Punished). In the following years, the group staged *A hora e a vez de Augusto Matraga* (The Hour and Turn of Augusto Matraga) in 1986, adapted from the classic short story by Guimarães Rosa; *Xica da Silva* in 1988, written by Luis Alberto de Abreu; and *Paraíso Zona Norte* (Paradise North Zone), another Nelson Rodrigues play adapted by Antunes Filho in 1989.

During this decade, many set designers, lighting designers, directors and actors are active at the Sesc Anchieta Theater, such as Ademar Guerra, Antônio Araújo, Antonio Nóbrega, Cacá Rosset, Cibele Forjaz, Davi de Brito, Domingos de Oliveira, Flávio Rangel, Gabriel Villela, Iacov Hillel, J.C. Serroni, José de Anchieta, José Possi Neto, Maria Clara Machado, Nathalia Timberg, Naum Alves de Souza and Walderez de Barros.

Five years after the defeat of the movement for direct presidential elections, the first direct elections for President of Brazil are held in 1988, with Fernando Collor de Mello beating Luiz Inácio Lula da Silva.

FROM 1990 TO 1999

In the 1990s, Brazilian plays predominated on the stages of São Paulo theaters, thanks to the creation of new collective theatrical processes. Many companies linked to the so-called *group theater* of the city of São Paulo, in their struggle in defense of quality and against mere insertion in the market, end up strengthening their internal structures and building collective organization systems.

The period witnessed the emergence of several collectives in São Paulo such as: Brava Companhia (founded as Companhia Teatral Manicômicos), Companhia Cênica Nau de Ícaros, Companhia do Feijão, Companhia do Latão, Companhia Folias d'Arte, Companhia La Mínima, Companhia Livre, Companhia São Jorge de Variedades, Núcleo Bartolomeu de Depoimentos, Os Fofos Encenam, Parlapatões, Patifes & Paspalhões, Teatro da Vertigem.

In Brazil, after the military regime and the transition years to direct elections, the main political events concern the impeachment of President Fernando Collor in September 1992 and his replacement by Vice-President Itamar Franco, who remains in office until the end of the term, in 1994. During the Collor administration, all cultural institutions connected to the federal government are closed down and the Ministry of Culture, established in 1985, is transformed into a department linked to the presidency, later recovering its status of ministry during Itamar Franco's mandate.

In October 1994, Fernando Henrique Cardoso is elected president, being re-elected in 1998 and remaining in power until the end of 2002. During this period, the Rouanet Law, created during the Collor government, is one of the main mechanisms to fund Brazilian cultural production, enhancing the state's role as mediator of the relationship between cultural producers and financiers of the private sector through tax incentive laws. This policy transfers to the market decisions on the funding of cultural projects and where they will be implemented, stressing the dependence on producers and tying artistic creation to the visibility of events. At the same time, Sesc São Paulo consolidates its policy guided by esthetic innovation, quality of content and artistic freedom.

Throughout the period of transition to and reconstruction of democracy, between 1985 and 1993, Sesc maintains a regular schedule of performances and cultural activities. In 1990, the Sesc Anchieta Theater holds the Jornada Sesc de Teatro Experimental (Sesc Journey of Experimental Theater), in which eleven plays are staged, among them *Ensaio aberto de Medeia* (Medea Open Rehearsal), directed by Christiane Tricerri, and *Do outro lado da ilha – prefácio decadente* (The Other Side of the Island – Decadent Preface), directed by Sergio Ferrara. In the same year, Grupo de Teatro Macunaíma stages *Trono de sangue – Macbeth* (Throne of Blood – Macbeth), adapted from William Shakespeare's play and directed by Antunes Filho.

Throughout the 1990s, the Sesc Theater Journeys address specific themes in some of the editions, like laughter in the theater, in 1993; musical theater, in 1994; and actor-creator, in 1998. Prominent productions included *Futilidades públicas* (Public Fripperies – 1993), directed by Elias Andreato, which reveals the contemplations of a woman locked up in the bathroom of a bank during a robbery; and *Sardanapalus* (1993), a comedy by the group Parlapatões, Patifes & Paspalhões, directed by Carla Candiotto, which, following the premiere at the Journey, enjoys successful performances in other theaters in São Paulo.

In 1993, Luis Alberto Abreu, inspired by characters in Dante Alighieri's *Divine Comedy*, writes *A guerra santa* (The Holy War). Gabriel Villela's staging of this play brings to life a world of madness and violence, which results in a polyphonic spectacle, attentive to the clamor of modern life.

In the same year, Grupo de Teatro Macunaíma and the Sesc Theater Research Center stage *Vereda da salvação* (Path to Salvation), written by Jorge Andrade and directed by Antunes Filho, portraying the tragedy of a group of farmhands from Minas Gerais who, with no prospects in life, join a religious sect. In 1995 the group stages the play *Gilgamesh*, written and directed by Antunes Filho, who recreated the story of that fragmented and incomplete epic poem.

The Kazuo Ohno Exhibition, in 1997, brings back to the stage of the Sesc Anchieta Theater the esthetics of Butoh through the shows *Tendoh chidoh* (Way in the Sky, Way on Earth) and *Suiren* (Water Lilies), performed by Juan Saler, Kazuo and Yoshito Ohno.

Alongside the Journeys, the São Paulo International Festival of Performing Arts is continued, presenting in its sixth edition the plays *Canard pékinois* and *Les Frères Zenith*, both from France; *Dong gong XI*, from China; and *Mahâkâl*, from India.

FROM 2000 TO 2016

Luiz Inácio Lula da Silva is elected president in 2002, and after two terms ends his government with a high rate of approval among the population. With a campaign discourse based on continuity and expansion of social projects created in the previous administration, Dilma Rousseff becomes the first woman to occupy the office of President of Brazil.

An increase in cultural activities is observed in the 2000s, attributed to, among other factors, support initiatives such as the Theater Incentive Law, the Zé Renato Award, the Cultural Action Program – PROAC, as well as tax incentives. The Theater Incentive Law, for example, created in 2002, selects groups over a two-year period to receive grants for ongoing research. Thus, theater groups are encouraged to organize themselves into artistic centers with their own headquarters, such as Satyros and Parlapatões, who turn the Roosevelt Square in a theater hub.

Between 2001 and 2016, Sesc São Paulo opens many theaters in its units in the capital and inland cities in the state, thus expanding to meet the growing demand. An example was the Paulo Autran Theater, built in Sesc Pinheiros in 2004 to hold approximately one thousand spectators, and where American director Robert Wilson stages five plays: *Quartet,* in 2009; *Lulu* and *The Threepenny Opera*, in 2012; *The Lady of the Sea*, in 2013; and *The Old Woman*, in 2014.

The Sesc Anchieta Theater continues regularly to host international productions by celebrated stage directors and groups: Theodoros Terzopoulos, from Greece; Zbigniew Brzoza, from Poland; Anton Adassinski, from Russia; Watanabe Younosuke, from Japan; Regina Guimarães, from Portugal; Andreas Kriegenburg, from Germany; Peter Brook, from England; among many others. In addition, the production processes of the plays are discussed in seminars and workshops.

In 2005, with the support of Sesc São Paulo, the Ministry of Culture, headed at the time by musician and songwriter Gilberto Gil, holds the Year of France in Brazil, an event organized by the two governments to celebrate the cultural ties between both countries. Several cultural activities are presented in around eighty Brazilian cities. On that occasion, the Sesc Anchieta Theater welcomes, among other events, the monologue *La douleur*, by Marguerite Duras, performed by French actress Dominique Blanc and directed by Patrice Chéreau.

Preserving its character of a welcoming venue, the Sesc Anchieta Theater develops as a space with a diversified identity, resulting from the ongoing work of companies and directors interested in theatrical research. Sutil Companhia de Teatro, which developed a particular language based on experimentalism, presents in 2000 *A vida é cheia de som e fúria* (Life is Full of Sound and Fury), based on the novel *High Fidelity* by Nick

Hornby. Alongside the group's performances, Felipe Hirsch, one of its founders, directs in 2009 the actress Fernanda Montenegro in the play *Viver sem tempos mortos* (Living with no Dead Times) and, in 2016, presented *A tragédia latino-americana* (Latin American Tragedy) and *A comédia latino-americana* (Latin American Comedy), in partnership with the artist collective Ultralíricos.

Grupo Galpão, with a background in popular and street theater, reveals in its performances the results of work stemming from research into circus, music, farce and melodrama. The troupe stages at the Sesc Anchieta Theater *A Streetcar Named Desire*, 2001; *A Man's a Man*, 2006; *Nós* (Knots), 2016.

Besides group productions, the Sesc Anchieta Theater hosts the work of important stage directors. Sergio Ferrara directs, in 2001, *Mother Courage and Her Children*, starring Maria Alice Vergueiro and Companhia do Latão; Aderbal Freire-Filho stages four plays: *Cãocoisa e a coisa homem* (Dog Thing and the Thing Man), in 2002; *O que diz Molero* (What Molero Says), in 2004; *Dilúvio em tempos de seca* (Flood in Times of Drought), in 2005; and *O púcaro búlgaro* (The Bulgarian Scoop), in 2007. Ulysses Cruz stages adaptations of *The Glass Menagerie*, by Tennessee Williams, 2009; and *Through a Glass Darkly*, from the namesake film by Ingmar Bergman, in 2014; and Roberto Alvim adapts and directs Chico Buarque's novel *Leite derramado* (Spilt milk) in 2016.

Directly or indirectly, the Brazilian military dictatorship has been the subject of movies and plays. 2014 marks fifty years since President João Goulart, democratically elected, was deposed by the coup. With the aim of investigating cases of violations against human rights, such as torture, killings and disappearances, which occurred between 1946 and 1988, Dilma Rousseff sanctions in 2011 the law that establishes the National Truth Commission whose final report named 377 people responsible for tortures and deaths.

In 2016, the divided country watches Dilma Roussef's impeachment during her second term. Despite the celebration of part of the society, the legitimacy of this action is questioned by many Brazilians who do not see themselves represented by politicians who are mostly involved in corruption scandals.

The fact is that theater goes hand in hand with human events. The creation of shows based on great themes, and on political and social debates, makes the theatrical language a space for reflection and direct reaction to current matters. And, sure enough, Sesc Anchieta Theater is a place for ethical and aesthetical reverberation of the aspirations of an ever-changing society.

BEHIND THE CURTAIN

Throughout its history, the Sesc Anchieta Theater has hosted national and international shows, from classic to contemporary plays. By December 2016, over 600 plays for adult audiences had been staged. Such a feat stems from the pioneering spirit, courage and belief of a number of professionals willing to leave there a legacy. Listed below are some of the actors, groups, playwrights, directors and technicians who most often featured on the stage at the Sesc Anchieta Theater.

Grupo Galpão, from Belo Horizonte (Minas Gerais), was the company that staged the most plays, among them *Pequenos milagres* (Small Miracles), in 2007. Companhia do Latão stands out among groups from São Paulo with *A comédia do trabalho* (The Comedy of Labor), in 2000, among other plays.

Cleyde Yáconis, Lúcia Romano and Juliana Galdino are among the actresses that most performed on that stage. Among actors are Walter Portella, Geraldinho Mário da Silva, Emerson Danesi, Ney Piacentini, Roberto Audio and Luis Melo.

Nelson Rodrigues is the Brazilian author with the greatest number of plays staged, among the most important: *A falecida* (The Deceased Woman), 1988 and 1989 (in *Paraíso Zona Norte*); *Álbum de família*, 1984 (in *Nelson 2 Rodrigues*); *Os sete gatinhos* (The Seven Kittens), 1989 (also in *Paraíso Zona Norte*); *Senhora dos afogados* (Our Lady of the Drowned), 1986 and 2008; *Toda nudez sera castigada*, 1984 and 2012; *Vestido de noiva* (Bridal Gown), 1987 and 2000; *Viúva, porém honesta* (Widow, yet Honest), 1984, 1988 and 1997. Next comes Gianfrancesco Guarnieri with the following plays: *Botequim* (Tavern), 1973 e 1984; *Zumbi* (written with Augusto Boal), 1980; *O cimento* (The Cement), 1984; *Um grito parado no ar* (A Cry Suspended in the Air), 1986; and *Castro Alves pede passagem* (Make Way for Castro Alves), 1989.

At the international level are William Shakespeare plays and adaptations, such as: *Hamlet*, 1968, 1969 and 2007; *Romeo and Juliet*, 1984; *Macbeth*, 1992; *Anthony & Cleopatra*, staged by Moving Theater (England), 1995; *Twelfth Night*, staged by the company Cheek by Jowl (England/Russia), 2006. Plays staged during the Sesc Journey of Experimental Theater – Reviewing and Reflecting the Work of Shakespeare include, among others, *The Comedy of Errors*, *King Lear*, *The Tempest*.

Millôr Fernandes made his mark at the Sesc Anchieta Theater with translations such as *Who's Afraid of Virginia Woolf?*, 1978; *Bremen Freedom*, 1981; *The Cherry Orchard*, 1982; and *Phaedra*, 2010; besides adaptations like *A mulher de todos nós*, 1968; and

O homem do princípio ao fim (Man from Beginning to End), 1971 and 1972, written by Millôr himself, among others.

Antunes Filho directed the most plays, being responsible for staging the works developed by the Theater Research Center – CPT/Sesc. Among them are *Macunaíma*, 1984; *A hora e a vez de Augusto Matraga*, 1986; *Xica da Silva*, 1988; *Paraíso Zona Norte*, 1989; *Fragmentos troianos*, 1999; *Antigone*, 2005; *A Pedra do Reino* (The Stone of the Kingdom), 2006; *Senhora dos afogados*, 2008; *Our Town*, 2013. Another prominent director is Silnei Siqueira with *O defunto* (The Deceased), 1968; *Medeia*, 1970; *O evangelho segundo Zebedeu* (The Gospel According to Zebedee), 1970; *O santo e a porca*, 1971; *The Learned Ladies*, 1971, among other plays. Gabriel Villela completes the list with *A falecida*, 1988; *Vem buscar-me que ainda sou teu* (Come Get Me Cause I'm Still Yours), 1986 and 1990; *Life Is a Dream*, 1992, among others.

Davi de Brito was responsible for the lighting design of plays staged both by the Theater Research Center – CPT/Sesc and other directors and groups performing at the Sesc Anchieta Theater. His most prominent works are *Who's Afraid of Virginia Woolf?*, 1978; *Harold and Maude*, 1981; *Vem buscar-me que ainda sou teu*, 1990; *Os olhos cor de mel de James Dean* (The Honey-Colored Eyes of James Dean), 1994; *No tempo da apoteose* (The Time of Apotheosis), 1994; *Frida*, 1996; *Medeia*, 1997; *Mother Courage and her Children*, 2002.

In set design, J.C. Serroni has extensive experience working with CPT/Sesc, as well as with other professionals. His work includes the plays *A sagrada família* (The Holy Family), 1970; *Dias felizes* (Happy Days), 1996; *Suburbia*, 2001; *A terra prometida* (The Promised Land), 2001; *Mother Courage and her Children*, 2002, among others. Prominent names in music for theater include Maria Antonia Ferreira Teixeira, aka Tunica, and Raul Teixeira, who started his professional career at CPT/Sesc.

Analyzing its historical course, one sees that the Sesc Anchieta Theater was never a space destined for a particular type of show, or a certain kind of taste. It followed the political and social changes of the metropolis and the country, without getting tied down. Such is the case, for example, of the work of Thomas Gerald in *Eletra com Creta*, 1987; *Nowhere Man*, 1999; *Esperando Beckett* (Waiting for Beckett), 2001; *Terra em transe*, 2007; *Rainha mentira/Queen Liar*, 2007. Or of Brazilian musicals such as *Man of La Mancha*, 1972, directed by Flávio Rangel; and *Much Ado About Nothing*, by the group Clowns de Shakespeare, from Rio Grande do Norte, in 2005. Popular comedy was also represented in the productions by Parlapatões, Patifes & Paspalhões, such as *Sardanapalus*, in 1993; *U Fabuliô*, in 1996; *Pantagruel*, in 2001. There are also performances presented on stage and in the vicinities of the theater, especially *Letters from Rodez*, by Company Amok from Rio de Janeiro, performed in 1999 during the renovation of the theater.

The Sesc Anchieta Theater reveals its vitality in the transition from the 20th to the 21st century by encouraging artistic creation, supporting ideas and consolidating its vocation to foster artistic work. In affording possibilities, through technical quality and professionalism, for the production of national and foreign plays, its stage serves as an experimental laboratory that has welcomed (and still welcomes) some of the most important names of the performing arts, while the education of its audiences is defined by love for the theater.

Being also a literary genre, the theater can be *topos* (place) and utopia (no place); it can be ethereal like poetry and wound deeply through catharsis. However, in this case, it is a place that is an intrinsic part of the history of São Paulo. Invariably, like a static being, constituted in the permanency of concrete, it follows the socio-cultural movements, welcoming and revealing the manifestations of performing arts.

In the city of São Paulo, destined to be primarily identified by culture, with its mixture (typical of metropolises) of peoples, beliefs, ethnicities, constantly creating in new ways of interpreting the world, the Sesc Anchieta Theater took shape.

Proliferating rhizomatically with beautiful and astonishing randomness, like marine coral reefs in search of survival, this space works alongside society to create many other cultures that no longer represent the simple permanence of our species, but place us in a condition that goes beyond; a condition that allows us to recognize ourselves and develop as human beings.

Over its history, the Sesc Anchieta Theater could be the object of parental feeling, viewed as a child whose importance lies in its actual existence. However, its chronology, which was followed (and which continues) and is recorded herein to date, denotes the esteem it has built and is confirmed by the public.

May it be a concrete place, erected in a street; may it accompany the changes of the passing days; may it be a transitional cathartic passage; may it be light and stage, music, dance and dreams. The Anchieta Theater emerges as a character in the rich history of this city, immobile like a monument and volatile like a driving passion.

CHAPTER 3 – MEMORABLE NATIONAL PRODUCTIONS

OUTSTANDING PLAYS

In times of ostentatious productions, there are many who seek success at any price. From this perspective, success corresponds to a certain level of social standing which can vary in terms of endurance. Therefore, the quest for success implies a certain state of recognition which must be understood and faced.

Derived from the Latin word *sucessu*, the term is related to the act of penetrating the interior; a place in the interior that is penetrated; approach; arrival; the course of time; result. Triumph, seen as an act of conquest, guides behavior and ballasts the current meaning of the word.

Artistic production has always been prone to segmentation; however, in the 1980s, this was mainly employed to reduce the result of an artistic process to the condition of a mere commodity. The work of art, which results from a concrete social experience, full of conflicts, contradictions, enervations and struggles, expresses defeats and conquests of a historically determined social group. This set of characteristics equally concerns its reception. It might not win any awards nor figure among the outstanding productions of the year, nevertheless it may not be easily forgotten by the spectators. Thus, a work that is capable of mobilizing conformists, disturbing instituted ideas, penetrating and dislodging convictions, must be considered a success.

In this sense, the concept of success is employed here to refer to plays that live on in the memory of the professionals who helped to compose this book. In the interviews, the titles of certain plays were constantly repeated. Furthermore, to a certain extent, in terms of both production and prestige, the works listed below proposed a form of interlocution with the spectators and their time.

One can notice in this set of works the poetical, metaphorical and social pertinence of the texts; the employment and harmonization of diverse staging resources; an explicit esthetic viewpoint; the quality of the players' acting and the perception that they are not mere objects or stage props; and, finally, the fact that theater implies collective work par excellence.

Obviously there are also objective facts to estimate the extent of a play's success, such as how long it runs[14]; the full occupation of the venue's auditorium; the range, not always identical, of the critical commentaries it motivates; the likelihood of spectators remembering and considering the play unsettling; and the feelings aroused, both at the level of topics and related to the characters and at the level of esthetics.

The so-called successful shows staged at the Sesc Anchieta Theater comprise the abovementioned traits, ranging from sugary comedies (no pejorative connotation) and popular comedies to classic texts from diverse historical periods, experimental performances, among others.

A MORENINHA (1969)

The first great success at the Sesc Anchieta Theater is the play *A moreninha*[15] (The Little Brunette), adapted from the namesake novel by Joaquim Manuel de Macedo, inserted in the project The School Goes to the Theater, created by Miroel Silveira[16]. In charge of theatrical activities, on March 25, 1986 Silveira presents a proposal to the director and committee responsible for the unit's cultural programming. The proposal states explicitly that "the Anchieta Theater is destined for artistic events of high quality which are at the same time understandable to a broad audience, especially employees from the trade sector". The play was seen by over 20,000 spectators over a running period of seven months. Speaking of *A moreninha*, Miroel Silveira states that it is "[…] a text with deep Brazilian roots"[17].

The play was staged in a period of full dictatorship power, in which prior censorship of cultural productions was being implemented. *A moreninha* was not a work of a subversive nature which might rouse the population against the military. Nevertheless, Marília Pêra, who played the main character, relates:

---

14. Play runs have been reduced from four to six months to one month. It is essential to note that up to a certain period of the 1980s, most plays ran from Tuesday to Sunday, with two sessions on Saturday.
15. In 1944, Miroel Silveira cooperates in founding the theater company of actress Bibi Ferreira by adapting and staging *A moreninha*.
16. At that time he was a professor at the Theater Department of the School of Communications and Arts of the University of São Paulo (ECA/USP), among other positions.
17. Serviço Social do Comércio – Administração Regional no Estado de São Paulo, *Teatro Sesc Anchieta*, São Paulo, 1989, p. 45.

A moreninha premiered. I was the main character. […] At the time, I use to carry some letters here and there, forbidden material that we would hide… Following a section of the play, I was brushing my hair in the dressing-room when one of the staff said: "Two young men wish to see you." I came out, still brushing my hair. "How are you?" And they said: "You are under arrest." "Arrest?" "Arrest, 2nd Army Command." I said: "Can I get my things?" "Yes." I went back inside to a kind of balcony and said: "Zezé, Zezé [Motta, who was also in the play], for goodness sake, go and burn those papers. I'm being arrested." […] When I got to the Anchieta's backstage, I turned around. At the back of the auditorium there were many men carrying rifles and machine guns, and they came for me. I entered the police vehicle. It's a feeling of total helplessness… Marília Pêra, in interview.

HAMLET (1969-1970)

The production of William Shakespeare's *Hamlet*, directed by Flávio Rangel and with Walmor Chagas in the lead role, dialogues with the creators' intention of inserting Hamlet in the reality of 1969. In two running seasons it was seen by 10,000 spectators, fostering the first critical debates in the mainstream press.

Ophelia is the character that transports the author's hippy messages to a "tropicalist" apex, in an indescribable hymn of exaltation to flowers and love, as if her madness represented the attainment of total lysergic awareness, reflecting liberation even in her tatters. The leveling of social classes is located in the tête-à-tête between the prince and the gravedigger and between the prince and the black cast of players[18].

Flávio Rangel, the director, and Walmor Chagas, who plays the hero, spared no efforts to insert the play in the present, investigating the possible essence of contemporary man […] This Denmark, without losing its characteristics, is generalized with great authenticity and finesse, transforming itself, as Shakespeare intended, into a mirror of the world[19].

MEDEA (1970)

Founded in the 1940's in São Paulo, the company Grupo Universitário de Teatro – GUT started with a lecture on the author and the play, staged the performance and followed up by debating with the audience the different aspects of the play's context and historicity. Still quite shaken by the death of her sister, Cacilda Becker, on June 14, 1969, Cleyde Yáconis joins the production of *Medea* "[…] headlong, in order to survive the loss of Cacilda"[20] and decides that the performance should include lectures on the play, bringing to the audience the universe of Ancient Greece and of the author. The director Emilio Di Biasi and the professor and playwright Timochenco Wehbi are invited to develop the lectures to be given at schools that would attend the performance.

I chose to do Medea. I felt embraced by the Anchieta, because the theater was not merely a space. The Anchieta was more than that, it was a loving, welcoming space. You feel warm inside. As you feel so good, you enter the Anchieta to work in a happy mood, because people welcome you, not as an actor who is going to perform in a play, but as a human being. But they are also sensitive to each person's emotional needs. It is completely different. Cleyde Yáconis, in interview.

O SANTO E A PORCA (THE SAINT AND THE SOW) (1971)

Owing to the success achieved by the production of *Medea* and the importance of its experience, Cleyde Yáconis is invited to present a project involving the production of plays for three different types of audiences: *O gigante* (The Giant), by Walter Quaglia, for children; *O santo e a porca*, by Ariano Suassuna, for teenagers; and *Man Equals Man*, by Bertolt Brecht, for adults.

Of the three plays, Ariano Suassuna's text, initially aimed at an audience aged 12 to 17, is a tremendous success, with up to four sessions a day. Despite its popularity with students, who packed the afternoon sessions, the play is not well received by the theater critics.

I presented a project to occupy the three spaces, which was well received. It was crazy, beautiful: plays for children and teenagers, with debates. […] I think kids and teens have few leisure options. That's the reason for this tragic situation of sessions restricted to Friday, Saturday

---

18. A.C. Carvalho, "Hamlet, no Teatro Anchieta", *O Estado de S. Paulo*, São Paulo: December 14, 1969.
19. Sábato Magaldi, "Hamlet", *in*: Edla van Steen (org.), *op. cit.*, p. 113.

20. Cleyde Yáconis, in interview.

and Sunday. Because we don't take kids to the theater. We must take children and teenagers now, so they can become playgoers as adults. The theater must be part of the household budget: rent, school fees, etc. and leisure, theater. As I believe happens in the first world. Theater as a part of life, a basic need. Cleyde Yáconis, in interview.

PROMETHEUS BOUND (1971-1972)

According to the view of the Brazilian playwright Carlos Alberto Soffredini (1939-2001), the play seems to meander through complex discussions on authoritarianism in a symbolic way.

Aeschylus's tragedy had been a success at the IV Sesc Amateur Theater Festival and was chosen best play of the festival by the public. Thus, in 1972, it opens at Sesc Anchieta Theater. The production emphasizes Zeus's tyrannical oppression opposed to Prometheus's transforming rebelliousness, raising a critical debate of experimentalism and endeavoring to be a metaphorical and literal image of the historical moment. The production seems to revive the political aspect of experimentalism in a process that aspired to the coexistence of emotion and reason. "[…] Aeschylus's tragedy describes not only the suffering of Prometheus, but the revolt provoked by the arbitrary exercise of power[21]".

In the play's program, Carlos Alberto Soffredini writes:

It was necessary to view Prometheus not as a divine and unique being, but as a positive force which manifests and asserts itself, and grows – a positive force that gives, that summarizes the most natural impulses of mankind. This force, in the production, is red. And its antagonist is the Zeus force […] dominating, defending the status quo, oppressive, harsh. This force bounds the other, trying to prevent its growth: that is the foundation of everything.

A CAPITAL FEDERAL (THE FEDERAL CAPITAL) (1972)

Viewed by approximately 52,000 spectators, the play has a singular background concerning its production: Cleyde Yáconis was unsuccessfully looking for a text to stage. One night, after praying and asking Cacilda Becker, by then deceased, to guide her in this choice, she receives on the following morning, through the mail, a magazine with the photograph of her sister on the cover and Artur Azevedo's comedy inside.

About Flávio Rangel, the play's director, Cleyde Yáconis would affirm, in a restrained yet emotional interview account:

Like me, Flávio felt infinite tenderness towards the Anchieta. He worked with the technicians in perfect partnership. In those days, fifty years ago, there were no lighting or sound technicians… The director did everything, at times even designing the stage set and costumes. Flávio Rangel never raised his voice to a technician or actor who made a mistake. His tenderness was impressive. However, he was insolent, daring. So he had this duality, straightforwardness, human affection, he had much in common with Cacilda. Cleyde Yáconis, in interview.

MAN OF LA MANCHA (1972)

Man of La Mancha, a musical written by the American playwright Dale Wasserman (born in 1917), premiered at Broadway in 1965 to enormous success. Paulo Pontes and Flávio Rangel obtained the performance rights and reproduced it in Brazil. The original songs were preserved, with lyrics translated by Chico Buarque and Ruy Guerra.

The play portrays an episode in the life of the Spanish writer Miguel de Cervantes, who was also a tax collector. In the performance of his duties, Cervantes tries to collect taxes from a monastery and is imprisoned by the Inquisition. In prison, fellow prisoners gang up to rob his belongings, including the manuscript of *Don Quixote of La Mancha*. In order to defend himself, he proposes to stage his own trial with the help of the inmates. At the beginning of the process, however, he starts acting like his character Don Quixote: "The greatest madness is to see things as they really are, instead of seeing them as they should be", he says in *Man of La Mancha*.

LULU (1974)

Ademar Guerra is considered one of the greatest directors of Brazilian theater. Mariangela Alves de Lima states that "his plays were rational, well-organized around an idea, yet esthetically innovative. He managed to prove that beauty can also be found in clear, well-founded critical reasoning"[22].

---

21. Mariangela Alves de Lima, "Preocupação de criar impacto visual prejudicou Prometeu", *O Estado de S. Paulo*, São Paulo: January 9, 1972.

22. Mariangela Alves de Lima, "Presença", *Anuário de teatro de grupo da cidade de São Paulo – 2004*, São Paulo: Escritório das Artes, 2005, p. 10.

A STREETCAR NAMED DESIRE (1974-1975)

"Only Blanche Dubois could bring Eva Wilma back on-stage." Sábato Magaldi[23].

RÉVEILLON (1975)

Addressing the anesthetized banality of part of the Brazilian middle class, insensitive to the political struggles ravaging the country, its pathetic morality and the existential role to which it was relegated, the play portrays a family whose members interact through quasi-absurd dialogues and comical platitudes.

My character has written his autobiography and, at that moment, is searching for someone to whom he can dedicate his work. One day, I had the idea of looking through the names of people who had made reservations. When the book was dedicated to those people, the audience would suddenly start laughing. [...] That created an empathy with spectators and gave the character great rapport. It was also possible because the Anchieta offers that kind of hospitality, both for the audience and the actors, despite being a big theater. Even the architecture contributes to this hospitality. It was a very special moment, very successful, very joyful. Sérgio Mamberti, in interview.

More than representatives of a class destined to disappear, the play's characters are individuals obstinately searching for something of value to hold on to, even though they have opted for self-annihilation. This is a play in which what is left unsaid is precisely what is most essential[24].

O SANTO INQUÉRITO (THE HOLY INQUEST) (1977-1978)

Following on from *Réveillon* and taking into account the political situation in which the country was submerged in 1978, Regina Duarte stages the play by Dias Gomes, which is seen by approximately 30,000 people. The text addresses the process of persecution introduced in Brazil by the Portuguese Inquisition in the 17th century. The action follows the trial of a young girl, for whom a priest falls in love. Pervaded by past recollections, the play raises issues such as dogmatic authoritarianism and oppression, topics which were coming to the surface at the time.

A NONNA (THE GRANNY) (1980)

Written by the Argentinian playwright Roberto Cossa in 1977, the play depicts a family circle around "Nonna", the main character. The whole conflict is set in motion when the financial situation of the family reaches extreme poverty and, while searching for ways to overcome the problem, the family members unleash a series of interactions that are at the same time comical and tragic, leading the play to an unexpected ending. Commenting the play, Mariangela Alves de Lima says: "As a symbolic image, *A nonna* can be interpreted in infinite ways. On stage is the character of an ancient grandmother who destroys the fragile family finances with her insatiable voracity"[25].

Jefferson del Rios incorporates in his criticism the words of the director [Flávio Rangel] – who affirms that this is the most singular play he directed so far – and furthermore cites one of the director's thesis that says that if the play had been enacted three years earlier, quite a few people would probably have imagined *A Nonna* was a parable for the political repression of the time[26].

BENT (1981)

Bent is a play from 1979 written by Martin Sherman. The text focuses on the persecution of homosexuals in Nazi Germany.

The author wrote a play about homosexuals persecuted by the Nazis and confined in concentrations camps, but it goes beyond the fair defense of a minority, establishing itself as a symbol that dignifies human beings in adverse circumstances[27].

Added to text, Magaldi states that the play's great merit should be credited to Roberto Vignati's direction, the technical crew and the excellent actors.

---

23. Sábato Magaldi, "Só mesmo Blanche Dubois faria Eva Wilma voltar ao palco", *Jornal da Tarde*, São Paulo: April 26, 1974, p. 23.
24. Ilka Marinho Zanotto, "*Réveillon*, a fábula da desesperança", *O Estado de S. Paulo,* São Paulo: April 20, 1975, p. 19.
25. Mariangela Alves de Lima, "Exemplo raro de competência", *O Estado de S. Paulo*, São Paulo: May 1, 1980.
26. Jefferson del Rios, "Nonna, uma devoradora de mutas faces", *Folha de S.Paulo*, São Paulo: April 19, 1980.
27. Sábato Magaldi, "*Bent*, sem bandeiras além da dignidade humana", *Jornal da Tarde*, São Paulo.

VEM BUSCAR-ME QUE AINDA SOU TEU
(COME GET ME, I'M STILL YOURS) (1990-1991)

1990 was year of danger; nevertheless, the theater, stubborn and in its last breath, shook off the apathy and put on a season of quality, taking daring initiatives and establishing territorial boundaries[28].

LIFE IS A DREAM (1992)

After a few years away from Sesc Anchieta Theater, playing and producing successful plays, Regina Duarte returns with a classic text. With an exclusively female cast in a staging which used visual language inspired by Corpus Christi processions, the play tells the story of Prince Segismundo, whose mother, the Queen, dies after giving birth to him. All of the play's scenes are set on a flower carpet, with the characters continuously passing to and fro, as in a procession.

> For some plays now, the director [Gabriel Villela] has been attempting to establish a connection with the simplicity of the people. He has tried the circus, travelling players, melodrama. In order to achieve his goal, he was forced to go all the way and embrace fun and games. Villela had to take himself less seriously to move the audience. But none of this matters when the spectators open themselves up to the dream. The play by Calderón de la Barca, as staged by Gabriel Villela and played by Regina Duarte, is, above all, a great pleasure[29].

CERIMÔNIA DO ADEUS (FAREWELL CEREMONY) (1998)

> The text is a bluff, an excellent idea full of brilliant dialogue, but uncompleted due to the lack of theatrical craftsmanship and viewed by many as a masterpiece. *Cerimônia do adeus* is Ulysses Cruz's best work, a magnificent production in which, over and above formal mastery, he presents for the first time a clear worldview. [...] Cleyde Yáconis gives the best performance in the play. Intelligent and emotional, she plays Simone de Beauvoir with a sense of humor and femininity. With unique vitality, she dominates the stage and mesmerizes the audience[30].

A COMÉDIA DO TRABALHO
(THE COMEDY OF LABOR) (2000)

Between January and July 2000, Companhia do Latão held a series of theater workshops with the objective of debating the issue of labor in financial capitalism and producing a play on the topic.

On stage, the play's hybrid language incorporated news from the media and various interviews conducted by the group. The company's presence at the Sesc Anchieta Theater is significant, presenting six plays there, practically its whole repertoire. This reflects the tradition of that stage in keeping in step with the historical moment and society in which it is inserted.

> The play is set against a background of revolt, of protest. We show that there is a revolutionary power lying within social forces when they organize themselves or are on the brink of doing so[31].

> A fascinating and deep probe into the country's social and political reality, *A comédia do trabalho* incites pleasure and reflection in the audience with only five actors, who, from beginning to end, reveal talent and sensitivity[32].

> The play at the Sesc Anchieta Theater is a tragic comedy that sets the audience laughing, but with a bitter taste in their mouth[33].

SUBURBIA (2001)

With favorable reviews, the play attracts mainly adolescents who relate to its theme, staging concept, characters and dynamics.

> The play has merit in avoiding the trap of adaptation. By keeping the original information practically intact, the show is able to communicate efficiently with the audience. In other words, the best thing about the production is that instead of reinforcing the so-called "universal" character of the fable, it reinforces precisely its most local traits[34].

---

28. Marta Góes, "Encontro entre o risco e a qualidade", *Jornal da Tarde*, São Paulo: January 5, 1991.
29. Nelson de Sá, "*A vida é sonho* brinca com o público", *Folha de S.Paulo*, São Paulo.
30. Aimar Labaki, "Ulysses Cruz supera as falhas de *Cerimônia do adeus*", *Folha de S.Paulo*, São Paulo.
31. Sérgio de Carvalho, *Caderno de apontamentos* (Notebook), wrote in the critical theory workshop.
32. Fernando Peixoto, "Do riso no mundo selvagem", *Bravo!*, São Paulo: September, 2000.
33. Alberto Guzik, "A corrupção no palco do Sesc Anchieta", *Jornal da Tarde*, São Paulo: August 18, 2000.
34. Kil Abreu, "Montagem de *Subúrbia* digere o abandono", *Folha de S.Paulo*, São Paulo: January 27, 2001, p. E4.

PANTAGRUEL (2001-2002)

Aware of everything concerning the theatrical genre in question, Hugo Possolo states that scatology, guts and hunger are mainly at the root of farcical theater, as they comprise man's basic instincts and, for this reason, are at the base of the knowledge of the group itself.

The frank, popular humor – it is impressive how Alexandre Roit, Hugo Possolo and Raul Barreto establish such ongoing empathy and rapport with the audience – the refinement, interpretation and production quality, which is evident in the musical score, the costumes, the stage set, the lighting, modernizing or updating a classic comedy, make this an excellent show[35].

TARSILA (2003)

Small envies, strong resentment, contradictions, even character flaws cannot blur the passionate portrait of a generation that is vital for Brazilian culture. On the contrary: avoiding a didactic approach, erecting a vibrant bridge between the pre- and post-military regime generations, *Tarsila* fully proves its thesis that life is more important than posterity. Especially such shamelessly Brazilian lives[36].

With special delicacy, mindful of details that express personality as much as artistic choice, the play traces, for each one of the evoked artists, personality traits that bestow on the document the third dimension of fictional reality[37].

THE SEVEN STREAMS OF THE RIVER OTA (2003)

When the city of Hiroshima suffers the atomic bombing in 1945, a great part of the population throw themselves into the River Ota, which is divided into seven distributaries. On the following day, countless bodies are found lying on the river bed. That is why every year the city's inhabitants pay a tribute to the dead, lighting lanterns on its banks.

I knew I had before me a masterpiece, an unprecedented theatrical experience. For the first time, the theater transcended the stage, its technical limitations, to travel in time, in space, subliming with a magical touch the distance imposed by the authority of the theatrical production to come very close to each one of us. By traversing the last 50 years of the 20th century, this play reveals to us, with great poetry and delicacy, our moving insignificance and complex humanity[38].

INVISIBLE PEOPLE (2003)

In the works of Will Eisner, the protagonist is the metropolis, made up of a great mass of simple and lonely people who often struggle to socialize. The staging produced by Armazém Companhia de Teatro (founded in Paraná in 1987 and established in Rio de Janeiro in 1998) raises timely contemporary themes and presents an expressive scenic approach, inspired by stories of the master of the graphic novel such as *The Building, New York: the Big City, Dropsie Avenue, Will Eisner Reader, Spirit* and *A Contract with God*.

The play addresses the issue of urban loneliness. Will Eisner casts an intelligent eye on small lives with no significant events. His view is always compassionate. He conveys a prosaic and simple intensity which is never heroic[39].

MUCH ADO ABOUT ALMOST NOTHING (2005)

The adaptation of *Much Ado About Nothing*, by William Shakespeare, opened in 2003 and made its mark in many Brazilian festivals, earning national recognition for Companhia Clowns de Shakespeare, from Rio Grande do Norte. Co-directed by Fernando Yamamoto, of Clowns, and Eduardo Moreira, of Grupo Galpão (from Minas Gerais), the staging is characterized by unique musicality and joyful acting.

Competent in taking popular esthetics seriously, with live music and João Marcelino's carefully designed costume and stage set, without losing the irreverence uniting the Shakespearian jester and the Northeastern Brazilian clown, the group attracts the

---

35. Aguinaldo Ribeiro da Cunha, "Parlapatões está excelente em *Pantagruel*. O humor franco e popular do grupo enriquece o espetáculo, que é bem escrito e tem ótima direção", *Diário de S. Paulo*, São Paulo: December 12, 2001, p. D3.
36. Sérgio Salvia Coelho, "Vida suplanta posteridade em montagem", *Folha de S.Paulo,* São Paulo: March 22, 2003, p. E2.
37. Mariangela Alves de Lima, "Tarsila põe em cena lições de camaradagem", *O Estado de S.Paulo*, São Paulo: April 4, 2003, p. D6.

38. Susana Chile, "Todas as artes na vida de uma só produtora", *O Estado de S. Paulo*, São Paulo: June 3, 2003.
39. Marici Salomão, "A tradição renovada", *Bravo!*, São Paulo: July 16, 2003.

country's attention to Natal. After this *Much Ado…*, let there be no silence: much can be expected from Clowns de Shakespeare. This group must be given free reigns[40].

I do not […] mean to say that the staging is not "faithful" to the bard's work. On the contrary: it captures its wit, the irony behind the social function of each one, not taking them too seriously, especially as the characters don't take themselves seriously. The poet's refined criticism of human flaws is there. As are the dirty tricks of one and the possible grandeur of the other. But it is all wonderfully seasoned with Northeastern spice[41].

CENTRO NERVOSO (NERVE CENTER) (2006)

With a specially picked cast, and written and directed by Fernando Bonassi, *Centro nervoso* presents 13 monologues for four actors on urban daily life, violent and unjust. At the opening of the play we have: "For sale: a warning cry, a scheduled appointment with sin, a screamed scream to awaken the senses."

PEQUENOS MILAGRES (SMALL MIRACLES) (2007)

To celebrate its 25th anniversary, Grupo Galpão created the campaign *Tell Your Story*. Based on true facts, the accounts had to contain a "small miracle". The group received over 600 stories through letters and emails, four of which were selected: *Cabeça de cachorro* (Dog's Head), *O pracinha da FEB* (The Expeditionary Force Recruit), *O vestido* (The Dress) and *Casal náufrago* (Shipwrecked Couple).

After requesting Brazilians to submit their stories, Grupo Galpão returns them as scenic poetry, thus making the stage fulfill its ultimate aim – to be a mirror of the people of its time[42].

A MORATÓRIA (THE DEFAULT) (2008)

The great São Paulo author Jorge Andrade composed a drama in 1954 which is now restaged by Grupo Tapa. Directed by Eduardo Tolentino de Araújo, the production shows that good theater has no need for effects. This can be seen in the details, such as the subtle double-plane setting – past and present – in a single stage set, which is the opposite of what the text prescribes. Zécarlos Machado leads the cast of six players. In the role of a farmer hit by the coffee crop crisis of the 1930s who loses both land and authority, he portrays precise bitterness. He cannot accept the compliance of his son (played by Augusto Zacchi) nor the efforts of his first-born daughter (Paloma Galasso) to support the household[43].

The text has been substantially altered, which is not something Tapa normally does; their premise is unconditional respect for the author. However, here they cut the equivalent of 30 minutes of script and rearranged scenes, without undermining Andrade's sophisticated language[44].

VIVER SEM TEMPOS MORTOS (LIVING WITH NO DEAD TIMES) (2009)

In this monologue, Fernanda Montenegro interprets texts by Simone de Beauvoir extracted from autobiographical notes and letters exchanged between the writer and her partner Jean-Paul Sartre. At a certain stage of the play we have the following:

The impression I have is that I have not grown old, even though I am invested in old age. Time cannot be accomplished. Provisionally, time has stopped for me… provisionally! But I do not ignore the threats posed by the future, as I do not ignore that it is my past that defines my opening to the future. My past is the reference that projects me and which I must surpass. Therefore, to my past I owe my knowledge and my ignorance, my needs, my relationships, my culture and my body. What kind of space does my past allow to my current liberty? I am not its slave. What I've always wanted is to communicate in a straightforward way the taste of my life, nothing but the taste of my life. I believe I have done that; I have lived in a man's world safeguarding within myself the best of my femininity. I have never desired nor desire now anything beyond living without dead times.

---

40. Sérgio Salvia Coelho, "Grupo se consagra com releitura alegre de Shakespeare", *Folha de S.Paulo*, São Paulo: October 4, 2005, p. E1.
41. Sebastião Milaré, "Muito barulho por quase nada". Available at: <www.antaprofana.com.br/materia_atual.asp?mat=220>. Accessed on: January 20, 2015.
42. Beth Néspoli, "Galpão estreia a peça *Pequenos Milagres* no Teatro Anchieta", *O Estado de S. Paulo*, São Paulo: August 2, 2007.
43. Dirceu Alves Jr., "Resenha por Dirceu Alves Jr.". Available at: <vejasp.abril.com.br/atracao/a-moratoria>. Accessed on: January 20th, 2015.
44. Walmir Santos, "Tapa reencontra Jorge Andrade". Available at: <www1.folha.uol.com.br/fsp/ilustrad/fq2102200824.htm>. Accessed on: January 20, 2015.

Maria Eugênia de Menezes emphasizes, in 'Duas gigantes num encontro minimalista' (Two Giant Women in a Minimalist Encounter).

> Fernanda Montenegro starts off by saying what not to expect from the play about Simone de Beauvoir, […] so you know what is coming: no histrionic gestures, no caricatural grimaces, not a shadow of a French accent. To portray the figure of mademoiselle Beauvoir, the controversial writer and companion of Jean-Paul Sartre, the actress has excelled in simplicity[45].

MARY STUART (2009)

Julia Lemmertz and Lígia Cortez play the rival queens Mary Stuart of Scotland and Elizabeth I of England in a staging directed by Antonio Gilberto, adapted from the translation by Manuel Bandeira.

> Antonio Gilberto's staging brings the text to the foreground, in the beautiful translation by Manuel Bandeira. He is aided in this by the brilliant contribution of Hélio Eichbauer's art direction. The scenographer simplifies to the utmost the set, marking it off with a red carpet and filling it with just a raised platform, a throne and a chest, all of light-colored untreated wood. The effect created by the contrast between these few elements against a dark backdrop and Tomás Ribas's precise lighting is extraordinary[46].

RECORDAR É VIVER (REMEMBERING IS LIVING) (2011)

A family drama which takes place in the early 1990s in a middle class neighbourhood in Rio de Janeiro. The text was written by Hélio Sussekind and the play was directed by Edurado Tolentino de Araújo.

Married for over 50 years, Alberto [Sérgio Britto] and Ana [Suely Franco] live in a conflicting relationship with their youngest son, who, at the age of 30, still depends on them to live. Outraged, the oldest brother criticizes the protectionist attitude of the parents and blames them for the lack of motivation of his brother. Sérgio Britto outlines in the program: "To remember is to live, that is the every-day life of a Rio de Janeiro family. They love each other, fight all the time, living a daily existence which bring them close to a very palpable reality".

LITTLE REMAINS TO BE TOLD (2011)

A project interposing short plays and performances, with the scripts of *Catastrophe*, *Act Without Words 2* and *Endgame* translated by theater critic Bárbara Heliodora. In *Endgame*, for example, three boxes stand on the stage. On each box is a head – a man and two women. The play humorously presents the story of a love triangle. Each one of the characters tells his or her version of the same facts. An inquisitive spotlight determines who speaks and when. The lines are spoken rapidly. Concerning this part of the play, Jean-Claude Bernardet tells us:

> […] the three characters spew out the dialogue, following the playwright's [Samuel Beckett] stage directions projected on a screen during the play. This rapid speech requires a deep breath to deliver as much script as possible until it is exhausted, when small pause then allows further breathing (after all, actors are only human)[47].

LETTER TO HIS FATHER (2013)

With fragments from the homonymous work by Franz Kafka, which never reached its recipient and became a classic of world literature, *Letter to His Father* marks the 45-year milestone in the career of Denise Stoklos.

> In her new play *Letter to His Father*, Stoklos and her "essential theater" once more embrace "everything": particular and general, singular and universal, beginning and end, horizontal and vertical. The play's experience is something akin to privation with plenty, pleasure with pain, ugliness with beauty, horror with joy, reasoning with body. It is all there: literature, philosophy, psychoanalysis, theater, dance, drawing, word and silence. That might sound abstract, but that is how I saw the play. That is how I saw the world of Kafka through the lenses of Stoklos[48].

---

45. Maria Eugênia de Menezes, "Duas gigantes num encontro minimalista". Available at: <www1.folha.uol.com.br/guia/te2203200901.shtml>. Accessed on: January 20, 2015.

46. Luis Fernando Ramos, "Bom espetáculo dá brilho a texto extenso e rebuscado de Schiller". Available at: <www1.folha.uol.com.br/fsp/ilustrad/fq1510200911.htm>. Accessed on: January 20, 2015.

47. Jean-Claude Bernardet, "Resta pouco a dizer". Available at: <http://jcbernardet.blog.uol.com.br/arch2011-01-09_2011-01-15.html>. Accessed on: January 20, 2015.

48. Márcia Tiburi, "*Carta ao Pai*, Denise Stoklos". Available at: <http://revistacult.uol.com.br/home/2013/08/carta-ao-pai-denise-stoklos>. Accessed on: January 20, 2015.

ENTREDENTES (CLENCHED TEETH) (2014)

Almost two decades on, the intrepid duo formed by Ney Latorraca and Gerald Thomas is reunited in *Entredentes*. [...] "A radical Islamist and an orthodox Jew meet at the Wailing Wall in Jerusalem. That's when it all starts!", summarizes Thomas. Latorraca plays a medium alongside actors Edi Botelho and Maria de Lima. Thomas's open script allows for the insertion of breaking world news in the dialogue of the characters, not coincidently named Ney, Didi and Maria[49].

BEIJE MINHA LÁPIDE (KISS MY TOMBSTONE) (2015)

Scripted by Jô Bilac and with a remarkable performance by Marco Nanini in the role of Bala, a bisexual writer in love with Oscar Wilde, *Beije minha lápide* raises current issues of prejudice and moral judgment. According to Lionel Fischer, in the play's program:

> Well written, featuring great characters and action that holds the spectator's attention throughout the entire performance, *Beije minha lápide* has been granted an excellent stage version by Bel Garcia. Exploiting with extreme sensitivity the full range of expressive possibilities afforded by Daniela Thomas's wonderful set design (mainly centered around a cube in which the protagonist is enclosed), the director successfully enhances all emotional moods at stake, using stage markings as unpredictable as they are creative, besides getting irreproachable performances out of the cast.

KRUM (2015)

Krum is a young man who returns to his homeland after some time wandering around Europe. The reunion with his mother and his closest relatives brings back the same oppression of poverty and of the trivial problems of everyday life. Written by the Israeli dramatist Hanoch Levin in 1970, *Krum* was adapted by Marcio Abreu and Nadja Naira for the present day. According to Abreu, who also directs the play:

The nowhere place Krum comes from, the same old place, from where he has never left, that is where the director establishes the setting, in which the body is covered in "a mask of suffering" that one day will become "a thick layer of gray." The tribute to one of the dead, in the ceremony of ashes, is of breathtaking beauty. The blackboard of this emptiness of how to situate oneself is occupied by the grouping of the cast into shapes that move about like living stage sets, dialoguing with the small voices of those who have nothing left to hope for[50].

A TRAGÉDIA LATINO-AMERICANA E A COMÉDIA LATINO-AMERICANA (THE LATIN AMERICAN TRAGEDY AND THE LATIN AMERICAN COMEDY) (2016)

A project conceived by director Felipe Hirsch and the group Coletivo Ultralíricos, the diptych *A tragédia latino-americana* and *A comédia latino-americana* addresses the sociopolitical situation of this immense and diverse continent, interspersed with literature and music. In the show's program, director and playwright Ruy Filho alludes to the concrete wall that we Brazilians have preserved over the centuries, separating that place of which we are part, organically and historically:

> We have constructed a state of solitude so profound it is capable of annulling an entire continent, while labeling ourselves a continent made by and sufficient in itself. By not looking sideways, Brazil loses the complexity which exists solely in the deeper belonging within human history. Hence the urgency of these two complementary shows [...]. The tragedy is somewhat comical, as the comedy is tragic. After all, does anyone risk dissociating them when talking about this somewhere that we are, and so radically paradoxical? We must accept our peculiarity. "Our" here means assuming ourselves as part, integrant, *hermanos* of our brothers[51].

LEITE DERRAMADO (SPILT MILK) (2016)

A stage adaptation by Roberto Alvim of Chico Buarque's homonymous novel, *Leite derramado* sketches an overview of Brazilian history through the reminiscences and reveries of

---

49. Dirceu Alves Jr., "O reencontro de Ney Latorraca e Gerald Thomas em *Entredentes*, que estreia em abril no Teatro Anchieta". Available at: <http://vejasp.abril.com.br/blogs/dirceu-alves-jr/2014/03/17/ney-latorraca-gerald-thomas-entredentes-sesc>. Accessed on: January 20, 2015.

50. Macksen Luiz, "Vindo de lugar nenhum", *O Globo*, Rio de Janeiro: March 17, 2015.

51. Ruy Filho, *Construções e desconstruções*. Essay included in the play's program, São Paulo: 2016, s/p.

Eulálio D'Assumpção, the centenarian protagonist lying at death's door in the corridor of a public hospital.

> the script proposes with boldness and daring an interpretation of the protagonist that the novel at no time authorizes the reader to make. Before the curtain falls, Eulálio Montenegro D'Assumpção assumes his condition of a poor wretch for whom the delusions of greatness, vividly conjured up to that moment, made up for the condition of cruel anonymity which he, like all poor Brazilians, is fated to live[52].

---

52. Welington Andrade, *Leite derramado: mise en abyme do desvario*. Essay included in the play's program, São Paulo: 2016, p. 25.

CHAPTER 4 – ANTUNES FILHO AND THE CREATION OF THE CENTRO DE PESQUISA TEATRAL – CPT (THEATER RESEARCH CENTER)

FROM ANTECEDENTS TO REALIZATION

[…] I love representation, I love metaphor – my juvenile perception yearning to embrace the whole world expanded in adulthood.

Antunes Filho

Research documents show that from the outset of the debate over the possibility of having a resident theater group at Sesc Vila Nova, the main concerns were related to accessibility and also the quality of the productions. The concept of esthetic quality relates to the excellence of experimentation, the choice of the texts and the depuration of the productions, emphasizing the actors' work. Antunes Filho was a renowned director and Grupo Macunaíma, a cooperative group formed in 1977, had a repertoire that included the plays *Macunaíma*, staged in 1978, adapted from the homonymous book by Mário de Andrade, and also *Nelson Rodrigues, o eterno retorno* (Nelson Rodrigues – the Eternal Return), based on four texts by that author.

Thus, a committee is installed[53] formed by Carlos Alberto Rampone, Carlos Lupinacci Pinto, Domingos Barbosa da Rocha, Erivelto Busto Garcia, Maria Theodora Arantes, Anibal Luis Magni, Francisco Penteado Millan, and Liliana De Fiori Pereira de Melo. Its objective is to examine the conditions for hiring Antunes Filho and accommodating his theater group, inasmuch as "[…] the stage director is offering his services and renowned professional experience for the execution of this project." Coordinated by Rampone, the committee's duties were to:

- conduct studies to define, organize and budget for the project;
- determine the conditions for hiring stage director Antunes Filho (highlighting his responsibilities towards the project);
- supervise the implementation of the project and assess its results.

Grupo Macunaíma is chosen based on the requirements presented by the work team, who, within the stipulated timeframe, presents a document divided into three sections: "Situation Framework," "Values Framework" and "Objectives and Means."

Generally speaking, following a commentary on the difficulties of the early 1980s, the document alludes to the cooperative format[54] assumed by certain groups in those days. Among those adopting this proposition were the cooperative collectives Asdrúbal Trouxe o Trombone, Pessoal do Victor and also Grupo Macunaíma. Pointing out the serious problems faced by groups whose experimental nature pushed them to the fringes, the document concludes recommending the insertion of the group and the hiring of Antunes Filho stating clearly the interest of Sesc in presenting productions of high quality, accessible to all, and adding that:

> […] the higher the level of productions fostered by Sesc, the more other cultural agents will feel the need to raise their own level.

> The anticipation of future conquests at the Sesc Anchieta Theater will take on new meanings if it is able to establish itself as a venue of experimentalism, creativity and innovation […] a pioneering movement with a relevant social and democratizing scope of theatrical practice[55].

As to the objectives presented for this new phase, they include fostering activities that contribute to the debate on Brazilian theater production, providing criteria for the improvement of that socio-cultural reality; approaching theater from a Brazilian cultural, social and economic perspective; training actors and technicians via a pedagogical process committed to the production of plays; promoting the cultural activities of a venue where new theater trends are shown and debated through a schedule of important events, bringing together spectators, actors, authors and plays.

> *Antunes Filho has access to all the necessary infrastructure to create his brilliant productions. […] I made a point of giving him all*

---

53. Through a job order dated March 31, 1982, signed by the director of the Sesc São Paulo Regional Department at the time, Renato Requixa.

54. It should be noted that Cooperativa Paulista de Teatro is founded in 1979, initially composed by certain collectives. For further information, see Alexandre Mate, *30 anos da Cooperativa Paulista de Teatro*, São Paulo: Imprensa Oficial do Estado, 2009.

55. Serviço Social do Comércio – Administração Regional no Estado de São Paulo, *Ordem de Serviço* [Service Order], São Paulo: 1982.

the support he needed to develop his work: absolutely singular and exceptional. […] In my opinion, having him at Sesc Consolação is more than justified. First of all, because he is an extraordinary director. […] Second, Antunes's action has a powerful instructive trait. And that is essential for Sesc. Because our actions must always have this educational trait. Antunes has an ethical component, he has a component which is totally linked to an institutional proposal; he combines that brilliantly. Danilo Santos de Miranda, in interview.

Once the hiring procedures at Sesc are completed, Antunes Filho expresses some of his concerns related to the work to be developed at the Theater Research Center – CPT, such as staging plays founded on the Brazilian people and their reality and developing a work method which will enable the training of Brazilian actors[56].

With relation to the influences and experimental character of a wide spectrum of the creative work of Antunes Filho, countless "explanations" are proposed.

I watched, together with Antunes, [the play by] Bob Wilson. I remember that we were fascinated by what we saw. […] I recall walking through the streets in downtown São Paulo and Antunes declaring that his life would change, that he wanted to do a different kind of work. He would work with non-professional actors. That was in 1974. I believe that was, to a certain extent, the germinating moment for the CPT. Bob Wilson was essential for both Antunes and me. Sérgio Mamberti, in interview.

PLAYS STAGED BY THE CPT AT THE SESC ANCHIETA THEATER

Since its inception, the CPT proposed to create a repertory theater which would stage one play per week, in permanent rotation. This project comes into being with the staging of three plays: *Romeo and Juliet*, alternating with the plays *Nelson 2 Rodrigues* and *Macunaíma*, produced by the CPT and Grupo de Teatro Macunaíma.

The first practical results, therefore, were a synthesis of the work in theoretical research, the significant resources available and the development by the CPT of an actor-oriented methodology.

---

56. Sebastião Milaré, in *Hierofania: o teatro segundo Antunes Filho* (São Paulo: Edições Sesc, 2010), details, 28 years after the foundation of the CPT, this path obstinately followed by Antunes with the collaboration of the various actors and actresses who took part in the creation processes at the CPT.

ROMEO AND JULIET

Romeo and Juliet, in 1984, is the first CPT production, inaugurating the three-play rotation.

The first contact I had with Shakespeare's work was the movie Romeo and Juliet, *starred by Leslie Howard and Norma Shearer, at the Paulistano Movie Theater. A mere boy, I left the theater in a daze. A feeling I occasionally still have. A feeling of having come away from a conversation with a hypnotic guru: "Now you must look up master so and so in India." And off you go. After a few Vedic readings and some mantra-humming, the Indian master tells you to return to Europe, to alchemic Prague, in search of further transcendental knowledge. And thus, successively, trip after trip, you slowly acquire knowledge. I have learnt that it is not the gurus who open our minds, but rather the travels they propose. Shakespeare is a synthesis of all gurus and all extraordinary voyages.* Antunes Filho, in interview.

I was enraptured. Knowing that I had also helped a brilliant artist to materialize his full esthetic-artistic conception filled me with pride. Antunes's esthetic solutions have great impact. […] The war between the Capulets and Montagues is unforgettable. Colored balls crossing from one wing to the other, a completely empty stage. I reckon that "marvelous" is an appropriate adjective for what Antunes Filho has created over so many years. Danilo Santos de Miranda, in interview.

Most *Romeo and Juliet* productions tend to emphasize the volubility of the romantic relationship between the two protagonists, rather than authentic love. Antunes Filho has always shown an interest in the mythical character of eternal love. Preserving the prologue and taking the love drive as the narrative's most manifest value, the production seems also intent on addressing the issues of repression and authoritarianism. Therefore, the love of Romeo and Juliet goes beyond idealized romance to also characterize itself as an act of subversion against the status quo.

Without misrepresenting the story's meaning and sequence, he stripped the script of everything that was not absolutely indispensible. […] A full rendering of the original text would have required a different staging concept, hardly achieving the same results. […] The quest for the essential determined this divesting process, which is also a mark of Macunaíma *and* Nelson Rodrigues, o eterno retorno. *The bare, black stage has multiple scenographic purposes, for the actors bring the place of action within themselves*[57].

---

57. Sábato Magaldi, "Romeu e Julieta", in: Edla van Steen (org.), *op. cit*, p. 1.027.

MACUNAÍMA

In a process started in 1977, by what was then Grupo Pau Brasil, the first adaptation of *Macunaíma* ran for almost five hours. Starting out from Mário de Andrade's anthological work, the show draws on imaginative theatricality and collective creation procedures. The result is a work of great impact, mentioned in countless publications worldwide. There are approximately 900 performances in Brazil and abroad, and the play figures in the repertoire of the CPT (undergoing various changes) until 1987.

> [...] The importance of *Macunaíma* was prodigious. We were fully aware of the show's importance, as in a world soccer championship. [...] *Macunaíma* represented Brazil, Mário de Andrade, our culture, our folklore. [...] If, according to official history, we had been discovered by the Portuguese, at that moment we were showing what we had done with that discovery. We were showing inventiveness, poetry, breathtaking images! [...] In those days, the body was a sign, a metaphor, so Antunes devised a scene in which a blonde, naked, long-haired woman, holding a water basin, turned into a waterfall to the music of Villa-Lobos. It was a powerful image. We would enter as statues, after passing through a pool of talcum powder. Beautiful marble women, countless women. We totaled 25 actors on stage, aged 19 to 21. [...] It was an incredible experience, very mature and very poignant. Solid! What tremendous intuition Antunes had and still has! Lígia Cortez, in interview.

NELSON 2 RODRIGUES

Antunes Filho's previous production based on the work of Nelson Rodrigues, *Nelson Rodrigues, o eterno retorno*, included the plays *A falecida* (The Deceased Woman), *Os sete gatinhos* (The Seven Kittens), *Álbum de família* (Family Album) and *Toda nudez será castigada* (All Nudity Shall Be Punished). The new version, *Nelson 2 Rodrigues*, focuses on two of them, *Álbum de família* and *Toda nudez será castigada*, allowing a deeper and newer perception of the playwright's work.

Opting for a sophisticated yet simple production, Antunes Filho uses a bare minimum of set props and clads the cast in black and white, keeping them on stage as a chorus composed of passive witnesses to the tragic events involving both families.

> The simplicity emphasizes the balance to the benefit of the poetic. The choreographic design binds the episodes in a dynamic rhythm, emphasizing the pauses, to request the audience's inner world. Rodrigues's violence ceases to congeal in form, transfigured into pure aesthetic expression[58].

A HORA E A VEZ DE AUGUSTO MATRAGA (THE HOUR AND TURN OF AUGUSTO MATRAGA)

Adapted from the story by Guimarães Rosa, the play features the errancy or the journey of a man marked by the injustices that oppress the Brazilian people. This man, who represents a strict allegory of totality, struggles "[...] against the mesh of the Brazilian social fabric – pursued and constructed in pain, but also in joy, in the encounter with the ideology of the sacred and in the search for identity – his hour and his turn". Nhô Augusto's wife runs off with another man and takes their daughter with her, adding shame to the loss of all his possessions. Renouncing vengeance but not honor, Nhô Augusto chooses to be Matraga: a man capable of acting with courage, fairness, fraternity and compassion. Maria Sylvia de Carvalho writes in the play's program:

> What is unraveled from the varied account of situations is, simply, the creation of man, with man himself at the core of this mystery. Guimarães Rosa privileges, in his character's actions, an active awareness: Matraga is not a fragment of nature, subjected to its laws, but someone who conducts his life guided by the idea of freedom. In the ascetic phase, he is nurtured by a strict loneliness that excludes the world and God as principles of morality. He denies one to identify himself with the other. He aims at perfection, a divine attribute, leaving unaddressed the essential difference between creature and creator. In the following phase, rather than man being raised up to God, it is the latter that is identified with the abjuration of Christian faith. It is an extra-divine ethic that guides him to a fair conciliation between happiness and virtue.

VELHOS MARINHEIROS (HOME IS THE SAILOR)

The book *Velhos marinheiros*, by Jorge Amado, is composed of two short novellas. *A morte e a morte de Quincas Berro D'Água* (The Double Death of Quincas Water-Bray) narrates the feud between the family of the deceased Quincas, trying to preserve his memory, and his drinking companions, who hold a spree for his deathwatch that ends up in the sea, where they bury him as a

---

58. Idem, "Nelson 2 Rodrigues", *in*: Edla van Steen (org.), *op. cit.*, p. 1.041.

sailor. The second novella, *A completa verdade sobre as discutidas aventuras do comandante Vasco Moscoso de Aragão, capitão de longo curso* (The Complete Truth about the Controversial Adventures of Commander Vasco Moscoso de Aragão, Long-Distance Captain) tells the story of the commander who, summoned to Belém to replace the captain of a ship, is assaulted by the crew, who do not accept him. In the play's program, Ulysses Cruz writes:

> Jorge Amado, a materialist who believes in miracles and a master of the implausible novel, has given us works of unsurpassed lyrical beauty, wildly glowing with poetry. [...] has become, in more than fifty years of activity, the greatest literary personality of a country where books are still luxury articles. Translated in dozens of countries, his books, variations of the same theme – powerful are the people – are increasingly adapted to cinema and theater as years go by.

> One day, Antunes came up with the idea: "Let's stage a Jorge Amado story here at the CPT! We've done Mário, Nelson, Ariano. We're missing Jorge Amado." That's how it started. [...] It was Walderez Cardoso Gomes who pointed out that *Os velhos marinheiros* was the work we were looking for. The two lovely stories set in the old Bahia harbor had more than enough ingredients for a play that was both amusing and representative of the author's ideas. [...] By September we were already halfway through an almost ten-hour play.

ROSA DE CABRIÚNA

Márcia Medina, in the play's program, outlines the most striking features of this production:

> *Rosa de Cabriúna,* adapted by Luís Alberto de Abreu, for the Alice Project, from the novel by the artist José Antonio da Silva, is our first work at the Centro de Pesquisa Teatral. For three years we debated how best to transport to the stage Rosa's unfortunate passion and her rustic world. It is a universe of an infinite sociological and philosophical character, as there is as much poetry in the tranquil routine of a Southeastern hillbilly as in the harsh life of the arid Northeast region, where killing and dying are one and the same. This production stems from an initial learning process at the CPT, where art is perceived as social contribution and achieved through a constant practice of challenging ideas and concepts, in a thorough and dedicated study of self-knowledge.

XICA DA SILVA

Xica da Silva narrates the story of a former slave who succeeds in building an illusory empire in Brazil in full colonial times. According to the play's program, the work addresses one of the issues at the roots of Brazilian socio-political and cultural formation, "[...] portraying the relationship between the black slaves and their Portuguese masters in terms of class conflict." In a very explicit way, the rise of Xica is perceived in the representation that "[...] blacks and mulattoes have of their lives a romanced and fantastical representation based on a worldview of their own", contrasting with the "reality", which shows the character's downfall.

PARAÍSO ZONA NORTE (PARADISE NORTH ZONE)

Plunging yet again into the universe of Nelson Rodrigues, Antunes Filho creates a new performance based on the plays *A falecida* and *Os sete gatinhos*, allegorizing the North Zone of Rio de Janeiro as a utopian time-space dimension. According to Sábato Magaldi, in the play's program:

> I believe Nelson Rodrigues would have approved the title *Paraíso Zona Norte*, given by Antunes Filho to the show composed by his plays *A falecida* and *Os sete gatinhos*. It synthesizes appropriately the spirit of the "Rio de Janeiro tragedies" and could be extended to the other six plays that are characteristic of this genre. Rio de Janeiro's North Zone is not only the privileged setting of these stories, but also symbolizes the routine of the less favored classes with their survival problems, soccer, failing health, prosaism – the insignificant life of the victims of all kinds of social injustices. Paradise, therefore, is used in an ironic sense, to which is largely added the contrast of the transcendence that cannot be separated from the humble and bitter destiny.

> The staging is no way picturesque or typical of Rio de Janeiro. The inspired stage set designed by J.C. Serroni is an immense cabinet of translucent material, forming a kind of abandoned subway station. [...] In a bold approach, it translates the wavering world of the characters into fragmented, unnatural gestures. This results in a grotesque ballet of uncommonly beautiful forms and intense expressiveness. The characters seem to be caricatures of themselves, figures on the brink of dissolution. Like the universe of Nelson Rodrigues, always on the brink of dissolution[59].

---

59. Alberto Guzik, "*Paraíso Zona Norte*. Extremamente perturbador", *Jornal da Tarde*, São Paulo: April 28, 1989, p. 14.

Antunes Filho always opposed those who considered Nelson Rodrigues a minor author and also those who staged his work as comedies of manners, emphasizing the colors and manners typical of Rio de Janeiro.

I love Nelson Rodrigues, because when you starting reading him, it all feels extravagant, awkward. But once you start entering his universe, his irrationality makes incredible poetical sense. What is Nelson Rodrigues to others? That's it, his irrationality makes incredible poetical sense. That summarizes Nelson Rodrigues. Many people want to turn him into a regional author, typical of Rio de Janeiro, because he talks about Rio and its inhabitants, but that doesn't matter, he goes beyond everything, beyond regional limits, like Guimarães Rosa. [...] He is miles away, you are immersed in an alchemy of his process of individuation, of his insanity, his esotericism, yet that doesn't mean he isn't the country's greatest regional author. Because Guimarães Rosa is a genius, and so is Nelson Rodrigues. He is the best regionalist in terms of situating Rio de Janeiro, but not for the city itself, for what it was, and that's when Rio de Janeiro emerges, its local traits emerge. [...] If you read it this way it sounds superficial. You must read it like that, its abysses, its poetical abysses. That's what I want, what I'm looking for, these archetypes, I'm always in search of the archetype, because it comes from my unconscious. Antunes Filho, in interview.

Besides the revival of previously staged plays, another new feature is the wonderful stage set designed by J.C. Serroni, an ambiance which is not clearly defined, suggesting two different settings to the audience: a train station and a bubble. Also contributing to the beauty of the performance is the lighting by the German artist Max Keller, who was invited to Brazil especially to work on this play.

Antunes noticed that the essential point in *A falecida* is the tragic dimension Nelson Rodrigues gives to a petty and insignificant universe; likewise, in *Os sete gatinhos* what matters most is the author's painful reflection on the implosion of the myth of virginity. Thus, it would make no sense to create a "naturalist" staging, which would inevitably be limited to portraying the conflicts in their most superficial aspect. So the director decided to use an expressionist language which deforms and alters reality in order to render it more expressive. [...] In the beautiful stage set designed by J.C. Serroni, which suggests an abandoned railway station – but often a greenhouse or orchid nursery – the Macunaíma actors evolve as if they belonged to a remote time, as if they were immersed in a bubble. Their speech reaches us distorted, their gestures are deformed, the air seems scarce[60].

Although the play's two acts share the same stage set, lighting and soundtrack concept, they are very different from each other. Antunes Filho reflects on this, in "Nelson Rodrigues à moda de Antunes" ("Nelson Rodrigues by Antunes"), as it follows: "In *A falecida* I aimed to create a watercolor of light hues. In *Os sete gatinhos* I used vivid colors, creating an oil painting".

NOVA VELHA ESTÓRIA (NEW OLD STORY)

Based on a story of oral tradition, *Nova velha estória* draws on the narrative of *Little Red Riding Hood*.

With *Nova velha estória*, Antunes Filho created the theater of the obvious. He picked a well-known story, applied to it a psychoanalytical interpretation, which everyone understands, created images of blunt and straightforward symbolism. His show has the subtlety of a truncheon. Antunes is a man with a mission and his version of *Little Red Riding Hood* is almost a pamphlet. The director, after 40 years in the theater, flouted past glories and took a stand against the unintelligible theater of images and dry ice[61].

Antunes Filho states that the aim of his theater is to mobilize and unsettle people, and that rather than "liking" his plays, he would prefer people to be provoked by them. According to Mariangela Alves de Lima, in the play's program: "What emerges in this play is the popular imagination, that ancient foundation on which Western culture built the theater."

THRONE OF BLOOD – MACBETH

This is the boldest staging of a classic text among all the productions of the recent Shakespearean craze. It is the clearest and most open, the most aggressive, the most horrendous; it is, in a word, cathartic. [...] Those kings, generals, great men rushing around the stage and shouting "the horror, the horror" provoke the most unusual reactions. All those deaths, the blood, the cruelty horrify the most naïve and bring out spasms of nervous

---
60. Lionel Fischer, "Um inferno de beleza eterna", *O Globo*, Rio de Janeiro: Janeiro: May 10, 1990.
61. Nelson de Sá, *Diversidade. Um guia para o teatro dos anos 90*, São Paulo: Hucitec, 1997, p. 49.

laughter from the most cynic. The play arouses mixed feelings and the only clear and overall effect is the goggled-eyed look of the audience[62].

Antunes Filho seems to choose his repertoire conciliating personal taste and historical circumstances. In 1992, when the Shakespeare play was probably chosen, the lust for power at all costs comes to an end in Brazil. On September 29, the lower house of Congress approves the impeachment of President Fernando Collor de Mello.

Antunes Filho is one the most prominent figures in current Brazilian theater, maybe the only one included in the restricted group of international directors who have been obstinately and inspiringly renovating theater worldwide. Incorporating in his work contradictory influences such as Bob Wilson, Tadeusz Kantor, Kazuo Ohno, German expressionism, Jungian psychoanalysis, modern physics and, with growing intensity, Eastern philosophy, he blends them in a scenic language of ferocious personal coherence, with characteristics at the same time universal and Brazilian[63].

VEREDA DA SALVAÇÃO (PATH TO SALVATION)

In December 1993, Antunes Filho has many reasons to stage *Vereda da salvação*. One of them is the 10th anniversary of the death of the author, Jorge Andrade. The same period marks the 30th anniversary of the play's first staging in São Paulo, which was also directed by Antunes Filho, with Raul Cortez and Cleyde Yáconis in the lead roles. The text coincides opportunely with the theme Antunes Filho had explored in his two previous plays: evil seen from a dialectic, rather than Manichean, viewpoint, both coexisting with and opposing goodness.

> [...] it is an oppressive and anguished play. Its basic details (even some character names) stem from one of the many tragedies of fanaticism to which the Brazilian peasant, crushed by hunger and lack of perspectives, falls prey to occasionally[64].

In his production, Antunes Filho abandons the empty stage to work once more with a stage set designed by J.C. Serroni. The scenery is composed of various wooden logs, standing upright between heaven and earth, like a bridge for the ascension of the faithful.

> *In* Vereda da salvação, *we painted three eucalyptus trunks in orange, green and red, so despite being a dense play, there was something of a festive air. There was a relation between plastic arts and scenography; there was also the idea of the set evoking a prison, both the dead and live figures were impressive. [...] Moreover, the costumes were based on the embroidery of the robes made by Bispo do Rosário, who has always been a reference to me.* J.C. Serroni, in interview.

Antunes Filho states that the main change between the first (1964) staging and the second (1993) was the humanization of the character Joaquim, previously seen as a kind of villain.

> There are no heroes and villains. Only cowed people, pushed to their limits by the indifference of the powerful. Antunes portrays the characters as simple people who, taken to extremes, reveal themselves to be made of the same raw material as the myth[65].

Joaquim is humanized because he believes in this way out and, like the others, seeks desperately for an alternative to destitution. From this viewpoint, death, as staged by Antunes, does not represent pain to them, but a catharsis of a celebration which aimed at reaching heaven.

GILGAMESH

Based on a Babylonian epic poem – the oldest surviving poem we have – the texts narrates the pilgrimage of Gilgamesh, king of Uruk (an ancient Mesopotamian town, in 2700 BC), who refuses to die and sets out in search of eternity. The hero's pilgrimage and errancy constitute the theme for the creation of the performance, conveyed through the relationship with the archetypal universe of mythological forms. In the construction and search of essentiality, the characters are inspired by the study of Jungian psychology, whose minimalist visuality, according to

---

62. Nelson de Sá, *op. cit.*, p. 101.
63. Yan Michalski, *Pequena enciclopédia do teatro brasileiro contemporâneo*. Original material, developed through a CNPq (National Council for Scientific and Technological Development) project. Rio de Janeiro, 1989.
64. Antonio Candido, "Vereda da salvação", in: Jorge Andrade, *Marta, a árvore e o relógio*, São Paulo: Perspectiva, 1970, p. 631.

65. Alberto Guzik, "O resgate de uma obra-prima", *Jornal da Tarde*, São Paulo: Paulo: January 4, 1993.

mythical narratives, also tends to establish what is essential in the represented world.

> *Gilgamesh* is a port of arrival. The work on archaic reasoning, involving research on philosophy of religion linked to Jungian psychology, arose from the need to come up with a scenic solution for the archetypical condition of the work of Nelson Rodrigues, and ended up constituting the foundation of the whole creative process. We noticed that the use of theoretical instruments deepened with each new production and, at this point, Antunes Filho concluded it was time to take the reflection on Man into the realm of archetypes. That is why he chose *Gilgamesh* […], in which the boundaries between human and divine are blurred[66].

> *At the Anchieta I learnt to see [the importance of the stage]; it was the first thing I noticed on entering the theater. Therefore, in Antunes's plays, we always gave the stage floor a powerful significance. […] In Gilgamesh, which had a kind of sanctuary floor, Antunes wanted it polished daily. Everyone had to go around barefoot.* J.C. Serroni, in interview.

DRÁCULA E OS OUTROS VAMPIROS (DRACULA AND THE OTHER VAMPIRES)

Antunes Filho keeps abreast of the social processes arising worldwide. Mass manipulation by authoritarian governments, as well as the fanaticism which spreads out in deaths and insecurity, seem to inspire him to create metaphors that give meaning to life. In an interview, he stated:

> I'm extremely concerned with authoritarian and dictatorial practices that may threaten us. […] I'm working with facts, about good and evil, trying to explain certain things for the benefit of mankind. My Dracula is, to a certain extent, a warning. […] [The vampire] represents seduction on all levels […] I want everyone to open their eyes a little. Beware of seduction[67].

The only original contribution to this ancient narrative is the analogy between vampirism and the authoritarian ambition to dominate human masses. This might be the essential point of the play, since Antunes Filho, contrary to his vocation of exploring ambiguities, stages an enlightening fable and ends it with a moral lesson[68].

> *Antunes would call me aside and hand me a pile of Japanese videos. He wanted a lighting project that would resemble photographs, like a comic strip. So we'd gather heavy metal magazines, comic books, and I started delving into that. That was most important, probably what I most researched, to achieve what he actually wanted. And the production earned me a few awards. I was nominated for four or five awards. […] It was a surprising show, Serroni's stage set was quite beautiful.* Davi de Brito, in interview.

FRAGMENTOS TROIANOS (TROJAN FRAGMENTS)

Amidst wars erupting worldwide, protests against art as a consumer product[69], and also conquests such as the creation of the São Paulo Municipal Program for the Advancement of Theater, Antunes Filho, as a man of his time, chooses a Greek tragedy, *The Trojan Women*, in which the author, Euripides, relativizes Athens's "victory" over Melos and adopts the viewpoint of the defeated: women and children, since all the local men are dead.

The staging focuses on the stories of Hecuba, widow of the Trojan king Priam, and Andromache, widow of the Trojan hero Hector, both of them prisoners of the Greek. That war is used as a representation of all atrocities ever perpetrated against mankind, redirected against the horrors of the 20th century. The massacres of Candelária, in Rio de Janeiro, in 1993, and Eldorado dos Carajás, in Pará, in 1996, are the starting points for the concept of the play.

> […] the new staging deliberately avoids exuberance, festivity, in favor of a certain dose of contrition. It avoids the grandiosity of *mise-en-scène*, of lighting, in exchange for minimal gestures, defined looks, choked voices[70].

---

66. Sebastião Milaré, *Hierofania: o teatro segundo Antunes Filho*, São Paulo: Edições Sesc, 2010, p. 189-90.
67. Evaldo Mocarzel, "O vampiro é a sedução em todos os níveis", *O Estado de S. Paulo*, São Paulo: September 14, 1996, p. D4.
68. Mariangela Alves de Lima, "Peça de Antunes Filho dá lição de moral", *O Estado de S.Paulo*, São Paulo: October 4, 1996, p. D7.
69. In São Paulo, actors and theater groups join forces to organize the struggle against barbarity and the process of commercialization affecting culture. A manifest is thus drafted, titled after the movement itself: *Art Against Barbarity*. For further information, see Iná Camargo Costa and; Dagoberto de Carvalho, *A luta dos grupos teatrais de São Paulo por políticas públicas para a cultura: os cinco primeiros anos da lei de fomento ao teatro*, São Paulo: Cooperativa Paulista de Teatro, 2008.
70. Nelson de Sá, "Antunes traz a tragédia da guerra ao século 20", *Folha de S.Paulo*, São Paulo: June 4, 1999, p. 4-6.

The play opens in June 1999, in Istanbul, Turkey, not far from the conflict in Kosovo (to which it refers), travels to Japan (Theatre Olympics) and, in November, reopens the Sesc Anchieta Theater.

> Euripides is, no doubt, the boldest critic of the intolerance of his countrymen. Like Aristophanes, he mocked military foolishness and ambition for power. However, he strikes us as more contemporary than ever, since his fundamental theme is that of alterity, which, being different, denies any ideal of perfection. [...] The adaptation has preserved the most eloquent images of divestment and eliminated argumentative sections which, according to the convention of Greek tragedy, should add new knowledge to emotional response. [...] The production staged by Sesc's Theater Research Center delves deep into this line of imperfect tragedy. [...] Who is Hecuba to us? The show forces us to acknowledge her: she dragged her bag to a Nazi concentration camp and wanders, in our times, through the ruins of Eastern Europe. She also wanders among us: woman, migrant, enslaved[71].

ANTIGONE

Sophocles's *Antigone* is the fourth incursion by Antunes Filho into the universe of Greek tragedies[72]. According to the director, the text's tragedy finds its real place in the group's interpretation and staging. The play aims to condense into fifty minutes the tragic "smothered scream" in the work of Sophocles.

The play sets the State's laws, represented by Creon, against the "instinctive laws" (or the order of the clans), represented by Antigone. Antunes Filho inserts a new chorus in the performance: the Bacchants, who polarize with the chorus of citizens, as well as Bacchus himself, who assumes a contemplative role in the play. This goes against the recurrent (and sometimes reductive) view of the heroine who opposes tyranny in defense of natural rights.

A PEDRA DO REINO (THE STONE OF THE KINGDOM)

Since the foundation of the CPT, Antunes Filho had cherished and rehearsed *A Pedra do Reino*. Despite not being staged at the time, two decades later Suassuna's masterly work is presented at the Anchieta Theater.

The play is an adaptation of two of Ariano Suassuna's novels in which the protagonist is Quaderna and whose titles mimic those of many narratives of the Middle Ages: *Romance d'a Pedra do Reino e o príncipe do sangue do vai-e-volta* (Romance of the Stone of the Kingdom and the Prince of Coming-and-Going Blood) (1971) and *História d'o rei degolado nas caatingas do sertão: ao sol da onça caetana* (Story of The King Beheaded in the Scorched Hinterland under the Sun of the Jaguar Caetana) (1977). Quaderna is one of the milestone characters in Brazilian literature and, like Mário de Andrade's Macunaíma, carries within him the traits of an indefinable identity. This is precisely the approach Antunes Filho takes to define the play's vitality. In his staging, Don Pedro Dinis Quaderna, the legitimate heir of the Brazilian people, is arrested by the Estado Novo regime of President Getúlio Vargas, accused of subversion. He then recalls his life through a memorial he carries with him, on a stage parading images of Quaderna.

> Fine blends of memoir writing, tragedy, baroque oratory, romance novels, popular narratives, Brazilian Northeastern mythology, romantic poetry repertoire and, in rare moments, realistic fiction techniques are employed by the protagonist as a strategy to affirm the identity of his kingdom, where all the cultures of the Western hemisphere are entangled. [...] the character of Quaderna presented at the CPT is, above all, a memorialist[73].

It is festive production by Antunes Filho, bringing very much to mind the play *Macunaíma*, a milestone of Brazilian theater that established the director's importance. Lee Taylor, who played the protagonist, relates:

> [...] after a year in the chorus and five months rehearsing as Quaderna, the play opened at the Anchieta. It was really exciting! It was really beautiful! [...] A new life was starting and I felt the need of some reclusion. Quaderna was born in this process of direct confrontation: the realization of a dream and internal reclusion. [...] I worked encouraged by Antunes, seeking to equalize the various frequencies, and that was crucial. [...] Quaderna played around, joked, satirized and carried great pain. I felt grander, more human after

---

71. Mariangela Alves de Lima, "Antunes celebra o funeral de todas as ideologias", *O Estado de S. Paulo*, São Paulo: December 3, 1999, p. D6.
72. Following *Fragmentos troianos* and *Medea* – in two versions: *Medea* and *Medea 2*, staged at Sesc Belenzinho.
73. Mariangela Alves de Lima, "O herói Quaderna ajusta as contas no palco", *O Estado de S. Paulo*, São Paulo: August 21, 2006, p. C1.

playing him. I felt inside the actor coming closer to the human being. That's how Antunes feels, thinks, views and practices theater. Antunes is moving; he is demanding, but at the same time incredibly giving.

The works by Suassuna on which Antunes Filho based his play are linked to the Movimento Armorial (Armorial Movement), but for reasons of time, he subdues to some extent the scholarly aspect with the plurality of genres.

There are clear contours made with vestiges of the strong colors and the abrupt landscape forms. The visual approach transports the exuberance of the Northeastern scenery to another language, almost abstract, more plastic than dramatic, purged of the baroque traces of the original text. [...] the show emulates the procedure of the novels by extracting esthetic charm from what is "crude, deprived and poor." Materials submitted to artisanal treatment, exhibiting the marks of the operations that transformed them into symbolic instruments, are arranged to imitate the operations of the clown-king on the ugliness of reality[74].

SENHORA DOS AFOGADOS (OUR LADY OF THE DROWNED)

Senhora do afogados follows the contours of the psychic and social abysses inherent to the work of Nelson Rodrigues. These contours were meticulously developed by Antunes Filho with the help of a crew of approximately thirty professionals among actors, seamstresses and costume designers.

In a seaside mansion, enveloped by a mythical and sinister atmosphere, the Drummond family live out their tragedy. Jealous of her father, Misael, Moema kills her two sisters and drives her mother to have an affair with her own fiancée. Father and daughter acknowledge their complicity as murderers, as the former also committed a crime: 19 years ago, on his wedding day, he killed a prostitute with whom he had become involved. The plot thickens when Misael discovers that his wife's lover, who might have become Moema's husband, is the son he'd had with the murdered prostitute.

Almost 20 years later, Antunes Filho revisits this universe. He retrieves one of the key plays by Nelson Rodrigues, *Senhora dos afogados*, viewing it as "a remote light," as stated in the initial stage instructions, a lantern that creates "an obsession with shadow and light." He revisits it to contrast the barrenness of our routine of violence and consumerism to Nelson Rodrigues's brutal lyricism. Not merely the oneiric atmosphere, nor merely the carnivalization, but traces of both in a framework built on and supported by poetry. The staging of the play seems to have as an "escape point" that island of sinful women, so beautiful that even the winds bow before it, and where the stars take refuge like boats. Such are the images of luxurious beauty, of the celebration of life even while talking about death, which Antunes Filho and the brave young actors of the CPT bring to the stage[75].

The candor with which clinical psychology scrutinized the traumatic potential of the nuclear family benefited both people and the plays of Nelson Rodrigues. Free from the aura of scandal that surrounded them for having brought onstage the passions that stir the primary affective circle of individuals, the plays can be read today as a symbolic plot of greater complexity than the binary conflict between erotic drive and repression. No doubt their provocative facet, a far from circumstantial component in this playwright's oeuvre, has considerable weight in associating the enunciation of taboos to the hypocrisy of the various forms of denial of life[76].

FOI CARMEN (IT WAS CARMEN)

Classified by Antunes in the genre of dance theater, this show addresses the social imaginary related to the Portuguese-Brazilian singer Carmen Miranda. Drawing a parallel between samba and the movements of butoh and other Japanese genres, Antunes proposed a tribute to the centenary of Kazuo Ohno to whom his esthetics owes so much. According to the director:

Foi Carmen features a sad dance uniting Carmen and the Hustler. Do butoh and samba meet in pain? It is melancholic, since it is a vision of what has been. Hence the verb "was" in the play's title. Note that Carmen is always seen from behind, even when facing forward. It's like seeing a person at the end of a street and remembering something distant in time. It's something that is sort of lost

---

74. *Ibidem.*

75. Sebastião Milaré, "Senhora dos afogados". Available at: <ww2.sescsp.org.br/sesc/hotsites/cpt_novo/areas.cfm?cod=4&esp=24>. Accessed on: January 20, 2015.

76. Mariangela Alves de Lima, "Em nome do imaginário poético", *O Estado de S. Paulo*, São Paulo: April 17, 2008.

in your mind, as if you were seeing a person turning a corner, you know? It's kind of Chaplinian; Fellinian also[77].

POLICARPO QUARESMA

Adapted from the novel by Lima Barreto, *Triste fim de Policarpo Quaresma* (The Sad End of Policarpo Quaresma), the play narrates the story of an extremely patriotic civil servant who dreams of seeing the indigenous idiom tupi-guarani become the official language of Brazil. With nuances of vaudeville, commedia dell'arte and burlesque theater, Antunes makes Policarpo, played by Lee Taylor, a strong and striking character. The play is part of the Rio de Janeiro trilogy started with *A falecida vapt-vupt* (The Flash Deceased Woman) and *Lamartine Babo*. Antunes Filho writes in the play's program:

> Alienations could be divided, if you will, into tolerable and intolerable: there are moments in history in which the two kinds cross paths, resulting in irreparable tragedies for (or despite) being based on laughable acts of second-rate operettas, where bravery is merely bravado.

LAMARTINE BABO

A musical drama that pays homage to one of Brazil's greatest songwriters, *Lamartine Babo* marks the debut of actor Emerson Danesi as director. The script, written by Antunes Filho, tells the story of a musical group that, while preparing a show on Lamartine, receives the visit of an enigmatic man who knows everything about the composer.

> In the confident and inventive direction of Emerson Danesi, the show was conceived as a soiree where songs are played and sung amidst the surrounding chatter. But the conversations, seemingly addressing current banalities, slowly expose the secret drama of Silveirinha, marvelously played by Marcos de Andrade, and evidence the dramaturgical power of the master, who conceals, under apparent trivialities, deep observations of the human condition.

> A further challenge faced by the CPT actors was dealing with music. This revealed hidden skills of the performers not only in singing, but also as musicians, in the band made up of vocals, piano, guitar, trumpet and percussion[78].

TODA NUDEZ SERÁ CASTIGADA
(ALL NUDITY SHALL BE PUNISHED)

2012 marks the 30th anniversary of the Theater Research Center – CPT. The date also corresponded to the centenary of the birth of Nelson Rodrigues. For these reasons, Antunes Filho produced a new version of *Toda nudez será castigada*, previously staged in 1984, as part of the project *Nelson 2 Rodrigues*.

Herculano, a conservative bourgeois, has just lost his wife and promises his son Serginho never to marry again. However, the widower's brother introduces him to a prostitute, Geni, with whom he falls in love. From then on, Herculano's life changes completely. Geni moves into his house, where father and son live with three aunts. She narrates the events and has an affair with Serginho, who tries to break up his father's marriage to have a romance with his stepmother.

> One could say that the Nelson Rodrigues staged in *Toda nudez será castigada* is pure Antunes Filho. A long table, five chairs and a moon comprise the whole stage set for the plot. However, the divested production is offset by the vigorous performance of the actors, who occupy all possible spaces on stage at a dizzying narrative pace[79].

In the play's program, Sebastião Milaré comments on the relation between the CPT and the Nelson Rodrigues productions:

> Good theater stirs the audience, does not shirk from the grotesque and challenges concepts; after all, man's only salvation is to acknowledge his own hideousness, right? The theater is also a kind of purgation, a settling of accounts of man with his history, with all men, with life, and Nelson does this in a skeptical, somber way… romantic, even. Sábato Magaldi classified Toda nudez… as a Rio de Janeiro tragedy, but what we have here, in the CPT production, is the voice of all men and women of all times and places.

---

77. Antunes Filho to Beth Néspoli, "Antunes Filho estreia novo espetáculo, *Foi Carmen*", *O Estado de S. Paulo*, São Paulo: May 19, 2008, s/p.

78. Sebastião Milaré, "Poeta da cena", in: Sebastião Milaré and Emidio Luisi (ed.), *Antunes Filho: poeta da cena*, São Paulo: Edições Sesc, 2011, p. 348-9.

79. Marcos Alves, "Especialista em Nelson Rodrigues, Antunes Filho estreia sua oitava peça do autor". Available at: <http://oglobo.globo.com/cultura/especialista-em-nelson-rodrigues-antunes-filho-estreia-sua-oitava-peca-do-autor-6300150>. Accessed on: January, 2015.

OUR TOWN

The author and playwright Thorton Wilder won the Pulitzer Prize twice, one of them for *Our Town*. Written in 1937, a period in which the United States were still facing serious economic hardships, with 10 million people out of work, the play is set in a town created by the author, whose main characters are people of simple and settled habits. Wilder gives us a poetical approach to the small-time events in the daily life of two conservative American families: the Gibbs and the Webbs.

In the play's program, Leonardo Ventura states:

Thorton Wilder may not have fully dissected certain issues subtly suggested in his play for various reasons. Antunes Filho has identified in Our Town potential breaches which reveal, behind the original script, what Jacques Derrida calls discovering parts of the text which are concealed and impede certain actions in its concept of deconstruction. With this narrator, a kind of Deus ex machina who chooses which moments of the town's life will be narrated, the point of view has been broadened to include the history of the Unites States and its incursions worldwide. To this end Antunes Filho resorts to reconstruction.

However, if in Thorton Wilder's original version the narrator is omniscient and has the role of providing information normally conveyed through dialogue, Antunes Filho's scene director assumes a physical function in the performance, creating and interacting with the other characters. And from this relationship springs a narrative that shows to what extent the modern world has been shaped by the American concept created after the 1929 crisis, when the New York Stock Exchange crash triggered a financial depression which spread throughout the world[80].

THE PRÊT-À-PORTER PROGRAM

Prêt-à-Porter is not theater, Prêt-à-Porter is Prêt-à-Porter. [...] If you wish to fall into a reverie with yourself, in a different mood, a different vibe, come see Prêt-a-Porter, because it is a voyage of recovery in search of the lost man.

Antunes Filho

There was a period of reclusion in the rehearsal room of the CPT, in which Antunes Filho and the actors devoted time to systemizing a new work method. This effort culminated in the emergence of a new and fairly experimental process which contributed performances to the company's repertoire and can be seen in the Prêt-à-Porter events.

Prêt-à-Porter was created so that man could rediscover himself, lost as he is in these times of alienation from reality. "Man that misses man:" that is the epigraph of the project. By the way, the name was inspired by the facility with which it could be rehearsed, produced and staged in any space with minimal resources. We named such a simple and Franciscan theater with a sophisticated, French term – Prêt-à-Porter. There lay the irony. Every actor or aspiring actor could practice there an infinite laboratory of experiences besides acting: imagining, writing, directing his own scene. [...] I confess that Prêt-à-Porter became a kind of oasis in my life's practice, in the practice of the CPT. Antunes Filho, in interview.

Since the beginning of his career as a director, Antunes Filho has emphasized the actor's work, pursuing tenaciously, rigorously and scrupulously the processes of interpretation.

The actor is a generator of signs. [...] I work continuously with tradition and rupture. My method starts out with a lot of intelligence. He researches, tracks down, surveys, summarizes and then discards everything. What I'm looking for is a balance between intuition and rationality[81].

Prêt-à-Porter does away with the artifices, as Antunes likes to say. The process of construction and destruction is totally visible. One witnesses the beginning, middle and end present in the text and the interpretation, albeit fragmented, albeit strayed from linearity. It is complete in the sense of a here-now encounter between audience and performance in which notions of time and space are dissolved[82].

Between 1998 and 2012 there were ten editions of the Prêt-à-Porter project, plus two additional collections, with 39 performances:

---

80. Ubiratan Brasil, "Antunes Filho reconstrói *Nossa cidade* para mostrar o atual domínio dos EUA", *O Estado de S. Paulo*, São Paulo: October 3, 2013.

81. Antunes Filho, in an article published in *O Estado de S. Paulo*, May 27, 1995.
82. Valmir Santos, "Antunes recria conceito artesanal", *O Diário*, Mogi das Cruzes: May 3, 1998, p. 4A.

1998/2000 – Prêt-à-Porter I
BR-116 (BR 116 Highway)
Um minuto de silêncio (A Minute of Silence)
Sopa de feijão (Bean Soup)

1998 – Prêt-à-Porter II
Na contramão (Wrong Way)
Horas de castigo (Punishment Hours)
Leque de inverno (Winter Fan)
Asas da sombra (Shadow Wings)

2000/2001 – Prêt-à-Porter III
Bom dia (Good Morning)
Leque de inverno (Winter Fan)
Posso cantar? (May I Sing?)
Um minuto de silêncio (A Minute of Silence)

2001/2002 – Prêt-à-Porter IV
Eter.n@mente (Eter.n@lly)
Ah, com'e bella!
Os esbugalhados olhos de Deus (The Goggled Eyes of God)

2003/2004 – Prêt-à-Porter V
Uma fábula (A Fable)
Mulher de olhos fechados (Closed-Eyed Woman)
O poente do sol nascente (The Setting of the Rising Sun)

2004/2005 – Prêt-à-Porter VI
A casa de Laurinha (Laurinha's House)
Senhorita Helena (Miss Helena)
Estrela da manhã (Morning Star)

2005 – Prêt-à-Porter VII
Castelos de areia (Sand Castles)
Chuva cai e bambu dorme (Rain Falls and Bamboo Sleeps)
A garota da internet (The Girl from the Internet)

2006/2007 – Prêt-à-Porter VIII
Ponto sem retorno (Point of No Return)
Exiladas (Exiled)
Velejando na beirada (Sailing on the Edge)

2008 – Collections 1
A filha do senador (The Senator's Daughter)

Ponto sem retorno (Point of No Return)
A garota da internet (The Girl from the Internet)

2008/2009 – Prêt-à-Porter IX
Um escritório ao entardecer (An Office at Dusk)
Edifício Copan (Copan Building)
Bibelô de estrada (Highway Bibelot)

2010 – Collections 2
Estrela da manhã (Morning Star)
Bibelô de estrada/Ponto sem retorno (Highway Bibelot/Point of No Return)
Poente do sol nascente (The Setting of the Rising Sun)

2011/2012 – Prêt-à-Porter X
Adorável Callas (Adorable Callas)
O homem das viagens (The Voyaging Man)
Cruzamentos (Crossings)

OTHER SPECTACLES AT THE CPT VENUE

As with the Prêt-à-Porter Program, a few CPT productions are staged on the seventh floor of the Sesc Consolação building. It is from this venue of study and experimentation that great shows emerge.

A FALECIDA VAPT-VUPT (THE FLASH DECEASED WOMAN)

Antunes revisits Rodrigues's script relying on a new dynamics. The stage set, composed of extras, creates the buzz of bar in the city outskirts that serves as a backdrop for the unfolding of events:

> It was his third staging of the play, each one inspired by a different reading, by different concepts, with different esthetic consequences. This time it did not take long to stage, as usually happens with his shows: it premiered after about two months of rehearsals. Such speed in production is ironized in the title with which he renamed the play: The Flash Deceased Woman[83]

---

83. Sebastião Milaré, "Poeta da cena", in: Sebastião Milaré and Emídio Luisi (ed.), *Antunes Filho: poeta da cena*, São Paulo: Edições Sesc, 2011, p. 344.

BLANCHE

Inspired by Tennessee Williams's classic play *A Streetcar Named Desire*, the staging features two innovations: the main character played by a man, actor Marcos de Andrade, and dialogues spoken in *fonemol*, an imaginary language created by Grupo Macunaíma, in a process where the audience takes active part in giving meaning to each act.

> I am not discussing the United States. I want to talk about Blanche as an oppressed human being, and in that sense I'm on her side. It's that screwed-up action of man's that I am forever opposing. There's blacks, women, homosexuals, the transgendered. I am discussing the persecuted, those who are ill-treated by society[84].

A FEW CONSIDERATIONS ON THE ACTOR TRAINING PROCESSES AT THE CPT

A CONTINUOSLY REVISITED PROCESS

Antunes Filho is a permanently restless creator. Having contact with the stage director, his work and those who shared moments of creation with him is a surprising experience. However, concerning specifically the actor training processes at the CPT, Giulia Gam's statement is exemplary. The actress joins the CPT aged 15, nearly 16, to be the female protagonist in *Romeo and Juliet*, the first production of the Theater Research Center. The long rehearsal process for the play was almost entirely conducted in one of the sports gyms at Sesc Consolação. In a moment of overflowing emotion, she recalls.

> We used to rehearse on the floor, where there was a sports court. During a year and a half, that space was transformed into an Elizabethan theater, with two tiers: everything covered in newspaper, medieval ambiance, Gregorian chant… When the play was ready, we presented it to some people at Sesc. Two days later, Antunes showed up telling us to rip down the newspaper (which he called stuff)… It was a proposal linked to the so-called Arte Povera. We were all startled… Then he told us all to sit down and listen to something: "Here comes the Sun, here comes the Sun. And I say it's all right…" We all looked at one another… Then he said: "Let's start all over!" No-one could believe it… He started redesigning everything. There was a ladder on which I had auditioned [for the casting of the play], he said: "Prop that up as the balcony." I was stunned… I was supposed to enter carrying the ladder… It was much too heavy… Then, the stage set was reduced to a ladder and a box. Things were kept in the box, people jumped on the box, we hid behind the box… All the mise-en-scène was done in circles… His way of working, which went back to Macunaíma. And groups that hid or marked the passage of time as choruses. It was incredible, because every Beatles song he'd play made sense. He'd play "Blackbird…" It had everything to do with Romeo's story. Then he'd play "She's Leaving Home" and it had everything to do with Juliet's story. Things started fitting in so well that we thought the soundtrack was done. Then he changed everything… He thought it was too sad… So, the play ended up as something really young, which was what he wanted. He wanted a youthful play, which would appeal to young people. Giulia Gam, in interview.

In an equally touching testimonial, Marco Antônio Pâmio, Giulia's partner playing Romeo, states:

> He didn't lie to me. About how hard, how difficult that phase, that process would be. That "novitiate." […] In January 1983, my life changed radically. I all but slept at the CPT. I woke up, showered and headed there… There I would stay until God or Antunes willed. Two, three o'clock in the morning. I'd come back exhausted… taking it hard… The disciple, the apprentice… Me and so many others, living that experience, testing methods, investigating… Now I realize that was a school, my school. Antunes did not call it a school or a course, but we had classes with him, the rehearsal sessions with him; fencing, speech, body language, music, singing lessons, with specialized teachers. It was structured like a drama course, but he didn't like to define it that way. It was all geared towards the project, towards that opening night which we had no idea when would happen (of the repertory theater). During the process, he restaged Macunaíma and inserted us in the cast; he transformed O eterno retorno into Nelson 2 Rodrigues, with two plays out of the original four – Álbum de família and Toda nudez será castigada – and also found us roles… besides Romeo and Juliet, we also rehearsed A Pedra do Reino… [which] unfortunately came to nothing… This lasted over a year, because the opening night was in April 1984. A year and four months there represented several years. It was the most transforming year of my life, because there I started to understand that it had already become a life choice… It would end up

---

84. Antunes Filho to Miguel Arcanjo Prado, "'Temos de acalmar os ânimos', diz Antunes Filho ao estrear *Blanche*". Available at: <https://entretenimento.uol.com.br/noticias/redacao/2016/03/18/temos-de-acalmar-os-animos-diz-antunes-filho-ao-estrear-blanche.htm>. Accessed on: February 10, 2017.

being [...] something intense, with all the violence, all the generosity, all the radicalism. Something was sealed there. It was very tough, very hard, very painful, but I don't regret one single minute I spent there... Marco Antônio Pâmio, in interview.

Since the beginning of its activities, Sesc São Paulo has invested in the process of educating both actors and audiences, in a wide range of interaction. This trend in institutional action is intensified with the arrival of Antunes Filho and Grupo Macunaíma, facilitating the permanent creation of various collectives to stage and create important works of Brazilian theater.

In a long article, Jefferson del Rios outlines the work of Antunes Filho:

The main goal of this project [of the CPT] is to, at all times, verticalize the actors' interpretation, and Antunes's efforts are wholly directed towards surpassing common standards. He wants expressive actors who, taking part in collective work, are highly available for experimentation, changes of direction throughout the process and dedication to the craft. These characteristics were gradually developed through exercises and the improvement of the work method with each new production[85].

In 1984, Antunes declared that actors graduate from schools "[...] burdened with 'the addictions of a static system'"; that is the reason why he proposes that "[...] actors must have the courage and intellectual capacity to understand reality as it is manifested, and not according to aspirations and fantasies or dogmatic lessons learnt in textbooks." At the CPT, learning happens through exercises, laboratories, the reading of texts on interpretation (Bentley, Strasberg, Stanislavski), Zen Buddhism (J. C. Cooper, Suzuki, Herringel), psychology and psychoanalysis (Freud, Jung and Rollo May), literature (Bakhtin) and history. Especially celebrated, in this phase, are the unbalancing exercises inspired by quantum physics.

From the outset, the permanent presence of Grupo Macunaíma at the Sesc Theater Research Center attracted the interest of many actors willing to take part in the group. Their motivation was twofold: to be onstage in a play directed by Antunes Filho and to take part in the master's acting course. Besides his work in developing and staging plays, Antunes devoted time to training the actors taking part in them, using a specific work methodology which he was creating and improving.

From 1983 on, this dual interest in being close to the director motivates a significant number of actors, both professional and amateur, to take part in the auditions held by the CPT. The auditions were initially held onstage at the Sesc Anchieta Theater and personally supervised by Antunes. Geraldinho Mário da Silva, for example, an actor of Grupo Macunaíma since 1987, relates:

When I entered there was already a man in the room. I said good afternoon and he snapped back: "Good afternoon my foot. We're late! Come on, hurry up!" I said: "Calm down, man, I have to prepare myself, get a drink of water." At the time I didn't know anyone, but Marlene Fortuna, Malu Pessin, Walter Portela were there... all of them staring at us from the second floor. The hurried man told me to play a drunkard. I replied that I'd never had a drink, but I would try... Well, he mentioned Shakespeare, but I didn't know him... On the following day they wanted me to do the unbalancing test and unscrew my knees... It was not at all easy. Antunes got mad at me because I called him "sir." He thought I was making fun of him. And now I've been 22 years by his side. Twenty-two years of dialogue... Antunes is very patient, he knows how to listen to everybody. Geraldinho Mário da Silva, in interview.

Interviewed on August 27, 2008, Lee Taylor relates:

[...] I went to see Medea 2 at Sesc Belenzinho. I was completely overwhelmed, especially with the work of Juliana Galdino, and thought: "That's the kind of theater I want to do." That same year I auditioned for the CPTzinho (CPT course), but didn't pass. In 2004 I tried again and was approved. At the end of the course, when Antunes handed me my certificate, he asked me to do a three-minute monologue with a few lines from Adriano Suassuna's characters Chicó and João Grilo. I had come there aiming to do a tragedy, an extremely dense play... But the desire to be part of the CPT was greater. I compiled some lines from Auto da Compadecida, memorized them and presented. He told me I had to be more communicative with the audience. To a certain extent, I was trying to put all that density into João Grilo and Chicó. I wanted to do something more moving, with a greater dramatic effect. Antunes insisted on something more expansive. In this process, he was very generous with me. He always had time for me when I wanted to show him something new. Lee Taylor, in interview.

---

85. Jefferson del Rios, "Poesia, humor e magia na volta de *Macunaíma*", *Folha de S.Paulo*, São Paulo: May 1, 1984, p. 39.

As of 1993, the actual CPT course comes into existence. Thus, until 1997, the selection process approved those interested in taking part in the four-month course or internship offered there, composed of body language, called simply Body, and acting, called Naturalism. Both courses were linked by an introduction to the method of Antunes Filho. More specifically, the Naturalism course developed an acting proposal based on the technique of Lee Strasberg, coordinated by Lúcia Segall. Walter Portella was mainly responsible for developing the body language proposal, based on the methodology of Tadashi Suzuki.

For Antunes, technical precision and clarity in acting and gestures are essential to the relationship between actor and audience.

I insist that you understand everything the actors say because, as a director, I don't have the right to impose my images, I don't have that right. I must impose the poet's, the author's images. The actor must speak clearly, correctly, so you can form images from the words, the words the author is proposing. The images he is proposing, the metaphors he is portraying. Directors nowadays tend to impose, they stand in front imposing, what I do, I also like a black stage, empty, with no scenery, well developed, putting in these blocks, to work also with the audience's unconscious. Therefore, I make a point of, I stage the scene in a more or less interesting way because I have a plastic view, from plastic arts, because I know that field quite well, but what about the word in all this? And the gestures cannot be excessive, so that the audience may, through the words, embark on the great voyage proposed by the author. Antunes Filho, in interview.

In this dual process, the participants were permanently observed with the objective of being chosen for the following production.

The candidates selected to train in this method, which aims at developing the work of the actor-creator, go through a process which includes: body language and a little speech, acting, with Emerson Danesi; theory, with Rodrigo Audi; and, which should also be very important, watching and debating movies especially selected from a collection of five thousand titles. It should also be noted that in the theory course, the CPT postulants study, debate and reflect on texts by Jacques Derrida, Gilles Deleuze, Jacques Lacan, Sigmund Freud, Michel Foucault, Jean Baudrillard, Henri Bergson. Thinkers supposedly formulate theories based on which individuals, after delving into themselves, in the sense of self-knowledge, can return to the world and their social relationships capable of overcoming the make-believe that characterizes living. From the CPT course emerge actors capable of taking part in CPT productions.

Concerning the experiments in esthetic depuration conducted by the collective as of the 1990s, Sebastião Milaré notes that the quality of the plays is also linked to processes of knowledge transmission among the group's members.

In relation to the so-called cooperative processes, a concept established in the 1990s, the actress Lígia Cortez, of Grupo Macunaíma, who took part in the initial productions at the CPT, notes that although these processes are in vogue nowadays, Antunes Filho was already experimenting with them decades ago.

Each scene was prepared and presented to him [Antunes Filho]. It was an intense process of improvisation, some things stayed, others were transformed or abandoned. We would create the dramaturgy, it emerged after our experiments. In Antunes's productions, one can notice that the collective is present in the scene, as a full subject of the creation. Lígia Cortez, in interview.

Due to certain problems related to the group's configuration, or maybe due to Antunes Filho's permanent restlessness, in 1997, following the production of *Drácula e outros vampiros* – in search of the lost human, of the dawn of man – he proposes a process of deep probing in which the man "that misses the original man" would jointly revisit himself in his archetypal and atavistic dimensions. For a whole year the group searches for a new theatricality, based on the primacy of the actor. In its first paragraph, the remarkable program of the project's inauguration announces: "This new work proposal aims to reach the bottom, to destroy all artifices, all the crutches available to the actor and seek the true potentials within him and the theater. A live theater, with live actors, always on the move, not a theater of clerks." Without the pretension to create something new, but focusing on the work of the actor and a performative minimalism, with no external props, although he has full mastery of his technical-expressive framework, one sees in the program a statement, which can be understood as a denunciation, that the actor on Brazilian stages is suffocating with anxiety: "[…] technically unprepared, non-resourceful, a victim of his own muscles-tentacles that agonizingly gag him."

The launch of the Prêt-à-Porter project seeks no longer a masochist actor, an anxious martyr, but a freed actor, as stated in the previously cited source, an actor in the condition of:

A detached human being (in the Buddhist sense), a lover of freedom – a sine qua non condition to draw on the extremely vast plain of the imaginary world at his disposal. And joy, infinite joy, always celebrating the sacredness of life and the legions of beings that lie within each person. Joy of dancing (Lila), of playing – and through it express all the projects and prefigurations which are currently realized.

Antunes uses a metaphor according to which, in this process of probing, it would be necessary to "take the chairs back to the sidewalk," a custom that used to be common to many societies: during the week, while waiting for their husbands to return from work, the women would take their chairs to the front of a neighbor's house, observe the children playing in the street and catch up on their news. The women were, in this condition, oral narrators: they listened to and told anecdotes, exploring their capacity to tell stories, to apprehend meanings about things. The essential condition was to get together and exchange significant experiences through these encounters.

At the CPT, this proposal is characterized by expanding the work of the actor-creator and the actor-narrator. Supported by Eastern concepts and the understanding of the actor as the great demiurge of mankind, Antunes Filho proposes the (re)emergence of the actor as the one who invents cosmogony. Thus, the new actor-creator conceives the scenes, writes them, directs himself in a state of permanent improvisation.

As a result of this probing process, the actors started to look for stories, and write and stage them. Antunes Filho insisted that the stories should be told and, in a procedure of an epic nature, it was necessary above all to search for the genesis of the characters. From the oral narration the actor would proceed to the physical work. The processes of investigation and experimentation became the new working pillars that would originate the Carrossel Dramático (Dramatic Carrousel) project, later named Prêt-à-Porter.

According to Antunes Filho himself in an article in *Revista E*, the project's French name was "a sophisticated name for a poor theater". However, "poor" referred to the absence of the paraphernalia which had taken over a certain type of theater linked to, at that moment, the so called primacy of form. Antunes, in various oral interventions, questioned the process of total reversion occurring in a significant portion of the theater of that line. After establishing a significant reflection of the Prêt-à-Porter project, in the same article, Antunes Filho concludes:

I believe in man. It's something we are born with. I was unhappy doing something else. I want to call people's attention, warn them. I'm a disciplinarian because I need a base, I need a clean place to work. Those ideas you had as a kid of being an actor, those dreams, you start working professionally and have to look for a role, a producer, etc. Not here. Here you can always be a child. It's free. Do it. I want to see it. You can continue dreaming like a child here. That's what I want[86].

The first scenes resulting from the process were presented at the Sesc Anchieta Theater on Saturdays. Antunes Filho would make comments, give suggestions, indicate processes. In 2010, many projects were developed and presented by the CPT – *A Pedra do Reino, Lamartine Babo,* Prêt-à-Porter. However, the possibility of probing and taking part in the acting method led many of the already trained actors to prefer doing Prêt-à-Porter.

The words of Geraldinho Mário da Silva give us an actor's vision of Antunes Filho's creation process:

In the work process, in the case of a non-theatrical text, it is adapted and the scene tried out. Obviously he [Antunes Filho] always chooses a good text, something he likes. Often the process starts with one, two, three actors and progresses… I remember the staging project of Nova velha estória… *we would spend the whole day "speaking Russian". I actually thought about studying Russian, but it was not Russian, but a speech that mimicked the sound of Russian or something close… playing with the musicality of the Russian language. We'd invent games using "Russian prompts." It was very ludic, very demanding… He comes up with some proposals and presents them to the collective, who start experimenting, which leads to a series of discoveries. Everyone develops their processes of research, of experimentation. Sometimes not even Antunes knows. He stimulates, we respond, entering a never imagined arena… And the discoveries are tried out collectively. It is a permanently shared creation process. Geraldinho Mário da Silva, in interview.*

Commenting on Romeo, Marco Antônio Pâmio highlights the moment in which he felt the most intense transformation in his life and the way in which it resounded in communion with the audience.

There was a scene in Romeo and Juliet, *at the crypt, where Juliet is supposedly dead. In the final monologue, Romeo declares his love for*

---

86. Serviço Social do Comércio, Revista E, São Paulo: March, 2003, n. 9.

Juliet for the last time. There was a mark there... I was supposed to, with my full 50 kilos, pick up Giulia [Gam] and crying, in a cathartic state, take her to the front stage and spin around continuously, holding her in my arms. I had rehearsed the scene furiously... On the opening night, more than anything else, I remember that scene, that cry. That cry came from a year and a half, from the whole process, from life transformed. I was not only Romeo crying. And Antunes did not want just a simple cry... He wanted a primeval, ancestral cry, with tragic tones, almost like Greek theater. That night, I was sure that that cry was accompanied by a yell of "I made it". I spun round and round and cried. Maybe like I had never managed before... I remember that to this day. The feeling of victory, of conquest, of the strength required to be onstage. Many times I had faltered in the process; many times I felt like giving up. Because there is this very intense, very violent relation of continuous challenge. So the emotion I felt was absolutely special and unforgettable. It was a defining moment, a turning point. Marco Antônio Pâmio, in interview.

The theater is a kind of polis. There are many playhouses in São Paulo. However, at the Anchieta, the quality of the repertoire and the possibility of attending plays at symbolic prices are constant elements.

Marco Antônio Pâmio synthesizes the significance of the Sesc Anchieta Theater for the actors who performed there, those responsible for its operation and also the audience.

The Sesc Anchieta Theater is considered the best theater house in São Paulo. It is the most generous theater towards actors. In terms of stage structure, technical conditions, acoustics... The layout of the auditorium in relation to the stage, the visibility, the conditions of the wings, are all impressive. Performing at the Anchieta is the height of privileges, because it is the best venue for an actor. Every actor dreams of being onstage at the Anchieta. It is a welcoming, embracing theater. When you are onstage at Anchieta, you feel embraced by the audience and at the same time have a feeling of being in an extremely vast place. The technical conditions at the Anchieta are faultless, as is its programming. I believe everything has been experimented at the Anchieta, in terms of language. Not only in the productions of Antunes and the CPT — Gabriel Villela, Ulysses Cruz and so many others who have worked there. Despite being a so-called conventional (Italian) stage, the Anchieta has always permitted bold experiments. It's like a guideline of the venue. And the actors can sense that. Simplicity, boldness, daring... It all seems to come together... A kind of blessed stage. Marco Antônio Pâmio, in interview.

Investing in changing repertoires, in actors and genres, fostering multiple cultural actions for different audiences and age groups, as well as housing a theater group whose performances and processes have always demanded long periods of research and depuration are characteristics of a great and incomparable school. Therefore, it can be affirmed that the Sesc Anchieta Theater has created a venue for citizenship in the city.

FRAGMENTS OF CRITICAL REVIEWS OF THE CPT

CRITICISM AS A RECORD AND DOCUMENTAL GUIDELINE FOR THE DEBATE ON AN EPHEMERAL PHENOMENON[87]

The different critical reviews of an artistic work tend to highlight the presence or absence of a characteristic which is essential to the durability of a work: its polysemy. It is commonly affirmed that a classic theater text that has been staged many times has stood the test of time, allowing multiple readings and distinct interpretations. Likewise, a specific theatrical production, albeit ephemeral, can survive for decades in the memory. When analyzing the reasons for this mnemonic survival, we notice that the same polysemy prevented the exhaustion of all kinds of debates, whether artistic, esthetic, or essayistic. The contrast between different reviews can exalt the exegetic differences which, alongside other factors, mark a production as a milestone.

Thanks to the richness of the work of Antunes Filho, many of his creations have become landmarks in Brazilian theater, and when one analyzes the critical reviews of his career, the polysemic character is evident. Investigating the reception of the plays produced at the CPT when they were staged is essential to understanding his work.

With this objective in mind, four productions were selected: *Romeo and Juliet*, *Paraíso Zona Norte*, *Vereda da salvação* and *A Pedra do Reino*. Despite the unquestionable importance of *Macunaíma*, the list is restricted to productions that opened at the Sesc Anchieta Theater, which is not the case of the adaptation of Mário de Andrade's work, which first ran at the São Pedro Theater and was restaged at the Anchieta in 1984. Following this basic criterion, the aim was to select plays from the last three decades, in which Antunes Filho has been developing his work there.

---

87. The following text drew on reflections by researcher Kiko Rieser.

Romeo and Juliet

Shakespeare is arguably the most studied and staged playwright in the world. At the Sesc Anchieta Theater, he leads with a total of 17 different plays produced. Various exegeses can be applied to his work, inspiring theatrical performances and film adaptations.

Due to his mastery in portraying humans and human feelings, Shakespeare's work has become timeless. Politics permeated his work and worldview, though. His plays were popular and that, more than esthetic choice, is a political stand from which he did not shirk. That is the reason why his plays are relevant to the historical period in which they are set, as they criticize or scrutinize specific aspects of social organization.

The whim of genuine love, for example, has been the main focus of more contemporary productions of *Romeo and Juliet*. Romeo, who pestered his friends with the pains of an unrequited passion, completely forgets Rosalind the moment he meets Juliet. On that same night, the protagonists exchange vows of eternal love and plan to get married, despite Juliet's previously declared intention never to marry. They are impulsively attracted to each other and one can surmise that premature death was the only reason which prevented their separation. Juliet is 14 years old. Romeo is close in age, although this precise information is not given. It is likely that this reading of the play owes much to the contemporary tendency to view a theatrical text as a script that can be modified and adapted according to the intentions and needs of the staging. Thus, in order to understand the relationship between Romeo and Juliet as mainly motivated by desire rather than true love, it is necessary to eliminate the prologue and the mythical character it confers to the play.

Some of Shakespeare's plays have prologues in the manner of Greek plays, presenting the genesis of the whole reasoning implicit in the text. In the case of *Romeo and Juliet*, the prologue states: "From forth the fatal loins of these two foes / A pair of star-cross'd lovers take their life."

The couple, therefore, are destined to love each other, which renders their love unquestionable, even though, from a realistic viewpoint, a declaration of eternal love between two people that have just met sounds false and unlikely. Following a Renaissance view of the Elizabethan man – which adapts well to a predominately Catholic country like Brazil – the play is less about the concept of Man's free will than his submission to divine schemes, as in the Greek tragedy.

Preserving the prologue and taking the amorous impulse at face value, the aim of Antunes's staging is to focus on repression and authoritarianism. In Verona, the feud between the Montagues, Romeo's family, and the Capulets, Juliet's family, for the preference of the prince causes deaths, and the refusal to allow the union of the protagonists can be seen as a clear metaphor of the military dictatorship, still "rehearsing" a possible democratic distension or opening.

More than an idealized romance, the love between Romeo and Juliet is characterized as an act of subversion of the status quo. Their reluctance to obey their parents' prohibition, generating a tragic denouement, is an act of courage and a demonstration of belief in the possibility of liberation. In *A Lover's Discourse: Fragments*, Roland Barthes states that love consists of an act of folly which transforms itself into subversive language. The book is the main source used by Antunes Filho to compose his staging. In order to strengthen this proposition, he eliminates the play's epilogue, which presents the conciliation of the Montagues and Capulets after the loss of their children, and a moralizing speech by the prince. At the end of the performance the two dead lovers are elevated to a totemic position, in cathartic tragedy, with the two standing bodies, supported by the chorus, highlighting the cruelty of the situation.

This recourse is generally praised in the reviews. Ilka Marinho Zanotto states: "The final metaphor, with the choruses of youngsters erecting the lovers in an effigy, as if trying to resuscitate them with the gasp of their faith, is a witness to the superiority of love over death and the fortitude of hope"[88]. On the same topic, but referring to the adaptation process, Sábato Magaldi declares: "Antunes forsook the epilogue, erecting the sacrificial youngsters as a symbol of renovating hope"[89].

However, despite unrestricted praise to the elimination of the epilogue, Antunes Filho's adaptation causes disagreement among critics. Although it merely trims out a few passages and sentences, besides removing the epilogue, the play is presented in a period still redolent of the primacy of the theatrical text. Nonetheless, understanding the need for changes owing to the almost 400 years separating the writing of the play and Grupo Macunaíma's staging, some critics recognize that the adaptation actually improved the play.

---

88. Ilka Marinho Zanotto, "*Romeu e Julieta*, a depuração total", *O Estado de S.Paulo*, São Paulo: April 29, 1984, p. 36.
89. Sábato Magaldi, "*Romeu e Julieta* em recriação superlativa de Antunes Filho", *Jornal da Tarde*, São Paulo: April 27, 1984.

For Macksen Luiz:

> Antunes was able to reach the most essential in Shakespeare's work without weakening the play in the least. On the contrary, […] demonstrating that "the classics" can be the subject of recreations, as long as they do not try to contest the original text, deny it[90].

Carmelinda Guimarães states: "Antunes has lost the respect (in the good sense) that all intellectuals have for Shakespeare, and was therefore able to come closer to him and reach his essence"[91]. Contradicting her colleagues, Ilka Marinho laments the radical dialogue cuts:

> It is true that extensive monologues, descriptive dialogues built on wordplays of double meanings and many parallel scenes can be cut out without great harm to the whole. There are, however, poetical passages in the soliloquies of Romeo and Juliet that cannot be omitted without weakening the main characters. Those were the words which, over time, established the image of the lovers of Verona[92].

This staging procedure, which becomes Antunes's stylistic trait, is definitely established in this production, consolidating the formal principles explored since *Macunaíma*. In particular, it consists of two aspects: the use of an empty stage, focusing the action wholly on the actor and his possibility of bringing new meanings to the scene, and the presence of the chorus. Thus, in the same review, Ilka Marinho Zanotto points out:

> Now it's the flowery white of the Botticellian figures installing the domain of love and freedom, next it's the imposing embroideries and velvets or the phantasmagoric black of the Goyan processions imposing the empire of a suffocating order. […] With the stage completely empty, even stripped of the clothing of the shifting lights that bathe *Macunaíma* and *Nelson 2 Rodrigues* in magic, the director boldly reduces theater to its primary essence: the live presence of the actor on stage[93].

The fact that two youngsters have their lives tragically cut short may have influenced Antunes to highlight the adolescent facet of the play, formally adopting it as a scenic principle. With two young actors who were indeed young in the lead roles – Giulia Gam, 17, and Marco Antônio Pâmio, 22 at the time – the soundtrack is wholly composed of songs by the Beatles. More than merely an ambiance resource, the lyrics gain new meaning through the play's action. Thus, *Lucy in the Sky with Diamonds* becomes a kind of requiem for Juliet and the chorus of *With a Little Help from My Friends* – "I get high with a little help from my friends" – loses its slang connotation to suggest physical and spiritual elevation, while the chorus raises the pair of lovers, uniting them in an eternal embrace. *Help* is played during the anthological battle scene between the two families, with only sock balls thrown back and forth from the wings. Although the title might seem obvious in a moment of mutual assaults and wounds, the lyrics contribute a different meaning – "Help / I need somebody" – which can be interpreted as the search for a romantic partner or the need to share life in society with others. In both cases, the song imposes a dialectical perception on the situation, whether through the obviousness of the title, indicating the human need to love, evidenced by the condition of the young couple prevented from living their love to the fullest, or through the importance of solidarity, ignored by both families.

The choice of a Beatles soundtrack is well-received by critics. In this respect, in the abovementioned review, Sábato Magaldi states that the familiarity between the Beatles track and the adolescent audience:

> […] seems to be an obvious path, albeit strange for orthodox Shakespearians. It is neither an astounding innovation nor an unacceptable contradiction. […] it works, in *Romeo and Juliet*, because the songs have a similar mood to the narrative and mark its rhythm in a catchy way[94].

Ilka Marinho Zanotto emphasizes the almost allegorical character of the track, according to which in the 1960s the Beatles:

> […] translated in the lyrics and melodies of their ballads the renewed hope of a mankind that witnessed the expansion of its horizons with the landing on the Moon and the retrieval of the

---

90. Macksen Luiz, "O inesgotável e essencial jogo do amor", *Jornal do Brasil*, Rio de Janeiro: May 1, 1984.
91. Carmelinda Guimarães, "Uma obra de arte que é perfeita", *A Tribuna*, Santos, p. 25.
92. Ilka Marinho Zanotto, "*Romeu e Julieta*, a depuração total", *op. cit.*, 1984, p. 36.
93. *Ibidem*.

94. Sábato Magaldi, "*Romeu e Julieta* em recriação superlativa de Antunes Filho", *op. cit., loc. cit.*

imagination. *Romeo and Juliet* personify in all the decades the need to end the asphyxiation and set free the potential of infinite love and freedom we all carry inside us[95].

As to Antunes's choice of young and inexperienced actors, albeit of recognized talent, Sábato Magaldi state:

> An actor-based performance with a relatively inexperienced cast would seem contradictory. Aware of the problem, Antunes invests in physical and intellectual preparation so that the dialogue flows naturally, incorporated into the actors' personal experience. The performance thus achieves a much higher level of quality and homogeneity than the lack of experience would have us expect. The truth, expressed with no deceit, fills in the technical gaps which can only be overcome with years of practice. The still deficient diction is the only flaw to occasionally disturb the general harmony.

> I cannot imagine anyone with the charm, the facial contours (straight out of a medieval image), the purity and the determination of Giulia Gam to play the role of Juliet. Marco Antônio Pâmio also possesses the romantic features associated with the figure of Romeo. At no moment does his reluctance to wound Theobald (forcefully interpreted by Kiko Guerra) reveal any frailty. Marco Antônio personifies the adolescent perplexity of the love-struck and unprotected[96].

Analyzing the critical reviews of the play as a whole, what stands out is its warm and enthusiastic reception. Despite a few reservations, it is consistently viewed in a positive and commendable way.

Paraíso Zona Norte (Paradise North Zone)

Nelson Rodrigues is considered by many to be the greatest Brazilian playwright. However, not always was his acceptance so unanimous. Many of Nelson's plays were censured and at the beginning of his career he was considered a marginal author. His relation with politics is uncertain and although he was indirectly linked to the dictatorship regime and viewed as a conservative and moralist, his work was initially very badly received by the right-wing bourgeoisie, not exactly interested in incest and other sexual perversions widely addressed in his work.

If today Nelson Rodrigues is the most studied, staged and revered Brazilian author, that is probably due to two people: Sábato Magaldi and Antunes Filho. The former, a theater critic, was the first to recognize the greatness of the writer from Pernambuco and carry out an essayistic study on his complete theater works, even creating three categories: psychological plays, mythical plays and Rio de Janeiro tragedies. Antunes defends to this day, in an opposite approach to Magaldi's, that all the Rodriguean plays are mythical, working with the collective unconscious, which led the director to prefer drawing on Jung in his performances, against the prevailing trend at the time, that employed a Freudian approach. On this topic, Sebastião Milaré writes: "An experienced prospector, Antunes found in Nelson a diamond in the rough which everyone confused with a common stone. He started to polish it"[97].

In 1989, Antunes Filho goes back to staging Nelson Rodrigues, after various incursions into the playwright's work. He had already directed *A falecida* (at the Escola de Arte Dramática – EAD, the School of Dramatic Art); *Bonitinha, mas ordinária* (Cute, but Ordinary) (at the TBC); *Nelson Rodrigues, o eterno retorno* (with Grupo Macunaíma), which included four plays: *Toda nudez será castigada*, *Álbum de família*, *Os sete gatinhos* and *O beijo no asfalto* (The Kiss on the Asphalt) – the original project, which was never staged, also included *A falecida* and *Boca de ouro* (The Golden Mouth); and *Nelson 2 Rodrigues* (a restaging of the previous production with only the first two plays).

Paraíso Zona Norte is composed of two acts, divided between *A falecida* and *Os sete gatinhos*. The title is dialectic, working with the notion of opposites, the same idea which a little later would be thematically materialized in the clash between good and evil, becoming the core of a series of productions by Grupo Macunaíma. Paradise recalls Eden, giving the play a mythical character and, at the same time, the idea of an ideal place. Opposing this is the North Zone of Rio de Janeiro, a suburb where the action of the play potentially takes place.

Also curious is the choice of the plays that make up the staging. Both are staged for the second time by Antunes Filho, with *A falecida* appearing for the third time in a project by the director. These are not revivals, as was the case of *Nelson 2 Rodrigues*,

---

95. Ilka Marinho Zanotto, "*Romeu e Julieta...*", op. cit., loc. cit.
96. Sábato Magaldi, "*Romeu e Julieta...*", op. cit., loc. cit.

97. Sebastião Milaré, "*Paraíso Zona Norte*", *Revista das Artes*, São Paulo: July-August, 1989.

but creations founded on new concepts. Antunes justifies this approach stating that the production he directed at the EAD was too realistic, failing to convey the necessary tragic dimension of the text's poetry. On the other hand, according to the author, the version of *Os sete gatinhos* in *Nelson Rodrigues, o eterno retorno* was still too close in some aspects to a comedy of manners. Both plays are staged from a new perspective, confirming not only the multiple possibilities of interpretation of Rodrigues's oeuvre, but also the director's capacity to review and reinvent himself, thanks to his own polysemic nature.

To this end, the production invests attentively in the stage set by J.C. Serroni and the lighting designed by the German artist Max Keller, which afford the spectator two different perspectives. The first, a railway station, seems to be linked to the proposition of the title, since train stations are symbols of certain regions or districts, taking their name and thus delimitating a social sphere. They are public places, and although Nelson's plays are set in private surroundings, Antunes is interested in the topic of archetypes and atavisms. However, the staged situations address the mother cell of society: the family. Hence the emergence of the bubble, exploring yet another synthesis of opposites: public and private. Commenting on the stage set, theater critic Marcos Savini states:

> Analogies with train stations or modernist exposition pavilions, greenhouses, artificial bubbles or spaceships produce a sense of passage to another place. [...] the translucent structure creates a volatile ambiance. The feeling of unreality opens doors to archetypal unconscious realities[98].

As in *Romeo and Juliet*, the soundtrack created by Raul Teixeira draws once again on a single source for the songs, this time Hollywood films. The fascination produced by this kind of movie and its stars on the mass cinema public is the same type of illusory projection to which the protagonists of these plays aspire. The fascination with famous people and a better life is a common theme in practically all of Nelson Rodrigues's work. This is evident already in his most celebrated play, *Vestido de noiva* (*Bridal Gown*), which is divided into three dimensions (reality, memory and hallucination), the hallucination dimension being composed of the imagination of the protagonist Alaíde, who is enthralled by the world of fame. This is also the case, among others, of Zulmira (from *A falecida*), who wants to redeem her miserable life with an anthological funeral, and of Noronha (from *Os sete gatinhos*), who is ashamed of being a clerk at the Chamber of Deputies and pretends to have a more important position.

Many other spectators acknowledge the unique and innovative character of the play, affirming it to be unlike anything ever staged. José Cetra, Davi de Brito and Raul Teixeira consider *Paraíso Zona Norte* one of the best plays directed by Antunes Filho, if not the best. Sebastião Milaré states that little is said about the interpretation of the work of Rodrigues proposed by Antunes and his staging innovations. And although both acts share the same set, expressionist lighting and soundtrack concept, they are very different from each other. But that is also hardly observed by reviewers.

Both pieces present a certain degree of strangeness in relation to the rest of Rodrigues's work. *A falecida* focuses more on the hardships of our socio-economic organization than on the dark side of individuals. The protagonists' universe is bounded by limited horizons. Zulmira dreams of a pompous burial which would redeem her from a whole life of poverty; Timbira, the undertaker, is forced to exploit the fragility of the relatives of the deceased to make a living; Tuninho, managing to secure a considerable amount of money, doesn't know where to spend it and, beset by loneliness, tosses bills into the air in a soccer stadium. These factors of financial and spiritual wretchedness seem to be more decisive to the story than Zulmira's guilt at having a lover. Even that guilt owes more to an unhappy marriage than to a character flaw. From the very first scene, one sees no passion between her and Tuninho, only the routine of a couple who has got used to a life from which they cannot tear themselves away, mainly due to the lack of perspectives.

The guilt of adultery comes through the figure of her cousin Glorinha, who sees Zulmira walking with her lover and refuses to greet her. The conviction that Glorinha has cursed her with the tuberculosis from which she will soon die is supplanted by what she considers to be an enormous vengeance: an enviable funeral. Likewise, trivial esthetic standards are taken as evidence of her superiority over her cousin: Glorinha has lost one of her breasts to cancer, while Zulmira still has both intact.

Despite adopting the classic Rodriguean resource of killing the unfaithful wife at the end of the play and depriving her of dignity even after her death, the playwright scrutinizes a few aspects that mark the pettiness of the characters' mental universe.

---

98. Marcos Savini, "Antunes se afasta de Nelson Rodrigues", *Jornal de Brasília*, Brasília: November 20, 1992.

When Zulmira dies, Tuninho finds out he was betrayed, taking revenge by refusing to grant her last wish, giving her an extremely humble burial.

Os sete gatinhos, on the other hand, revisits the primordially sexual theme, addressing the topics of repression and unbridled passions. However, what most stands out is the father's authoritarianism. With four older unmarried daughters, who nevertheless give way to the natural evolution of their libido and lead active sexual lives, Noronha sees in his youngest daughter Silene the last chance of fulfilling the bourgeois ideal of a virgin marriage. The whole family, subdued by the father's obsession, is totally committed to providing Silene with the necessary conditions for this to happen. That being so, the four sisters, with their mother's complicity (and the father's, who pretends not to know), prostitute themselves to help send their little sister to a boarding school, since their father is unable to do so alone on a mere clerk's salary.

Overwhelmed by such repression, Silene beats a pregnant cat to death, unable to understand its animal condition. Hence the seven kittens Nelson Rodrigues alludes to in the title, which are ejected from their mother's uterus when she dies. Prevented from killing them also, Silene is expelled from the school and sent back home, where she becomes the pride of the family, since she still follows "high moral standards." However, it is soon discovered that she is pregnant.

Having lost all hope, Noronha transforms his home into a brothel, where his five daughters prostitute themselves. However, the oracle reveals to him that while the man who cries through a single eye still lives, there will be no end to the family's misfortunes. His scapegoat is the boyfriend responsible for taking Silene's virginity, whom Noronha kills. However, on seeing him agonizing, he notices the man cries through both eyes. Hard-pressed by the family, Noronha sheds tears that trickle down a single eye. Nelson borrows from Sophocles the ploy of the sovereign who looks for guilt in others when he is actually the guilty one himself.

Punished by the misfortunes visited upon the family, the daughters assault their father, murdering him. In the end, it is not the sinners of the flesh who die, but the one that stifled everyone with his unattainable notion of purity.

Differing greatly from each other, the plays go beyond the common expectations of Rodrigues's work. Unfortunately, the reviews give a scant idea of Antunes's staging in all its aspects. Lionel Fischer analyzes the differences between the two acts: "This feeling of strangeness is preserved during the whole performance, worked at a slower pace in *A falecida*. In *Os sete gatinhos*, however, Antunes speeds the performance up to a vertiginous, operatic rhythm"[99]. Marcos Savini writes that: "The ending of *Os sete gatinhos*, with Noronha's daughters moving about the stage like the Furies, reveals the fecundity with which Antunes Filho reinterprets Rodrigues's work"[100]. In the opinion of the latter critic:

> More tragic and less comical, *Paraíso Zona Norte* emphasizes the universal and archetypical aspects in the dramaturgy of Nelson Rodrigues. [...] it doesn't have the flavor of unbridled suburban humor. [...] But these are precisely the factors that seemingly distance *Paraíso Zona Norte* from what we could consider the typical dramaturgical universe of Nelson Rodrigues, and which are responsible for the greatness of the performance. This distance allows a view which, if not better (better or worse, it makes no difference), at least provides an enlightening perspective of the inexhaustible vitality of Nelson Rodrigues's plays, opening up a legitimate multiplicity of interpretations [...][101].

About the cast, Carmelinda Guimarães states:

> [Luis] Melo, who plays the husband Tuninho, adds a pathetic element to this Rio de Janeiro tragedy, enriching the human content of his betrayed character. [...] Rita Martins, who interprets Silene, masters completely the new technique dubbed by Antunes as "the bubble", she floats on stage, ethereal. Flavia Pucci is profound and sensitive as Zulmira or Aurora. The whole cast fits well into their characters and acts on stage in harmony, as if their gestures were linked in a single energy[102].

Vereda da salvação (Path to Salvation)

Vereda da salvação opens in December 1993. A year earlier, in 1992, the country witnesses the Carandiru Penitentiary massacre. Many other massacres and actions by extermination

---

99. Lionel Fischer, "Um inferno de beleza eterna", *O Globo*, Rio de Janeiro: May 10, 1990.
100. Marcos Savini, "Antunes se afasta de Nelson Rodrigues", *Jornal de Brasília*, Brasília: November 20, 1992.
101. Ibidem.
102. Carmelinda Guimarães, "A tragédia brasileira", *A Tribuna*, Santos: May 6, 1989, p. 10.

groups have been taking place. Life alarmingly imitates art. At the same time, churches of different evangelical persuasions strive throughout the country. Many people fear the danger of the imposition of pastoral power, as discussed by Michel Foucault – a messianism possibly culminating in religious dictatorship, as in *Vereda da salvação*. After various years of dictatorship, direct elections are held for president. The chosen president, Fernando Collor de Mello, before his trial of impeachment, displeases everyone with his administration and one of the most unpopular actions ever taken by a leader: freezing the bank accounts of millions of Brazilians.

The play has a simple plot. Its main interest is in the way it unfolds, rather than the facts themselves. A group of rural wageworkers migrates between farms, on the brink of absolute destitution. One of its members hears about a new religion on a visit to the big city. The whole group ends up indoctrinated by these new dogmas, with Joaquim as their leader. His main antagonist is Manoel, who does not adhere to his religious ideas. Dolor, the leader's mother, has mixed feelings about the new faith, but nonetheless stands by her son. The sect disseminates the ideas of purity and sinners visiting evil on the other members of the community.

The action is set during a sabbatical week in which it is forbidden to work and, part of the time, also to eat. However, the unconverted know that forsaking work will cause problems for all of them with the farm owner. Nevertheless, Joaquim does not allow any disobedience to the divinely ordained rest. He conducts his followers in blind faith, revealing himself as the messiah. His impressive persuasive skills lead the others to commit atrocities in the name of faith, such as murdering starving children for eating and forcing Artuliana, who became pregnant by Manoel out of wedlock, to abort.

News of the religious strike spreads. The police are summoned. The faithful have nothing to fear, as they believe their bodies are "sealed;" the unconverted also decide to stay, lacking the strength to struggle for a life so closely resembling death. All are killed by the police, who surround the area, on the night in which, according to Joaquim's prediction, the faithful would ascend to heaven.

As with *Paraíso Zona Norte*, Antunes revisits previously produced plays with a remarkable new approach, celebrated by the critics. For Alberto Guzik: "[…] with masterful sensibility, [Antunes replaces] the miserable huts indicated by Jorge Andrade with an inhospitable and branchless forest, reminiscent of prison bars"[103].

To reinforce this visual image and its tragic vein, the director creates a kind of prologue to the play in which the first image on stage is a row of upstanding coffins, facing the audience, with the "dead" inside. He thus aims to oppose stereotypes, staging the tragedy from a Brazilian viewpoint, as observed by Nelson de Sá:

> Antunes Filho has discovered Brazil. Like music and soccer, the theater is increasingly closer to the here-and-now. *Vereda da salvação* is popular and national, without being paternalistic […] a show with a life of its own. A show with nothing boring or outdated about it. Its only date is the here-and-now[104].

Antunes conveys a more humanized view of Joaquim in this staging. In the play's program, Jorge Andrade himself explains about his protagonist:

> Man will only be happy when he frees himself from man. That is what Joaquim tries to do, although he chooses a misguided path: sacrificing himself to become a myth and a god. It is a recurrent mistake of man's: running away instead of facing and exterminating the evil that tears him apart. That is his tragedy.

Mariangela Alves de Lima details the nature of this dialectic struggle in the text and in Antunes's staging:

> Jorge Andrade […] penetrated the group's core and legitimized religious fanaticism, acknowledging it as a possible way to preserve dignity. His play is a long-distance optical instrument, because through it he focuses both on the Christian sects spreading like weed among the poor population and the violence with which Brazilian society has systematically smoothed out social differences.
>
> […] Andrade confronts us with a community whose common destiny does not diminish the stature of its individuals. There are four great characters in conflict and each one of them fiercely defends their own idea of redemption.

---

103. Alberto Guzik, "O resgate de uma obra-prima", *Jornal da Tarde*, São Paulo: December 4, 1993.
104. Nelson de Sá, "Antunes descobre o Brasil em *Vereda*", *Folha de S.Paulo*, São Paulo: December 4, 1993, pp. 5-6.

[...] In *Vereda da salvação*, the performance is a horizontal plane, exposing clearly the balance and complex architecture of the text. In each conflict there is a mathematical distribution of forces, illustrated by groupings, rendering equal each one's truth[105].

In this staging, most of the actors have already been with Grupo Macunaíma for some time. Luis Melo, deemed by Antunes Filho the greatest actor in Brazilian theater, has established himself as the group's principal member. In *Vereda da salvação*, he plays the lead role of Joaquim. Laura Cardoso, an actress with vast experience and great charisma, is invited to play his mother. This time there are no controversies about the acting, although Macksen Luiz does have some reservations, precisely about the rural stereotyping so criticized by Antunes:

[...] Luis Melo's interpretation is the only one to provide the play with an air of national tragedy. The actor is a strange mixture of deranged messianic leader and fragile wretch who slowly constructs his alienation, unable to bear any longer what cannot be changed. Laura Cardoso, as the mother Dolor, wears a tragic mask which expresses both strength and subtlety in a woman who is fully aware of the situation around her, but also finds no reason not to kill herself. The other actors, with the exception of Sandra Correa as Ana, who does not take passively the immutability of her life, but whose social conditions do not allow her to change, are strongly marked by peasant stereotyping[106].

As to the actors, there is nothing but compliments, as comments Nelson de Sá:

Luis Melo is at once horror and hope. Cry and laughter, at the same time. A pathetic interpretation, plunging into the unlikely and emerging as a representation of a whole country. On the limits of melodrama, Luis Melo achieves, through Antunes Filho's hands, an interpretation that ranks him among the greatest Brazilian actors.

The unsettling presence of Laura Cardoso as Dolor, Joaquim's mother, further emphasizes the core of a tragedy of a national scope. Her tiny, stooping, almost brittle figure, but also confused, also complicit, also siding with the horror, is able to overcome the character's limited kindness and elevate it to the superior level attained by Luis Melo[107].

Alberto Guzik observes:

Laura Cardoso [...] provides us with a memorable performance. Her representation of the humble woman progressing towards a tragic stature is arresting. Luis Melo, in the role of Joaquim, once again surpasses himself. He combines the asexual sweetness of a gentle spiritualist such as Chico Xavier with the fury of a murderer who kills in the name of God. The actor breaks down boundaries, inextricably combining the physical outline of the fanatic with his psychological sketch[108].

A Pedra do Reino (The Stone of the Kingdom)

This production is one of the longest gestations in the history of Brazilian theater. In 1984, the play was ready to premiere. The idea was to compose a repertoire including *Macunaíma*, *Nelson 2 Rodrigues* and *Romeo and Juliet*, to which would be added two books by Ariano Suassuna: *Romance d'a Pedra do Reino e o príncipe do sangue do vai-e-volta* and *História d'o rei degolado nas caatingas do sertão: ao sol da onça caetana*. However, the project is only revived by Antunes Filho in 2006, when it is finally staged.

The combination of the two novels was not random: they both narrate the story of Dinis Quaderna, the promised king of the Fifth Empire of the Sebastianists. It is based on popular legends and beliefs, such as the long-awaited return of Don Sebastian, king of Portugal, who disappeared centuries ago in the battle of Alcácer-Quibir (Ksar el-Kebir). Quaderna proclaims himself king of the Kingdom of the Stone, in which both subjects and ruler are members of the same social class and hold a great popular festivity. However, the newly crowned king is arrested by the Estado Novo regime while writing a memorial relating the history of his kingdom. Summoned before a magistrate, he recalls his life and the myths entangled with it.

There is a tradition in popular culture exalting the figure of the inhabitant of Northeastern Brazil, portraying him as savvy and cunning, capable of great schemes and persuasive oral skills that always get him what he wants. Suassuna's works fit into this

---

105. Mariângela Alves de Lima, "Antunes Filho presta tributo à grandeza de *Vereda*", *O Estado de S. Paulo*, São Paulo: p. D7.
106. Macksen Luiz, "Quando o homem é o lobo do homem", *Jornal do Brasil*, Rio de Janeiro: December 4, 1993.
107. Nelson de Sá, "Antunes descobre o Brasil...", *op. cit., loc., cit.*
108. Alberto Guzik, "O resgate de uma obra-prima", *op. cit., loc. cit.*

category, especially these novels in which Quaderna uses popular rhetoric to defend the right to spread his ideas, i.e., freedom of creed and the right to dream.

Based on his short experience as a CPT actor, Sérgio Salvia Coelho observes: "As someone who took part in the first rehearsal sessions, I can affirm that very little of the original structure, passionately conceived by, among others, Cecília Homem de Mello, has been abandoned in the current version"[109].

Unlike Coelho, however, there are those who state that the play staged in 2006 was completely different from the 1984 version. Actor Marco Antônio Pâmio, who was part of the original cast and saw the more recent production, points out two fundamental changes between the two works, one of them in dramaturgical structure. In the first version, the dramaturgy was almost wholly dialogical, focused on the confrontation between Quaderna and the magistrate. In the 2006 staging, it is largely monological, since Quaderna, evoking his memories, narrates almost the whole time. The second distinction relates to shift in the main novel focused by the play, from *História d'o rei degolado…* in 1984 to *Romance d'a Pedra do Reino* in 2006.

According to Pâmio, due to the dialogical confrontation with the magistrate, the previous adaptation, with the main action set in the courthouse, presented a greater overlapping of plots. There was also a concern with the formal staging of the evoked memories, with the adoption of a slower pace and the use of sad violin and chorus music to represent the protagonist's mnemonic images.

In the staged version, however, the choruses retrieve characteristics used in *Macunaíma*. Antunes once more addresses explicitly national issues, following a sequence of Greek tragedies. On this topic, Sérgio Salvia Coelho states "[…] back on stage again are the Carnival-like chorus of *Macunaíma*, the row of seats of *Toda nudez será castigada*, the narration by an extra of *Romeo and Juliet*. But this retreat to safe ground does not mean surrender"[110].

About the adaptation, Suassuna comments: "I wrote a very crazy story. And Antunes transplanted all that craziness onto the stage. I don't know if those who haven't read the book understand anything, but I liked it."

However, part of Quaderna's strategy in his statement to the magistrate is to confuse him, parading before him a countless list of names, dates, wars, kingdoms. That being so, the difficulty in understanding certain passages becomes not a formal problem of the play, but one of its themes. Mythical stories are mixed up with ominous tales and many others invented by the narrator-protagonist. It is essential to understand not only the details that he is narrating, but also his defense strategy and his imaginative mind, inserted in a repressive context, and all of this is easily understood in the play, especially due to the clear dramatic structure, revolving around the narration of the self-proclaimed king.

Hence the importance of Lee Taylor's performance as Quaderna to the comprehension of the intertwining stories, unanimously acclaimed by all who witnessed his work. Sérgio Salvia Coelho states:

> Taylor assumes resolutely a position of responsibility, of brilliant antecessors, such as Cacá Carvalho and Marcos Oliveira [actors of the title-role of *Macunaíma*, the latter also Quaderna in the 1984 version]. His prophet-like look, with a half-smile disguising intelligence, his precise movements in traditional clown routines create a universe in which the tragic machine of Greek destiny gives way to the mechanics of the thingamajig[111].

According to Macksen Luiz:

> The performance of Lee Taylor, who vigorously sustains the Northeastern prosody and body movement, is the greatest and most welcome revelation of the play. His interpretation outlines the character as one of those saga heroes who reinvent themselves to survive an undecipherable country. And in this sense, his acting is translucent[112].

Mariangela Alves de Lima states:

> The difficult task of alternating between creative and prophetic delirium and spiritual disenchantment falls, in the play, to the actor playing the narrator. Lee Taylor is an exceptional actor for his lungs worthy of an experienced singer, for the intelligence with which he modulates the script's tones and intentions and, above all, for his capacity to invest the character with timeless maturity[113].

---

109. Sérgio Salvia Coelho, "Peça traz de volta o velho Antunes", *Folha de S.Paulo,* São Paulo: August 12, 2006, p. E8.
110. *Ibidem.*

111. *Ibidem.*
112. Macksen Luiz, "Um épico popular em belas cenas", *Jornal do Brasil*, Rio de Janeiro: August 13, 2007, p. B3.
113. Mariangela Alves de Lima, "Antunes Filho presta tributo", *op. cit., loc. cit.*

CHAPTER 5 – FESTIVALS AND OTHERS ACTIVITIES

BEYOND SHOWS

Many were the performances and activities held at the Sesc Anchieta Theater. Some for long seasons, others for short ones, but most of them in events and one-day special programs. Among these, besides the regular presentations, also were developed interactive activities with the audience, which always won over the crowd at the theater of Dr. Vila Nova Street.

These shows were part of different activities and events focused on performing arts, like the theater journeys and festivals. During these events, two hundred performances were produced in the city of São Paulo. Twenty-four cities from the state presented at the Sesc Anchieta Theater, and São José do Rio Preto[114] alone contributed 12 different works. Eight Brazilian states brought significant projects. Amongst the 18 countries present at the festivals, Japan stands out as the leading contributor of performances at the Anchieta's stage. Among the many international stars, Kazuo Ohno performed in four different shows.

The festivals and journeys were a success and filled the auditorium of the Sesc Anchieta Theater. Such events required the work of many people, among artists, producers and Sesc Consolação's own technicians.

> *[...] I am sure that, amongst all the things that went on at the Anchieta, the amateur theater festivals were my great passion. I always thought such an event would fit well at Sesc [...] More and more people started coming to the theater and music festivals. They were a special kind of spectator, loud and happy people, like soccer fans – we could say that São Paulo was living a festival atmosphere.* Carlos Lupinacci Pinto, in interview.

Thanks to the visibility generated by the theater festivals, exhibitions and journeys, many groups and artists advanced their careers. Luís Alberto de Abreu, for example, steps for the first time on the stage of the Anchieta Theater as an actor, in 1973, during the V Amateur Theater Festival. Afterwards, as a playwright with close to 60 productions, six of his plays were staged there. Scenographer J.C. Serroni has a similar story, claiming to have created more than twenty performances for that stage.

> *Sesc Consolação became a sort of temple. Sesc's festival was a huge theatrical happening in the city of São Paulo. It had a space set aside for interaction, sharing, contemplation and debates that was key for the initial development of many people. My life, the one I lead today, had its defining point 25 years ago, at Sesc. Much of what I am, of what I think nowadays about theater, the way I behave inside a theater house, I owe to the lessons and participations in those festivals.* Gabriel Villela, in interview.

FESTIVALS

The main goals of the theater festivals were to create a more consistent cultural production, granting an opportunity for those who ventured themselves through the many different activities in the field of performing arts, as well as spurring in the audience the development of a critical view of theater plays.

Between prizes and winners, all were rewarded in these ventures into the performing arts. The audience, for their part, found in these festivals an opportunity to get to know the artistic production of other cities and states.

This kind of experience has been a part of Sesc's activities since 1968, year of the first edition of a process of promotion, production and enjoyment: Sesc's Amateur Theater Festival. There were 12 editions in 20 years (from 1968 to 1988); over time, they lost their amateur status, but not the purpose of discovering new professionals and creating new audiences.

Although the event was already growing bigger with each passing year, the fourth edition of the Amateur Theater Festival, held between 15 and 29 November, 1971, introduced an important change in its structure, which proved to be quite appropriate. A different mentality was being sought, hence the even larger investment in the process of educating audiences and, also in pursuit of this goal, the hiring of three professional critics – Sábato Magaldi, João Apolinário and Paulo Lara – to analyze all the performances that were staged. According to the opening statement of the IV Amateur Theater Festival's program:

> Considering the idea that art cannot be compared, this fourth festival places itself at the almost ideal point of a process in which

---

114. The city that presented the highest number of shows in Sesc's Amateur Theater Festivals. From there emerged important figures of the theater, such as Carlos Gardin, Humberto Sinibaldi, José Carlos Serroni, José Eduardo Vendramini, Roberto Ardun, Luiz Rossi and Malu Pessin.

comparative prizes have been gradually abolished in the name of other criteria, aimed at cultural dissemination and providing guidance to the amateur groups, to whom comparative disputes mean nothing.

In 1984, the eighth edition of the event no longer carried the term *amateur* in its name, but it stressed in the program the upmost importance of encouraging the practice, a recognized concern with content that would not be lost because of a missing word. The program states:

If there are no "artistic" arguments for us to occupy ourselves with amateur theater, there is cultural evidence, at least from an anthropological point of view, that we are before an important phenomenon of great proportions. [...] At this very moment, in hundreds of Brazilian cities and towns, there are groups of people poring over badly printed scripts, trying to memorize a text, rehearsing the blocking. [...] it's through them [amateurs] that theater reaches out. To the parish. To the local community. To the schools. To the families, who in many cases are its most direct audience. To clubs in the peripheral areas. That which the cultural elite tries to confine to its own dominions, this kind of theater breaks through and makes more democratic. [...] Obviously, this movement isn't conscientiously directed to a pedagogical, educational mission. But it is sometimes a very important byproduct, one which, sometimes, not even the main participants notice.

A range of elements that foster the educational trait of the activities, such as workshops, lectures and courses, was part of the festivals' creation process, because reflecting about action was of the upmost importance for the continuity and success of this artistic enterprise.

At the openings, the [Amateur] Theater Festivals usually presented a professional play. Focusing on educational features, this activity reverberated among both the artists that took part in it and the audience. During the 12 editions, the opening performances came from various parts of the country, revealing the richness that is spread throughout the nation.

The last edition of the festival happened between 1 and 18 July, 1988, by which time this kind of event was starting to lose its appeal, as happened with the musical festivals held in Brazil. Over time, participants no longer agreed to be seen as amateurs. Although the word carries, in its core, a beautiful meaning, referring to "the one who loves," its connotation became attached to professional imperfection and carelessness, many times being used in reference to those who are starting out in a given activity. It was an understandable attitude taken by people who achieved a deep involvement with the profession, as was the case of many who participated in these events.

Some actors that were a part of the groups started saying they were already professionals; they did not want to be "mistaken" for amateurs, which, for them, had a pejorative meaning. With this and other obstacles, organizing the festival became harder and harder, until we decided to temporarily[115] suspend it. Carlos Lupinacci, in interview.

The Anchieta Theater was also used by professional groups, who took over stage in between the presentations of the festivals.

From 1984 onwards, after dropping the word *amateur* from the theater festivals' name, the event's last edition opened up to international festivals, journeys and exhibitions, frequently revolving around a specific theme or paying tribute to a group, playwright or poet. By recovering a tradition initiated by Ruth Escobar and broadening the dialogue with international plays – which, from 1994 onwards, would be presented more consistently – the IV International Festival of Performing Arts of São Paulo comes to life, still upholding an educational trend.

In 1995 and 1996, confident of the importance of the International Theater Festival to reestablish actions of this nature and considering its value for the theatrical language and for the city, the 5th and 6th edition of the event take place, attracting important productions from places all over the world, such as Australia, Italy, Poland, Romania, Japan, France, England, China and India. It became an opportunity for the audience to get in touch with what was being produced in other countries, in a clear and healthy cultural exchange that included the participation of some of the leading names in world theater, such as the English actress Vanessa Redgrave, who directed the play *Antony & Cleopatra* (1995), and the director Zhang Yan (1996), one of the main figures of China's independent filmmaking at the time.

Her [Vanessa Redgrave's] Cleopatra gets around all the feminine clichés which the centuries have bestowed upon the historical character. She is born directly from a critical reinterpretation

---

115. The expression *temporarily*, used by Lupinacci, is by no means an analysis mistake. Sesc's actions are closely linked to the audience's appropriation and memory of its activities. That is why it is not impossible to imagine the need to host events of this nature at the institution in the future.

of Shakespeare's play, valuing more the character's vigorous impulses than her seductive schemes. The queen's theatrical tricks become innocent play between two lovers and her passion for Mark Antony, a true feeling, consequence of the almost natural inclination of the stronger for the weaker[116].

JOURNEYS

Taking into consideration the twelve earlier festivals, the work was revisited and transformed, gaining a new title: Sesc Journey of Experimental Theater. Journey *because it suggests a way, a path to be followed.* Experimental, *although possibly controversial, for aiming at a very broad proposal, capable of offering multiple possibilities of comprehension, of adding new references to the theater's current panorama.* Laura Maria Casali Castanho, in interview.

The period of the so-called *theatrical journeys* at the Anchieta Theater starts in 1989, with the following name: Sesc Journey of Experimental Theater. In this first experience, the focus was on creating an environment fit for the reception and discussion of the so-called experimental performances. Taking the work of German theatrologist Bertolt Brecht as a starting point, the theater received performances whose procedures and results transgressed or countered canonic models.

Until 1998, this format occupied the theater's stage with different themes at each edition. In the first three, experimentalism induced producers and creators to seek new approaches that could address the demands and interests of the city's different audiences. As states an excerpt from the opening text of the Sesc Journey of Experimental Theater (1991):

> The experimental focus is the base of the whole project, because we believe that this line of work favors the research of new languages, opens up space for original experiences and enables the emergence of novelties. Experimentation is a valid option for understanding and transforming this era.

At each edition the journeys explored a specific theme, an open challenge for both the participating groups and the theater professionals who formed the judging commission, in a continuous educational process similar to the festivals. Important figures of the theater, producers and thinkers alike, took part in this consulting group, which was essential for the educational work that gave continuity and legitimacy to the project. Many different areas of the theater had their representatives exchange ideas, knowledge and creativity.

Some of the names who took part in the journeys' educational process together with the audience and the artists were Eduardo Tolentino de Araújo, Mariangela Alves de Lima, Umberto Magnani, Antunes Filho, Tunica, J.C. Serroni, Davi de Brito, Celso Frateschi, Lígia Cortez, Gabriel Villela, Hamilton Vaz Pereira, Renato Cohen, Luís Alberto de Abreu, Rodrigo Santiago, Wanderley Martins, Iacov Hillel, Carlos Lupinacci Pinto, Antônio Araújo, Noemi Marinho, Sérgio de Carvalho, Roberto Lage, Rosi Campos, Silvana Garcia, Daniela Rocha, Ewerton de Castro, Ulysses Cruz, Antônio Abujamra, Bete Coelho, Magali Biff and Luiz Päetow.

In a space where team work is essential, such as the theater, the challenges proposed by the journeys were created in accordance with the themes appointed for the elaboration and production of the performances. The 1992 journey, which was titled "Em cena: textos curtos" (Onstage: Short Texts), announced in its program that it intended to recognize what was seen as fundamental in theater, i.e. the actor, the director and the script, taking into account the proposition of a short play, which should be approximately 30 minutes long.

Drawing on old traditions, comprising artistic and esthetic forms and creation processes, the theater that structured itself mainly as entertainment persisted, frustrating predictions that said the genre would not last. Thus, as it continued attracting many people, and considering the need to critically review the genre, the 1993 Sesc Journey of Theater adopts as its theme "Laughter in theater". The event opens with a solo presentation by one of the main comical actresses of Brazilian theater, Dercy Gonçalves, who was 86 years old at the time. Over the following twelve days, the Sesc Anchieta Theater would serve as a stage for fun and propose an examination of laughter and comical theater, its scripts, artists and singular traits.

Musical theater and passion in theater were the themes for the 1994 and 1995 journeys, respectively. Besides the performances and the educational and critical activities present in other editions, the former also hosted the exposition *Panorama do teatro musical no Brasil* (Overview of Musical Theater in Brazil), whose program paid tribute to Artur Azevedo as a pioneer of the genre in the country.

---

116. Mariangela Alves de Lima, "Vanessa faz Cleópatra impulsiva", *O Estado de S. Paulo*, São Paulo: November 23, 1995, p. D4.

In the mid-1990s, there was a clear need to develop joint actions to counter the so-called market culture. Many theater schools were graduating professionals with no job perspectives. This situation showed clearly that associative life and groups emerged as a possibility and a concrete alternative to face this reality. The so-called company theater imposed new perspectives and challenges. Production now becomes a collective activity. Aware of this situation and looking to expand this procedure and stimulate debates regarding the importance of the theatrical text as a starting point for collective or collaborative creation, Sesc presents, in 1996, the Sesc Journey of Theater – The original text and the search for the new Brazilian dramaturgy. In the program of the Journey, Enrique Diaz states:

> How can dramatic literature create this new world that the work of art must know how to create through its own grammar, at the same time as it casts an eye on the past, on the reality of the contemporary world and on the necessary partnership with new forms of mise-en-scène (and, consequently, with the specific traits of theatrical language)?

Another excerpt of the program relates that:

> […] in their old wagons and trunks full of junk, the Parlapatões bring the untold luck of those who wouldn't believe they have stories to tell. They turn one tradition into a party; two, into laughter; three, into an account of where our days have gone; and the endless slapstick becomes an appeal to hope.

With an open theme to be developed by the groups, the 1997 Sesc Journey of Theater aimed to develop spaces through which creators and audience could come closer to the plays. During this event, the exposition *Mulheres Brasileiras em Cena* (Brazilian Women in Scene) was presented, with pictures by Marcelo Greco. According to an excerpt from the 1997 Journey's program:

> Judging is always an ungrateful task. Even more so when we have, before our eyes, such absolute diversity. There were 54 projects of unique inspiration and identity. […] the result of a contest is more a bet than a sentence.

The theme for the 1998 Sesc Journey of Theater, the concept of actor-creator, peculiar to a specific moment in the history of dramatic arts, breaks away from the regular hegemonic form, which gives priority to, hierarchically, text, director and, later on, actor. This new concept emerges with the historical vanguard movements that take over the improvising strategies of popular street artists. As Danilo Santos de Miranda writes, in the program:

> The 1998 Journey focuses on the work of the actor-creator, the improvement of acting techniques and the mastering of simplicity in the creation of theatrical language.

For the opening, considering the investigation of acting processes conducted at the CPT with the Prêt-à-Porter project, two scenes from this project are staged: "Leque de inverno (Winter Fans)" and "Horas de castigo (Punishment Hours)", followed by a conversation with Antunes Filho.

TRIBUTES

The Sesc Anchieta Theater hosted various exhibitions and activities in honor of artists who marked its history or were national and international reference points, such as those remembered below.

In December 1968, when the Anchieta Theater festivals first started, a festival organized by the Escola de Arte Dramática – EAD took place. In 1988, the same school organized a show with its students to celebrate the theater's twentieth anniversary. Named *40 years of the EAD and 20 years of the Sesc Anchieta Theater*, it occurred in September and paid tribute to the affective relationship established between the space and its occupants.

During his time in Brazil, the Japanese Butoh master Kazuo Ohno, then 91 years old, was already considered one of the biggest celebrities in the art world. In the exhibition *Kazuo Ohno – Butoh*, which happened in May 1997, Ohno presents two performances. As he tells in an excerpt of the program:

> My job […] is to create a concept for the dancer to develop with responsibility and freedom. If you wish to represent a flower, you can resort to mimicry and obtain a common and uninteresting result. But, if you interiorize the flower's beauty and the emotions it evokes inside its dead body, then the flower you create on stage will be true and unique and it will touch the audience.

> *Kazuo Ohno is my artistic guru, a human and artistic light. Since our first encounter, in 1980, during the Nancy Festival, my life changed.*

I discovered that theater should be and could be something else. I realized I could be a vehicle that transmits and expresses the interior and spiritual universe, leaving behind dumb subjectivity and objectivity. Before meeting him, theater for me was "to be or not to be", and nowadays it has become "to be and not to be". Antunes Filho, in interview.

Strengthening progressively its bonds with Europe, the Sesc Anchieta Theater adds to its schedule, in 2002, the exhibition *Teatro de movimento – Holanda* (Physical Theater – Holland), with performances that were accompanied by other cultural activities.

In 2003, in light of the recent experience with Kazuo Ohno, Sesc presents *Vestígios do butô* (Evidences of Butoh), an event that paid posthumous tribute to Takao Kusuno (1945-2001), a pioneer of Japanese dance in Brazil. The exhibition is composed of performances from Brazil, Germany and Japan, as well as panel discussions.

The project Reflexos da Cena – Artaud: Corpo, Pensamento e Cultura (Reflexes from the Stage – Artaud: Body, Thought and Culture), which occurred in April 2004, had as a main goal to create a space for debate between audience and creators that abolished strict academic procedures. With a theme that revolved around the life and work of the French writer Antonin Artaud, the project involved performances and a lecture by Teixeira Coelho, called "Contemporary Thought and Artaud".

Companhia do Latão had already performed at Sesc Consolação on two other occasions, in 1999 and 2000. Taking into consideration their esthetic and political propositions, as well as the results obtained from previous works, Sesc organized the exhibition *7 anos da Companhia do Latão* (7 years of Companhia do Latão), with many of the group's productions being staged in one event. Sérgio de Carvalho states, in the program: "[...] the possibility of experiencing productive pleasure doesn't come solely from formal invention, but also from social invention."

In June 2005, in order to celebrate the centenary of the birth of French philosopher Jean-Paul Sartre, the director Eugênia Thereza de Andrade is invited to organize and coordinate a set of activities developed in many different spaces of Sesc Consolação. Called *Sartreanas – Sartre 100 anos* (100 years of Sartre), the event was composed of lectures, shows and theatrical performances inspired by the philosopher's work.

In October of the same year, it was time to celebrate the 100th anniversary of the independence of Norway, as well as the centenary of the death of one of its most illustrious citizens, the playwright Henrik Ibsen (1828-1906). The Ibsen Centenary Festival, held at the Sesc Anchieta Theater, paid its homage through dramatic readings and lectures, all inspired by the playwright's work.

ART EXHIBITIONS, SEMINARS AND OTHER EVENTS

Since 1967, the year of the Anchieta Theater's inauguration, cinema was perceived at Sesc as an art whose appreciation by the audience should also be stimulated. Thus, motion pictures played – and still play – a leading role in the activities of the so-called social centers (usually big houses where the institution held its activities, which in time were replaced by the current units). The activities report for that year already features descriptions of meetings between movie enthusiasts, in a sort of movie club movement. At the old Mário França de Azevedo Social Center, nowadays Sesc Carmo, emerged the Cinema Propagation Center, in 1965.

So, it comes as no surprise that the institution ran movie sessions at the Anchieta Theater from the very beginning. Even when the technical conditions for the theater companies to take over the stage were still inadequate, movie related activities were already present. And not only movie sessions, but also important debates on the subject. Some examples are the 1st International Exhibition of New Cinema, in January 1968, with productions from Switzerland, Canada, Sweden, Norway, Yugoslavia, Italy, England, Japan, Poland and Argentina; and *30 anos de cinema soviético* (30 Years of Soviet Cinema), which happened between June and July 1980. Movie projections were also held during the Brazilian Literature and Cinema Seminar, in 1967.

The literary arts also made their mark on the stage of the Anchieta Theater, promoting events such as the Tribute to Federico García Lorca, the Spanish poet, and Dialogue with Poets – Brazilian Contemporary Poetry, both held in 1968. At the Brazilian Literature and Cinema Seminar, organized the previous year, important figures in the fields of literature and cinema raised questions regarding these forms of art and debated them together with the audience. Some of the names present at the event were: Jean-Claude Bernardet, Nelly Novaes Coelho, Sérgio Buarque de Hollanda, Augusto and Haroldo de Campos, Lygia Fagundes Telles, Mário Chamie, Antonio Candido, Gilda de Mello e Souza, Roberto Schwarz, Décio de Almeida Prado and Paulo Emílio Salles Gomes.

Considering the country's huge territory and the fact that little is known about its artistic production, Projeto Mambembe, developed in the first semester of 1989, brought to the large urban centers some meaningful theatrical productions from the countryside for presentations and experience sharing with other groups of artists and the audience.

An important contribution for the debate on theatrical expression was the Workcenter seminar of Jerzi Grotowski and Thomas Richards, organized by the Theater Research Center – CPT in 1996, under the coordination of Antunes Filho, and created as an international symposium. Before the event, the movie *Art as Vehicle*, which narrates the research method developed by the Polish director Jerzy Grotowski, was exhibited at Cinesesc. The participation of international guests and, above all, of Grotowski and Richards, was the high point of the reunion. Also present at the event where Gey Pin Ang (Singapore); Roberto Bacci, Mario Biagini and Mirella Schino (Italy); Georges Banu, Michelle Kokosowski and Jean-Marie Pradier (France); Edgar Ceballos and Fernando de Ita (Mexico); Anatoli Vassiliev (Russia); and Lisa Wolford (USA).

A cultural event based on concepts related to mythology, held in 1998, Eu sou mais Zeus – Mito e Consciência (I Prefer Zeus – Myth and Conscience) involved lectures, theatrical, musical and audiovisual productions, and occupied various spaces within the Sesc Consolação building.

Another important project was Mímica em Movimento (Mimicry in Movement), held between September and November 1999, which aimed to unite esthetic and educational purposes. Thus it presented, in an integrated way, plays, mime and pantomime shows, dancing-theater shows and clowning. According to the program:

> By representing everyday gestures and inner attitudes, it amplifies one's perception of the world and of oneself, stimulating creativity. Mime is a game that proposes, in a very distinct manner, to observe, interiorize and reproduce the other in a more sensitive and conscious way. This consciousness is not only physical, but a deeper knowledge of the physical, social and psychic limits and possibilities.

Project Underground – ?Passado/Presente? (?Past/Present?), organized in 2004, brought together many of the previous activities, whose experimental character had been developed since the journeys, and turned various of the unit's spaces into a territory favoring artistic expressions and manifestations, trying to retrieve the concept of underground, its praise of new meanings, of urban culture and of unusual combinations. At the Anchieta Theater, besides theatrical performances, musical shows were also presented, with artists Jorge Mautner and Nelson Jacobina, Arrigo Barnabé and Marcelo Nova.

Aware of the intense dialogue between connections and hybridisms present in different artistic manifestations of the 21st century, Sesc begins to unify different artistic presentations, organized according to specific time periods and held simultaneously in all capital and countryside units at the Art Exhibitions. It is worth mentioning that these activities in diverse artistic expressions happen in tandem with the units' regular programs, whether permanent or temporary. Therefore, the most varied forms of art mingle and blend, offering the audience infinite combination possibilities for their enjoyment.

A good example is the exhibition Balaio Brasil (Basket Brazil), held in November 2000, in various units, with the Sesc Anchieta Theater as one of the performance venues. The program says:

> The main goal is to assemble and give visibility to the many Brazilian cultural manifestations. [...] Balaio Brasil will address what is already recognized, going beyond esthetics and conventional classification methods. To reveal this country you need to have an open heart, keen senses and courage to look at a blended and original universe, which transforms itself at every border crossed, every celebrated saint and every different accent.

In 2002, the event, with multiple and varied artistic expressions, gains the title of Sesc Art Exhibition.

With the theme Ares e Pensares (Airs and Thoughts), it brings to the Anchieta Theater's stage dancing performances from France and Israel (in partnership with Brazil), music from Mongolia, and the National Theater of Greece. According to the program's text:

> [...] this international event, organized by Sesc São Paulo, proposes ways for artistic enjoyment, aspiring to draw the eye to different spaces, times and consumptions. An invitation to internal movement: a time for breaks, intervals and suspension.

The Sesc Art Exhibition – Latinidades (Latin Culture), held in 2003, is inspired by the belief that it was necessary to develop a more effective contact with procedures from other parts of the world. For this reason, in this straightening of the institution's relationship with theatrical practices from other corners of the planet, six performances are scheduled, coming from Cape Verde, France/Benin, Switzerland/Spain, Brazil and Argentina.

In the first years of the new millennium, with the enhanced cultural exchange between Brazil and France, mainly because of the Year of Brazil in France in 2005, the Sesc Mediterranean Art Exhibition further increased the activities being developed with this country and others. The seminar Fronteiras do Mediterrâneo: Tecendo Culturas, Memórias e Identidades (Mediterranean Frontiers: Weaving Cultures, Memories and Identities) also occurred during this event, with conferences addressing this subject and speakers such as Tassadit Yacine (Algeria), Clara Ferreira Alves (Portugal), Mauro Maldonato (Italy), Frank Usarski (Brazil), Maria Algels Roque (Spain) and Maria Aparecida de Aquino (Brazil).

In 2006, as part of the celebrations of its 60th anniversary, Sesc São Paulo presents the Sesc Art Season, a set of cultural actions including national and international contemporary artistic productions. The event's purpose was to propose new forms of reflection and debate on theater, dance, visual arts, cinema, literature and digital culture. Besides the theater presentations, samba took over the activities with the project Na Casa da Tia Ciata (At Aunt Ciata's House), which addressed the origins, mysteries and pathways of this musical genre.

Using different languages, the artists that participated in the Sesc Art Exhibition – Circulations, in November 2007, aimed to work with methods and procedures connected to experimental and vanguard productions, such as automatisms, hybridisms, installations, pathways, collaborative processes, convergences, interventions. Once again, Sesc Consolação took part in the exhibition.

Organized by Sesc on a national scale, the Palco Giratório (Spinning Stage) festival travels to many Brazilian states during the course of a year to divulge and promote the development of performing arts. In 2008, this festival presented, at the Anchieta Theater, the performance *O pupilo quer ser tutor* (The Pupil Wants to Be Master), by the theater company Sim... Por Que Não?, from Santa Catarina.

Machado de Assis, leitor do Brasil (Machado de Assis Reader of Brazil), a festival held in 2008, highlighted performing experiments produced by different theatrical groups revolving around the writer's literary universe. The following groups participated in this exhibition: Companhia do Latão, Cia. do Feijão, Núcleo Bartolomeu de Depoimentos and Nós do Morro.

The project 7 Leituras, 7 Autores, 7 Diretores (7 Readings, 7 Authors, 7 Directors), conceived and directed by Eugênia Thereza de Andrade, worked with different themes between the years of 2007 and 2014. They were: the cheapning of human life, comedy tradition, intolerance, love, family, utopia, seven times Shakespeare, seven deadly sins.

CHAPTER 6 – INTERNATIONAL PERFORMANCES

A WORLD STAGE

Establishing partnerships to foster knowledge exchange has always been a priority at Sesc. Working with private and public institutions, both national and international, has led the organization to learn and to teach, both importing and exporting know-how.

In 1971, through an institutional partnership between Sesc and the Goethe Institute, German artist Rolf Scharre is invited to present a mime performance. That is the starting point for many other partnerships aimed at presenting performances conceived in different cultures and also encouraging contact with foreign professionals and experiences, which would contribute to strengthen critical thinking on a personal, esthetic and reflective level.

In the 1980s, cultural initiatives such as these become more frequent, triggering the first movements to increase the staging of foreign performances. In April 1982, the Anchieta Theater welcomes Nola Rae, an Australian artist living in England, whose work is renowned worldwide, to present a mime performance. In 1985, the Japanese group Ban'Yu Inryoku presents *Suna* (Desert Zoo). In this performance, the desert sand marks the outer and inner distance which characterizes human solitude in times of late capitalism.

The 1990s witnesses a stronger and more consistent presence of international performances staged at the Anchieta Theater. Many are the reasons why a more democratic access to international productions only become available to audiences at that specific moment. Among them is the international scenario, especially on an economic level, with the rise of globalization facilitated by new means of communication. The growing presence of a virtual world, existing side by side with the real world, proves to be a useful tool to reinforce cultural interaction. It wouldn't be wrong to say that Sesc's cultural exchange policy also favored the occasion. A good example is the IV International Festival of Performing Arts of São Paulo, held in 1994, which is followed by two other editions, in 1995 and 1996.

Therefore, over time, the works of celebrated international artists and groups increasingly occupy the Anchieta Theater. Among the most important are The Wooster Group, from the US; Teatr 77, from Poland; Attis Theater Company, from Greece; French actress Isabelle Hupert; Companhia Teatro de Los Andes, from Bolivia; and English director Peter Brook. Included below are a few comments on these shows.

According to Danilo Santos de Miranda, in the play's program:

> The Wooster Group in the play Frank Dell's – The Temptation of St. Antony can be considered a viewing exercise, since the scene sequences in the show give the audience a chance to experience a chaotic understanding of the world at first, but also enable them to decode everything that is real, which sometimes seems so incomprehensible.

Inverting the 1943 production, in which Polish director Zbigniew Ziembinski "eternalized" Nelson Rodrigues in one of the landmarks of Brazilian theater, the Polish actors of Teatr 77 are directed by Brazilian Eduardo Tolentino de Araújo, from Grupo Tapa, in a staging of the same play, *Vestido de noiva*. Eduardo Tolentino de Araújo writes in the program:

> It is a work analogous to the one we do in Brazil when we are staging Chekhov or Ibsen, the search for similarities; but, in this case, I had to find them in another culture.

In 2003, the Anchieta Theater presents *4.48 Psychosis*, written by Sarah Kane and including Isabelle Huppert in the cast.

> The audience is confronted with something intense and truthful. […] She [Isabelle Huppert] is a sacred monster. Whoever had the chance to see her on stage will certainly never forget it. But, more than that, she is a monster tamed by her own will to merge with the play's plot, of dissolving her human form into the volatile substance of the text she declaims[117].

> *I cannot recall, in my entire life, having seen such an eager audience, quiet, tense, waiting for the play to begin* [4.48 Psychosis]. *Before it started, we were all in silence. We knew the actress [Isabelle Hupert] would stand still for two hours, talking. I felt as if the entire audience was united. It was one of the most fantastic experiences I've ever had.* José Cetra Filho, in interview.

---

117. Mariangela Alves de Lima, "Isabelle, para jamais esquecer", *O Estado de S.Paulo*, São Paulo: March 6, 2003, p. D5.

Founded in 1986 by stage director Theodoros Terzopoulos, the Attis Theater Company stages two plays at Anchieta Theater: *Descent*, in 2002, based on the myths of *Women of Trachis*, by Sophocles and *The Madness of Heracles*, by Euripides, and *Epigoni*, in 2004, whose script is a dramatic synthesis based on fragments of Aeschylus's lost tragedies. The latter play is staged in Greek with a Brazilian actor giving a brief initial explanation, since, according to the director: "[...] the script is practically unnecessary, the audience will understand what it's about just by watching."

About *En un sol amarillo (Memorias de un temblor)* (In a Yellow Sun – Memories of a Quiver), staged by the Bolivian group Companhia Teatro de Los Andes, researcher, artist and drama teacher Hugo Villavicenzio writes that:

> It resembles a true seismic wave, which shakes our imagination to the point of modifying our perception of what actually happens before, during and after an earthly catastrophe. Drawing on epic resources, fragmented narrative, interpolated scenes and critical distancing, the play describes in detail the fury of nature and the disastrous consequences brought about by the greed of all kinds of profiteers who exploit the misfortune of the Quechua people.

Directed by Peter Brooks, *Sizwe Banzi is Dead* is staged in 2006 by International Centre for Theatre Creation/Théâtre des Bouffes du Nord Paris, France. The script combines influences of Bertolt Brecht's epic-dialectical theater with the oral tradition of African storytellers, the *griots*. Valmir Santos comments on the play, its creators and cultural contexts:

> In art, creating simple forms and conveying them meaningfully to the other is always a challenge. Peter Brooke has immersed himself deeper in this since the 1970s, when he visited Africa with his International Centre for Theatre Creation. The play *Sizwe Banzi is Dead* [...] illustrates how profoundly the cultural wealth and popular resistance of that continent influence the work of the English stage director – who has also tried his hand at filmmaking [...]. This time, the Londoner Brook, aged 81, is not present in Brazil. Since 2000, his recent productions have been staged in the states of Rio Grande do Sul, Minas Gerais, São Paulo and Rio de Janeiro. In these performances, the scenes seem to be played to an arena, even before a frontal auditorium, with full potential to involve the audience. That was the case in *The Suit, The Tragedy of Hamlet* and *Tierno Bokar*. The focus on a narrative voice further emphasizes the idea of a storytelling circle, a symbol of African oral transmission[118].

Besides presenting plays, in 2007 the Anchieta Theater also organizes lectures by artists who explain their influences, methods and work processes. Amongst them was Sotigui Kouyaté, who was an actor at Théâtre des Bouffes du Nord, under the direction of Peter Brook. He exposes the importance of the griot tradition in preserving the memory of different African communities, especially in Mali.

Anatoli Vassiliev, stage director, educator and performing arts scholar, responsible for founding the Moscow School of Dramatic Arts, talks about his working methods for the play *Médée-Matériau*.

Celebrated in 2009, the Year of France in Brazil is an event of artistic, cultural, scientific and technological cooperation. Hosted in all the main Brazilian cities, the initiative has Sesc as one of its most important partners[119]. Thus, the Anchieta Theater witnesses a dramatic reading of *The Great Inquisitor*, a fragment of *The Brothers Karamazov*, by Fyodor Dostoyevsky, and the monologue *War: a Memory*, by Marguerite Duras, with the French actress Dominique Blanc, both directed by Patrice Chéreau.

Produced by Moscow's Stanislavski Drama Theater and initially presented at the Chekhov Festival, the play *The Chekhov Brothers – Scenes from Family Life* arrives at the Anchieta Theater in November 2010, narrating the childhood experiences and background of the future writer, as well as of his brothers.

In 2011, the Anchieta Theater stages *La omisión de la familia Coleman* (The Omission of Cole Family), a play by the Argentinian group Timbre 4, directed by Claudio Tolcachir, which portrays the economic and moral decay of an Argentinian middle class family whose relationships are defined by corrosive irony and by the acceptance of the pathetic.

That same year, the group Cia. Dos à Deux, composed of actors André Curti and Artur Ribeiro, who live in France, present *Fragmentos do desejo* (Fragments of Desire), a play about the relationship between four characters struggling to understand themselves and their sexuality.

In between the biennial editions of Mirada – Iberian-American Performing Arts Festival of Santos, different theater

---

118. Valmir Santos, *Folha de S.Paulo*, São Paulo: August 28, 2006, Ilustrada.
119. Danilo Santos de Miranda, Regional Director of Sesc São Paulo, was designated at the occasion as President of the Brazilian Committee.

companies and creators hold events that present and stimulate potential dialogues with the theater production of countries in Latin America, as well as Spain and Portugal. The Anchieta Theater receives performances from Mirada Events on the following occasions: in 2011, Mirada – Portugal Event brings *Se uma janela se abrisse* (If a Window Opened), written and acted by Tiago Rodrigues. In following year the Chile Event presents *Gêmeos* (Twins), written and directed by Juan Carlos Zagal.

In 2013, once again focusing on Portugal, the Anchieta Theater stages *As barcas* (The Barges), written by Gil Vicente and directed by João Garcia Miguel. In the same year the first Biennial International Theater Festival of the University of São Paulo: Incendiary Realities is held, presenting the Tunisian production *Macbeth: Leila & Ben – A Bloody History*, an interpretation of Shakespeare through the analysis of the contemporary Arab world.

Both in the past and in the present, international shows have featured prominently in the Sesc Anchieta Theater's program. The partnerships, groups, companies, directors and actors, stage designers, costume designers, lighting technicians and producers have all contributed to preserve this space as an essential place to meet the other and oneself.

PART II
SESC ANCHIETA THEATER IN PERSPECTIVE

SESC ANCHIETA THEATER

Maria Thereza Vargas

Vila Buarque, a fine name for a neighborhood so full of stories (or, even better, histories). There have been changes, no doubt about it. A long time ago a nice little tram used to carry its name and transport the students of Mackenzie, of the recently installed School of Philosophy at USP (formerly at the building in Caetano de Campos College) – the people from the Santa Casa Hospital, the boys and girls heading for the Children's Library, which later on would have its building modernized and gain a theater next door (the Leopoldo Fróes) for its parties and performances. In the following years, this space would be used by "real" actors. However, even though the theater had its moments, there were so many problems that the only solution was a sad demolition. Without the theater, the square gained in light and the trees recovered their natural importance. But the auspicious fact is that good winds echoed the hushed sound of many and many voices that were left behind down the slight slope of Dr. Vila Nova Street.

So, on November 14, 1967, the Serviço Social do Comércio (Social Service of Commerce) inaugurated a new unit, always at the service of the workers: Centro Cultural e Desportivo Carlos de Souza Nazareth (Carlos de Souza Nazareth Cultural and Athletic Center), known as Sesc Vila Nova and designed by Ícaro de Castro Mello. Inside the complex, a theater with a seating capacity of 359 spectators. Although it was planned to stage not only theatrical performances, but also dance, music and cinema, its name was symbolic and, in time, the celebrated Anchieta, a Jesuit who wrote poetry, would inspire the managers to dedicate themselves almost entirely to the dramatic arts.

The new playhouse was inaugurated to the music of Schumann, Villa-Lobos and Gluck, interpreted by Guiomar Novaes. The lighting equipment wasn't complete, which made it impossible for the first show to be a theater play. It would take a bit longer for the curtains designed by Burle Marx to be drawn, so that Fernanda Montenegro, Ítalo Rossi, Sérgio Britto, Gledy Marise and Perry Salles could present *La Parisienne* (*The Parisian Woman*), by Henry Becque, a jewel among the adultery plots so in fashion on French stages at certain times.

Miroel Silveira conceived the programming area, and his words don't really match Henry Becque's style: "We at Sesc focus on the cultural and social side of theater. We would like to offer the employee from the trade sector [...] cultural elements for his personal instruction and consequent human and social development"[1]. After the initial sophisticated *ménage à trois* came a group with ideas that were closer to the ones guiding his project. The Sesc Anchieta Theater received Teatro da Cidade, from Santo André, who presented *George Dandin*, by Molière, directed by the young Heleny Guariba. The cast was composed of local actors who studied at Alfredo Mesquita's school. In the program, a declaration of principles: "Our stage is not one for grand emotions, but a reference point in which actor and audience meet to discuss some issues which for us seem to be of general interest."

However, when dealing with Brazilian theater, nothing is definite. The gravity of the propositions was softened by an almost naive joy when, in 1969, Cláudio Petraglia proposed the staging of *A moreninha* (The Little Brunette) as a musical, promising attraction and enchantment as assets to win over new audiences. This was a very important opportunity even for the institution, interested in a broad cultural production. The institution's efforts, at that point, were directed towards attracting and instructing an audience consisting of employees from the trade sector and their families. At the same time, horizons were broadening: the theater started to welcome people who worked in commerce or not. Hence the concern with young audiences. A youth "[...] in need of leisure and cultural alternatives adequate for their age and concerns"[2], as they explained. Attracting young people was easy. The musical was an adaptation by Miroel Silveira and Cláudio Petraglia of Joaquim Manuel de Macedo's novel, which, luckily, was required reading in schools. It was a huge success, both with the adult audience and in the special sessions, staged only for youngsters. The uncomplicated love story between Carolina and Augusto was backed by equally simple and pleasant songs by Petraglia:

Paquetá, Paquetá
Que saudade vai dar!
Dessa história de amor, Paquetá
Das meninas daqui, Paquetá
Você vai se lembrar.

---

1. Serviço Social do Comércio – Administração Regional no Estado de São Paulo, *Teatro Sesc Anchieta*, São Paulo: 1989, p. 36.
2. *Ibidem*.

(Paquetá, Paquetá
How much you will miss!
This love story, Paquetá
The girls from here, Paquetá
You will remember.)

The musical attracted the theater's biggest audience to date and definitively established the Sesc Anchiea Theater as the most attractive playhouse in São Paulo.

Soon the institution would launch an educational project capable of forming new audiences: A Escola Vai ao Teatro (The School Goes to the Theater). Actress Maria Alice Vergueiro, teacher at Colégio de Aplicação Fidelino de Figueiredo (Fidelino de Figueiredo School for New Pedagogical Techniques) and responsible for the subject "Theater Applied to Education," became for some time a bridge between schools and the performances at the Anchieta. Later on, Lucy Vieira Guimarães was hired with the single mission of attracting audiences to the plays.

One of the groups that benefited from and acted on this idea was Companhia Cleyde Yáconis-Carlos Miranda-Oscar Felipe, who scheduled three perfomances on the same day: *O gigante* (The Giant), by Walter Quaglia; *O santo e a porca* (The Saint and the Sow), by Ariano Suassuna, and *Man Equals Man*, by Bertolt Brecht, thus producing plays for children, young adults and adults. The interesting thing is that theater becomes almost a family experience for the group, a profile that defines the organization.

The season's success goes beyond the plays. Actors, directors, publicists, teachers, producers and Sesc itself join in favor of the undertaking in such a way that, for a few months, theater work becomes a gathering of friends, production partners, a home away from home for everyone. Most of the group (we could even call them "workgroup") arrives at the theater at eight in the morning and only leaves after midnight, with the complicity of doormen and electricians. Some of the cast even sleep at the theater in order to meet, without delays, their morning schedule.

As we can see, the Sesc Anchieta Theater wasn't created as just another playhouse in town, lacking in meaning. And it is not true that a house leads nowhere. It can very well irradiate paths that lead to safe territories, of different shapes and colors, depending on the owners. Everyone was exploring a line of work still strongly committed to the institution. Projects were attempted during the tough years of the 1970s, with professionals from other venues respectfully received, in an exchange that was beneficial to both parts. Paulo Autran brought Molière, *The Learned Ladies*, which, staged at irregular hours, helped bring students to the theater. Cleyde Yáconis brought Euripides and Walmor Chagas came with Shakespeare. *Medea*, the savage, and *Hamlet*, the righteous, tell us something that goes beyond the uttered words. The classics, which are different and speak differently to different ages, were accepted and understood by the audience.

Singing and laughter aren't heard only in times of peace. *O comprador de fazendas* (The Purchaser of Farms), a musical comedy by Miroel Silveira, with music by old timer Hervé Cordovil and young vanguardist Walter Franco, was based on a story by Monteiro Lobato and had Dulcina de Moraes as director and actress, happy to be back on the stage, to which she had dedicated almost 50 years of her life.

Actually, what was being attempted at the Sesc Anchieta Theater since *A moreninha* was to create space for an unsophisticated musical repertoire, based on Brazilian traditions and with typical Brazilian characters. It was possible to laugh at our own quirks. This motivated the staging of *A capital federal* (The Federal Capital), by Artur Azevedo, which presented delightful melodies composed at the end of the 19th century by Nicolino Milano, Assis Pacheco and Luiz Moreira. We are no longer in the countryside, or in the beautiful Guanabara Bay, but in the national capital, where a farmer and his family arrive in search of a smart husband. The noises of Paquetá are replaced by the elegant Ouvidor Street, in the heart of the city. "Não há rua como a rua/ Que se chama do Ouvidor" ("There is no street / Like the one called Ouvidor"). And these are followed by complaints about the tram that astonishes the ranchers, who are both fascinated and frightened at the same time. "À espera do bonde elétrico/ Estamos há meia hora!/ Tão desusada demora/ Não sabemos explicar!" ("We've been waiting for the tram / For at least half an hour / Such an absurd delay / We cannot explain!"). Cleyde Yáconis helps to raise money for this comedy-operetta about Brazilian habits, and the play's acceptance surprises the businesswomen and her colleagues.

In what way does this theater named after a priest go on with its daily life? It goes on, evidently, with much care for the Brazilian way of making theater, with creativity, perseverance, boldness, and even a little recklessness on the part of its creators, who are always trying to diversify. Not without risks, but achieving solid results that come in many forms.

And so, among this patchwork, the house of many shades happened to stage a curious rupture. In 1975, Regina Duarte, Brazil's sweetheart at the time, acted in the play *Réveillon*, by Flávio Márcio. The actress, always remembered for her smile, was trying to reduce her television exposure and explore her acting gifts. She declares in the play's program: "I was also responsible for this period, because I simply let things happen. I went with and was taken by the flow […]. It was smiles everywhere, when what I actually felt was a terrible agony." So, Flávio Império, who had been invited to design the costumes and stage set, proposed that this goodbye be done on stage. The actress's smile would be painted on a screen and the suicidal character would cut through its own smile. The idea scares director Paulo José, who desperately yells: "This is not *Roda Viva (Commotion)*!", and Regina Duarte (Janete) ends up killing herself without great innovation. But for the actress the break was real, allowing her to renew her image and get away from cliché plots: this time it was a family tragedy, in which the symbolic date and its celebration – New Year – wouldn't be a happy renewal of life, but quite the opposite, that is, a full stop to the mediocre and false lives of three family members. The son saves himself and abandons the house.

It's not enough to stage the most meaningful productions. Truth be told, the institution did open its doors to festivals that, amateur or not, tried out many new things. However, in the playhouse's conditions and in the way it was managed, there was always a vague desire of setting up something permanent, in accordance with Sesc's wish of binding itself to the history of São Paulo's theater and, in a way, preventing it from becoming stagnant. A group that would work with the dramatic arts in a kind of laboratory, where they would build, not instantly, but little by little, new forms of acting and staging.

Antunes Filho joins the Sesc Anchieta Theater in 1982 and creates the Centro de Pesquisa Teatral (Theater Research Center), which premieres in 1984. The "course", as Antunes likes to define his "company" (let us use this old word with a new meaning: co-workers), through the ideas of Mircea Eliade and Carl Jung, takes theater back to the core of its origins. And this is done not only with "official" plays, but expanding the theater's universe with adaptations of singular moments of literature, bringing to life characters that, up to that point, lived only in our imagination. How very moving it is to see Policarpo Quaresma up on stage, crushed by his dreams that opposed a "[…] world empty of kindness and love."

Anchieta becomes the ideal house for poets (as the forefront artists liked to call playwrights). And, as we know, nowadays the poetic state of mind is broader, reaching the director and performers at the very moment in which they reveal to us, the audience, what can't be said.

Gerald Thomas's experiment *Eletra com Creta* fits well in this stage: "[…] archeologist of myths, a digger of ancestral memory", as professor Luiz Fernando Ramos describes him. Among the spotlights, the characters cease to be only shadows through the happy choice of sensible presences, generous in gestures or words.

Many artists faithful to poetry passed by the Anchieta: Kazuo Ohno; Vanessa Redgrave and her colleague, David Harewood, in *Antony & Cleopatra*, by William Shakespeare; Manuel Bandeira translating *Mary Stuart*, by Schiller, played in full by Lígia Cortez and Julia Lemmertz. In the same way, Drummond, Vinícius and Bandeira served Walmor Chagas in his belief in the magical power of words. By his side, in *Lua e Conhaque* (Moon and Brandy), Clara Becker transformed them into songs. Cássia Kis and her wonderful Amanda, of the sad Wingfield family, in *The Glass Menagerie*, also had great poetic value.

Few people know or remember this, but it was on the stage of the Sesc Anchieta Theater that Alfredo Mesquita, patriarch of the theater of São Paulo, took leave of his theatrical activities, which were practically his life. At the final examinations of his Escola de Arte Dramática (School of Dramatic Arts), in 1968, at the last exhibition of *The Merry Wives of Windsor*, which he directed, his presence was requested on stage. Taking a handkerchief from his pocket, he waved to the audience. Disenchanted, without resources and betrayed by a few students, he handed over the Escola de Arte Dramática to the Universidade de São Paulo (University of São Paulo).

THE HOUSE ON DOUTOR VILA NOVA STREET

Mariangela Alves de Lima

At the end of 1968, nearly a year after the Sesc Anchieta Theater was inaugurated, director Victor Garcia presented for the first time in São Paulo the play *Car Cemetery*. Based on the work by Fernando Arrabal – but not entirely obedient to his writing – the Argentinian director placed the surreally inspired characters in a building very symbolic of urban life: the automobile repair shop, with its exposed crossbars, pulleys, bits of devices undecipherable for laymen, and passageways in which the automobile industry's parts were mixed up with regular theater devices. Instead of watching a frontal scene, the audience was organized in groups that sat in *parterres*, located in corners created by the passageways. The audience had swivel chairs, in order to keep track of scenes that happened simultaneously, as well as the ones happening close to the garage's extremely high ceiling. And this was only the start of many changes undertaken by the scenic space, which would evolve more and more in the decades to come. In the following year, theater was being staged in old houses of big cities, in nearly abandoned industrial zones, in open spaces, such as courtyards and squares. After that, theater started taking over museums, monuments, galleries, streets, swimming pools, digging sites (tunnels and underground holes) and, finally, landforms, such as hills, lakes and rivers.

In short, the concept of scenic space that became fashionable from the 1970s onwards turned the baroque image of a great theater of the world into a real thing and baffled the current vocabulary, still stuck to the expressions "playhouse" and "theater building". This happened almost at the same moment in which Sesc inaugurated its theater, with a frontal audience and fixed seats. From an esthetic historical point of view, putting up a solid and well planned theater, built the Italian way, at the end of the 1960s, meant reinforcing a stage/audience relationship that would soon be in crisis.

However, this obsolete layout didn't stop the Anchieta from building a good reputation among artists and audience, while other contemporary playhouses with similar architectural projects faded away. The administration was, beyond any doubts, essential for this to happen; nevertheless, when looking back, I believe this prestige is also owed to the sensibly chosen middle ground of the architectural and artistic project. The ceiling's truss, positioned nearly ten meters high, as well as the harmonious geometrical proportion in relation to the width of the downstage, creates exceptional leeway for sceno-technical maneuvers. Stage depth of more than 15 meters, a generous apron for epic plays, orchestra pit and stage floor divisions, all of this for a relatively small audience of little more than 300 people. The lighting and sound equipment are also modern, of course, but this is almost a rule nowadays and is not what makes the Anchieta different from other theaters. Maybe the theater's soul is in its size. Instead of a huge building, backed by public and private institutions engaged with cultural development – such as Teatro Cultura Artística, Teatro do Sesi, Teatro Alfa and the publicly owned Sérgio Cardoso – the cultural concept embodied by the building inaugurated in 1967 was of a theater with excellent technical conditions, adequate for its frame and capable of staging productions sophisticated in both form and thought. In other words: instead of conforming to the ideal of the national and popular French theaters, the theater located in Dr. Vila Nova Street would welcome an audience whose cultural ambitions could not be satisfied by commercial theater. The small audience could distinguish between this project and the audience formation programs. It is also hard to picture the revolution in narrative and space that thrived between 1968 and 1984 taking place inside the neat space created by Aldo Calvo.

As it seems, the fact that the theater was not adequate for groundbreaking creations attracted other kinds of experiments. With a traditional steady audience layout, impeccable technical apparatus and, just as important, a strict concern for a cultural occupation project, the Anchieta became the apple of the eyes of artist-researchers that wished to develop and perfect the frontal scene theatrical experience. It's this challenge of creating something new for the centenary picture frame stage that hooked both artists and daring groups and those who nurture the old artisanal theater spirit. There are many cases in the long list of performances staged at the Anchieta but, as an example, let us remember the stage designers Gianni Ratto and Flávio Império. Both were ideologically connected to unconventional scenic spaces. It was the Sesc Anchieta Theater's infrastructure, however, that allowed the former to investigate, analyze and stylize historical information about the esthetics of 19th century Brazilian theater, and the latter to explore the rupture of the box set, associating it with photographic projections, thus creating the poignant symbol of the city that crushes the character's heart. *A capital federal* and *Réveillon* are two examples, but this profitable critical reinterpretation of the Italian stage goes on even today, in recent plays staged by Moacir Chaves, Aderbal Freire-Filho, Renata Melo and Felipe Hirsch.

Actually, it didn't take long for the Sesc Anchieta Theater's artistic policy to create a mechanism of associating the building's profile to the changes in theatrical production and expression of the 1970s. The CPT was the privileged way of operating this alliance, but the project and the operational system of Sesc Pompeia are also related to the playhouse on Dr. Vila Nova Street. That which has many forms, is horizontal and open (even Lina Bo Bardi's "rip" and "opening") can dialogue with the Italian box set, whose foremost ideal is the depth of meanings.

Considering it as part of the city's theatrical life and reviewing its activities over the decades, the Sesc Anchieta Theater has become a sort of family shelter, a safe and comfortable place we visit in order to appreciate how strange common things can be, to fear the unknown and to come in contact with the world's restlessness.

I don't remember having read any mention of the playhouse's patron in previous publications. Maybe it is time to remember the fragile wanderer who wrote on sand, covered his stage with foliage and lighted up the scene taking advantage of the rotation movement of celestial bodies.

AN "FI ITARIAN" THEATER FOR EVERYONE, AS IMAGINED BY VITEZ

Silvana Garcia

In a conference that would later become a classic essay on the subject, José Ortega y Gasset[3] indicated as the first strong meaning of the word "theater" the physical evidence of the building itself. From this starting point, and applying an extremely virtuous reasoning, the Spanish philosopher analyzed the dualities that compose the theatrical phenomenon – stage and auditorium, actors and spectators – and thus developed his *idea of theater*.

We could, just like he did, make everything else derive from a simple initial assertion: theater is, first and foremost, a building. However, it is a building that accommodates the opposite side of life, *another* life, imagined, un-realized lives; thus, it is a building that contains many other *buildings* inside.

It is possible to conceive the Sesc Anchieta Theater in that way: many *buildings* inside a single building, a palimpsestic architecture made of symbolic masonry, containing the signs of past buildings not as ruins, but as memories. This is what enables a space to become traditional: the many layers of vestiges that tell its story, that define its continuity. This is what now makes it worthy of celebration.

I remember the first time I entered the Sesc Anchieta Theater. Actually, it might not have been the first time, but this is how I remember it. I wasn't there to watch any plays, but to have a lighting class with Fausto Fuser, my university professor. The equipment we used at school was somewhat precarious, a real piece of junk; in contrast, the Anchieta's equipment, which was state-of-the-art, made us feel as if we were driving a Rolls-Royce after having steered a wagon – a cliché that depicts the moment with perfection. There we had resources that we didn't even imagine existed. All of us, directing students, were dumbfounded. It was the first time that many of us, myself included, could grasp the role that lighting could have in a production. The Anchieta's lighting box was one of the best classrooms we attended during our course.

The Sesc Anchieta Theater, over its more than 40 years of existence, became part of tradition and built its own tradition. Among the many activities to occupy its stage were amateur theater, dance, educational projects, festivals, movie exhibitions, lectures, musical and poetry concerts, besides, obviously, professional theater productions. The Anchieta helped to write a chapter in the history of every one of those segments, leaving its mark. And it certainly isn't the numbers, which are extraordinary, that bestow on it so much value, but the quality which, since the beginning, distinguished the productions it staged. Two generations of artists passed through its corridors and left behind memories of unforgettable productions. That's not to mention the CPT, a chapter in itself. Few are the theaters which can stand up to it, which have or had the same importance as a space for the dissemination of performing arts.

The Anchieta had its place – and an important one – in my professional development, because there I watched many of the performances that built up my taste for and understanding of theater. The first years of my career coincided with the first decade of its existence. Watching the theater's performances was part of my routine. We knew that, even when money was short, there we would always manage to get our hands on a ticket – they would never let us out on the street if there were empty seats. For theater students, the possibility of attending good plays is just as important as other educational activities. Watching is an essential part of learning how to do.

One of the oldest memories I have of being in the Anchieta's auditorium is watching the play *Tango*. Apart from discovering a vigorous playwright, a distant contemporary of whom I had never heard, I also had my first contact with the scenic geniality of Amir Haddad, who became a point of reference for me since then. Right about the same time, I remember watching *As desgraças de uma criança* (A Child's Misfortunes), under the creative direction of Antonio Pedro and with an unforgettable performance by Marco Nanini – for the first time I realized Martins Pena was neither boring nor anachronic – and, of course, *Réveillon*, by Flávio Márcio; it was the new Brazilian theater once again lifting up its head with dignity in times of admonitions and tight reins.

From that initial moment up to the present, I have collected authors, directors and performers who were introduced to me by the Anchieta's stage, from Kazuo Ohno to Isabelle Hupert, from Slawomir Mrozek to Moacir Chaves.

Antoine Vitez used to advocate "*un théâtre élitaire pour tous,*" that is, not an elitist theater, but *elitarian*, for everyone. This idea can be associated with the project that inspired and guides the

---

[3]. José Ortega y Gasset, *A ideia do teatro*, São Paulo: Perspectiva, 1978.

Anchieta: a theatrical programming that always seeks to bring what is new, what is best, what comes from most further away, focused on quality and available for the broadest audience possible. A theater that is necessary, especially when you consider the precarious conditions in which theater is produced and divulged around here.

ANCHIETA, OUR CONTEMPORARY

Silvia Fernandes

Any playgoer in São Paulo surely considers the Sesc Anchieta Theater one of the city's contemporary spaces, for everything it has promoted and hosted during the last decades. Besides being home to Antunes Filho's Theater Research Center, which pioneered the process of combining the investigation of the actor's role with the discussion of broad aspects of Brazilian culture, the institution has always operated as one of the boldest centers for theater production and promotion. Gabriel Villela, Aderbal Freire-Filho, Felipe Hirsch, Daniela Thomas, Luís Alberto de Abreu, Moacyr Góes, Marcio Aurelio, Pessoal do Victor, Grupo Galpão, Os Satyros, the Wooster Group and Jerzy Grotowski's Workcenter are but a few of the artists that have performed in the playhouse named after our first playwright.

The support given to the investigation of acting, playwriting and set designing at the CPT, the openness to educational and collaborative experiences in political theater, such as the work of Companhia do Latão, the welcoming of performative processes of making theater such as the ones conducted by Ricardo Karman and Gerald Thomas, the introduction of radical experimentations with body, word and scenography to the Brazilian audience, as in Kazuo Ohno's and Claude Régy's work, would suffice to display the contemporary spirit of this theatrical space in São Paulo.

On the other hand, regarding a space destined for theater as contemporary can mean very little. If the term is adequate for designating what is particular to a certain age and the profound experience with the age itself, the fact that it has become a word for anything that is allegedly current and, even worse, a way of ideologically inserting something new into the art market has turned its use into a problem. Generally, *contemporary* qualifies what appears to be new, from the most recent launch of the automobile industry to the globalized trend of cultural studies.

In the attempt to explore a territory undermined by merchandise considered "contemporary" only because it generates bigger profits, theorists and researchers commonly problematize this concept. This is exactly what happens in Cassiano Quilici's recent essay, where he reflects on the notion of contemporary through Friedrich Nietzsche's *untimely meditations*. According to the philosopher, acute sensibility forces the authentic son of an era to suffer its contradictions more ardently and, for that reason, to fight harder against its problems, since he sees them better and lives them with more intensity. That usually results in the artist's dislocated position in his own time, which leads Nietzsche to consider the radical artist's experience to be untimely. Moving from the center to the margin of the age gives him a feeling of strangeness in relation to his time that allows him to notice things that are latent, a possible opening to virtualities and connections that were hidden by the present. The same happens in regard to the past, for the passing of time affords equally unexplored possibilities, capable of being unfolded in artistic, political and existential renewals.

Considering the tides of history, it is possible to speculate to what extent Anchieta, patron of Sesc's most important theater, can clarify the playhouse's vocation for the contemporary. In this sense, it is curious to notice that the Jesuit/playwright's first reaction towards the Indians was of awe. The theater he created is a reliable record of the incapacity to understand a different culture, which would have to acquire organized speech and representation status before it could make any sense to the Europeans. The Tamoio ritual of collective participation was inadequate for this kind of mimesis and differed entirely from the moral instructions on free will and personal salvation at the core of Catholicism. Once these two doctrines were accepted, they separated the Indian individual from his community and opened up monological gaps in the tribe's collective spirit. As pointed out by Mariângela Alves de Lima in a brilliant essay on the subject, the path taken by a soul that teaches itself is a solitary one, and there is no participation of the community in the road to redemption. Relinquishing the collective memory, revoking the ancestors' laws is the lesson of a theater that is born from difference, but aspires to overcome it through conversion, refusing to show on scene the reality of those who must be saved from their forebears, their bodies and their rituals.

More than four hundred years after Anchieta's theater, the staging of *Macunaima* by Antunes Filho and the namesake group is probably the soundest proof of how history's tides can open up unsuspected possibilities, turning past virtualities into present realities. For the director and his partners, the reinterpretation of Mário de Andrade's rhapsody revolves around the notion of a tragic hero, whose mistake is not being faithful to his nature, choosing acculturation in the big metropolis over the indigenous paradise to which he could aspire. Linking the saga of the hero without any character to the history of colonization and of Indian culture which couldn't resist the commercialized world, the theater group compensates this historical failure by probing deeply into Brazilian ethnical origins, which are presented through collectiveness and the Indian-like nakedness of the actors. The absolute simplicity of the scenic resources, the search for theater's essence through acting, the rotating creation of characters, the explicit presentation of the creation methods at the base of the construction of the scenes are all principles that indicate a collective theater and, especially, a pedagogy of the Brazilian actor who, through crooked paths, retrieves his ancestors' community spirit.

CONVERSATION AMONG MUSES[4] OR WOMEN'S AFFAIRS - SINGLE ACT

Newton Cunha

Melpomene – Do you see the house that welcomes song, gesture and performance?
Erato – That which of art is protector, of its traces and earthly colors?
Melpomene – That is the one, and no other.
Terpsichore – There I have always been welcomed, as inspiration, guide or necessity.
Thalia – And I, scoffing at men and life, have made use of it many times.
Polyhymnia – And in the words I suggested, to the ears of those who searched for them, beauty and truth were found.
Calliope – And so this question, why ask it?
Melpomene – For this dear lady – her memories, stage and magic – celebrates forty-three years of age.
Erato – How mortal time flies! In us, neither quickly nor slowly does the eternal move, walk or slip away.
Melpomene – In memory is still preserved the uttered voice of the actors…
Thalia – … The nimble *croisés* of ballerinas and the diverse chants of singers.
Polyhymnia – Let us not forget the debates, enlightened and useful routines prepared with so much care.
Terpsichore – Do you recall the tragedies and poets that on this stage performed?
Melpomene – How could I forget, dear sisters, the fine conversations between nobles, rich men and courtesans? For example, the mourning Antigone:

"I disdain now and always,
The words uttered by your mouth,
As you will deny what I say.
But who will reach greater glory than mine
As I bury my brother Polynices?
If fear did not steal your voice,
You would agree with me.
Acting as he wishes, doing as he chooses
Are blessings from which a tyrant may benefit."

Calliope – Or even yet the noble Segismund:

"Much reason is given
To your justice and discipline,
For a man's greatest crime
Is that of being born.
I just wished to know,
So to be more careful
And with heaven as witness
That I am guilty of being born,
With what else did I offend you,
For to bear more punishment?
Were not the others born?
For if they were,
What privileges do they possess
That I could never enjoy?"

Thalia – And so many others: beautiful brunettes, social climbers, outcasts and misers, heroes, witches and queens, quixotes, thieves and jesters.
Erato – It is not just a lighted box, but a fireplace, a source, an income and a shelter…
Calliope – … the most placid and friendly of ports, the unquestionable abode of the arts.
Terpsichore – Maybe they could, the artists, singers and performers, set and costume designers, musicians and producers, applaud, in a polite gesture, which is also *pro domo sua*, the prolific history that marks the younger and second Anchieta.

---

4. The following Muses are characters, by order of speech: Melpomene, tragedy; Erato, lyric poetry; Terpsichore, dance; Thalia, comedy; Polyhymnia, rhetoric, sacred hymn and religious dance; Calliope, epic and heroic poetry.

AN INSTITUTION, A DIRECTOR AND A THEATER: ANTUNES FILHO AND SESC

Jacó Guinsburg

Those that have followed the Brazilian theater scene over the last decades know beyond doubt that Sesc, by trusting to Antunes Filho the Theater Research Center (CPT) and welcoming him into the Sesc Anchieta Theater, offered a contribution that could be described, at this point, as one of the most relevant to the research, dissemination and modernizing of dramatic arts, in regards both to its creations and to its creators, in the broadest sense of the term. Thanks to a combination of resources, efforts and talent, one of our most well-informed stage directors, regarding not only esthetics and forefront theatrical experiments, but also with a broad knowledge of the dramatic arts' classic tradition, found a stable foundation on which to consistently develop his creative trajectory, initiated at the Teatro Brasileiro de Comédia (Brazilian Comedy Theater – TBC) in the distant decade of 1950.

His theatrical work, always guided by artistic boldness and technical precision, had led him to form a theater group that was named after one of the most singular and representative works of art of Brazil's modernist literature: *Macunaíma*, by Mário de Andrade, which also became one of Antunes's paradigmatic plays. Aware that the language of the theater is, above all, that of the actor who lives it, he did not limit himself to starting a group: he added to it an acting school that combined in its educational project training and information, knowledge and self-knowledge, body and critical thinking techniques, regarding both human being spiritual and existential level and Brazilian reality and its problems.

A few years ago I had planned on writing about Antunes's works. Unfortunately, I never concluded my project, but it seems timely to say now what I wrote back then:

> The performances that this director has been presenting to São Paulo's audience in the past years distinguish themselves not only from average productions, but even from the good plays that were staged in different seasons, for a unique trait that, being constantly present, allows him a space of his own in Brazilian modern theater… What is it that gives him such a peculiar quality that now sets him apart from what others are doing and also from his relevant work in the past? Of course, if we do not wish to resort to simple explanations such as "brilliant" inspirations and their magical resources, the answer must come from, considering the personality of this artist-director and his creative power, the ideas that guide his work, the way he organizes and handles their artistic realization on stage.

However, it was distinctly from 1982 onwards, after accepting Sesc's invitation, that his experiments and performances gained more opportunities to develop and establish themselves.

The way I see it, three aspects stand out in his work as a man exclusively dedicated to the stage, even when seen on television, as in the version of *Vestido de noiva* (Bridal Gown), by Nelson Rodrigues: the choice of text and theme, the scenic conception and the educational preparation of the actors.

Regarding his repertoire, we can notice that, considering most of his choices, Antunes either relies on and pays homage to the great works of dramatic literature (*Romeo and Juliet*, *Macbeth*, *Medea*, *The Trojan Women*, *Antigone*), or he dedicates himself to exposing and debating Brazilian reality, rural and urban, social and psychological (*Nelson 2 Rodrigues, Vereda da salvação, A hora e a vez de Augusto Matraga, Xica da Silva, Paraíso Zona Norte, A Pedra do Reino, Senhora dos afogados, Policarpo Quaresma*), most of them staged at the Sesc Anchieta Theater. As we can see, this way he moves from the universal and classic to the national, specific and contemporary.

In terms of scenic conception, Antunes proved himself to be an artist interested and committed to modern forms of understanding the stage and the audience, not only those expressed in dramatic writing (and here all we have to do is remember, besides Brecht and Artaud, Bob Wilson, Tadeusz Kantor, Kazuo Ohno or Grotowski), but also related to proposals and critical debate regarding a more careful multicultural understanding of the world, even from a scientific point of view. Evidently, modernist conceptions and the very culture of the time he was living in influenced the constant changes in his methodology and way of working. We are talking about an esthetic concept that is incessantly in search of what is new, of combinations and convergences, even the most dissimilar in origin and intention: in Antunes's particular case, there is a noteworthy interest in contemporary physics and in the traditions of Eastern philosophy.

At the same time, we mustn't forget his existential ethics, meaning his mindful responsibility over the freedom of performing. Since his association with the TBC and the creation of the

Pequeno Teatro de Comédia (Small Comedy Theater), it is widely known that Antunes lives the theater as a meaning of life which is above other more mundane and material interests, including turning it into a means of survival like any other.

As for his educational method, Antunes and the CPT are a case of their own in Brazil. If theater depends fundamentally on the actor, it is to him that we must direct our utmost energy, our greatest care. It's about availability of body and voice, but also about a state of mental concentration when creating gesture and scenic symbols. This way, I believe it to be absolutely necessary for the actor to develop two understandings: the first one, more evident and immediate, is of the role he performs in a given play; the other is of the artist and professional that decided to act in order to reveal the unfolding of human nature itself, in all its shades and details, in the most distinct social and historical circumstances. These are serious commitments, not hollow occupations.

In this trajectory, it is worth noticing, once again, that the partnership between Antunes Filho and Sesc has proven to be remarkably prolific, which is attested by the constant and high quality productions offered by the CPT, by the rare opportunity it affords for theatrical learning and accomplishment, and also by the cultural inclusion it promotes. Evidence of this is the continuous stream of spectators and the generous applause heard during performances at the Sesc Anchieta Theater.

This combination between institution, director and theater is, therefore, a haven of intelligence and dedication that should serve as an example to other institutions, not only those involved with theater, but any initiative related to artistic expression and development.

GHOSTS, SHADOWS AND REPRODUCIBILITY IN *XICA DA SILVA*

Ivan Delmanto

Like an invading and overflowing shadow
Of grey wing and slow rain
You banish the time that ceased
With your insane solitude. […]
So allure, so alone and remote
Like a ladder heading into deep sea
Immersing as I go down, in your realm
vested in decisive cloaks.

Jorge de Lima

A heated debate begins in the 1980s in Brazil revolving around the "emptiness" of theaters, increasingly affected by the absence and disinterest of the public. For many commentators writing in the press at the time, issues such as the decreasing income per capita and the rise in urban violence could explain this phenomenon. Antunes Filho's CPT seemed not to be immune to this grim scene. According to the *Anuário Teatral de 1988* (1988 Theater Yearbook), an internal publication assembled by Sesc São Paulo:

As for the Anchieta, it seems the audience has forgotten about it. […] It has housed for some time Antunes Filho and his CPT. *Xica da Silva* was not favored by the public. For many reasons, I believe. Firstly, because this version is very different from the movie, which pleases the audience so very much. The second reason has to do with the social moment we are facing. We are, today, a discouraged and disenchanted people. We do not wish to see our lack of success, our social failure, on stage. Even more so if we are charged with a great social responsibility for this failure. […] *Xica da Silva* showed us how naive and despicable we are as a society. No, nobody wanted to see that.

As it seems, the above excerpt gives us a rather more dialectical explanation for emptiness of the Sesc Anchieta Theater during the run of *Xica da Silva*. The audience crisis faced by theater in São Paulo was related to, besides issues such as urban violence and ticket pricing, the impasses faced by the segment in times of an exponential production of cultural products. This crisis must be further explained, for there are many contradictions: during the same period, audiences crowded playhouses staging the so-called "besteirol" [goofy] theater. This way, what really happens during the 1980s is a crisis in certain theatrical forms and manifestations, whose origin could be hidden in something more than just "a difficulty to contemplate our failure on stage". The clue we will be following is that the version of *Xica da Silva* presented by the CPT was too different from the popular film directed by Cacá Diegues, with whom it shared the plot. Maybe we can find, in this contest with its popular image – which reached a broad audience, thanks to the infinite technical reproducibility of cinema – hints to reexamine, decades later, CPT's *Xica da Silva*.

Walter Benjamin described *aura* as "[...] the unique appearance or semblance of distance, no matter how close it may be"[5]. He attributes this aura-like quality to objects that have the capacity of returning our look. This means that the object's own traces of time and living are what make us pay attention to it, confront ourselves with something deep, something which surpasses commercial or ornamental values. And so, the aura would be a vehicle that *reduces* speed, something that dilutes in or is incompatible with, according to the author, the *"shocks"* of modern times and capitalism's dreams of immediate consumption.

For Benjamin, the here and now, which are traits of the traditional work of art, disappear with the advent of technical reproducibility, resulting in the destruction of the work of art's aura and therefore shattering the very concept of art, which transforms itself from singular esthetic phenomenon into a mass event.

The multiplication of copies allows an event produced only once to transform itself into a mass phenomenon, allowing the reproduced object to offer itself to the eyes and ears of many, under any circumstances, keeping it permanently up to date. The birth of cinema would represent, for such reasons, the birth of an art form whose genesis does not rest on the sphere of tradition; on the contrary, it appears as a denial of the very essence of traditional art. Cinema would also arise as a possible art form not for its authenticity, but precisely for its reproducing possibilities, that is, something that used to be unique, made by a sole artist, only in his time, and which could be observed only in one place (concert halls, museums, etc.), could now be felt in different places and periods, or in many places at the same time, under different contexts and circumstances.

The pursuit for the representation of the moment and the "real" stand out as starting points for the rising cinematographic project. Consequences of this search can be found in the theories of Russian moviemaker Sergei Eisenstein, with his studies on *montage*. The procedure consists of developing a montage technique psychologically calculated to capture perceptions, that is, capable of attracting the spectator and conducting him via sensitive and psychological shocks, which, for their part, are the only possibility of reaching a conclusion that can be understood. These shocks were first used by Eisenstein in theater and then, later on, inevitably employed in cinema techniques.

However, this view of the discovery of cinema and loss of aura – which we find in Benjamin – as well as of every art which is submitted to technical reproduction, is still immersed in an optimism in which the loss of aura is necessary for art to reach new dimensions, breaking away from the 20th century bourgeoisie and opposing, with the use of the enemy's weapons, the supremacy of mass culture. This optimism is based on the idea that the closure of a certain conception of art must also result in the appearance of new esthetic possibilities, formed and ruled by other laws contrary to authenticity and longevity, linked to the concept of *repetition*.

If technical reproducibility can yet serve theater well, maybe the empty seats at *Xica da Silva* show us that, in these ultramodern times, some kinds of theater are bound to die. If technical reproducibility can yet serve theater well, maybe the full seats of the 1980s show us that any form of art, in times of esthetic appreciation of capital, can be massively reproduced, turned into merchandise and reach the essential patterns of standard circulation that a work of art must achieve in this technical reproducibility era. Such a contradiction, the coexistence of different and segmented theatrical forms and experiments, exemplifies the art with no aura of capital's latter stage, and any analysis that wishes to scrutinize the CPT's *Xica da Silva* must pay attention to this duality. Published at the time, one of the reviews of the play addresses such paradoxes:

> But the qualities that are the director's signature mark, such as the constant and dazzling surprises as the actors move on the empty stage, do not exempt the show from seeming incomplete. The action shreds itself, lacking some connections and with a certain mechanism of alternating political conversations with *Xica da Silva*'s folklore. The opening scene, with the narrator and the boy in a trunk, is weak, lazy and without consequence, since the narrator completely disappears afterwards.

---

5. Walter Benjamin, *A obra de arte na era da reprodutibilidade técnica*, São Paulo: L&PM, 2014.

This critic, as well as the public that forgot about the show directed by Antunes Filho, writes with the infinitely reproducible form of Cacá Diegues' movie close to heart. The criteria used to analyze *Xica da Silva* are contaminated by mass movie standards: the alleged "incompleteness" of the form and the "weak and lazy" beginning can't, in my opinion, be understood as flaws in Antunes's theatrical version, because they are actually aspects that distance *Xica da Silva* from the technical reproducibility of the artistic experience in mainstream cinema.

Art critic David Sylvester, in an essay on Paul Klee's later work, notices that his paintings are characterized by an agglomeration of symbols with no beginning or end since it seems they could go beyond the limits of the canvas or paper, and that they don't possess an axis, a focal point for the eyes to rest on while looking at the painting and organize all the rest.

Facing a senseless labyrinth or, sometimes, a confusing multitude of colors, the spectator tries to understand the painting by steading his eye on a focal point to which all symbols are oriented. In Klee's later work, every point is just as important as the next and there is never a point in which the spectator's eye can rest. According to Sylvester:

> The spectator soon discovers that this eye movement from symbol to symbol drags him, in his imagination, into the painting. He surrenders himself to this magnetic attraction, enters the painting at some point and starts traversing it. This is when the painting starts to become comprehensible and articulate. He finds a symbol and stops, moves through it and finds out that it indicates the direction he must then take, where the next symbol will be found. And so he travels along, returning many times to a symbol he's already visited only to find out that it now means something different from what it used to when he approached it from another direction[6].

Browsing around the painting is the first action taken by the creator-spectator: living inside the painting, an individual and unique experience that cannot be reproduced. For Paul Klee, the spectator's activity is not only spatial, but also temporal.

The accumulation and overlapping of multiple visions of a work of art represent the spectator's perception during different stages of a path he takes that lives inside the work, modifying his daily notion of time and space. Such a spectator meets successively with symbols in his journey through the piece, which, not being limited by its original frame, feels like a path that changes in structure as the spectator travels through it in time, with space being created by the spectator's movements and with the spectator himself always as a focal point. This way, the work becomes an eternal flux, and the spectator must project himself into this flow, because interpreting it consists in living inside this flux.

It might be possible for us to identify in the weak attendance of the CPT's *Xica da Silva* a theatrical form that is distant from the technical reproducibility standards of contemporary cinema. As staged by Antunes Filho, *Xica da Silva*'s form would be related to cinema's initial project, to Eisenstein's montage, capable of offering an invitation for the spectator to try out a new space and a new time, the space and time of theater plays, turning him into a playwright, a creator of meanings. As for his influences as a director, Antunes Filho asserts: "[…] first I'll say a phrase by Venturi, then I'll answer that I do like Bob Wilson, Tadeusz Kantor and Peter Brook. Venturi's quotation is the following: '[…] any element belonging to a given context has new meaning in another context'"[7].

It was up to *Xica da Silva*'s spectator to create his own contexts. To create this new time and space, the spectator should have opened before him the path that entices him to move and transform. Such an opening must remove him from his steadfast and judging rigid position and invite him to participate in the play's time and space.

In his 1938 essay named *Montage*, Sergei Eisenstein states that the concept of montage is similar to the product, for the final result obtained by the overlapping of different elements differs in quality from each of its composing elements considered separately. So, montage demands an active participation on the part of the spectator, who becomes, in relation to the work, a creator. Such a conception of montage would demand a transformation of the spectator from *consumer* to *consummator*, a requirement that might light up the ghost-filled auditorium seen during *Xica da Silva*'s run.

As we can see, montage would be related to the search for some true content, the truth of a reality that the work of art would be capable of revealing. This idea is present in Theodor Adorno's concept of *truth content*: "[…] works of art abandon

---

6. David Sylvester, *Sobre arte moderna*, São Paulo: Companhia das Letras, 2007.

7. Antunes Filho in interview for *Jornal da Tarde*, São Paulo: September 30, 1978.

the empirical world and produce a world with an essence of its own, opposed to the empirical, as if they also existed." Works of art would be like enigmas that "[...] by demanding a solution, allude to the truth content, which can only be reached through reflection"[8]. This personal and enigmatic world created by works of art is capable of revealing things about reality that couldn't be said in any other way, and in this resides their truth content.

SESC ANCHIETA THEATER: BIRTHPLACE OF A NEW DRAMA SCHOOL

Sebastião Milaré

The actors float. From the iron and glass structure emerge mysterious figures in between the light and shade created by the sophisticated lighting design. Carnival dancing to the rhythm of tragic pulsations. *Paraíso Zona Norte* (Paradise North Zone), which combines the plays *A falecida* (The Deceased Woman) and *Os sete gatinhos* (The Seven Kittens), both by Nelson Rodrigues, staged by the CPT/Grupo Macunaíma under the direction of Antunes Filho, brought remarkable esthetic progress to the stage of the Sesc Anchieta Theater, in 1989. There was the body of the Latin American man revealed through artistic symbols, as declared Argentinian playwright Osvaldo Dragún. This perception was soon endorsed by the press in the Latin American capitals where the production was staged.

In this same year, the first book on the Sesc Anchieta Theater was published and, in an article regarding the creation and activities of the CPT, including the productions presented on this stage since 1984, we can find the following statement by Antunes Filho: "[...] they are still imperfect works." He then added: "But all original creation possesses imperfections that only continuous work can eliminate. And Sesc understands quite well that we need time in order to obtain good results."[9] This was no case of false modesty, although these "imperfect works" were recognized as some of the best productions available in Brazilian dramatic arts. It was the artist's full awareness of the project in progress at the CPT. The "good results" were starting to appear, at the same moment in which this statement became public, with *Paraíso Zona Norte*, a landmark in the CPT's trajectory and in the development of its method. However, it was but the start of a new and surprising phase.

Esthetic accomplishments by the CPT shine at the Sesc Anchieta Theater during the 1990s. And not only regarding the art of performing, the basis of the method, but comprising all disciplines involved in the construction of a play. They worked together with the Núcleo de Cenografia (Set Designing Center), where J.C. Serroni, then coordinator, renewed concepts and

---

8. Theodor W. Adorno, *Teoria estética*, Lisboa: Edições 70, 1970.

9. Serviço Social do Comércio – Administração Regional no Estado de São Paulo, *Teatro Sesc Anchieta*, São Paulo: 1989, p. 118.

procedures, integrating set designing to the actors' research and adding to it the practices of sound design, coordinated by Raul Teixeira, and of lighting design, coordinated by Davi de Brito, areas that overlap and feed each other mutually. The performances reveal the progress in the team's research and the refinement in the actor's technique, which resulted in enhancing the idea of a metaphysical theater, Antunes Filho's basic proposition. In accordance with the CPT's ideology, which does not separate artistic creation from historical moment, these productions reflect on the problems faced by men at the end of the century. Beginning with *Nova velha estória* (New Old Story), based on *Little Red Riding Hood*, which uses the rite of passage from adolescence to adulthood as a metaphor for the establishment of a new international order, initiated with the fall of the Berlin wall. The hopes for peace are frustrated by wars, genocides, terrorist acts. In Brazil, civil society organized massive protests demanding the impeachment of the president, who had been chosen in the first direct vote elections in decades, for "suspicions" of corruption and other crimes. Everywhere Evil seemed to triumph. And Evil cannot be eradicated, but it must be put in its rightful place. With this approach emerges *Trono de sangue* (Throne of Blood), an acute interpretation of *Macbeth*, where Shakespeare's character is played as the Winter god, whose destructive power is neutralized and put to sleep by the coming of Spring, but will awaken in Autumn to once again rule in the following Winter. Massacres that became common in Brazil during the 1990s, directed against Indians, homeless people, street children, slum inhabitants and other social segments, are remembered in *Vereda da salvação*, by Jorge Andrade. To be able to fight Evil, human being must search for self-knowledge, take on responsibilities before one's community and carry with oneself the idea that no earthly thing will last... This is what we see in *Gilgamesh*, based on the Sumerian poem. The opposite of this is the limitless Evil of bloodlust tyrants who taint History. They need the blood of innocents to maintain their pseudo-life, which is the theme in *Drácula e outros vampiros* (Dracula and Other Vampires).

There was a time when the CPT remained secluded in the rehearsal room, when Antunes and his actors-disciples dedicated themselves to structuring their method. When they reappeared, it was not only with productions for the repertoire, but establishing a whole new program, of a purely experimental nature, with the Prêt-à-Porter journeys. In 1999, the CPT draws slowly towards Greek tragedy with *Fragmentos troianos* (Trojan Fragments), based on *The Trojan Women*, by Euripides. Theme-wise, what remained was the reflection on Evil, the destruction of cities and people, a clear reference to our times, but with its action fixed on Troy at the time of the Greek invasion. On a technical level, it represented the actors' preparation for the leap towards tragedy in its purest form. This came about with *Medea*, also by Euripides, a vigorous ecological discourse that premiered at Sesc Belenzinho. The CPT then returns to the Sesc Anchieta Theater with the role of tragedy in the group's ideology completely fulfilled, which is the updating of old myths in Sofocles' *Antigone*, where power and human ethics face each other.

All this considered, we can assert that the Anchieta was the birthplace of the esthetic school, now converted into a dramatic arts school, which increasingly established itself with every performance presented on its stage by the CPT/Grupo Macunaíma during the first decade of the new century. The productions are different in style, genre, tone, but share the same unique scenic personality. They range from dancing-theater, as in *Foi Carmen...* (It was Carmen...), to the tragic perspective of *Senhora dos afogados* (Our Lady of the Drowned), by Nelson Rodrigues. This same author wrote *A falecida vapt-vupt* (The Flash Deceased Woman), an opposite version of the same play we find in *Paraíso Zona Norte*, but now interpreted in the spirit of pop art and video art. The adaptation of modern classics of Brazilian literature analyzes the country's historical experience: *A Pedra do Reino* (The Stone of the Kingdom), by Ariano Suassuna, and *Policarpo Quaresma*, by Lima Barreto, proved that the humor found in *Macunaíma* remained unscathed. Also clear are the remarkable results achieved by the actors using the method conceived by Antunes Filho and developed at the CPT.

THE PLAYWRITING CIRCLE

João Roberto Faria

Among Antunes Filho's initiatives as head of the CPT, the Círculo de Dramaturgia (Playwriting Circle), created in 1999, deserves special attention, for it allowed young playwrights to engage in constant research and experimentation in dramatic writing. Leaving behind old playwriting manuals that teach how to write a play according to conventional rules, Antunes stimulates creativity, understood as the response to the stimuli received through the study of classic and contemporary playwriting and immersion in the cultural world. Without any pre-established paths to follow, authors choose themes and styles and write scenes that are then debated by all the members of the Circle and eventually rehearsed by CPT actors, in a way that, at the end of the process – which can take months or years – emerges a dramatic text matured by analysis and reflection.

In 2005, Sesc had the fortunate idea of publishing a book with five plays written by young playwrights involved in Antunes's creative method: *O canto de Gregório* (Gregório's Chant) and *O fim de todos os milagres* (The End of All Miracles), by Paulo Santoro; *O céu cinco minutos antes da tempestade* (The Sky Five Minutes Before the Storm), by Silvia Gomez; *Entre dois pregadores* (Between Two Preachers), by Paulo Barroso; and *Banhistas* (Bathers), by Rafael Vogt Maia Rosa[10].

The first thing that calls our attention in this assemblage is the quality of the language employed in the dialogues: the words that form the sentences are carefully chosen and it is not uncommon for poetry to make an appearance. They are not easy plays, like those focused on the plot, with a traditional conflict, development and resolution. The characters are dense, met while faced by unsolvable stalemates, in surprising situations, enduring crises and facing internal demons. Time and space are rarely determined, which means that what we read or watch on stage does not abide by the old realistic verisimilitude. This way, all plays possess a contemporary element, both in their formal aspects, working with the ruptures established by Brecht and Beckett in playwriting, which opened up possibilities that haven't yet been exhausted, and in the reflections brought up by the dialogues, which are of universal interest.

Antunes staged *O canto de Gregório* in 2005, and Paulo Santoro's premier turned out to be a pleasant surprise. His play tells the story of a man that lives "an unusual day," when he wants to learn how to be naturally kind. He confronts himself, distressed and torn between reason and emotion, while exchanging thoughts with figures like Jesus, Buddha, Socrates, to finally arrive at the conclusion that kindness is *logically* impossible. The dialogues' genius is guaranteed by wordplay and by the characters' arguments, which use logic in a ruthless and tormenting manner. Thinking makes us humans, of course, but it is also a burden we carry and that constantly punishes us. This is the meaning behind the judge's sentence, when Gregório is condemned for the murder of a man: "[...] to live shackled to a material body that has to be carried around." The author seems to dialogue with plays such as *The Exception and the Rule* and *The Good Person of Szechwan*, both by Brecht, but focusing on a different kind of register than that of political theater. He is interested in exploring all the logical possibilities offered by language.

O céu cinco minutos antes da tempestade, by Silvia Gomez, was also staged at the CPT, under the direction of Eric Lenate, in 2008. The play presents a heavy and suffocating atmosphere that revolves around only three characters. Initially, putting on stage a divorced couple and a daughter who lives with the mother seems like a quite conventional plot. The father's return, after many years, will always initiate a conflict. But the author goes further: she creates an unusual mood, placing the action in a carefully designed house, with a huge mail box in the living room, some common furniture and a medicine cabinet like the ones we find in hospitals. In the daughter's bedroom, a digital clock shows the same time incessantly, nine o'clock, and its alarm goes off all the time. Since the start of the play, we are sure to be far from psychological realism and that the characters will not face a common story. There is something surreal, absurd, a kind of expressionist deformity in this universe, in which practically no reference to the outside world is made, apart from the fact that psychoactive drugs are making people go crazy. The characters on stage are mentally unbalanced, both the mother, a nurse that feeds her daughter drugs, and the daughter herself, who can't remember how old she is and only thinks about running away, even if in the wrong direction, as she says. The return of the father does not represent a solution for this torn up family; the characters are doomed to unhappiness in this play, which has beautifully written and powerful dialogues.

---

10. Antunes Filho (coord.), *Círculo de Dramaturgia*, São Paulo: Edições Sesc, 2005.

The other plays in the book, yet to be staged, are equally good. Paulo Santoro proves once again his talent in *O fim de todos os milagres*, a title taken from a poem by Manuel Bandeira, in which life is represented as a miracle and death as "the end of all miracles". On stage, a couple of elderly people do nothing but talk. As the man says: "Nowadays we talk. To me it seems like we talk all the time." It is hard to write a play with this premise, but the author manages to draw our attention with simple conversations that pile up in a somewhat random manner. What do the characters talk about? About life, death, past, present, what they were, what they are, what they did or didn't do; they talk about love, music, their dead child, happiness and unhappiness, culminating in a surprising dispute between them when they argue on what would happen if the old man hired a prostitute, a wish – or a taunt – he manifests even without having physical conditions for such a thing. The strength of the dialogues is less in the topics discussed – after all, "everything is so empty and senseless" – than in the way they are written.

In *Entre dois pregadores*, Paulo Barroso also uses a carefully written text as a strategy to present the world of evangelical churches, with its female bishops and tithes taken from the poor, with the inflamed rhetoric of preachers, threatening all with the fires of hell. One of the plot's threads shows us the establishment of a crisis in a family's church, when one of its members, evidently possessed by the devil, according to other believers, commits blasphemy during a cult and reveals to the faithful the spurious businesses that are financed by their donations. Well-constructed characters and dialogues, the way the dramatic action is built and the scenery – a mansion with a basement that can be considered hell itself – turn the play into more than just an accusation of how faith has become a product in our times, and take it to another level.

Banhistas, by Rafael Vogt Maia Rosa[11], is a bit more hermetic than the other plays. The characters communicate without necessarily revealing the actual meaning of what is being said. Everything remains open in this plot and we, readers and spectators, must fill in the gaps. After all, as one of the characters says, "[…] it his hard, yes, to understand what's 'in between the lines', 'on the curb'". The action takes place in a somewhat abandoned bathing resort, where an older couple, who have a 29-year-old deaf-mute son, meets a younger couple. The resemblance of the young woman to a neighbor the couple once had – and who sang very well – unleashes in the man an incontrollable desire to make sure that they are mother and daughter. He still carries a tape with one of her songs – which they all listen to on a cassette player – and vague suggestions that he was once in love with her come out in his lines. As he is unhappy in the present, which crushes everything, he tells the young woman he would be very happy "[…] if he could be sure that some feelings, some truths, can survive in this life on a face so pretty as yours." The remembrance, however, simply confirms the ephemerality of things, both concrete, such as a house or a human body, and abstract, such as feelings.

As we can see, this first crop of the Playwriting Circle seems very promising. These young playwrights had the opportunity to compose their first materials with no hurry, exchanging ideas among themselves, receiving suggestions, reflecting on the chosen subjects, polishing the dialogues and perfecting the characters' description. The quality of their plays demonstrates that this experience must go on at the CPT, for it has immeasurable value for the strengthening of Brazilian playwriting. We hope that, in a not so distant future, other talented young people can reveal themselves as playwrights, and learn, in practice, that creativity and art go hand in hand.

---

11. Rafael Vogt Maia Rosa, "Banhistas", in: Antunes Filho (coord.), *op. cit.*

THE CLASHES OF COMEDY

Sérgio de Carvalho

*Dedicated to Davi, Edson and Róbson,
stage crew at the Sesc Anchieta Theater.*

Most theater artists believe that a performance must create a spiritual bond with the audience: an emotional or intellectual common experience. A good play, according to this view, is that in which the spectators share the laughs and tears evoked by maneuvers capable of turning personal and social differences into abstractions.

Contrary to that trend, epic theater is frequently faced by certain questions: what is the point of having sentimental unity in a society divided into classes? What aspects regarding theme and form are responsible for these soul-stirring effects and for their capacity of aggregating or disaggregating the audience?

These inquiries always demand practical reflections and are essential for epic theater, especially in its dialectic form, where the critical flow between stage and auditorium measures the work's artistic reach.

The first time Companhia do Latão faced this debate on the *role of the audience* was during the staging of *A comédia do trabalho* (The Comedy of Labor).

The play opened at the Sesc Anchieta Theater in August 2000. Formed by a group of artists who usually derive their joy from the subjects they are researching, not bothering much with the effects of the circulation of their work, Latão had, at that point, worried itself exclusively with the pleasure of learning and very little with the social reach of its work.

However, this orientation, which remains strong, was only rationalized during the run of the play *Saint Joan of the Stockyards*, in 1998, which brought us close to spectators who were very active from a political point of view, among which were social movements, such as MST (Landless Workers' Movement).

With Brecht's play we were faced, in an irreparable way, with the possibility of a productive pleasure derived not solely from formal invention, but also from social invention. That was when we started to break away from the purely cultural expectations that had risen around our theatrical work and went on to reflect about an increasingly necessary (considering the inequality of strength) confrontation with the productive system.

Therefore, *A comédia do trabalho* was conceived as a consequence of *Saint Joan*. On one hand, still, as a study of a given subject: the deterioration of labor in modern peripheral capitalism. This theme, in turn, required research on non-dramatic forms. On the other hand, as one of the research's pillars, there emerged the desire to deepen the political knowledge generated by the construction of relationships with audiences coming from social movements, trade unions, schools and associations. Considering the story of Brecht's *Joan*, we used to say among us: we shall make a play that allows the presence of a baby crying in its mother's lap, which will welcome workers who have nowhere to leave their children.

When we were invited to present *A comédia do trabalho* at the Sesc Anchieta Theater, my interest in staging something in *agitprop* style increased. As many others of my theater generation, I have a very warm relationship with this playhouse. Apart from being the best Italian stage in the city, with excellent technical, visual and acoustic conditions, it was a key place for the development of many of us, who watched important national and international plays there and also started out in festivals known as Sesc Journeys of Theater. For us, the Anchieta is a place of sophisticated theatrical research.

Due to a half organized spirit of contradiction, I imagined making *A comédia do trabalho* an experiment of anti-fetishist shock, which should even affect the playhouse. The play, signed by Márcio Marciano and me, but actually a collective creation, should have a strength proportional to its capacity of opposing post-modernist stereotypes about labor, class conflict and history. But it should also be capable of dismantling a cultural aura that was starting to dominate Latão's own work, despite its productive efforts, and which would be enhanced because of this premiere in a temple of "research theater". It was important, for that matter, for us to challenge the formal expectations that were intensified by our first night at the Sesc Anchieta Theater.

It is not the case here to describe the rehearsing process, already registered quite accurately. However, it is important to mention that it included some procedures that were new to the group: we organized previews for selected viewers. The first one at a theater school in Santo André. The second and most important one in a rural settlement, outdoors, in the countryside of the state of Paraná, where farmers from the region knocked down trees to delay the arrival of the peasants' buses. And a third one at a cultural center of a very poor neighborhood in the outskirts of São Paulo.

These sessions prepared the actors to face any audience: they made us amplify the narrative and adjust our timing to unexpected reactions. We were preparing our play to communicate with popular audiences that interfere loudly in shows.

When we started to prepare for the opening at the Sesc Anchieta Theater, we already knew that the dialogue between stage and auditorium should be about "occupation". The set design was partly built with a huge cloth that imitated newspaper advertisements of jobs, products and runaway slaves. It was positioned in such a way as to spread itself beyond the downstage. The bright lighting of a *bateria de geral* of two front rows and two opposite rows, filled by side spotlights with no gels or colored diffusion filters, was composed of many shades of white, according to the idea of a narrative intelligibility. The box set lost its sacredness by exposing its structures and opening itself through onstage elements. We organized the blocking so that the actors would occupy the apron as much as possible. The theatrical relationship was wide open. Everything was presented head to head, in a deliberate formal scheme that collided with the spectators' image of theater as "higher art." The more complex the fictional relationship being represented (and the play's dramatic structure was very sophisticated, articulating many levels underneath its straightforward speech), the more direct, communal and anti-individualistic was the scene. This way, the comical effect was born from an array of factors. It didn't come solely from the views on capitalism's struggles (which, invariably, divided the audience), but also from different opinions on the function of theater. It was a play that divided the spectators according to their views on class conflict: who are you laughing at? With whom?

There, on the Anchieta's stage, began not only the story of one of Companhia do Latão's most important plays, but also a new project, where analyzing theater's productive system and reflecting on ways to dismantle the audience's unifying *pathos* were tools to restore the task of criticizing ideology (a cat with nine lives that always reappears, as Bento Prado Jr. said).

The Sesc Anchieta Theater would later welcome more important dramatic productions by Companhia do Latão, such as *Visões siamesas* (Siamese Visions, 2004). But never was the theatrical space – and its ideology – so radically incorporated into a production as in *A comédia do trabalho*.

Once, during that crowded season, I overheard an elder man wearing glasses who was coming out of the bathroom say, quite loudly, to his wife: "there are some strange people inside". A moment later, the suspicious looking group came through the door, into the lobby: they were students, all young and black, some wearing caps and hip-hop culture clothes, brought from working-class suburbs by a politically engaged teacher. From this "strange group" came the biggest laughs in that session of a show which, despite its intelligence, was critized by many as being formally rude. In theater, what's decisive doesn't happen on stage, but through it.

EPILOGUE

In Brazil, working in the fields of art and culture is commonly considered hard due to issues related to creation, infrastructure and audience formation, as well as difficulties with financing and maintaining projects and/or cultural venues. Considering this context, the Anchieta Theater, with almost five decades of constant activities and with a high quality programming which is distinct, multiple and continuously renovated, is a reason for joy among many professionals that work with art and culture. It is also relevant to point out that over this period, even while undergoing two major renovations, its activities never ceased, being redirected to other spaces in Sesc Consolação. All this can be seen in the audience's commentaries, which reveal that the theater lover is always sure of finding something good to watch at the Anchieta Theater, even though he might have no idea what is playing when he leaves his house.

The history of Brazilian theater often focuses exclusively on dramaturgy. However, in the city of São Paulo, as of the 1990s, this perspective started changing thanks to theater groups who took for themselves the task of documenting their own political and esthetic experiences, allowing theater's history to be built and divulged through multiple references. Artists, critics, researchers, universities, publishing houses, all documented relevant experiences that show the theater's entire chain of production: backstage, staging, the audience's response, groups' trajectories, exhibition spaces, among others.

Therefore, we can conclude that the desire to share past experiences has taken subjects and institutions to register processes and organize and keep documents (when possible). Many theater groups started to document and write about their careers. And so, by gaining access to new objects to reflect upon, significant cultural sceneries can be revealed.

The knowledge of past experiences serves as a guide for the present, strengthens life and helps us understand the dialectics represented by the processes of remembering and forgetting. Considering the intensity of theatrical production processes, it is important to highlight that preserving the memory of a theater, an institution of a public character, means to fight against barbarity and oblivion.

As an art form which is defined by the brief encounter between time and space, artist and spectator, it is certain that the theatrical experience cannot be captured in its totality by any form of historical record, albeit the many efforts in this direction, remaining solely in the memory of those who shared the very moment in which the show was staged.

Thus, in our hands is yet another attempt to overcome the helplessness we feel in the face of our precarious memories, even though we must consider aspects related to the recording and keeping of documents, as well as access to information that involves daily theater life as an artistic manifestation or cultural space. So, even if some facts have been omitted or forgotten, when we talk about the Sesc Anchieta Theater, what it staged and the different perspectives on the experiences of artists, professionals and audience, we know that it is little more than the illusion of retrieving part of something that has been definitely lost.

THE AUTHORS

ALEXANDRE MATE
He holds a masters degree in educational theater from ECA/USP and a PhD in social history from FFLCH/USP. He is an undergraduate and post-graduation professor at the Arts Institute of Unesp and a researcher on theater with several publications. He has also been a member of important commissions for the selection of theater projects.

IVAN DELMANTO
Theater director, playwright and educator. Bachelor's degree in theater direction from ECA/USP, master's degree in literary theory and compared literature from FFLCH/USP. Currently doing PhD research in dramatic theory at the Dramatic Arts Department of ECA/USP. Worked in *BR-3*, by Teatro da Vertigem, as playwright and directing assistance. Director and playwright of II Trupe de Choque since 2000. Participates in the municipal Vocational Program, having occupied different positions since 2004.

JACÓ GUINSBURG
Retired professor of theater esthetics and dramatic theory at ECA/USP, journalist, literature and theater critic, translator and editor. Author of, among other works, *Diálogos sobre teatro* (Dialogues on Theater, together with Armando Sérgio da Silva, 1992); *Aventuras de uma língua errante: ensaios de literatura e teatro ídiche* (Adventures of an Errant Language: Essays on Yiddish Literature and Theater, 1996); *Stanislávski e o Teatro de Arte de Moscou* (Stanislavsky and Moscow's Art Theater, 2001). Organizer of the Coleção Judaica (Jewish Collection), in 13 volumes, and of Anatol Rosenfeld's writings, published by Perspectiva.

JOÃO ROBERTO FARIA
Professor of Brazilian literature at FFLCH/USP. CNPq researcher, member of Nupebraf (Núcleo de Pesquisa Brasil França; Brazil France Research Center – IEA/USP). Author of *O teatro realista no Brasil: 1855-1865* (Realist Theater in Brazil 1855-1865) (1993) and *Ideias teatrais: o século XIX no Brasil* (Theatrical Ideas: the 19th Century in Brazil) (2001), among other works. Collaborated in *Décio de Almeida Prado: um homem de teatro* (Décio de Almeida Prado: A Man of Theater) (1997). Helped coordinate *Dicionário do teatro brasileiro: temas, formas e conceitos* (Dictionary of Brazilian Theater: Themes, Forms and Concepts) (2006; 2ª ed. 2009). In 2008, he organized the volume *Machado de Assis: do teatro – textos críticos e escritos diversos* (Machado de Assis: Theater Reviews and Various Writings), collecting the author's critical production on theater.

MARIANGELA ALVES DE LIMA
Critic, essayist and researcher. Graduated from ECA/USP, she worked as a theater critic for *O Estado de S. Paulo* from 1971 to 2011. Member of Idart's research group between 1978 and 1987, an institution linked to the Municipal Culture Department of São Paulo. Author of, among other titles, *Teatro operário na cidade de São Paulo: teatro anarquista* (Workers' Theater in the City of São Paulo: Anarchist Theater) (together with Maria Thereza Vargas, 1980) and *Imagens do teatro paulista* (Images of São Paulo's Theater) (1985). Co-author with José Arrabal of *Anos 70 – Teatro* (The 70s – Theater) (1980) and *O nacional e o popular na cultura brasileira* (National and Popular Elements in Brazilian Culture) (1983).

MARIA THEREZA VARGAS
Brazilian theater researcher and historian. Graduated in dramatic writing and criticism from EAD/USP. Researcher for Idart between 1975 and 1997, an institution linked to the Municipal Culture Department of São Paulo. Among her main works are: *O teatro operário na cidade de São Paulo: teatro anarquista* (Workers' Theater in the City of São Paulo: Anarchist Theater) (together with Mariangela Alves de Lima, 1980); *Uma atriz: Cacilda Becker* (An Actress: Cacilda Becker) (together with Nanci Fernandes, 1983); *Giramundo: o percurso de uma atriz – Myrian Muniz* (Globetrotter: the Trajectory of an Actress – Myrian Muniz) (1998); *Cem anos de teatro em São Paulo* (One Hundred Years of Theater in São Paulo) (together with Sábato Magaldi, 2000).

NEWTON CUNHA
Promotor and organizer of cultural events at Sesc São Paulo between 1972 and 2007. Graduated in journalism with post-graduation in philosophy from Sorbonne. Author of *A felicidade imaginada: as relações entre os tempos de trabalho e de lazer* (Imagined Happiness: Relations Between Times of Labor and Leisure) (1987); and *Dicionário Sesc, a linguagem da cultura* (Sesc Dictionary, the Language of Culture) (2003). Also translated to

Portuguese *Ethic against Esthetic*, by Amélia Valcárcel; *Diderot, the Encyclopedian*; *Descartes, Selected Works*; *Spanish Theater of the Golden Age*, by Juan del Encina; *La Musique grecque*, by Théodore Reinach.

SEBASTIÃO MILARÉ
Journalist, writer, critic and researcher of theater. Worked as theater critic at *Artes* magazine for two decades. Theater curator at Centro Cultural São Paulo (São Paulo Cultural Center) for 15 years. Author of *Antunes Filho e a dimensão utópica* (Antunes Filho and the Utopian Dimension) (1994); *Batalha da quimera* (Battle of the Chimera) (2009); and *Hierofania: o teatro segundo Antunes Filho* (Hierophany: Theater According to Antunes Filho) (Edições Sesc, 2010), among other texts published in magazines and collective works, such as *Estrategias postmodernas y postcoloniales en el teatro latinoamericano*, organized by Alfonso de Toro (2004), and theater plays, such as *A solidão proclamada* (Solitude Proclaimed) (1998).

SILVANA GARCIA
Researcher, playwright and professor at ECA/USP. Author of *Teatro da militância* (Militancy Theater) (2005) and *As trombetas de Jericó: teatro das vanguardas históricas* (The Trumpets of Jericho: Theater of the Historical Vanguards) (1997), and of many other essays on Brazilian theater, published in Brazil and abroad. Worked as director of the Research Division at Idart (São Paulo Cultural Center/Municipal Culture Department, 2001-2004) and coordinator for São Paulo of the Royal Court's Dramatic Arts Project (2002-2004). Member of Cátedra Itinerante de Teatro Latino-Americano (Itinerant Chair of Latin-American Theater) and of the steering committee of Archivo Virtual de Artes Escénicas (Virtual Archive of Dramatic Arts – Universidade Castilla-La Mancha, Spain).

SILVIA FERNANDES
Professor at the Dramatic Arts Department of ECA/USP. CNPq researcher, works in the fields of contemporary Brazilian theater and dramatic theory. Former professor at the Dramatic Arts Department of the IA/Unicamp (University of Campinas), researcher for Idart, an institution linked to the Municipal Culture Department of São Paulo. Among other works, she published *Memória e invenção: Gerald Thomas em cena* (Memory and Invention: Gerald Thomas on Stage) (1996) and *Teatralidades contemporâneas* (Contemporary Theatricalities) (2010). In 2008 she organized with Jacó Guinsburg the work *O pós-dramático: um conceito operativo?* (The Post-Dramatic: an Operative Concept?).

SÉRGIO DE CARVALHO
Journalist, director, playwright, theater critic and professor of dramatic theater and dramatic literature at the Dramatic Arts Department of IA/Unicamp. Author of the script of *Paraíso perdido* (Lost Paradise), Antônio Araújo's first project ahead of Teatro da Vertigem. In 1997 he founded with other artists the group Cia. do Latão, responsible for staging *Saint Joan of the Stockyards* (1998), *A comédia do trabalho* (The Comedy of Labor) (2000) e *The Caucasian Chalk Circle* (2006), among other plays.

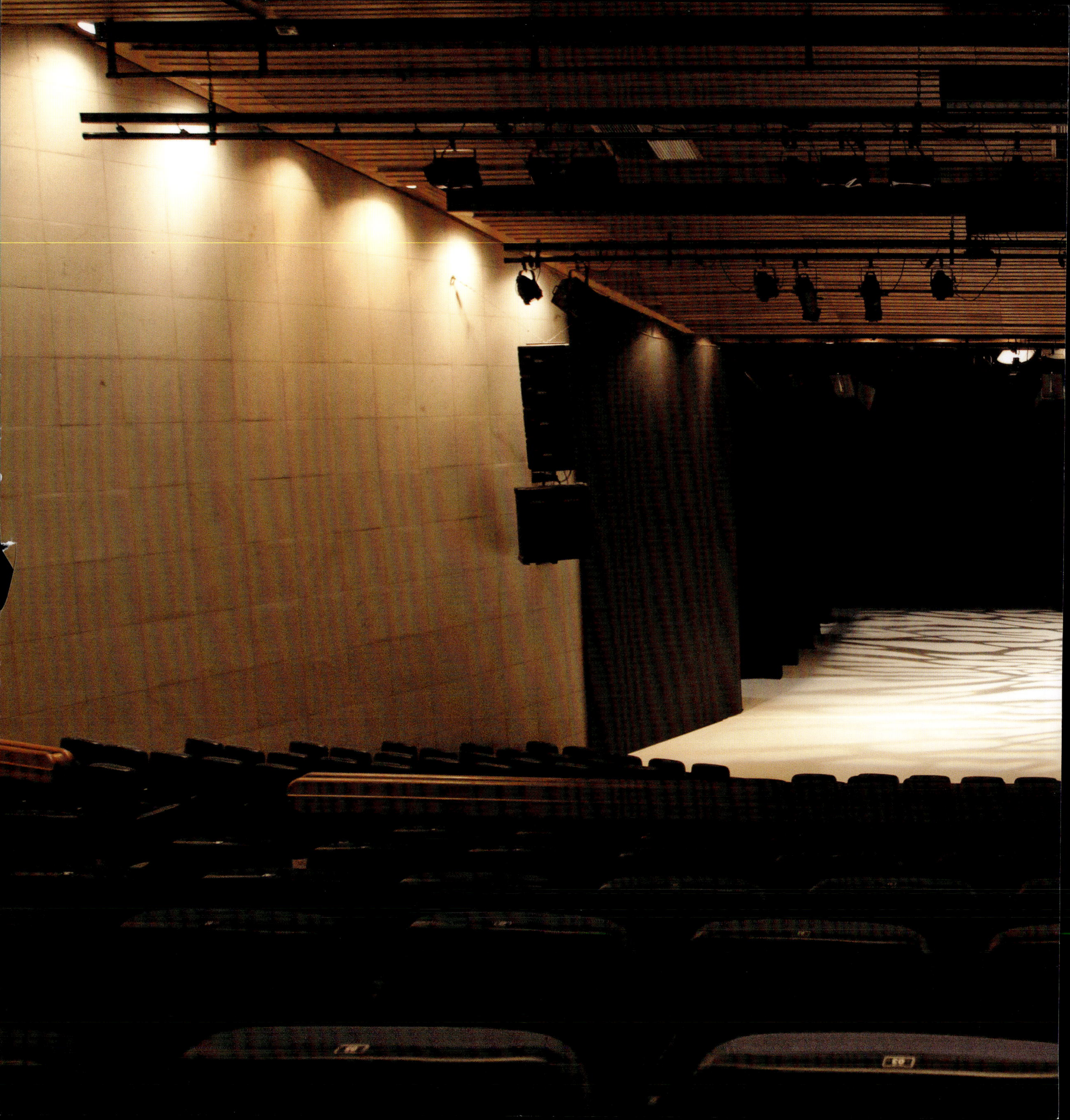

Fonte	Berkeley Oldstyle e Berthold Akzidenz Grotesk
Papel	Capa: Markatto Concetto Bianco 120 g/m²
	Miolo: Couché fosco 150 g/m²
Impressão	Ipsis Gráfica e Editora
Data	Junho de 2017

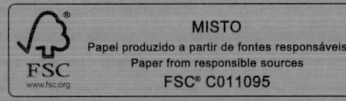

MISTO
Papel produzido a partir de fontes responsáveis
Paper from responsible sources
FSC® C011095